¡Arriba la **Lectura!**
Texas

Compañero de enseñanza ①

Autores y asesores

Alma Flor Ada • Kylene Beers • F. Isabel Campoy
Joyce Armstrong Carroll • Nathan Clemens
Anne Cunningham • Martha Hougen
Elena Izquierdo • Carol Jago • Erik Palmer
Robert Probst • Shane Templeton • Julie Washington

Consultores

David Dockterman • Mindset Works®
Jill Eggleton

Instrucciones para el uso del Compañero de enseñanza

El Compañero de enseñanza es un componente complementario para la Guía del maestro que proporciona notas de instrucción específicas para usar los textos de los estudiantes que aparecen en *mi*Libro con diferentes propósitos.

Notas azules
LEER PARA COMPRENDER

Use estas notas durante la primera lectura del texto para guiar la conversación colaborativa sobre las ideas más importantes de la selección.

 LEER PARA COMPRENDER

¿Por qué Marisol se va corriendo a los columpios a jugar sola? *(porque a Ollie y a Emma no les gusta su sugerencia de jugar a los piratas futbolistas)*

¿Qué les dice eso acerca de Marisol? *(Está más contenta si hace las cosas a su manera).*

TEKS 3.6F, 3.8B

DOK 3

Notas moradas
LECTURA EN DETALLE GUIADA

Use estas notas durante las lecturas posteriores para observar con detenimiento algunas secciones del texto y aplicar una destreza de lectura.

 LECTURA EN DETALLE GUIADA

Punto de vista

Pida a los estudiantes que vuelvan a leer las páginas 20 y 21 para analizar el punto de vista.

¿Quién es el narrador? *(Marisol)*

¿Qué palabras del párrafo 1 te ayudan a identificar al narrador? *("Me llamo Marisol McDonald y todo en mí desentona".)*

¿Se narra este cuento desde el punto de vista de la primera persona o de la tercera persona? ¿Cómo lo saben? *(primera persona; Marisol es tanto la narradora como uno de los personajes del cuento)*

SUGERENCIA PARA NOTAS: Pida a los estudiantes que subrayen las palabras que son pistas de que Marisol es la narradora en primera persona.

TEKS 3.7C, 3.10E

DOK 3

Notas amarillas

Use estas notas como apoyo para la enseñanza en las páginas que aparecen antes y después de cada selección.

Conversación académica

Red de vocabulario Guíe a los estudiantes para que piensen cómo se relaciona cada palabra con los personajes interesantes mientras deciden qué añadir a la Red de vocabulario. Recuerde a los estudiantes que regresen a esta página después de cada selección para añadir más palabras.

TEKS 3.3B, 3.3C, 3.7F

Notas rojas
OBSERVA Y ANOTA

Use estas notas para ayudar a los estudiantes a profundizar su comprensión a medida que aprenden a identificar características notables en el texto con el fin de lograr una mejor interpretación.

Observa y anota

Contrastes y contradicciones

Recuerde a los estudiantes que, a veces, los autores crean personajes que hacen cosas diferentes de lo que el lector puede esperar. Cuando los lectores encuentran una contradicción como esta, deberían preguntarse a sí mismos por qué es importante.

Pida a los estudiantes que expliquen cuál es la contradicción que hay aquí. *(Marisol comienza a tratar de combinar. Esto es diferente a su comportamiento anterior).*

SUGERENCIA PARA NOTAS: Pida a los estudiantes que resuman en el margen las tres formas en que Marisol trata de combinar. *(en su ropa, jugando a un juego normal y comiendo un sándwich de mantequilla de cacahuate y jalea)*

Pida a los estudiantes que reflexionen sobre la pregunta principal *¿Por qué habría de actuar el personaje de esta forma?*

TEKS 3.6G, 3.7C, 3.8B, 3.8C, 3.9A

DOK 3

¡Recibe una cordial bienvenida a miLibro!

¿Te gusta leer diferentes clases de textos por diferentes razones? ¿Tienes un género o un autor favorito? ¿Qué puedes aprender de un video? ¿Piensas detenidamente en lo que lees y ves?

Estas son algunas sugerencias para que obtengas el máximo provecho de lo que lees y ves:

Establece un propósito ¿Cuál es el título? ¿Cuál es el género? ¿Qué quieres aprender de este texto o video? ¿Qué te parece interesante?

Lee y toma notas A medida que lees, subraya y resalta palabras e ideas importantes. Toma notas de todo lo que quieras saber o recordar. ¿Qué preguntas tienes? ¿Cuáles son tus partes favoritas? ¡Escríbelo!

Haz conexiones ¿Cómo se relaciona el texto o el video con lo que ya sabes o con otros textos o videos que conoces? ¿Cómo se relaciona con tu propia experiencia o con tu comunidad? Expresa tus ideas y escucha las de los demás.

¡Concluye! Repasa tus preguntas y tus notas. ¿Qué fue lo que más te gustó? ¿Qué aprendiste? ¿Qué otras cosas quieres aprender? ¿Cómo vas a hacerlo?

Mientras lees los textos y ves los videos de este libro, asegúrate de aprovecharlos al máximo poniendo en práctica las sugerencias anteriores.

Pero no te detengas aquí. Identifica todo lo que quieras aprender, lee más sobre el tema, diviértete y ¡nunca dejes de aprender!

TABLA DE CONTENIDO

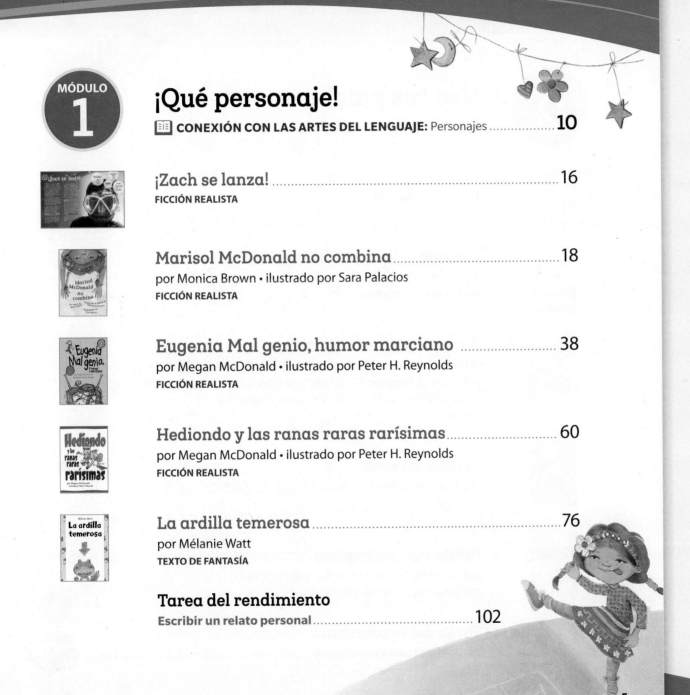

5

MÓDULO 5

Trabajo en equipo

🌐 **CONEXIÓN CON LOS ESTUDIOS SOCIALES:** Trabajo en equipo....... **364**

Presentar el tema

- **Lea en voz alta** el título del módulo: *¡Qué personaje!*

- **Diga a los estudiantes** que en este módulo van a leer cuentos con personajes valientes e interesantes.

- **Pida a los estudiantes** que compartan sus personajes preferidos de cuentos que hayan leído y que comenten qué hizo interesantes y memorables a esos personajes.

- **Luego pida a los estudiantes** que comenten las diferentes formas en las que se puede interpretar el título del módulo. (*Respuesta posible: La expresión significa que una persona es muy original e interesante. También significa que el personaje de un cuento es memorable*).

TEKS 3.1A, 3.1E, 3.6E

Comentar la cita

- **Lea en voz alta** la cita de John Wooden.

- **Inicie un debate** en el que los estudiantes comenten qué significa "ser fiel a uno mismo" y convertir un día en una "obra maestra". Explique el significado de la cita según sea necesario: *Ser fiel a uno mismo significa seguir los sentimientos y las creencias propias, no las de los demás. Una obra maestra es una obra de arte extraordinaria. Si haces de un día una obra maestra, haces algo atrevido, especial o interesante.*

- **Pida a los estudiantes** que nombren formas de hacer de cada día una obra maestra. (*Acepte respuestas razonables*).

TEKS 3.1A, 3.1E, 3.6E, 3.7A

¡Qué personaje!

"Sé fiel a ti mismo. Haz de cada día una obra maestra".

— John Wooden

10

Introduce the Topic
- **Read aloud** the module title, *¡Qué personaje!*
- **Tell students** that in this module they will be reading stories with bold, interesting characters.
- **Have students** share favorite characters from stories they have read and discuss what was interesting and memorable about these characters.
- **Then ask students** to discuss the different ways in which the module title can be interpreted. (*Possible response: The expression means that a person is very colorful and interesting. It also means that a character in a story is memorable.*)

Discuss the Quotation
- **Read aloud** the quotation by John Wooden.
- **Lead a discussion** in which students discuss what it means to "be true to yourself" and to make a day a "masterpiece." Explain the meaning of the quote, as needed: *Being true to yourself means following your own feelings and beliefs—not someone else's. A masterpiece is a great work of art. When you make a day a masterpiece, you do something bold, special, or interesting.*
- **Ask students** to name ways to make each day a masterpiece. (*Accept reasonable responses.*)

CONOCIMIENTOS Y DESTREZAS ESENCIALES DE TEXAS **3.1A** listen actively/ask relevant questions; **3.1E** develop social communication; **3.6E** make connections; **3.7A** describe personal connections to sources; **3.7F** respond using vocabulary; **3.9A** demonstrate knowledge of literature characteristics

? Pregunta esencial

¿Por qué son interesantes los personajes de los cuentos?

Video de
Mentes curiosas

Presentar la pregunta esencial

- **Lea en voz alta** la pregunta esencial.
- **Diga a los estudiantes** que en este módulo van a leer cuentos que les ayudarán a responder la pregunta esencial.
- **Pida a los estudiantes** que nombren cualidades que pueden hacer que un personaje de un cuento sea interesante.

TEKS 3.1A, 3.1E, 3.6E, 3.7A, 3.7F, 3.9A

Ver y responder a un video

- Use la rutina de **VISUALIZACIÓN ACTIVA** con el Video de Mentes curiosas: *Calamity Jane.*

TEKS 3.1A, 3.6E, 3.7A

Introduce the Essential Question
- **Read aloud** the Essential Question.
- **Tell students** that throughout this module, they will read stories that will help them answer the Essential Question.
- **Ask students** to name qualities that make a story character interesting.

View and Respond to a Video
- Use the **ACTIVE VIEWING** routine with the **Video de Mentes curiosas:** *Calamity Jane.*

Palabras de la idea esencial

Use la rutina de **VOCABULARIO** y las Tarjetas de vocabulario para presentar las Palabras de la idea esencial *individualidad, único, característica* y *personalidad*. Puede mostrar la Tarjeta de vocabulario correspondiente a cada palabra mientras la comenta.

1. **Diga** la Palabra de la idea esencial.
2. **Explique** el significado.
3. **Comente** la oración de contexto.

TEKS 3.3B, 3.7F

Red de vocabulario

Guíe a los estudiantes para que piensen cómo se relaciona cada palabra con los personajes interesantes mientras deciden qué añadir a la Red de vocabulario. Recuerde a los estudiantes que regresen a esta página después de cada selección para añadir más palabras.

TEKS 3.3B, 3.3C, 3.7F

Palabras acerca de personajes interesantes

Las palabras de la tabla de abajo te ayudarán a hablar y escribir sobre las selecciones de este módulo. ¿Cuáles de las palabras acerca de personajes interesantes ya has visto antes? ¿Cuáles son nuevas para ti?

Completa la Red de vocabulario de la página 13. Escribe sinónimos, antónimos y palabras y frases relacionadas para cada palabra.

Después de leer cada selección del módulo, vuelve a la Red de vocabulario y añade más palabras. Si es necesario, dibuja más recuadros.

PALABRA	SIGNIFICADO	ORACIÓN DE CONTEXTO
individualidad (sustantivo)	Tu individualidad es lo que te hace diferente de los demás.	Nuestro maestro nos recuerda que debemos respetar la individualidad de cada estudiante.
único (adjetivo)	Si algo o alguien es único, significa que no hay otro igual.	Cada copo de nieve tiene una forma única.
característica (sustantivo)	Una característica es una cualidad importante o interesante de una persona o cosa.	Le puse a mi perra el nombre de Pirata por la característica que tiene en un lado de la cara.
personalidad (sustantivo)	Tu personalidad es tu naturaleza o tu forma de pensar, sentir y actuar.	Mis padres dicen que mi hermano y yo tenemos personalidades diferentes.

12

Big Idea Words

Use the **VOCABULARY** routine and the **Tarjetas de vocabulario** to introduce the Big Idea Words *individualidad, único, característica,* and *personalidad*. You may wish to display the corresponding **Tarjeta de vocabulario** for each word as you discuss it.

1. **Say** the Big Idea Word.
2. **Explain** the meaning.
3. **Discuss** the context sentence.

Vocabulary Network

Guide students to think about how each word relates to interesting characters as they decide what to add to the Vocabulary Network. Remind students to come back to this page after each selection to add more words.

CONOCIMIENTOS Y DESTREZAS ESENCIALES DE TEXAS **3.3B** use context to determine meaning; **3.3C** identify meaning/use words with affixes; **3.7F** respond using vocabulary

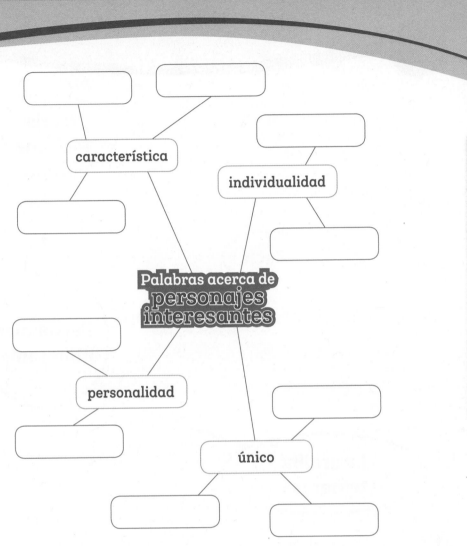

caractéristica

individualidad

Palabras acerca de
personajes
interesantes

personalidad

único

13

Mapa de conocimientos

- **Pida a los estudiantes** que añadan información al mapa de conocimientos después de leer la lectura breve, ¡*Zach se lanza!*, y al final de cada semana. Recuérdeles que repasen los textos para añadir detalles al mapa.

- **Al final del módulo, pida a los estudiantes** que trabajen en parejas o grupos pequeños para comparar y contrastar la información que añadieron a sus mapas de conocimientos.

TEKS 3.6B, 3.6E, 3.6H, 3.7A, 3.7G

Mapa de conocimientos

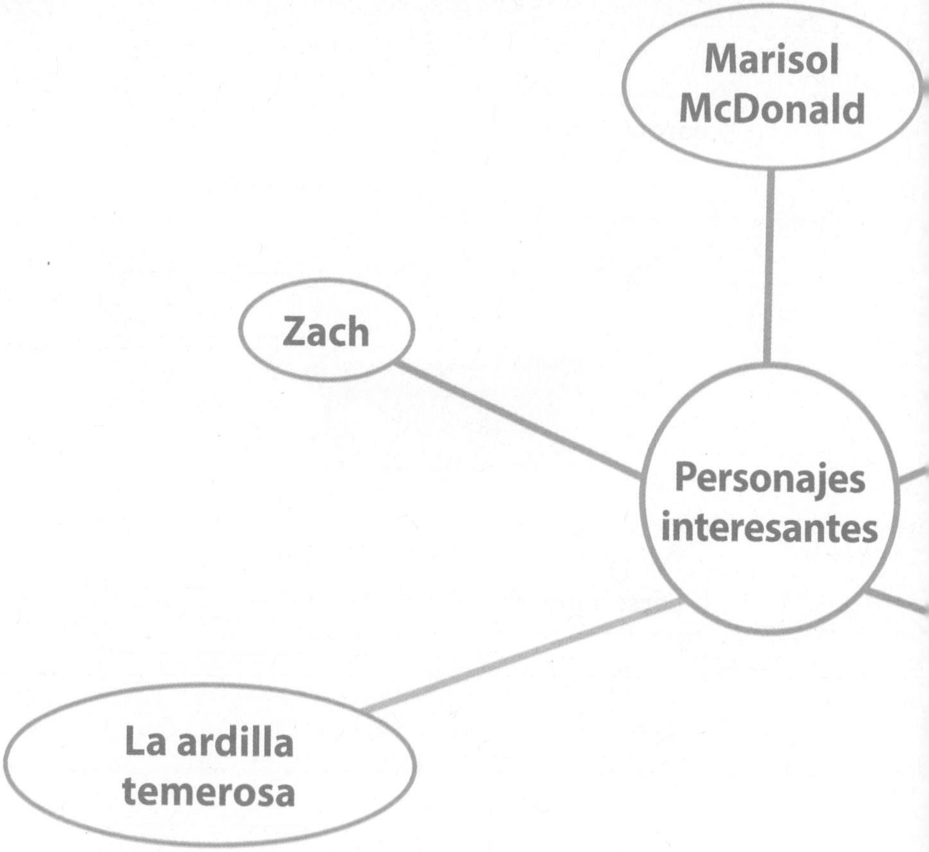

Marisol McDonald

Zach

Personajes interesantes

La ardilla temerosa

14

Knowledge Map

- **Have students** add information to the knowledge map after reading the Short Read, ¡*Zach se lanza!*, and at the end of each week. Remind students to review the texts to add details to the map.

- **At the end of the module, have students** work in pairs or small groups to compare and contrast the information they added to their knowledge maps.

CONOCIMIENTOS Y DESTREZAS ESENCIALES DE TEXAS **3.6B** generate questions about text; **3.6E** make connections; **3.6H** synthesize information; **3.7A** describe personal connections to sources; **3.7G** discuss text ideas

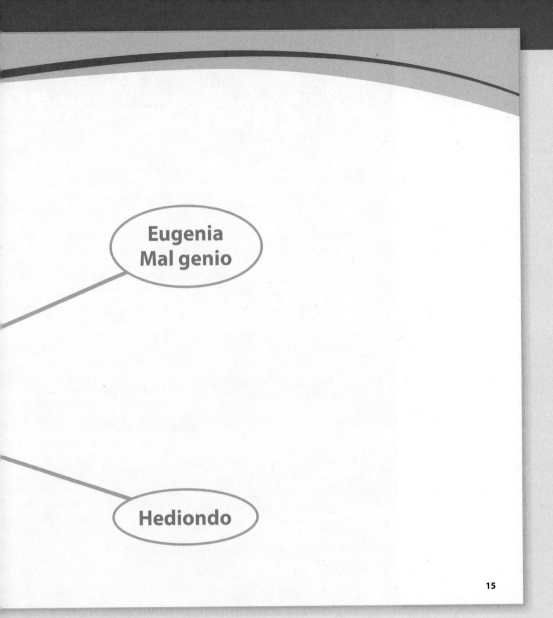

LEER PARA COMPRENDER

Presentar el texto

- **Lea en voz alta** el título. Explique a los estudiantes que este es un texto de ficción realista. Comente con ellos lo que saben sobre los cuentos realistas. *(Tienen personajes, ambientes y acontecimientos que son similares a los de la vida real).*

- **Guíe a los estudiantes** para que establezcan un propósito para la lectura.

- **Señale** las Palabras de la idea esencial que aparecen resaltadas.

- **Pida a los estudiantes** que lean el texto.

TEKS 3.6A, 3.6E, 3.9A

DOK 2

 LEER PARA COMPRENDER

Punto de vista

- **¿Sobre quién trata este cuento?** *(sobre un niño llamado Zach que es nadador)* **¿Es Zach el narrador del cuento?** *(no)*

- **¿Quién es el narrador?** *(el hermano o la hermana de Zach)* **¿Qué pistas de la primera oración les ayudan a saber quién es el narrador?** *(las palabras "Mi hermano mayor")*

SUGERENCIA PARA NOTAS: Pida a los estudiantes que subrayen las palabras del párrafo 1 que ayudan a identificar el narrador.

TEKS 3.7C, 3.10A

DOK 2

🖉 Mis notas

Lectura breve

¡Zach se lanza

Mi hermano mayor Zach es ⬜único⬜. No hay nadie como Zach. La mayoría de la gente lo admira porque es un deportista extraordinario, pero yo lo admiro porque se esforzó mucho para llegar a serlo. Zach es un nadador increíble. No es solo un nadador rápido y fuerte, sino también un súper campeón. Su habilidad es especialmente inusual porque Zach antes le tenía miedo al agua.

Cuando Zach tenía cinco años, se cayó en la piscina de los vecinos. El agua no le tapó la cabeza, pero aún así tuvo MUCHO miedo. Mamá lo sacó rápido de la piscina. No le pasó nada, pero a partir de aquel día, le tuvo terror al agua.

Cuando Zach tenía 10 años, fue a un campamento de verano. Ya en ese entonces le encantaban los deportes. Jugaba muy bien al béisbol y al baloncesto. Era muy competitivo y entrenaba mucho. Esta podría ser una ⬜característica⬜ principal de la ⬜personalidad⬜ de Zach. Siempre quiere ganar.

El único deporte en el que Zach no podía ganar era en natación. Le tenía mucho miedo al agua y por eso no podía aprender a nadar. Pero odiaba tenerle miedo al agua.

Entonces, Zach ideó un plan. Para ejecutarlo, necesitaba ayuda de su supervisor Trip. Todos los días, Trip iba con Zach al lago y cada día, Zach se acercaba más al agua. Un día, por fin, consiguió poner un dedo en el agua. Al día siguiente metió el pie entero. En una semana había conseguido meterse hasta las rodillas. Entonces, Zach se llenó de valentía e hizo lo que nunca antes había hecho. ¡Se lanzó al agua!

A Zach le gusta demostrar su ⬜individualidad⬜ haciendo las cosas de forma diferente. Ninguno de los niños del campamento había pasado de no saber nadar a convertirse en el campeón del campamento. Zach lo consiguió porque entrenó y se esforzó. Al final del verano ganó la prueba de natación del campamento. Después se unió al equipo de natación de la escuela. Y desde entonces lleva participando en competencias.

Ahora, Zach piensa que no hay nada que no pueda hacer. Ha dicho que su próximo desafío va a ser lanzarse desde el trampolín más alto. ¡Ay, mi querido hermano!

16

READ FOR UNDERSTANDING

Introduce the Text

- **Read aloud** the title. Tell students that this is realistic fiction. Discuss with students what they know about realistic stories. *(They have characters, settings, and events that are similar to those in real life.)*

- **Guide students** to set a purpose for reading.

- **Point out** the highlighted Big Idea Words.

- **Have students** read the text.

READ FOR UNDERSTANDING

Point of View

- **Who is this story about?** *(a boy named Zach who is a swimmer)* **Is Zach the narrator of this story?** *(no)*

- **Who is the narrator?** *(Zach's brother or sister)* **What clues in the first sentence help you know who the narrator is?** *(the words "Mi hermano mayor")*

ANNOTATION TIP: Have students underline the words in paragraph 1 that help identify the narrator.

 CONOCIMIENTOS Y DESTREZAS ESENCIALES DE TEXAS 3.6A establish purpose for reading; **3.6E** make connections; **3.7C** use text evidence; **3.9A** demonstrate knowledge of literature characteristics; **3.10A** explain author's purpose/message

Características de la personalidad
- único
- valiente
- competitivo
- decidido

Características físicas
- atlético
- fuerte

Zach

Desafíos
- superar los miedos
- aprender habilidades nuevas
- hacer las cosas de forma diferente

yo, mi

📖 **LEER PARA COMPRENDER**

Punto de vista

- **¿Este cuento se narra en la primera persona o en la tercera persona?** *(en la primera persona)*

- **¿Qué pistas del texto les ayudan a saberlo?** *(palabras como yo, mi)*

SUGERENCIA PARA NOTAS: Pida a los estudiantes que escriban en sus notas las palabras que demuestran que este cuento tiene un narrador en la primera persona.

TEKS 3.7C, 3.10A

DOK 2

📖 **LEER PARA COMPRENDER**

Punto de vista

- **¿Cuál es el punto de vista del narrador con respecto a Zach?** *(El narrador admira a Zach).*

- **¿Creen que Zach es una persona que deba admirarse? ¿Por qué?** *(Las respuestas variarán. Los estudiantes deben citar evidencias del texto para apoyar su opinión).*

SUGERENCIA PARA NOTAS: Pida a los estudiantes que encierren en un círculo las palabras de la red que mejor apoyan su punto de vista con respecto a Zach. *(Las respuestas variarán).*

TEKS 3.7C, 3.10A

DOK 2

17

READ FOR UNDERSTANDING
Point of View
- **Is this story told in the first person or the third person?** *(first person)*
- **What clues in the text help you know this?** *(words like yo, mi)*

ANNOTATION TIP: Have students write in their notes the words that show this story has a first-person narrator. *(yo, mi)*

READ FOR UNDERSTANDING
Point of View
- **What is the narrator's point of view about Zach?** *(The narrator admires Zach.)*
- **Do you think Zach is someone to admire? Why?** *(Responses will vary. Students should cite text evidence to support their opinion.)*

ANNOTATION TIP: Have students circle the words in the web that best support their point of view of Zach. *(Responses will vary.)*

Observa
y anota
Contrastes y
contradicciones

Prepárate para leer

ESTUDIO DEL GÉNERO   La **ficción realista** cuenta un cuento sobre personajes y acontecimientos que se parecen a los de la vida real.

- Los autores de la ficción realista cuentan un cuento a través de la trama que incluye un conflicto y una solución.
- La ficción realista está ambientada en un lugar que es importante para el cuento e incluye personajes que actúan, piensan y hablan como personas reales.
- La ficción realista puede incluir un mensaje o una lección que aprenden los personajes.

ESTABLECER UN PROPÓSITO   **Piensa en** el título y el género de este texto. ¿Qué crees que va a decir o hacer Marisol? ¿Cómo podría actuar? Escribe tus ideas abajo.

VOCABULARIO CRÍTICO
desentonan
guiña
sugiero
arruga
pastoso
usualmente
bilingüe
ronronea

Conoce a la autora y a la ilustradora:
Monica Brown y Sara Palacios

18

 LEER PARA COMPRENDER

Presentar el texto

- **Lea en voz alta** y comente la información sobre el género. Use las ilustraciones y el texto de las páginas 20 y 21 para comentar los siguientes elementos sobre la ficción realista:

  » Marisol tiene el mismo aspecto y actúa como una niña real. Juega al fútbol.

  » Habla como una niña de verdad.

  » Vive en una ciudad con tiendas y aceras con el mismo aspecto que una ciudad real.

- **Use** Mostrar y motivar: <u>Conocer a la autora y a la ilustradora 1.2</u> para aprender más sobre la autora y la ilustradora.

- **Pida a los estudiantes** que busquen el Vocabulario crítico mientras leen y que piensen en el significado de las palabras.

SUGERENCIA PARA NOTAS: Pida a los estudiantes que usen el recuadro para anotar lo que piensan que hará o dirá Marisol en el cuento.

TEKS 3.6A, 3.9A

DOK 2

READ FOR UNDERSTANDING

Introduce the Text

- **Read aloud** and discuss the genre information. Use the illustrations and text on pages 20–21 to discuss the following elements of realistic fiction:

  » Marisol looks and acts like a real girl. She plays soccer.

  » She speaks like a real girl.

  » She lives in a town with stores and sidewalks that look like they could be in a real town.

- **Use Mostrar y motivar: Conocer a la autora y a la ilustradora 1.2** to learn more about the author and illustrator.

- **Tell students** to look for the Critical Vocabulary as they read, and think about the words' meanings.

ANNOTATION TIP: Have students use the box to note what they think Marisol will do or say in the story.

Marisol
McDonald
no
combina

Un cuento de
Monica Brown

Traducción al español de
Adriana Domínguez

Ilustraciones de
Sara Palacios

19

 LEER PARA COMPRENDER

Establecer un propósito

- **Pida a los estudiantes** que miren las ilustraciones de las primeras páginas de *Marisol McDonald no combina* y que conversen sobre el ambiente realista y sobre cómo piensan que podría actuar una niña que "no combina" con nada.

- **Guíe a los estudiantes** para que establezcan un propósito para la lectura. Hable con ellos sobre qué creen que tratará el cuento.

TEKS 3.6A

DOK 2

READ FOR UNDERSTANDING

Set a Purpose

- **Have students** look at the illustrations on the first few pages of *Marisol McDonald no combina* and discuss the realistic setting and how students think a girl who "doesn't match" might act.

- **Guide students** to set a purpose for reading. Discuss with them what they think the story will be about.

1 Me llamo Marisol McDonald y todo en mí desentona.
Al menos, eso es lo que me dicen todos.

❀ ❀ ❀

20

LEER PARA COMPRENDER

¿Qué es lo que probablemente quiere decir Marisol cuando dice que "todo en mí desentona"? *(Marisol probablemente quiere decir que su ropa desentona).*

¿Qué detalles de la ilustración les ayudan a saber lo que quiere decir? *(Parece que su ropa no combina. Su blusa es rosada con lunares. Su vestido es anaranjado. Sus calzas son verdes, pero sus medias son amarillas. Lleva unas zapatillas anaranjadas. Tiene las trenzas atadas con dos telas diferentes).*

TEKS 3.6F, 3.6G, 3.10C

DOK 3

READ FOR UNDERSTANDING

What does Marisol probably mean when she says "todo en mí desentona"? *(Marisol probably means her clothes don't match.)*

What details in the illustration help you know what she means? *(Her clothes seem not to match. Her shirt is pink with polka dots. Her dress is orange. Her leggings are green, but her socks are yellow. She has orange sneakers. Her braids are tied with two different kinds of fabric.)*

CONOCIMIENTOS Y DESTREZAS ESENCIALES DE TEXAS **3.6F** make inferences/use evidence; **3.6G** evaluate details; **3.7C** use text evidence; **3.8D** explain influence of setting on plot; **3.10C** explain use of print/graphic features

2 Cuando juego al fútbol con mi primo Tato, él me dice:
—Marisol, tu piel es morena como la mía, pero tu pelo es del color de las zanahorias. ¡Tú no combinas con nada!

3 —En realidad, mi pelo es del color del fuego —le contesto pateando la pelota, que vuela sobre su cabeza, llegando al arco.

🔍 LECTURA EN DETALLE GUIADA

Punto de vista

Pida a los estudiantes que vuelvan a leer las páginas 20 y 21 para analizar el punto de vista.

¿Quién es el narrador? *(Marisol)*

¿Qué palabras del párrafo 1 te ayudan a identificar al narrador? *("Me llamo Marisol McDonald y todo en mí desentona".).*

¿Se narra este cuento desde el punto de vista de la primera persona o de la tercera persona? ¿Cómo lo saben? *(primera persona; Marisol es tanto la narradora como uno de los personajes del cuento)*

SUGERENCIA PARA NOTAS: Pida a los estudiantes que subrayen las palabras que son pistas de que Marisol es la narradora en primera persona.

TEKS 3.7C, 3.10E

DOK 3

📖 LEER PARA COMPRENDER

¿Por qué piensa Tato que Marisol no combina con nada? *(Piensa que no combina con nada porque tiene la piel morena como él, pero su pelo es del color de las zanahorias).*

TEKS 3.6F, 3.8D

DOK 3

21

TARGETED CLOSE READ

Point of View

Have students reread pages 20–21 to analyze the point of view.

Who is the narrator? *(Marisol)*

Which words in paragraph 1 help you identify the narrator? *("Me llamo Marisol McDonald y todo en mí desentona.")*

Is this story told in the first-person or third-person point of view? How can you tell? *(First-person. Marisol is both the narrator and a character in the story.)*

ANNOTATION TIP: Have students underline the words that are clues that Marisol is a first-person narrator.

READ FOR UNDERSTANDING

Why does Tato think Marisol doesn't match? *(He thinks she doesn't match because she has brown skin like him but hair the color of carrots.)*

Hacer y confirmar predicciones

DEMOSTRAR CÓMO HACER UNA PREDICCIÓN

PENSAR EN VOZ ALTA *A Marisol no le importa lo que piensan Tato y su hermano. Cree que su ropa va muy bien junta. Veo que ella sonríe y baila. Predigo que Marisol no quiere combinar con nada y nunca va a intentar combinar con nada. Leeré para ver si mi predicción es correcta.*

SUGERENCIA PARA NOTAS: Pida a los estudiantes que escriban sus propias predicciones.

TEKS 3.6C, 3.7C

DOK 3

Mis notas

Las respuestas variarán.

Respuesta de ejemplo: La autora cree que es fantástico que Marisol no combine porque hace como que Marisol está muy contenta de esa forma.

---

4 **M**i hermano dice:
—Marisol, esos pantalones no combinan con esa blusa. ¡Desentonan!

5 Pero a mí me encantan los lunares verdes y las rayas moradas. Creo que van muy bien juntos. ¿No crees?

> **desentonan** Los colores o estampados que desentonan lucen muy extraños o desagradables cuando están juntos.

LECTURA EN DETALLE GUIADA

Punto de vista

Pida a los estudiantes que vuelvan a leer las páginas 21 y 22 para comparar sus puntos de vista con los puntos de vista del personaje y de la autora.

¿Qué personajes comparten el mismo punto de vista? ¿Cuál es ese punto de vista? *(Tato y el hermano de Marisol creen que ella no combina con nada, y parecen pensar que eso es un problema).*

¿Están de acuerdo con los niños, con Marisol o tienen un punto de vista diferente? ¿Por qué? *(Respuesta de ejemplo: No estoy de acuerdo con los niños. Comparto el punto de vista de Marisol. Creo que ella luce maravillosa).*

SUGERENCIA PARA NOTAS: Pida a los estudiantes que escriban una nota que exprese el punto de vista de la autora sobre Marisol.

TEKS 3.7C, 3.8B

DOK 3

22

READ FOR UNDERSTANDING

Make and Confirm Predictions
MODEL MAKING A PREDICTION

THINK ALOUD *Marisol doesn't care what Tato and her brother think. She thinks her clothes go great together. I see that she is smiling and dancing. I predict that Marisol doesn't want to match and will never try to match. I will read to see if my prediction is correct.*

ANNOTATION TIP: Have students write their own predictions. *(Responses will vary.)*

TARGETED CLOSE READ

Point of View

Have students reread pages 21–22 to compare their point of view with the characters' and author's points of view.

Which characters share the same point of view? What is it? *(Tato and Marisol's brother both think she doesn't match, and they seem to think that is a problem.)*

Do you agree with the boys, with Marisol, or do you have a different point of view of your own? Why? *(Sample response: I don't agree with the boys. I share Marisol's point of view. I think she looks great.)*

ANNOTATION TIP: Have students write a note that tells the author's point of view of Marisol. *(Sample response: The author thinks it is great that Marisol doesn't match because the author makes Marisol very happy that way.)*

 CONOCIMIENTOS Y DESTREZAS ESENCIALES DE TEXAS 3.3B use context to determine meaning; **3.6C** make/correct/confirm predictions; **3.7C** use text evidence; **3.8B** explain relationships among characters; **3.8C** analyze plot elements; **3.10C** explain use of print/graphic features

⁶ **T**ambién me encantan los burritos de mantequilla de cacahuate y jalea, y hablar español e inglés, a veces al mismo tiempo.

⁷ —¿Puedo tener un perrito? ¿Un *puppy* dulce y peludito? —les pido a mis padres—. *Please?*

⁸ —Quizás —dice mami.

⁹ —*Maybe* —dice *Dad* sonriendo y me guiña un ojo.

> **guiña**   Una persona guiña un ojo cuando lo cierra rápidamente mirando hacia otra persona con quien comparte una broma o secreto.

📖 LEER PARA COMPRENDER

¿Por qué incluye la autora palabras en inglés? *(para demostrar que Marisol sabe hablar los dos idiomas)*

¿Qué significa *puppy*? *(perrito)*

¿Cómo lo saben? *(Marisol dice que a ella le gusta hablar con una combinación de inglés y español. Luego, pide un perrito y repite la pregunta usando la palabra en inglés).*

SUGERENCIA PARA NOTAS: Pida a los estudiantes que subrayen la palabra que significa lo mismo que *maybe*.

TEKS 3.3B, 3.8C, 3.10C

DOK 2

READ FOR UNDERSTANDING

Why does the author include English words? *(to show that Marisol can speak both languages)*

What does *puppy* mean? *(perrito)*

How can you tell? *(Marisol says she likes speaking in a mixture of English and Spanish. Then she asks for a puppy and repeats the question using the English word.)*

ANNOTATION TIP: Have students underline the word that means the same thing as *maybe*.

✿ ✿ ✿

10 **A** mi maestra, la Srta. Apple, no le gusta como firmo mi nombre.

11 —Marisol McDonald —dice—, ¡esto no coordina! <u>En la escuela aprendemos a escribir en letra de imprenta y en cursiva, pero no a usarlas a la misma vez.</u>

12 Pero a mí me gusta como luce *Marisol* McDonald cuando lo escribo.

24

 LEER PARA COMPRENDER

¿Por qué no coordina la forma en que Marisol firma su nombre? *(Marisol escribe su nombre en cursiva y su apellido en letra de imprenta).*

SUGERENCIA PARA NOTAS: Pida a los estudiantes que subrayen las palabras que dice la Srta. Apple para explicar que la firma de Marisol no coordina.

TEKS 3.6F, 3.7C, 3.8D

DOK 3

READ FOR UNDERSTANDING

How does the way that Marisol signs her name not match? *(Marisol writes her first name in cursive and prints her last name.)*

ANNOTATION TIP: Have students underline the words Ms. Apple says that explains Marisol's signature mismatch.

CONOCIMIENTOS Y DESTREZAS ESENCIALES DE TEXAS 3.6E make connections; **3.6F** make inferences/use evidence; **3.6G** evaluate details; **3.7C** use text evidence; **3.8D** explain influence of setting on plot; **3.10C** explain use of print/graphic features

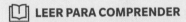 **LEER PARA COMPRENDER**

¿Qué detalles de la ilustración son pistas de que el ambiente es como un salón de clases real? *(La jaula del hámster, el extintor y el tablero son cosas que se ven en un salón de clases real).*

TEKS 3.6E, 3.6G, 3.7C, 3.8D, 3.10C

DOK 3

READ FOR UNDERSTANDING

Which details in the illustration are clues that the setting is like a real classroom? *(The hamster cage, fire extinguisher, and board are things that you see in a real classroom.)*

13 En el recreo, Ollie y Emma quieren jugar a
los piratas, pero Noah quiere jugar al fútbol.

14 —¿Por qué no jugamos a los piratas futbolistas?
—les sugiero.

15 —¡Porque no! —contestan, y me voy
corriendo a los columpios a jugar sola.

16 Después del recreo tenemos la clase de arte, mi favorita.
Creo que mis dibujos sorprenden a mis amigos.

sugiero Si sugiero una cosa, le doy a otra persona ideas o planes
para que piense en ellos.

26

 LEER PARA COMPRENDER

**¿Por qué Marisol se va corriendo a los columpios a
jugar sola?** *(porque a Ollie y a Emma no les gusta su
sugerencia de jugar a los piratas futbolistas)*

¿Qué les dice eso acerca de Marisol? *(Está más contenta
si hace las cosas a su manera).*

TEKS 3.6F, 3.8B

DOK 3

READ FOR UNDERSTANDING

**Why does Marisol run off to play on the swings by
herself?** *(because Ollie and Emma don't like her
suggestion to play soccer-playing pirates)*

What does that tell you about Marisol? *(She is happiest
doing things her way.)*

CONOCIMIENTOS Y DESTREZAS ESENCIALES DE TEXAS 3.6F make inferences/use evidence; **3.7C** use text evidence; **3.8B** explain relationships among characters;
3.8D explain influence of setting on plot

17 A la hora del almuerzo, Ollie se me acerca y arruga la nariz.

18 —¿Un burrito de mantequilla de cacahuate y jalea? —pregunta.

19 —Ya sé, ya sé —le contesto—, no parece una buena combinación. ¡Pero es delicioso!

20 —Marisol, ¡tú no podrías hacer que algo combine bien aunque trataras! —dice Ollie.

21 —¿Ah, sí? ¡Te apuesto a que sí puedo!

arruga Una persona arruga la nariz para expresar disgusto.

27

🔍 LECTURA EN DETALLE GUIADA

Elementos literarios

Pida a los estudiantes que vuelvan a leer las páginas 26 y 27 para analizar los ambientes.

¿Cómo cambia el ambiente en estas páginas? *(Primero, Marisol está afuera en el recreo. Luego, está adentro en la clase de arte y en la hora del almuerzo).*

¿Cómo cambian las actividades de Marisol en los diferentes ambientes? *(Cuando está afuera en el recreo, Marisol está con sus amigos o juega sola en los columpios. Cuando está adentro, hace dibujos y almuerza).*

TEKS 3.7C, 3.8D

DOK 3

TARGETED CLOSE READ

Literary Elements

Have students reread pages 26–27 to analyze the settings.

How does the setting change on these pages? *(First, Marisol is outside at recess. Then she is inside doing art and eating lunch.)*

How do the settings change what she is doing? *(Outside at recess, she can play with her friends or be alone on the swings. Inside, she can make a drawing and eat lunch.)*

(en su ropa, jugando a un juego normal y comiendo un sándwich de mantequilla de cacahuate y jalea)

Observa y anota

Contrastes y contradicciones

- **Recuerde a los estudiantes** que, a veces, los autores crean personajes que hacen cosas diferentes de lo que el lector puede esperar. Cuando los lectores encuentran una contradicción como esta, deberían preguntarse a sí mismos por qué es importante.

- **Pida a los estudiantes** que expliquen cuál es la contradicción que hay aquí. *(Marisol comienza a tratar de combinar. Esto es diferente a su comportamiento anterior).*

SUGERENCIA PARA NOTAS: Pida a los estudiantes que resuman en el margen las tres formas en que Marisol trata de combinar.

- **Pida a los estudiantes** que reflexionen sobre la pregunta principal *¿Por qué habría de actuar el personaje de esta forma?*

TEKS 3.6G, 3.7C, 3.8B, 3.8C, 3.9A

DOK 3

❋ ❋ ❋

22 Cuando me despierto al día siguiente, decido que hoy, Marisol McDonald, va a combinar todo bien.

23 No es fácil encontrar ropa del mismo color.

24 Juego a los piratas con Ollie en el recreo, pero no me divierto mucho. ¿Por qué no pueden jugar al fútbol los piratas?

25 Como un sándwich de mantequilla de cacahuate y jalea a la hora del almuerzo, pero el pan sabe… pastoso.

pastoso Algo pastoso es blando y pegajoso.

28

NOTICE & NOTE

Contrasts and Contradictions

- **Remind students** that authors sometimes have characters do things that seem different than what a reader might expect. When readers come across a contradiction like this, they should ask themselves why it is important.

- **Have students** explain what the contradiction is here. *(Marisol starts to try to match. It is the different from her previous behavior.)*

ANNOTATION TIP: Have students summarize in the margin the three ways in which Marisol tries to match. *(in her clothes, by playing an ordinary game, and in eating a peanut butter and jelly sandwich)*

- **Have students** reflect on the Anchor Question: *Why would the character act this way?*

CONOCIMIENTOS Y DESTREZAS ESENCIALES DE TEXAS **3.6C** make/correct/confirm predictions; **3.6F** make inferences/use evidence; **3.6G** evaluate details; **3.7C** use text evidence; **3.8B** explain relationships among characters; **3.8C** analyze plot elements; **3.8D** explain influence of setting on plot; **3.9A** demonstrate knowledge of literature characteristics

📖 **LEER PARA COMPRENDER**

Miren las ilustraciones de estas páginas. ¿Creen que a Marisol le guste combinar? ¿Por qué lo saben? *(No, no parece que le guste. Frunce el ceño y parece muy triste).*

SUGERENCIA PARA NOTAS: Pida a los estudiantes que subrayen las tres palabras que expresan que a Marisol no le gusta combinar.

TEKS 3.6F, 3.7C, 3.8D

DOK 3

📖 **LEER PARA COMPRENDER**

Hacer y confirmar predicciones
CORREGIR UNA PREDICCIÓN

Vuelvan a pensar en la predicción que hicieron en la página 22. ¿Fue correcta su predicción? ¿Cómo la corregirían si no lo fue? *(Si es necesario, los estudiantes deben corregir sus predicciones usando evidencias del texto).*

Si algún estudiante tiene dificultades para corregir sus predicciones, use este modelo:

💬 **PENSAR EN VOZ ALTA** *En un primer momento predije que Marisol nunca trataría de combinar. Pero ella cambió de idea. Está intentando combinar, pero se siente muy triste. Mi nueva predicción es que dejará de combinar de nuevo porque se siente muy triste.*

TEKS 3.6C

DOK 3

29

READ FOR UNDERSTANDING

Look at the illustration on these pages. Does Marisol look like she enjoys matching? How can you tell? *(No, she doesn't. She is frowning and looks very unhappy.)*

ANNOTATION TIP: Have students underline the three phrases that express Marisol's feelings about matching.

READ FOR UNDERSTANDING

Make and Confirm Predictions
CORRECT A PREDICTION

Revisit the prediction you made on page 22. Was your prediction correct? How might you correct it if it wasn't? *(If necessary, students should correct their predictions using text evidence.)*

If student have difficulty correcting their predictions, use this model:

THINK ALOUD *I first predicted that Marisol will never try to match. But she changed her mind! She is trying to match, but she's unhappy about it. My new prediction is that she will go back to not matching again, because she's so unhappy.*

LEER PARA COMPRENDER

Comparen los dibujos que hace Marisol en las páginas 26 y 30.

¿En qué se diferencian los dibujos de Marisol? *(El primer dibujo de Marisol es muy inusual e interesante. Su segundo dibujo es más común y aburrido).*

¿Qué piensa Marisol sobre su nuevo dibujo? *(No está contenta y piensa que es aburrido).*

SUGERENCIA PARA NOTAS: Pida a los estudiantes que subrayen las pistas del texto que demuestran lo que Marisol piensa sobre su nuevo dibujo.

TEKS 3.6F, 3.7C, 3.10C

DOK 3

26 Hasta la clase de arte me aburre un poco.

27 —Marisol, ¿qué sucede? Usualmente tu trabajo es mejor —dice la Srta. Apple.

28 —Estoy tratando de combinar bien y coordinar con todo —le contesto frunciendo el ceño.

29 —¿Por qué? —pregunta la Srta. Apple.

30 No se me ocurre una buena razón.

usualmente Las cosas que haces usualmente, las haces de manera usual, habitual o como de costumbre.

30

READ FOR UNDERSTANDING

Compare the drawings that Marisol does on pages 26 and 30.

How are Marisol's drawings different? *(Marisol's first drawing is very unusual and interesting. Her second drawing looks typical and dull.)*

How does Marisol feel about her new drawing? *(She is not happy and thinks it is boring.)*

ANNOTATION TIP: Have students underline the clues in the text that show how Marisol feels about her new drawing.

 CONOCIMIENTOS Y DESTREZAS ESENCIALES DE TEXAS **3.6F** make inferences/use evidence; **3.7C** use text evidence; **3.8B** explain relationships among characters; **3.10C** explain use of print/graphic features

³¹ Al final del día, la Srta. Apple me da una nota. La abro y la leo:

³² Marisol:

³³ Quiero que sepas que te aprecio tal y como eres, porque la Marisol McDonald que conozco es una artista y jugadora de fútbol peruana-escocesa-estadounidense, bilingüe, creativa, única ¡y simplemente maravillosa!

³⁴   -Srta. *Jamiko* Apple

³⁵ Brinco todo el camino a casa.

bilingüe   Una persona bilingüe puede hablar dos lenguas.

31

Mis notas ✏️

📖 **LEER PARA COMPRENDER**

¿Por qué la Srta. Apple le escribe una nota a Marisol?
(Quiere que Marisol sepa que la maestra piensa que es maravillosa tal y como es y que no es necesario que combine).

¿Por qué la Srta. Apple usa tantos adjetivos para describir a Marisol en la nota? *(La Srta. Apple quiere que Marisol sepa que conoce y aprecia los aspectos diferentes de la estudiante).*

TEKS 3.6F, 3.8B

DOK 3

🔍 **LECTURA EN DETALLE GUIADA**

Elementos literarios

Pida a los estudiantes que vuelvan a leer la página 31 para analizar el texto y los personajes principales y secundarios.

¿Quién es el personaje secundario en esta página?
¿Por qué? *(La Srta. Apple es el personaje secundario porque la mayor parte del cuento no trata sobre ella).*

¿Por qué Marisol es el personaje principal? *(Todo el cuento trata sobre ella).*

¿Cómo influye este personaje secundario en la trama? *(La Srta. Apple le escribe una nota a Marisol para animarla a ser tal y como es ella, en vez de intentar combinar todo bien. Como resultado, al día siguiente Marisol se despierta y no se preocupa por combinar bien).*

TEKS 3.7C, 3.8B

DOK 3

READ FOR UNDERSTANDING

Why does Ms. Apple write a note to Marisol? *(She wants Marisol to know that the teacher thinks she is marvelous just the way she is and she doesn't have to match.)*

Why does Ms. Apple list so many adjectives to describe Marisol in the note? *(Ms. Apple wants Marisol to know that she really knows and appreciates all the different aspects of her student.)*

TARGETED CLOSE READ

Literary Elements
Have students reread page 31 to analyze the text for major and minor characters.

Who is the minor character on this page? Why? *(Ms. Apple is a minor character because the story is not mostly about her.)*

What makes Marisol a major character? *(The story is all about her.)*

How does this minor character affect the plot? *(Ms. Apple writes a note to Marisol to encourage her to be herself and not try to match. As a result, the next day Marisol gets up and goes back to not matching.)*

Observa y anota

Contrastes y contradicciones

- **Recuerde a los estudiantes** que, cuando los personajes cambian su forma habitual de comportarse, los lectores pueden contrastar los dos comportamientos. Indique que estas contradicciones a menudo revelan los verdaderos sentimientos de un personaje en relación a los acontecimientos.

- **Pida a los estudiantes** que contrasten el comportamiento de Marisol en la página 32 con sus acciones anteriores y que digan qué acciones demuestran sus sentimientos. (*Al principio, Marisol no combina con nada. Está contenta. Luego deja de ser ella misma y trata de combinar. Se pone muy triste. Ahora, deja de tratar de combinar y es feliz de nuevo*).

SUGERENCIA PARA NOTAS: Pida a los estudiantes que subrayen las palabras que dice Marisol para explicar por qué ha decidido dejar de combinar.

- **Pida a los estudiantes** que reflexionen sobre la pregunta principal *¿Por qué habría de sentirse el personaje de esta forma?*

TEKS 3.6G, 3.7C, 3.8B, 3.8C, 3.9A

DOK 3

36 Cuando me despierto el sábado, me pongo mi camisa rosada con mi falda de lunares y mi sombrero favorito, el que mi abuelita me trajo de Perú.

37 Durante el desayuno, digo: —Me llamo Marisol McDonald y no combino bien porque… ¡<u>no quiero hacerlo</u>!

38 —¡Bravo! —dice mami.

39 —Me alegro por ti —dice *Dad*—. Ahora, ¡vamos a la perrera a buscar tu perrito!

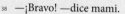

32

NOTICE & NOTE

Contrasts and Contradictions

- **Remind students** that when characters change how they usually behave, readers can contrast their behavior. Point out that these contradictions often reveal a character's true feelings about events.

- **Have students** contrast Marisol's behavior on page 32 with her earlier actions and tell what these actions show about her feelings. (*At first, Marisol does not match. She is happy. Then she stops being true to herself and tries to match. She becomes unhappy. Now, she is back to not matching, and she is happy again.*)

ANNOTATION TIP: Have students underline the words Marisol says to explain why she's decided to stop matching.

- **Have students** reflect on the Anchor Question: *Why would the character feel this way?*

 CONOCIMIENTOS Y DESTREZAS ESENCIALES DE TEXAS 3.6C make/correct/confirm predictions; **3.6G** evaluate details; **3.7C** use text evidence; **3.8A** infer theme/distinguish from topic; **3.8B** explain relationships among characters; **3.8C** analyze plot elements; **3.9A** demonstrate knowledge of literature characteristics; **3.10A** explain author's purpose/message; **3.10D** describe author's use of imagery/language

40 Cuando llegamos a la perrera, vemos perros grandes y perros pequeños. Hay perros con el hocico muy largo y perros con la cara aplastada. Hay perritos del color del chocolate, perritos color gris humo y perritos color caramelo.

41 ¿Cómo escogeré el mío?

42 Hasta que lo veo: tiene una oreja caída y una puntiaguda; un ojo azul y uno café. ¡Es hermoso!

Mis notas

Respuesta de ejemplo: Marisol aprende que es importante ser uno mismo y no preocuparse por lo que piensen los demás.

📖 LEER PARA COMPRENDER

¿Por qué describe la autora a los perros que hay en la perrera? *(para demostrar lo difícil que le resulta elegir a Marisol porque hay muchos y todos son únicos)*

¿Qué perro elegirá Marisol? ¿Por qué? *(El que tiene una oreja caída y una puntiaguda; un ojo azul y uno café. Elige a este perrito porque no coordina).*

TEKS 3.6C, 3.10D

DOK 3

🔍 LECTURA EN DETALLE GUIADA

Mensaje

Pida a los estudiantes que vuelvan a leer las páginas 32 y 33 para analizar el mensaje.

¿Cuál es el mensaje de este cuento? *(Es más importante ser uno mismo que tratar de parecerse a los demás).*

¿En qué se diferencia el mensaje del tema del cuento? *(El tema es sobre lo que trata el cuento: cómo Marisol trató de cambiar para combinar bien. El mensaje es la lección que los lectores aprenden de los acontecimientos de la trama).*

SUGERENCIA PARA NOTAS: Pida a los estudiantes que escriban una nota que resuma la lección que aprendió Marisol en el cuento.

TEKS 3.7C, 3.8A, 3.8C, 3.10A

DOK 3

33

READ FOR UNDERSTANDING

Why does the author describe the dogs at the pound? *(to show how hard it is for Marisol to choose because there are so many and they are all unique)*

Which dog will Marisol choose? Why? *(The one with the floppy ear and one pointy ear, and with one blue eye and one brown eye. She chooses this puppy because it doesn't match.)*

TARGETED CLOSE READ

Theme

Have students reread pages 32 and 33 to analyze the theme.

What is the theme of this story? *(It is more important to be yourself than to try to be like others.)*

How is this theme different from the topic? *(The topic is what the story is about—how Marisol tried to change from not matching to matching. The theme is the lesson readers can get from the plot events.)*

ANNOTATION TIP: Have students write a note that summarizes the lesson Marisol learned in the story. *(Sample response: Marisol learns that it is important to be true to herself and not worry about what other people think.)*

Las respuestas variarán.

LEER PARA COMPRENDER

Hacer y confirmar predicciones
CONFIRMAR UNA PREDICCIÓN

Recuerde a los estudiantes que al final de la lectura, pueden usar los detalles del texto para confirmar si su predicciones eran precisas o no. Pida a los estudiantes que expliquen lo precisas que fueron sus predicciones anteriores y cómo las corrigieron o confirmaron con los detalles del texto hasta el momento.

SUGERENCIA PARA NOTAS: Pida a los estudiantes que ajusten sus predicciones para que coincidan con los acontecimientos de la trama y con los sentimientos de Marisol al final del cuento.

TEKS 3.6C

DOK 3

LEER PARA COMPRENDER

Concluir

Vuelva a comentar el propósito que los estudiantes establecieron antes de leer el texto. Pídales que citen evidencias del texto para explicar si las acciones y los sentimientos de Marisol fueron o no los que pensaron que iban a ser.

TEKS 3.7C, 3.10A

DOK 3

---

43 Camino hacia él y salta en mi falda. Lo abrazo y parece que ronronea.

44 —¡Creo que hemos encontrado el perro perfecto para ti, Marisol! —dice mami.

45 Mi perrito es perfecto. No coordina, no combina con nada, *desentona* con todo y es simplemente maravilloso, igual que yo. Creo que lo llamaré. . .

¡Minino!

> **ronronea** Cuando un gato ronronea, hace un sonido para demostrar que está contento.

34

READ FOR UNDERSTANDING
Make and Confirm Predictions
CONFIRM A PREDICTION

Remind students that by the end of a selection, they can use text details to confirm whether or not their predictions were accurate. Have students explain how accurate their earlier predictions were and how they were corrected or confirmed by the details in the text so far.

ANNOTATION TIP: Have students adjust their predictions to match the plot events and Marisol's feelings at the end of the story. *(Responses will vary.)*

READ FOR UNDERSTANDING
Wrap-Up

Revisit the purpose students set before they read the text. Have students cite text evidence to explain whether or not Marisol's actions and feelings were what they thought they would be.

 CONOCIMIENTOS Y DESTREZAS ESENCIALES DE TEXAS **3.1A** listen actively/ask relevant questions; **3.1C** speak coherently; **3.1E** develop social communication; **3.6C** make/correct/confirm predictions; **3.6F** make inferences/use evidence; **3.6G** evaluate details; **3.7C** use text evidence; **3.7G** discuss text ideas; **3.8B** explain relationships among characters; **3.8C** analyze plot elements; **3.10A** explain author's purpose/message

Conversación colaborativa

Vuelve a leer lo que escribiste en la página 18. Comenta tus ideas sobre Marisol con un compañero. Luego trabaja en grupo y comenta las preguntas de abajo. Busca detalles en *Marisol McDonald no combina* para apoyar tus ideas. Toma notas para responder las preguntas y úsalas cuando hables. Durante la conversación, piensa en cómo se relacionan tus ideas con lo que dicen los demás.

1 Vuelve a leer la página 21. ¿Qué aprendes sobre Marisol cuando dice que su pelo es del color del fuego y no del color de las zanahorias?

2 Vuelve a leer las páginas 24 y 25. ¿Qué piensa la Srta. Apple sobre cómo firma Marisol su nombre?

3 Repasa la página 31. ¿Cómo se siente Marisol después de leer la nota de la Srta. Apple?

Sugerencia para escuchar

Escucha los detalles y las ideas que comenta cada hablante. ¿Qué información nueva puedes agregar?

Sugerencia para hablar

Antes de hablar, piensa en lo que han dicho los demás. Haz preguntas para asegurarte de que comprendes sus ideas. Si estás de acuerdo, dilo y agrega tus propias ideas.

35

Conversación académica

Use la rutina de **CONVERSACIÓN COLABORATIVA**. Pida a los estudiantes que tomen notas para responder las preguntas. Luego pídales que trabajen en grupos y que apliquen las Sugerencias para escuchar y hablar mientras comentan sus respuestas.

Respuestas posibles:

1. *Demuestra que Marisol está orgullosa del color de su pelo y le gusta compararlo con cosas más atrevidas.* DOK 3

2. *La Srta. Apple piensa que la forma que usa Marisol para escribir su nombre es inusual. Preferiría que Marisol usara letra de imprenta o cursiva para las dos partes de su nombre.* DOK 2

3. *Marisol está encantada después de leer la nota de la Srta. Apple. Los ánimos de la maestra la alegran después de pasar el día intentando combinar.* DOK 2

TEKS 3.1A, 3.1C, 3.1E, 3.6F, 3.6G, 3.7C, 3.7G, 3.8B, 3.8C

Academic Discussion

Use the **COLLABORATIVE DISCUSSION** routine. Have students write notes to answer the questions. Then have groups apply the Listening and Speaking Tips as they discuss their responses.

Possible responses:

1. *It shows that Marisol is proud of her hair color and likes to be compared to bolder things.*

2. *Ms. Apple thinks the way Marisol writes her name is unusual. She'd prefer if Marisol used print or cursive for both parts of her name.*

3. *Marisol is delighted after she reads Ms. Apple's note. The teacher's encouragement cheers her up after spending the day trying to match.*

Escribir sobre la lectura

- **Lea en voz alta** el tema para desarrollar con los estudiantes.

- **Inicie un debate** en el que los estudiantes compartan sus ideas sobre cómo soluciona Marisol McDonald sus problemas. Pida a los estudiantes que usen evidencias del texto de la selección y que describan los problemas y la forma en que los soluciona Marisol.

- **Luego lea en voz alta** la sección Planificar. Pida a los estudiantes que usen ideas del debate en sus notas sobre cómo soluciona Marisol los problemas y cómo podría aplicar la misma estrategia a un problema nuevo.

TEKS 3.1E, 3.7B, 3.7C, 3.7F, 3.11A

Citar evidencia del texto

Escribir una idea para un cuento

TEMA PARA DESARROLLAR ....

Conociste a un personaje interesante y valiente en *Marisol McDonald no combina* de Monica Brown. Marisol podría vivir todo tipo de aventuras porque piensa y actúa de forma especial y personal.

Imagina que la autora les ha pedido a los lectores que ofrezcan ideas sobre las aventuras que podrían ocurrir después en la vida de Marisol. ¿Qué podría ocurrir en su casa o en la escuela que pueda causar un problema para Marisol? Partiendo de la respuesta de Marisol ante los problemas en *Marisol McDonald no combina*, ¿cómo podría resolver este nuevo problema? Escribe un párrafo que describa una idea para un cuento que pudiera publicarse en el sitio web de Monica Brown.

PLANIFICAR ....

Haz una lista de los problemas que Marisol experimenta. Piensa en cómo los soluciona. Luego escribe una oración resumiendo lo que Marisol hace para solucionar sus problemas. ¿Cómo podrías aplicar esta estrategia a un problema nuevo?

> Las respuestas variarán, pero los estudiantes deben resumir los problemas y las soluciones del texto y luego aplicar la estrategia de problema-solución de Marisol a un problema nuevo.

36

Write About Reading

- **Read aloud** the prompt with students.

- **Lead a discussion** in which students share their ideas about how Marisol McDonald deals with her problems. Tell students to use text evidence from the selection to describe the problems and the way in which Marisol solves them.

- **Then read aloud** the Plan section. Have students use ideas from the discussion in their notes and to how Marisol solves problems and how she might apply the same strategy to a new problem.

 CONOCIMIENTOS Y DESTREZAS ESENCIALES DE TEXAS **3.1E** develop social communication; **3.7B** write responses that demonstrate understanding; **3.7C** use text evidence; **3.7F** respond using vocabulary; **3.11A** plan first draft; **3.11B(i)** develop drafts by organizing with purposeful structure; **3.11B(ii)** develop drafts by developing an engaging idea; **3.12A** compose literary texts

Ahora escribe un párrafo que describa una idea para un cuento que podrías publicar en el sitio web de la autora.

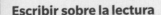

✓	Asegúrate de que tu idea para un cuento
☐	establece el tiempo y el lugar.
☐	explica el problema de Marisol y su respuesta ante el mismo.
☐	cuenta los acontecimientos en el orden que podrían ocurrir.
☐	explica cómo podría terminar el cuento.

Las respuestas variarán, pero debe ser una descripción narrativa de un problema que podría tener Marisol, junto con una posible solución. La narración también debe incluir los elementos de la lista de comprobación.

Escribir sobre la lectura

- **Repase con los estudiantes** las instrucciones y la lista de comprobación de la sección Escribir.

- **Anime a los estudiantes** a incluir detalles que establezcan el ambiente y que expliquen claramente el problema nuevo, la solución de Marisol y los acontecimientos que la llevaron a adoptar esa solución.

TEKS 3.7B, 3.7C, 3.7F, 3.11B(i), 3.11B(ii), 3.12A

Write About Reading

- **Review with students** the directions and checklist in the Write section.
- **Encourage students** to include details that establish the setting and to clearly explain the new problem, Marisol's solution, and the events that lead to her solution.

LEER PARA COMPRENDER

Presentar el texto

- **Lea en voz alta** y comente la definición y las características de la ficción realista usando ejemplos como los siguientes.

  » Las ilustraciones muestran a los personajes y todos parecen personas reales. Eugenia está en un ambiente realista, como un cuarto desordenado y un cuarto limpio y ordenado.

  » Las ilustraciones también muestran a Eugenia tejiendo y hablando con otros niños, que son actividades que hacen los niños de verdad.

  » En el diálogo, como el de la página 40, la conversación es informal y similar a cómo hablan los niños reales entre ellos.

  » Finalmente, señale los tres encabezados y explique que la selección está formada por tres capítulos de un libro más grande sobre Eugenia Mal genio.

- **Use** Mostrar y motivar: **Conocer a la autora 1.6** para aprender más sobre la autora.

- **Pida a los estudiantes** que busquen el Vocabulario crítico mientras lean y que piensen en el significado de las palabras.

SUGERENCIA PARA NOTAS: Pida a los estudiantes que usen el recuadro para anotar qué tipo de persona puede ser una con "humor marciano" según las ilustraciones.

TEKS 3.6A, 3.9A

DOK 2

Observa y anota
¡Eureka!

Prepárate para leer

ESTUDIO DEL GÉNERO La **ficción realista** cuenta un cuento sobre personajes y acontecimientos que se parecen a los de la vida real.

- Los acontecimientos de la ficción realista se van desarrollando de manera sucesiva y consecuente para hacer avanzar la trama.
- La ficción realista incluye personajes que actúan, piensan y hablan como personas reales.
- La ficción realista puede incluir detalles sensoriales y lenguaje figurado para atraer la atención del lector.
- La ficción realista incluye a menudo un diálogo para desarrollar el cuento.

ESTABLECER UN PROPÓSITO **Piensa en** el título y el género de este texto. ¿Qué tipo de chica podría ser Eugenia? Haz una lista abajo con algunas de las palabras que podrían describir a Eugenia.

VOCABULARIO CRÍTICO

genio

impertinente

ilustro

enredada

 Conoce a la autora: Megan McDonald

38

READ FOR UNDERSTANDING

Introduce the Text

- **Read aloud** and discuss the definition and features of realistic fiction, using examples such as the following.

  » The illustrations show the characters, who all look like real people. Eugenia is in realistic settings such as a messy bedroom and a neat and tidy bedroom.

  » The illustrations also show Eugenia knitting and talking with other children, which are activities real children do.

  » In the dialogue, such as on page 40, the conversation is informal and similar to how real children speak to each other.

  » Finally, point out the three headings and explain that the selection is made up of three chapters from a larger book about Eugenia Mal genio.

- **Use** Mostrar y motivar: **Conocer a la autora 1.6** to learn more about the author.

- **Tell students** to look for the Critical Vocabulary as they read, and think about the words' meanings.

ANNOTATION TIP: Have students use the box to note what kind of person might be a "mood Martian" based on a preview of the illustrations.

Eugenia
Mal genio.
Humor
marciano

por Megan McDonald

ilustrado por Peter H. Reynolds

LEER PARA COMPRENDER

Establecer un propósito

- **Pida a los estudiantes** que miren las primeras páginas de *Eugenia Mal genio, Humor marciano* para observar los detalles de las ilustraciones que pueden ser pistas sobre cómo es Eugenia.

- **Guíe a los estudiantes** para que establezcan un propósito para la lectura. Hable con ellos sobre quién es Eugenia Mal genio y sobre qué ocurrirá en el cuento.

TEKS 3.6A

DOK 2

READ FOR UNDERSTANDING

Set a Purpose

- **Have students** look at the first few pages of *Eugenia Mal genio, Humor marciano* to note details in the illustrations that might be clues to what Eugenia is like.

- **Guide students** to set a purpose for reading. Discuss with them who they think Eugenia Mal genio is and what will happen to her in the story.

Quién es quién

Eugenia De buenas
Lana
Hediondo
Roco
Frank
Jessica
Papá
Mamá
Amy

De malas

1 Eugenia Mal genio estaba de malas: agria como un limón, con cara de pocos amigos. Todo porque las fotos de la escuela habían llegado ese día.

2 Si Hediondo entrara a su cuarto en ese momento, seguro que le pediría que le enseñara la foto de la escuela. Y si se la mostraba, vería que había estado usando la camiseta de SOY UNA CHICA Y GRITO, la misma que llevaba hoy. Y si llevaba puesta la camiseta de GRITO en la foto de la escuela, también diría que se parecía a Pata grande: con la frente y los ojos escondidos debajo de ese pelo que parece un nido de pájaros.

3 Mamá y papá pondrían el grito en el cielo.

4 —Por una sola vez nos gustaría tener una foto bonita de nuestra hija —dijo papá esa misma mañana.

5 —Quizás este sea el año que tanto hemos esperado —dijo mamá.

6 Pero todo sería igual en tercer grado.

> **genio** Es el modo en que te sientes, que puede ser alegre o enfadado. La palabra genio es sinónimo de humor.

40

Eugenia esparció sus fotos escolares sobre el piso. En ellas se veía como:

Una payasita
(Kindergarten)

Una pirata tuerta
(Segundo grado)

Un niño
(Primer grado)

Pata grande
(Tercer grado)

Qué bueno sería si mamá y papá se olvidaran de las fotos de la escuela este año, pero ni soñarlo. ¡Quizás Eugenia podría fingir que el perro se las había comido! Pero era una lástima que en su casa no hubiera un perro sino un gato llamado Ratón. Podría también haber dicho que un malvado ladrón de fotos escolares las había borrado de la computadora. Pero esto era imposible.

Peor aún, en la clase, Roco había guardado la foto en la que se parece a Pata grande y no se la había querido devolver. Luego se la pasó a Frank, con lo que Eugenia dio un grito y saltó bien lejos de su asiento en lugar de hacer su ejercicio de matemáticas. Fue entonces cuando el Sr. Torres dijo la palabra que empieza con A.

Antártida.

Se trata del pupitre al fondo del salón adonde Eugenia iba castigada por un rato hasta "enfriar sus ánimos". ¡La tercera vez en un mismo día! Nunca, en toda su historia, Eugenia había estado en la Antártida tantas veces seguidas.

Con solo recordarlo, sintió en el estómago un hueco nauseabundo del tamaño de una dona.

Por eso, Eugenia Mal genio estaba de malas. Un mal humor que le hacía sentir ganas de tejer con los dedos, de no pensar en las fotos de la escuela, de estar sola: a solas completamente, sin que ningún hermanito la fastidiara y molestara como un mosquito impertinente. ¡Bzzz! Hediondo siempre le zumbaba en el oído.

---

impertinente Algo o alguien impertinente molesta.

41

Mis notas

 LEER PARA COMPRENDER

Miren las ilustraciones de la página 41. ¿Qué tienen en común todas las imágenes? *(Todas son imágenes de la escuela y Eugenia está disfrazada o poniendo caras en todas).*

¿Qué les dicen las ilustraciones sobre Eugenia? *(Le gusta hacer las cosas a su forma; tiene una personalidad única).*

TEKS 3.6F, 3.10C

DOK 2

 LECTURA EN DETALLE GUIADA

Lenguaje figurado

Pida a los estudiantes que vuelvan a leer la página 41 para analizar cómo usa la autora el lenguaje figurado.

¿Qué expresión idiomática hay en el párrafo 11? *("enfriar sus ánimos")*

¿Qué significa *enfriar* literalmente? *("hacer que algo se ponga frío")*

¿Qué significa "enfriar los ánimos" en este texto? *(El maestro, el Sr. Torres, quiere que Eugenia tome un descanso y se calme).*

¿Cómo se relaciona la imagen de la "Antártida" con esta expresión idiomática? *(La Antártida es un lugar real donde hace mucho frío. En este texto, es el nombre que el Sr. Torres le da a la parte del salón de clases donde envía a los estudiantes revoltosos a "enfriar sus ánimos").*

TEKS 3.3D, 3.10D

DOK 3

READ FOR UNDERSTANDING

Look at the illustrations on page 41. What do all the pictures have in common? *(They are all school pictures, and Eugenia has dressed up or made a face in every one.)*

What do the illustrations tell you about Eugenia? *(She likes doing things her own way; she has a unique personality.)*

TARGETED CLOSE READ

Figurative Language

Have students reread page 41 to analyze how the author uses figurative language.

What is the idiom in paragraph 11? *("enfriar sus ánimos")*

What does *enfriar* literally mean? *("to become cold")*

What does "enfriar sus ánimos" mean here? *(The teacher, Mr. Torres, wants Eugenia to take a break and calm down.)*

How does the image of "Antarctica" connect to this idiom? *(Antarctica is a real place that is very cold. Here it is Mr. Torres's name for the part of the classroom where noisy students go to "chill out.")*

¡Qué personaje! **41**

14   La cama de arriba de la litera era el lugar favorito número uno de Eugenia para acurrucarse con Ratón, pero Hediondo, sin lugar a dudas, la encontraría allí. Eugenia se arrastró sobre un montón de chanclas y una pila de ropa sucia hasta su lugar favorito número dos, donde nadie la molestaba: dentro del clóset, detrás de la ropa. Se echó a la boca una tira kilométrica de goma de mascar de Hediondo.

15   —No me mires así, Ratón. Hediondo no se va a enterar —dijo y agarró una madeja marrón grisácea y enrolló la lana en el dedo pulgar. Ratón golpeó con una pata la trenza tejida con los dedos.

16   Arriba, abajo, arriba, abajo y de nuevo. Vuelta y vuelta y vuelta. Haló la trenza larga de lana verde manzana que colgaba de su mano izquierda por una punta. Sus dedos volaban. Eugenia Mal genio era la tejedora a mano más veloz de Lago Cuello de Rana en Virginia. La tejedora a mano más veloz de la costa este. ¡Quizás la más veloz del mundo entero!

17   Tejer a mano era estupendo: no se necesitaban agujas. Entretejió la lana con los dedos, uno, dos, tres, cuatro vueltas, otra vez, arriba, abajo, por el medio... igual que su abuela Luisa le había enseñado durante el gran apagón del huracán Elmer.

18   El clóset de Eugenia era como un pequeño cuarto secreto: todo para ella solita. Hasta tenía una ventana. Una ventana pequeña y redonda, como las de los barcos mercantes o piratas.

19   *El barco navegaba en el mar azul, balanceándose sobre las olas bajo un cielo lleno de nubes de malvavisco. Eugenia y Ratón se mecían de un lado a otro en la hamaca del barco que se columpiaba en medio de la brisa. Hasta que el barco chocó contra una ola gigante y...*

20   *¡Ratón al agua!*

21   *Eugenia le lanzó su trenza de lana a Ratón. Sintió un tirón en la cuerda. Pero en realidad era...*

42

📖 **LEER PARA COMPRENDER**

Miren la ilustración. ¿Qué detalles coinciden con el texto que describe el sueño de Eugenia? *(El cuarto tiene una ventana redonda como la de un barco. Ratón está tirando de la trenza de lana de Eugenia).*

TEKS 3.10C

DOK 1

43

READ FOR UNDERSTANDING

Look at the illustration. What details match up with the text that describes Eugenia's daydream? *(The room has a circular window like a sailing ship would have. Ratón is tugging on Eugenia's line of yarn.)*

LEER PARA COMPRENDER

¿Cómo se siente Eugenia cuando Hediondo entra en su clóset? *(No le gusta).*

¿Por qué cree Eugenia que Hediondo debería saber que no debía entrar? *(Eugenia había dejado tres cartelitos colgados del picaporte de la puerta para decirle a Hediondo que no entrara).*

TEKS 3.8B

DOK 2

LEER PARA COMPRENDER

Verificar y clarificar

Pida a los estudiantes que tomen nota de cualquier palabra que no comprendan y que usen la estrategia de cuatro pasos para determinar su significado.

Si los estudiantes tienen dificultades para verificar y clarificar, utilice este modelo:

💬 **PENSAR EN VOZ ALTA** *La palabra ¡Bingo! no me resulta familiar. Primero, la pronuncio y vuelvo a leerla. Luego, busco pistas en las palabras que la rodean. Eugenia la usa como respuesta cuando Hediondo dice que ella está de mal genio. Eso es lo que ella había estado tratando de decirle. Creo que ¡Bingo! aquí significa lo mismo que ¡Correcto! Si sustituyo ¡Bingo! por ¡Correcto! tiene sentido. Usaré un diccionario para asegurarme.*

SUGERENCIA PARA NOTAS: Pida a los estudiantes que subrayen cualquier palabra que no comprendan mientras leen.

TEKS 3.6I, 3.10D

DOK 2

---

22 —¡Hediondo! —Eugenia despertó de golpe de su sueño mañanero, tan sorprendida, que hasta la goma de mascar salió volando—. ¡Perdí mi chicle del susto que me diste!

23 —¿De dónde sacaste ese chicle? —preguntó Hediondo.

24 —De ningún lado. Es un chicle reusado —lo recogió y se lo echó de vuelta a la boca—. ¿Y cómo me encontraste?

25 —Seguí la trenza de lana.

26 La trenza larga y colorida entretejida a mano serpenteaba sobre el piso del clóset, trepaba por las pilas de libros y torres de juguetes, se enrollaba en la montaña Calcetines y se escabullía por debajo de la puerta.

27 —Pues mala idea. Estoy de malas.

28 —¿Y cómo iba a saberlo?

29 —Pistas uno, dos y tres: ¿qué tal esos cartelitos tan monos que cuelgan del picaporte de la puerta?

30 —¡Ah! Creí que ibas a decir por las fotos de la escuela.

31 —Eso también.

32 —Alguien está de mal genio.

33 —¡Bingo!

34 —¿Acaso es culpa mía no ir por ahí leyendo carteles en los picaportes?

44

READ FOR UNDERSTANDING

How does Eugenia feel about Hediondo coming into her closet? *(She doesn't like it.)*

Why does Eugenia think Hediondo should have known not to come in? *(Eugenia had left out three signs on her doorknob telling Hediondo to stay out.)*

READ FOR UNDERSTANDING

Monitor and Clarify

Have students make notes of any words that they don't understand and to use the four-part strategy to determine the meanings.

If students have difficulty monitoring and clarifying, use this model:

THINK ALOUD *The word ¡Bingo! seems unfamiliar. First, I sound it out to read it again. Then I look for clues in the words around it. Eugenia is saying it in response to Hediondo saying she's in a mood. That's what she's been trying to tell him. I think ¡Bingo! here is like Right! If I replace ¡Bingo! with Right! it makes sense. I'll use a dictionary to make sure.*

ANNOTATION TIP: Have students highlight any words they don't understand as they read.

 CONOCIMIENTOS Y DESTREZAS ESENCIALES DE TEXAS **3.6I** monitor comprehension/make adjustments; **3.8B** explain relationships among characters; **3.8C** analyze plot elements; **3.10D** describe author's use of imagery/language

44 Módulo 1

Eugenia miró a su alrededor y agarró un cojín afelpado.

—¿Ves este cojín? Será mi cojín del genio. Será nuestra señal. Si el cojín está parado, significa "estoy de buenas, puedes pasar". Pero si lo acuesto, querrá decir "de malas, vete". Esto será mejor que el letrerito en el picaporte.

—¿Y si el cojín estuviera parado y la ventana abierta y llegara un huracán y unos vientos superfuertes lo derribaran y lo dejaran tirado en el piso? ¿O si un monstruo gigante, más grande que King Kong, viniera y levantara la casa y la agitara como un palillo y el cojín quedara acostado?

—Bien —dijo Eugenia y sacó un marcador de su caja de lápices. Acomodó el cojín sobre sus rodillas. En un lado del cojín, dibujó una cara feliz para cuando estaba de buenas. Del otro lado, dibujó una cara enojada para cuando estaba de mal genio.

—Este será mi cojín del genio. La cara feliz significa "pasa". La cara enojada quiere decir "aléjate" —y puso el cojín contra la pared con la cara enojada hacia afuera—. El cojín ha hablado, Hediondo.

LEER PARA COMPRENDER

¿Qué problema está tratando de resolver Eugenia? *(Eugenia está tratando de inventar la forma de que Hediondo sepa que no quiere que la molesten).*

¿Piensa Hediondo que su solución es buena? *(No; piensa que un cojín puede derribarse con facilidad).*

TEKS 3.8B, 3.8C

DOK 2

LECTURA EN DETALLE GUIADA

Lenguaje figurado

Pida a los estudiantes que vuelvan a leer la página 45 para analizar cómo usa los símiles la autora.

¿Qué símil usa Hediondo en el párrafo 37? *("como un palillo")*

¿Es una casa literalmente "como un palillo"? *(no)*

¿Por qué Hediondo usa este símil? *(para describir lo fácil que sería para un monstruo gigante levantar la casa, ya que un palillo es un objeto muy fácil de levantar para una persona)*

TEKS 3.10D

READ FOR UNDERSTANDING

What problem is Eugenia trying to solve? *(Eugenia is trying to come up with a way to let Hediondo know that she doesn't want to be bothered.)*

Does Hediondo think her solution is a good one? *(No; he thinks that a pillow can be knocked over easily.)*

TARGETED CLOSE READ

Figurative Language

Have students reread page 45 to analyze how the author uses similes.

What simile does Hediondo use in paragraph 37? *("como un palillo")*

Is a house literally "like a toothpick"? *(no)*

Why does Hediondo use this simile? *(to tell how easily a giant monster might be able to pick up their house; a toothpick is very easy to pick up for a person)*

Observa **y** anota

¡Eureka!

• **Explique a los estudiantes** que los autores a menudo incluyen momentos en los que los personajes descubren algo importante o se les ocurre una idea importante que cambia su forma de actuar o pensar. Cuando los estudiantes se encuentran con estos momentos, deben preguntarse por qué son importantes.

• **Pida a los estudiantes** que expliquen qué idea tiene de repente Eugenia y cómo puede ayudarla. *(Eugenia había estado malhumorada, así que en el autobús decide intentar estar de buenas durante una semana completa).*

SUGERENCIA PARA NOTAS: Pida a los estudiantes que subrayen las palabras del párrafo 40 que demuestran que esto es un momento "¡Eureka!".

Pida a los estudiantes que reflexionen sobre la pregunta principal *¿Cómo podría cambiar esto las cosas para Eugenia?* y que añadan ideas a sus notas.

TEKS 3.6F, 3.8A, 3.8C

DOK 3

El experimento de Jessica

40   <u>Eugenia Mal genio tuvo una idea. Una idea para no estar malhumorada. Intentaría estar de buenas durante una semana completa.</u>

41   —Oigan, ¿qué hacen para estar de buen humor? —les preguntó a sus amigos.

42   —Yo hago un truco de magia, como el truco del dedo falso —dijo Roco halándose el dedo índice, simulando que se lo arrancaba—. Si me sale bien y todos se asombran y aplauden, estoy de buen humor.

43   —Ajá —exclamó Eugenia y tomó nota para acordarse.

44   —Yo me pongo de buen humor cuando termino mi tarea —dijo Frank.

45   —Ajá —Eugenia repasó sus notas.

46   —A mí me pone de buenas escribir cuentos. Sueño con algo y lo convierto en un libro y también lo *ilustro* —siguió Amy.

---

ilustro   Si ilustro un libro, hago dibujos que se relacionan con la historia.

46

NOTICE & NOTE

Aha Moment

• **Explain to students** that authors often include moments when characters make an important discovery or think of an important idea that changes how they act or think. When students come across these moments, they should ask themselves why they are important.

• **Have students explain** what idea Eugenia suddenly has and how it might help her. *(Eugenia has been in a bad mood, so on the bus she decides to try to be in a good mood for a whole week.)*

ANNOTATION TIP: Have students underline the words in paragraph 40 that show this is an Aha Moment.

Have students reflect on the Anchor Question: *How might this change things for Eugenia?* and add to their notes.

CONOCIMIENTOS Y DESTREZAS ESENCIALES DE TEXAS **3.6C** make/correct/confirm predictions; **3.6E** make connections; **3.6F** make inferences/use evidence; **3.8A** infer theme/distinguish from topic; **3.8C** analyze plot elements

47 Eugenia escribió más notas y las repasó.

48 *1. Truco de magia*

49 *2. Tarea*

50 *3. Escribir un cuento*

51 —Yo puedo hacerlo —dijo Eugenia.

52 —¿Hacer qué? —preguntó Amy.

53 —¿Hacer qué? —preguntaron Roco y Frank.

54 —Eeeh… nada. No tiene importancia.

55 Eugenia corrió a casa y sacó su lista. *Truco de magia*. Trató de hacerle a Hediondo un truco con naipes, pero lo único que consiguió fue desparramar la baraja por todos lados. *Tarea*. No podía imaginarse cómo hacer la tarea ponía de buen humor a alguien. La tachó de la lista. *Escribir un cuento*. Eugenia intentó escribir uno.

56 Este cuento no tendría fin. Escribir un cuento no iba a ponerla de buenas. ¿Quién más podría darle algunas ideas? ¿Mamá? ¿Papá? ¿Hediondo?

57 Debía ser alguien inteligente y a quien nunca hubieran enviado a la Antártida.

47

 Mis notas

LEER PARA COMPRENDER

¿En qué se parece la decisión de Eugenia a la de Marisol McDonald? *(Las dos deciden hacer algo diferente).*

¿En qué se diferencia el plan de Eugenia del de Marisol? *(Marisol solo va a combinar durante un día. Eugenia quiere intentar estar de buen humor durante una semana completa).*

El plan de Marisol la puso muy triste porque no estaba siendo ella misma. ¿Cómo creen que funcionará el plan de Eugenia? *(Respuesta de ejemplo: Eugenia tendrá problemas para cambiar porque es más interesante y divertida cuando está de malas).*

TEKS 3.6C, 3.6E

DOK 4

READ FOR UNDERSTANDING

How is Eugenia's decision similar to a decision that Marisol McDonald makes? *(They both decide to do something different.)*

How is Eugenia's plan different from Marisol's plan? *(Marisol is only going to match for a day. Eugenia wants to try to be in a good mood for a whole week.)*

Marisol's plan made her unhappy because she wasn't true to herself. How will Eugenia's plan work? *(Sample response: Eugenia will have trouble changing because she is more interesting and fun when she's in a bad mood.)*

📖 **LEER PARA COMPRENDER**

¿Por qué decide Eugenia hablar con Jessica? *(Eugenia cree que puede aprender de Jessica a estar de buen humor).*

SUGERENCIA PARA NOTAS: Pida a los estudiantes que escriban los sobrenombres que usa Eugenia en los párrafos 58 y 60 y que escriban notas sobre lo que estos indican acerca de los sentimientos de Eugenia.

¿Parece Jessica similar o diferente a Eugenia? *(Parece que es diferente a Eugenia; Eugenia piensa que Jessica es perfecta, pero Eugenia es desordenada y se mete en problemas).*

¿Por qué Eugenia no quiere contarle a Jessica lo que está haciendo? *(Cree que Jessica se lo contaría a todo el mundo).*

TEKS 3.6F, 3.8B, 3.8C

DOK 2

Señorita Perfección indica que Eugenia piensa que Jessica es demasiado perfecta.

Jessica Excelente Pérez indica que Eugenia piensa que Jessica es demasiado inteligente.

58   ¡Un momento! ¿Qué podría ser más perfecto que hablar con la señorita Perfección? Alguien que se cepillaba el pelo todos los días y que respetaba todas las reglas y que sacaba buenas calificaciones y que nunca había estado ni cerca de la Antártida.

59   Alguien que tenía una bola mágica de la fortuna, la bola mágica #8.

60   ¡Jessica Excelente Pérez! ¡Claro!

61   Con ella, Eugenia podría aprender los principios básicos de cómo hacerlo todo bien. Sin duda alguna, ser perfecta la pondría de buen humor. Todo lo que tenía que hacer era estudiar el tema. ¡Como en un experimento de ciencias!

62   Tomó su cuaderno de notas y saltó en su bicicleta y pedaleó calle abajo y dobló en la esquina y llegó a la casa de los Pérez.

63   ¡Ding-dong! Tocó el timbre. La mismísima Jessica Excelente abrió la puerta.

64   —¿Eugenia Mal genio? ¡Qué milagro!

65   No le iba a decir su secreto a Jessica Correveidile Pérez. El mundo entero se enteraría.

66   —Es que, ehhh, pensé que podríamos pasar un rato juntas —dijo Eugenia.

67   —Pero tú nunca quieres estar conmigo.

68   —Nunca digas nunca —dijo Eugenia, haciendo a un lado a Jessica—. ¿Puedo pasar?

69   —Ya estás adentro —dijo Jessica.

70   —Bueno, ehhh, ¿qué tal si subo a tu cuarto?

71   —Claro —dijo Jessica—. Justo iba a empezar a medir cosas para nuestra siguiente unidad de matemáticas, Mediciones.

72   —Pero no empieza hasta el jueves —dijo Eugenia.

73   —Es que siempre me gusta llevar ventaja —dijo Jessica.

48

READ FOR UNDERSTANDING

Why does Eugenia decide to talk to Jessica? *(Eugenia thinks she can learn how to be in a good mood from Jessica.)*

ANNOTATION TIP: Have students write the nicknames Eugenia uses for Jessica in paragraphs 58 and 60 and to write notes about what they show about Eugenia's feelings. *(Señorita Perfección shows Eugenia thinks Jessica is a little too perfect. Jessica Excelente Pérez shows Eugenia thinks Jessica is too smart.)*

Does Jessica sound like she is similar to or different from Eugenia? *(She sounds like she's different from Eugenia; Eugenia thinks Jessica is perfect, but Eugenia is messy and gets into trouble.)*

Why doesn't Eugenia want to tell Jessica what she's doing? *(She thinks Jessica will tell everyone.)*

 CONOCIMIENTOS Y DESTREZAS ESENCIALES DE TEXAS   **3.6F** make inferences/use evidence; **3.8B** explain relationships among characters; **3.8C** analyze plot elements; **3.8D** explain influence of setting on plot

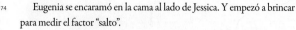

74 Eugenia se encaramó en la cama al lado de Jessica. Y empezó a brincar para medir el factor "salto".

75 —A mi mamá no le gusta que salte en la cama —dijo Jessica.

76 —Ojo —dijo Eugenia y anotó en su cuaderno: NO SALTAR EN LA CAMA. Eugenia miró a Jessica de reojo. Llevaba el pelo peinado hacia atrás con una linda cola de caballo e iba toda vestida de rosa. Eugenia escribió: PEINARSE CON COLA DE CABALLO y VESTIRSE DE ROSA.

77 —¿Por qué me miras tanto? —preguntó Jessica—. Me pones nerviosa.

78 —Por nada en especial —dijo Eugenia y miró a su alrededor.

79 La cama estaba tendida y sobre ella había cien millones de cojines acolchonados de color rosa. Unos cerditos de peluche estaban organizados en fila sobre el tocador al lado de una colección de cerditos alcancía.

80 No había libros ni ropa regada por el piso. No había lápices ni crayones ni pinturas sobre el piso. No había envolturas de chicle sobre el piso. En un afiche en la pared, un robot rosado decía OBEDECE. "Qué aterrador", pensó Eugenia, pero no lo comentó.

81 —El piso está muy limpio —dijo Eugenia—. Hasta puedo ver la alfombra.

82 —Gracias —dijo Jessica—. Me gusta que mi cuarto esté siempre limpio. Me pone de buen humor.

83 —Ojo —dijo Eugenia y escribió en su cuaderno: CUARTO LIMPIO.

84 —¿Qué escribes? —preguntó Jessica.

85 —Nada en especial —dijo Eugenia olfateando el aire—. Huele a magdalenas. ¿Las hueles?

49

READ FOR UNDERSTANDING

What details does Eugenia notice about Jessica's room? (It's very neat; there's nothing on the floor; there is a poster that says OBEDECE.)

What do these details make Eugenia think about Jessica's room? (that Jessica's room is creepy)

LEER PARA COMPRENDER

Miren la ilustración. ¿Qué cambio en Eugenia se muestra en la ilustración que no se describe en el texto? *(Eugenia muestra una expresión de calma en la cara).*

¿Por qué la expresión de Jessica parece ser diferente? *(Jessica parece molesta o incómoda).*

¿Por qué podría sentirse incómoda Jessica? *(No está acostumbrada a tener a Eugenia de invitada y Eugenia entró al cuarto de Jessica sin que la invitaran a pasar).*

TEKS 3.6F, 3.10C

DOK 2

50

READ FOR UNDERSTANDING

Look at the illustration. What change in Eugenia does the illustration show that isn't described in the text? *(Eugenia has a calm expression on her face.)*

How does Jessica's expression seem different? *(Jessica looks annoyed or uncomfortable.)*

Why might Jessica feel uncomfortable? *(She's not used to having Eugenia over, and Eugenia just walked in to Jessica's room without being offered.)*

CONOCIMIENTOS Y DESTREZAS ESENCIALES DE TEXAS **3.6F** make inferences/use evidence; **3.8B** explain relationships among characters; **3.10C** explain use of print/graphic features

86   —Es mi brillo de labios —dijo Jessica sonriendo y abrió una diminuta magdalena de plástico color rosa. Adentro había una pasta mantecosa de brillo de labios. Eugenia se puso un poco. ¡Mmm, mmm! Quizás el brillo de labios con sabor a magdalenas era otra pista para estar de buenas. Y escribió en sus notas: USAR BRILLO DE LABIOS CON SABOR A MAGDALENAS.

87   —¿Así que te gustan las caritas felices? —preguntó. Eugenia había visto en el cuarto de Jessica un cojín, una caja de lápices y varios clips con caritas felices. También vio unas gafas y unas pantuflas con caritas felices. Hasta el celular que estaba sobre el escritorio tenía una carita feliz. Agarró la bola mágica #8 de Jessica que, por supuesto, también sonreía.

88   —¿Puedo hacerle una pregunta?

89   Jessica asintió con la cabeza.

90   Eugenia tenía una pregunta candente, pero como era un secreto, decidió hacerse la pregunta a sí misma en silencio. "¿Seré capaz de estar de buen humor durante una semana completa?"

91   Agitó la bola mágica #8. "¡Qué lindo atuendo!" Hizo de nuevo la pregunta y volvió a agitar la bola. "¡Tu aliento huele a menta!" Hizo otro intento. "Hueles muy bien".

92   —La bola me sigue diciendo que huelo bien —dijo Eugenia.

93   —Es por el brillo de labios —explicó Jessica Sabelotodo—. ¿Quieres que hagamos la tarea ahora?

94   Eugenia anotó en su cuaderno: HACER LA TAREA A TIEMPO.

95   Jessica sacó su regla transparente "siempre rosa" y su cinta métrica "siempre rosa", incluso, un metro "siempre rosa".

96   —¡Vaya! Hasta tienes un metro. Yo tengo una tira kilométrica de goma de mascar. Es así de grande —dijo Eugenia mientras estiraba los brazos a todo lo ancho—. Bueno, así era antes. Ahora solo quedan cinco centímetros y tres milímetros de chicle. Pero la caja es una regla de un metro, ¡en serio! Además, tiene chistes y...

51

📖 LEER PARA COMPRENDER

¿Qué parece pensar Eugenia sobre la bola mágica #8? *(Parece pensar que es una tontería y que no funciona).*

¿Por qué piensa eso? *(La bola mágica no responde a su pregunta. Solo le dice lo bien que huele).*

¿Qué piensa Jessica sobre su bola mágica #8? ¿Cómo lo saben? *(Piensa que sí funciona. Dice que "Es por el brillo de labios". El texto dice que lo "explicó Jessica Sabelotodo").*

¿Qué le dice esto a Eugenia sobre Jessica? *(Es posible que Jessica no sea tan inteligente como Eugenia pensaba).*

TEKS 3.6F, 3.8B

DOK 2

READ FOR UNDERSTANDING

What does Eugenia seem to think about the Magic 8 Ball? *(She seems to think it is silly or doesn't work.)*

Why does she think that? *(It doesn't answer her question. It only tells her how she smells.)*

What does Jessica think of the Magic 8 Ball? How can you tell? *(She seems to think it works. She says "Es por el brillo de labios." The text says "explicó Jessica Sabelotodo.")*

What does that tell Eugenia about Jessica? *(Jessica might not be as smart as Eugenia thought she was.)*

97 —Si yo fuera tú, no la usaría para hacer la tarea —dijo Jessica.

98 Eugenia buscó a su alrededor alguna cosa que pudiera medir.

99 —¿Tienes un gato? Podríamos medir algo como la cola de un gato —dijo Eugenia.

100 Jessica frunció el ceño.

101 —Estaba a punto de medir la alfombra —dijo mientras extendía la cinta métrica sobre la alfombra.

102 ¡Qué aburrido! Esto de estar de buen humor era más difícil de lo que parecía. Eugenia empezó a sentir comezón en los dedos. Si pudiera regresar a su clóset y tejer a mano... Pero, en cambio, observó con más atención a Jessica.

103 —¿Alguna vez has perdido el autobús de la escuela? —preguntó Eugenia.

104 Jessica volvió a fruncir el ceño.

105 —¿Por qué habría de perderlo?

106 —Lo que quiero preguntar es que si alguna vez has llegado tarde a la escuela. Digamos que te acostaste muy tarde. O que te quedaste leyendo un libro bajo las cobijas cuando debías estar preparándote. O que no hiciste la tarea de ortografía y decidiste quedarte enferma en casa.

107 —Siempre hago mi tarea de ortografía. Nunca finjo estar enferma. Además, tengo un "relojín móvil" —dijo Jessica y le mostró el reloj despertador con ruedas que estaba sobre su mesita de noche—. Hace bip como un robot y salta de la mesa a la hora en que debo levantarme. Y yo tengo que saltar de la cama para perseguirlo por todas partes.

108 —¿Puedo ver cómo funciona? —preguntó Eugenia.

109 —¡Claro! —dijo Jessica y lo programó para que sonara en un minuto. Y esperaron. Y esperaron un poco más.

52

READ FOR UNDERSTANDING

How does Jessica react when Eugenia asks if she ever misses the school bus? (*She wrinkles her forehead and asks, "¿Por qué habría de perderlo?"*)

What does Jessica think Eugenia is asking? (*Jessica thinks Eugenia is asking if she ever misses the bus like when you miss something because you lost it and can't find it.*)

How can you tell Eugenia thinks Jessica doesn't understand her question? (*She repeats the question in a way Jessica can understand. She says "Lo que quiero preguntar es que si alguna vez has llegado tarde a la escuela."*)

What does this tell you about their relationship? (*They really don't understand each other.*)

 CONOCIMIENTOS Y DESTREZAS ESENCIALES DE TEXAS **3.6F** make inferences/use evidence; **3.8B** explain relationships among characters; **3.10D** describe author's use of imagery/language

110 ¡Ip, bip! El "relojín móvil" saltó al piso. "¡Es hora de levantarse, dormilona!". Rodó sobre la alfombra. "¡Anímate! ¡Prepárate!". Corrió debajo de la cama. "¡El sol brilla! ¡Qué maravilla!". Eugenia empezó a perseguirlo por todo el cuarto.

111 —¡Vaya! —dijo Eugenia—. Rueda, habla, rima y da la hora.

112 Escribió en su cuaderno: COMPRAR UN RELOJÍN MÓVIL PARA NUNCA LLEGAR TARDE.

113 —¡Qué divertido! Hagámoslo de nuevo, pero esta vez…

114 —No es un juego en realidad —dijo Jessica poniendo el reloj de nuevo sobre la mesita de noche—. Hagamos de una vez la tarea.

115 Eugenia miró su lista de deberes. Tenía mucho por hacer si quería estar lejos de la Antártida. Tenía mucho que aprender para estar de buen humor.

116 —No puedo —dijo Eugenia—. Tengo que, ehhh, irme para terminar mi experimento de ciencias.

117 —¿Experimento de ciencias? —Jessica se sentó derechita y abrió grande los ojos—. ¿Qué experimento de ciencias? No tenemos ningún…

118 Pero Eugenia ya había salido del cuarto y bajaba a toda prisa las escaleras.

119 ¡Hasta luegooo!

53

Respuestas de ejemplo: *Jessica es ordenada, pero Eugenia es desordenada. Eugenia es divertida, pero Jessica es seria.*

Espagueti yeti

 LEER PARA COMPRENDER

Verificar y clarificar

Recuerde a los estudiantes que deben seguir verificando su comprensión de las palabras y los detalles del cuento. Explique que, al final del cuento, deben repasar las notas que tomaron para clarificar cualquier pregunta que puedan tener pendiente. Pida a los estudiantes que vuelvan a leer sus notas para clarificar cualquier pregunta que puedan tener pendiente.

TEKS 3.6I, 3.10D

DOK 2

 LEER PARA COMPRENDER

Piensa en los acontecimientos del capítulo anterior: "El experimento de Jessica". ¿Cómo desencadenaron esos acontecimientos los que tienen lugar al principio de este capítulo? (*En el capítulo anterior, Eugenia descubrió lo que hace Jessica para tratar de estar de buenas. En este capítulo, Eugenia prueba las ideas que aprendió en el anterior, como limpiar su habitación*).

TEKS 3.8B, 3.8C, 3.8D, 3.10B

DOK 3

120 Lo primero es lo primero. En cuanto Eugenia llegó a su casa, se peinó hacia atrás y se hizo dos colas de caballo al estilo Jessica Pérez. Luego, limpió su cuarto al igual que una amiga M-A-N-I-Á-T-I-C-A, palabra #23 de la lista de palabras nuevas del Sr. Torres. Definición: que tiene manía. Resolló y resopló mientras recogía libros, juegos, materiales de arte y animales de peluche. Ooohhhhuuuaaaaa. ¡Qué aburrido! Ratón seguía cada uno de sus movimientos. Eugenia resolló y resopló más mientras guardaba playeras, pantalones cortos, calcetines y pijamas. ¡Qué aburrido, multiplicado por dos!

121 Ratón se abalanzó sobre un calcetín.

122 —Dámelo. No es hora de jugar, Ratón. Ojalá pudiera.

123 Hasta la lana la guardó dentro del clóset.

124 Jessica Pérez estaba loca de remate si creía que limpiar el cuarto te puede poner de buen humor.

125 Luego, hizo su tarea de esta semana. Leer, leer, leer. Deletrear, deletrear, deletrear. Multiplicar. Dividir. ¡Fin!

126 Hacer su tarea a tiempo no la puso de buen humor.

127 —¿Ahora qué, Ratón? —preguntó Eugenia.

128 Revisó su cuaderno de notas. ¡Eureka! Eugenia Mal genio tuvo una idea.

129 Escarbó y escarbó como un tejón hasta la parte de atrás de su clóset. Sacó sus regalos de la Navidad pasada.

54

READ FOR UNDERSTANDING
Monitor and Clarify
Remind students to keep monitoring their understanding of words and story details. Point out that by the end of the story, they should look at any notes they made to clarify any remaining questions they might have. Have students go back through their notes to clarify any remaining questions they might have.

READ FOR UNDERSTANDING
Think about the events in the last chapter, "El experimento de Jessica." How do those events lead the events at the start of this chapter? (*In the last chapter, Eugenia learned what Jessica does to try to stay in a good mood. In this chapter, Eugenia tries out the ideas she learned in the last chapter, such as cleaning her room.*)

 CONOCIMIENTOS Y DESTREZAS ESENCIALES DE TEXAS **3.6F** make inferences/use evidence; **3.6G** evaluate details; **3.6I** monitor comprehension/make adjustments; **3.8B** explain relationships among characters; **3.8C** analyze plot elements; **3.8D** explain influence of setting on plot; **3.10B** explain use of text structure; **3.10D** describe author's use of imagery/language

54 Módulo 1

Debajo del suéter del ratón bailarín en la parte de delante, el que le había tejido la abuela Luisa, había un regalo de sus abuelos de California. No era un kit para hacer chicle. No era un kit para hacer una lámpara de caracol. ¡Era un kit para hacer tu propio brillo de labios con sabor a algodón azucarado, chocolate y magdalena! ¡¡Doble signo de admiración!!

La Navidad pasada, Eugenia ni por nada habría usado un brillo de labios de sabores. Pero eso había sido antes del experimento de Jessica. Ahora debía intentarlo, en nombre del buen humor.

Como no quería desordenar su cuarto, prefirió desordenar el baño. Agua tibia, manos pegajosas, sabor aromático y… ¡voilà! Ahí estaba para ella solita ese delicioso brillo de labios con sabor a magdalena.

¡Mww, mww! Eugenia se miró en el espejo y chascó los labios. Mmm, mmm. Y se los lamió. ¡Ay! Y se puso más. Smac, smac, smac. ¡Qué rico sabía! El brillo de labios con sabor a magdalena la puso de mejor humor, un poquito. ¿Quién lo iba a pensar?

Eugenia regresó a su cuarto. ¡Y canta una canción sin ton ni son! Su trenza tejida a mano estaba enredada afuera de la puerta del clóset: serpenteaba, subía, trepaba y se enrollaba en el picaporte, sobre el tocador y en el piso, donde Ratón estaba acurrucado, muy dormido sobre una bola de lana.

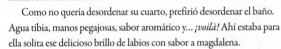

---

enredada   Si una cosa está enredada, está enmarañada y revuelta.

📖 **LEER PARA COMPRENDER**

¿Qué recuerda Eugenia que tiene en su clóset? *(un kit para hacer tu propio brillo de labios)*

¿Cómo ha cambiado la opinión de Eugenia sobre el kit? *(Nunca antes se hubiera atrevido a usar brillo de labios, pero la idea de Jessica de llevar brillo de labios de sabores le hizo cambiar de opinión).*

¿Cómo se siente Eugenia después de ponerse el brillo de labios? *(Está de mejor humor).*

TEKS 3.6F, 3.6G, 3.8B

DOK 2

READ FOR UNDERSTANDING

What does Eugenia remember she has in her closet?
(a make-your-own lip gloss kit)

How has Eugenia's opinion of the kit changed? *(She never would have worn lip gloss in the past, but Jessica's idea about wearing smelly lip gloss changes her opinion.)*

How does Eugenia feel after she puts the lip gloss on?
(She's in a better mood.)

Observa y anota

¡Eureka!

- **Pida a los estudiantes** que expliquen de qué se da cuenta finalmente Eugenia en la página 56 y por qué es importante. *(Eugenia se da cuenta de que estar de buenas no es sencillo).*

SUGERENCIA PARA NOTAS: Pida a los estudiantes que subrayen el pasaje que muestra el momento "¡Eureka!" de Eugenia.

- **Pida a los estudiantes** que hablen sobre lo que el descubrimiento de Eugenia dice sobre la vida. *(Respuesta posible: Eugenia aprende que hay que esforzarse para cambiar algo que estamos acostumbrados a hacer).*

- **Pida a los estudiantes** que reflexionen sobre la pregunta principal *¿Cómo podría cambiar esto las cosas para Eugenia?* y que añadan ideas a sus notas.

TEKS 3.6F, 3.8A, 3.8C

DOK 3

 LEER PARA COMPRENDER

Concluir

Vuelva a comentar el propósito que los estudiantes establecieron antes de leer el texto. Pida a los estudiantes que expliquen lo que aprendieron sobre Eugenia y su "humor marciano" y que citen evidencias del texto.

TEKS 3.7C, 3.10A

DOK 3

---

135   Eugenia haló una punta de abajo de Ratón.

136   —¿Quién bombardeó con lana mi cuarto limpio, Ratón? —dijo—. No trates de echarle la culpa a Hediondo.

137   Al fin encontró el tiempo para tejer. Entró a su clóset en busca de lana, pero no había más. Ni una sola madeja. Ni una bolita. Ni siquiera un trozo. Se había A-CA-BA-DO, acabado.

138   Eugenia bajó las escaleras a toda prisa.

139   —¡Mamá! ¡Mamá! ¿Podemos ir a la tienda? ¡Necesito lana!

140   —Lo siento, mi amor —dijo mamá—. La lana es muy cara. Esperemos para preguntarle a la abuela Luisa si tiene un poco de lana la próxima vez que la veamos.

141   —¡Pero…! —Eugenia estaba a punto de decir que no era justo. A punto de decir que no podía esperar. A punto de patalear los escalones. Pero eso significaría que estaba de mal genio.

142   Subió corriendo las escaleras. El cojín enojado le lanzó una mirada.

143   Era solamente el DBH #1, "el día de buen humor número uno". Eugenia debía olvidarse de disgustos, enfados y de las pataletas por el resto de la semana. Esto de estar de buenas todo el tiempo no era, como parecía, pan comido.

56

NOTICE & NOTE

Aha Moment

- **Have students** explain what Eugenia finally realizes on page 56 and why it is important. *(Eugenia realizes that being in a good mood is not easy.)*

ANNOTATION TIP: Have students underline the passage that shows Eugenia's Aha Moment.

- **Have students** discuss what Eugenia's discovery tells her about life. *(Possible response: Eugenia learns that it takes hard work to change something you're used to doing.)*

- **Have students** reflect on the Anchor Question: *How might this change things for Eugenia?* and add to their notes.

READ FOR UNDERSTANDING

Wrap-Up

Revisit the purpose students set before they read the text. Have students explain what they learned about Eugenia's being a "mood Martian" and cite text evidence.

 CONOCIMIENTOS Y DESTREZAS ESENCIALES DE TEXAS **3.1A** listen actively/ask relevant questions; **3.1B** follow/restate/give oral instructions; **3.1C** speak coherently; **3.1D** work collaboratively; **3.1E** develop social communication; **3.6F** make inferences/use evidence; **3.6G** evaluate details; **3.7C** use text evidence; **3.8A** infer theme/distinguish from topic; **3.8B** explain relationships among characters; **3.8C** analyze plot elements; **3.10A** explain author's purpose/message

Conversación colaborativa

Vuelve a leer lo que escribiste en la página 38. Comenta tus ideas y haz una lista de palabras con un compañero. Luego trabaja en grupo y comenta las preguntas de abajo. Busca detalles y ejemplos en *Eugenia Mal genio, Humor marciano* y toma notas para responder las preguntas. Recuerda escuchar atentamente lo que dicen los demás y esperar tu turno para hablar.

1 Vuelve a leer las páginas 40 y 41. ¿Qué puedes decir sobre los motivos por los que Eugenia va tantas veces a un lugar del salón de clases llamado *Antártida*?

Sugerencia para escuchar

Presta atención a los detalles del cuento que los hablantes usan para explicar sus respuestas. Intenta no repetir lo que han dicho los demás.

2 Vuelve a leer las páginas 41 a 43. ¿Por qué le gusta a Eugenia tejer con los dedos?

Sugerencia para hablar

Recuerda levantar la mano (o seguir las reglas de la clase) para indicar que quieres hablar. Espera hasta que haya terminado la última persona antes de empezar a hablar.

3 Vuelve a leer las páginas 48 y 49. ¿Qué espera aprender Eugenia cuando visite a Jessica? ¿Por qué es importante que Eugenia aprenda?

57

Conversación académica

Use la rutina de **CONVERSACIÓN COLABORATIVA**. Pida a los estudiantes que tomen notas para responder las preguntas. Luego pídales que trabajen en grupos y que apliquen las Sugerencias para escuchar y hablar mientras comentan sus respuestas.

Respuestas posibles:

1. *Eugenia es muy activa y enérgica, y muchas veces necesita que le digan que "enfríe sus ánimos".* DOK 3

2. *A Eugenia le gusta tejer con los dedos porque no necesita agujas, le recuerda a su abuela Luisa.* DOK 2

3. *Eugenia visita a Jessica para aprender a ser perfecta y no meterse nunca en problemas, igual que Jessica. Eugenia piensa que si es capaz de hacer esto, estará de buen humor.* DOK 2

TEKS 3.1A, 3.1B, 3.1C, 3.1D, 3.1E, 3.6F, 3.6G, 3.7C, 3.8B

Academic Discussion
Use the **COLLABORATIVE DISCUSSION** routine. Have students write notes to answer the questions. Then have groups apply the Listening and Speaking Tips as they discuss their responses.

Possible responses:

1. *Eugenia is very active and energetic and often needs to be told to "chill the nerves".*

2. *Eugenia likes finger knitting because she doesn't need knitting needles; it reminds her of grandma Luisa.*

3. *Eugenia visits Jessica to learn how to be perfect and never get in trouble, just like Jessica does. Eugenia thinks being able to do this will put her in a good mood.*

Escribir sobre la lectura

- **Lea en voz alta** el tema para desarrollar con los estudiantes.

- **Inicie un debate** en el que los estudiantes vuelvan a contar los acontecimientos que llevaron a Eugenia a usar finalmente el kit de brillo de labios. Pida a los estudiantes que usen evidencias del texto de la selección y que las expresen con sus propias palabras.

- **Luego lea en voz alta** la sección Planificar. Pida a los estudiantes que usen ideas del debate en sus notas para escribir la lista de actividades que intenta hacer Eugenia.

TEKS 3.1E, 3.7B, 3.7C, 3.7F, 3.11A

Escribir un correo electrónico

TEMA PARA DESARROLLAR

En *Eugenia Mal genio, Humor marciano*, leíste sobre el kit para hacer tu propio brillo de labios que le regalaron a Eugenia los abuelos de California. Sus abuelos le habían enviado el regalo meses antes de que Eugenia decidiera usarlo.

Imagina que eres Eugenia. Escribe un correo electrónico a tus abuelos para decirles que has usado el kit para hacer brillo de labios. Describe los acontecimientos que te llevaron a usar el kit. Diles lo que piensas sobre esos acontecimientos y cómo termina el cuento. Trata de usar algunas palabras del Vocabulario crítico en tu escritura.

PLANIFICAR

Haz una lista de las actividades que trata de hacer Eugenia para poder estar de buen humor. Al lado de cada actividad, escribe lo que sintió Eugenia con cada experiencia.

> Las respuestas variarán, pero los estudiantes deben hacer una lista de las actividades que intenta hacer Eugenia. Estas pueden incluir hacer la tarea, hacer trucos de magia y escribir un cuento. Al lado de cada actividad, los estudiantes deben escribir una palabra o frase que resuma cómo se sintió Eugenia al hacer cada una de ellas.

58

Write About Reading

- **Read aloud** the prompt with students.

- **Lead a discussion** in which students retell the events that led to Eugenia's finally using the lip-gloss kit. Tell students to use text evidence from the selection and to put them into their own words.

- **Then read aloud** the Plan section. Have students use ideas from the discussion in their notes to write the list of activities that Eugenia tries.

CONOCIMIENTOS Y DESTREZAS ESENCIALES DE TEXAS **3.1E** develop social communication; **3.7B** write responses that demonstrate understanding; **3.7C** use text evidence; **3.7F** respond using vocabulary; **3.11A** plan first draft; **3.11B(i)** develop drafts by organizing with purposeful structure; **3.11B(ii)** develop drafts by developing an engaging idea; **3.12D** compose correspondence

58 Módulo 1

Ahora escribe tu correo electrónico sobre el kit para hacer brillo de labios.

✓

Asegúrate de que tu correo electrónico
☐ está escrito desde el punto de vista de Eugenia.
☐ describe los acontecimientos importantes del cuento.
☐ muestra lo que siente Eugenia con sus experiencias.
☐ dice cómo termina la experiencia de Eugenia.

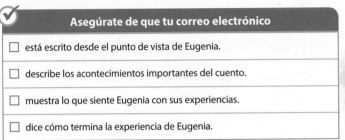

> Había una vez
> Era una noche oscura
> y lluviosa
> Pite y Repite estaban
> en la cama de la litera
> de arriba. Pite se
> cayó. ¿Quién quedó
> arriba? Repite. Pite y
> Repite estaban en la
> cama de la litera de
> arriba...

Las respuestas variarán, pero debe ser un correo electrónico escrito desde la perspectiva de Eugenia a sus abuelos. El correo electrónico debe darles las gracias por el kit para hacer brillo de labios y contarles alguno de los acontecimientos del cuento. La descripción del resumen también debe incluir los elementos de la lista de comprobación.

Escribir sobre la lectura

- **Repase con los estudiantes** las instrucciones y la lista de comprobación de la sección Escribir.

- **Anime a los estudiantes** a incluir un saludo y una despedida en sus correos electrónicos, y a que se aseguren de que usan la primera persona para mostrar el punto de vista de Eugenia.

TEKS 3.7B, 3.7C, 3.7F, 3.11B(i), 3.11B(ii), 3.12D

Write About Reading
- **Review with students** the directions and checklist in the Write section.
- **Encourage students** to a greeting and closing in their emails and to make sure they use the first-person to show Eugenia's point of view.

Presentar el texto

- **Lea en voz alta** y comente la información sobre el género. Indique que esta selección es un extracto de otro libro sobre la familia de Eugenia Mal genio, pero que el personaje principal en este caso es el hermano de Eugenia: Hediondo.

  » Hable sobre lo que los estudiantes recuerdan acerca de la relación de Eugenia y Hediondo del extracto de *Eugenia Mal genio, Humor marciano*.

  » Luego use la ilustración de la página 66 y parte del diálogo de la página 67 para hablar sobre la familia de Hediondo y Eugenia y cómo esta escena de la cocina es un buen ejemplo de ficción realista.

- **Use** Mostrar y motivar: Conocer al ilustrador 1.8 para aprender más sobre el ilustrador.

- **Pida a los estudiantes** que busquen el Vocabulario crítico mientras leen y que piensen en el significado de las palabras.

SUGERENCIA PARA NOTAS: Pida a los estudiantes que usen el recuadro para anotar lo que creen que van a aprender sobre las ranas mientras Hediondo estudia para su examen.

TEKS 3.6A, 3.9A

DOK 2

 Mis notas

Prepárate para leer

ESTUDIO DEL GÉNERO La **ficción realista** cuenta un cuento sobre personajes y acontecimientos que se parecen a los de la vida real.

- La ficción realista incluye personajes que actúan, piensan y hablan como personas reales.
- La ficción realista incluye un diálogo entre personajes para desarrollar el cuento. Los personajes pueden utilizar un lenguaje informal para que la conversación parezca real.
- Los acontecimientos de la ficción realista se desarrollan de manera sucesiva y consecuente.

ESTABLECER UN PROPÓSITO Piensa en el género de este texto y mira las ilustraciones. ¿Qué sabes sobre las ranas? ¿Qué crees que puedes aprender de Hediondo sobre las ranas mientras estudia para el examen? Escribe tus respuestas abajo.

VOCABULARIO CRÍTICO

anual

recitó

protestó

 Conoce al ilustrador:
Peter H. Reynolds

60

READ FOR UNDERSTANDING

Introduce the Text

- **Read aloud** and discuss the genre information. Point out that this selection is an excerpt from another book about Eugenia Mal genio's family, but that the main character here is Eugenia's brother Hediondo.

  » Discuss what students remember about Eugenia and Hediondo's relationship in the excerpt from *Eugenia Mal genio, Humor marciano*.

  » Then use the illustration on page 66 and some of the dialogue on page 67 to discuss Hediondo and Eugenia's family and how the scene in the kitchen is a good example of realistic fiction.

- **Use Mostrar y motivar: Conocer al ilustrador 1.8** to learn more about the illustrator.

- **Tell students** to look for the Critical Vocabulary as they read, and think about the words' meanings.

ANNOTATION TIP: Have students use the box to note what they think they will learn about frogs as Hediondo studies for his quiz.

Hediondo
y las ranas raras rarísimas

por Megan McDonald

ilustrado por Peter H. Reynolds

61

LEER PARA COMPRENDER

Establecer un propósito

- **Pida a los estudiantes** que miren las ilustraciones de esta página y las primeras páginas de la selección. Pídales que consideren qué podría hacer un niño interesado en los sonidos de las ranas con algunos de los objetos que se muestran en las ilustraciones, como el globo, el peine, la liga gruesa y las campanillas.

- **Guíe a los estudiantes** para que establezcan un propósito para la lectura. Comente con ellos lo que creen que van a aprender sobre las ranas, los sonidos de las ranas y Hediondo.

TEKS 3.6A

DOK 2

READ FOR UNDERSTANDING

Set a Purpose

- **Have students** look at the illustrations on this page and the first few pages of the selection. Have students consider what a boy interested in frog sounds might do with some of the items in the illustrations, such as the balloon, comb, rubber band, and jingle bells.

- **Guide students** to set a purpose for reading. Discuss with them what they think they will learn about frogs and frog sounds along with Hediondo.

LEER PARA COMPRENDER

¿Cuál es la característica del texto de esta página? *(una introducción del cuento)*

¿Cómo les ayudará esta introducción a comprender el cuento? *(Da información sobre Eugenia Mal genio y su hermano Hediondo. Dice lo que está haciendo Hediondo justo antes de que empiece el cuento).*

¿Qué desafío afronta Hediondo en este cuento? *(Hediondo necesita aprobar un examen sobre los sonidos de las ranas para poder participar en el Primer Censo Anual de Ranas del Lago Cuello de Rana).*

TEKS 3.8C, 3.10B

DOK 2

* * *

1 El hermano menor de Eugenia Mal genio, Hediondo, se ha estado topando con ranas en todos lados: en la piscina, en sus botas y ¡hasta en la bañera! Cuando él y sus amigos acuden a un centro de la naturaleza para buscar información sobre las ranas, se enteran del Primer Censo Anual de Ranas del Lago Cuello de Rana. Sin embargo, para poder participar en la aventura nocturna, Hediondo debe estudiar los distintos tipos de rana y los sonidos que hacen… ¡y también aprobar un examen!

* * *

anual Un acontecimiento anual ocurre una vez al año.

62

READ FOR UNDERSTANDING

What is the text feature on this page? *(an introduction to the story)*

How will this introduction help you understand the story? *(It gives information about Eugenia Mal genio and her brother Hediondo. It tells what Hediondo is doing just before the story starts.)*

What challenge does Hediondo face in this story? *(Hediondo needs to pass a quiz about frog sounds before he can take part in the Frog Neck Lake Frog Count.)*

 CONOCIMIENTOS Y DESTREZAS ESENCIALES DE TEXAS **3.6F** make inferences/use evidence; **3.8B** explain relationships among characters; **3.8C** analyze plot elements; **3.10B** explain use of text structure; **3.10D** describe author's use of imagery/language

2   ¡Pri-ip! ¡Croac-croac! ¡Escui-inc!

3   Hediondo escuchó a las ranas croar en su computadora. Escuchó los sonidos de las ranas que él mismo había grabado (¡dejando pegada la grabadora toda la noche en la ventana que da al jardín!). Los escuchó el lunes de camino a la escuela y, también, en el carro mientras lo llevaban a su clase de natación.

4   ¡Pri-ip! ¡Croac-croac! ¡Escui-inc! En la clase de natación, imitó algunos de esos sonidos ante sus amigos.

5   —Suenas como un pato —le dijo Webster.

6   —Suenas como un juguete chillón —le dijo Sofía.

7   —Suenas como un banyo desafinado —le dijo Ricardo.

8   —¡Gracias! —les respondió Hediondo—. Como saben, las ranas *pseudacris crucifer* croan como juguetes chillones, mientras que las ranas de bosque croan como graznidos de pato.

9   —¡Y tú graznas! —dijo Webster, y Sofía y Ricardo rieron a carcajadas.

10   —Y ustedes suenan como las ranas leopardo del sur. La rana leopardo croa como la risa de una persona. Es en serio.

11   —Sí, pero ninguna croa como un banyo desafinado —dijo Ricardo.

12   —Ninguna salvo la rana verde del norte. Esa rana croa como la cuerda floja de un banyo, como una liga gruesa al vibrar.

13   —Estás obsesionado con las ranas —dijo Ricardo.

14   —¡Gracias! —dijo Hediondo.

15   —Deberías casarte con una rana, ya que te gustan tanto.

16   —¡Qué graciosos! —dijo Hediondo.

LEER PARA COMPRENDER

¿Por qué Hediondo dice "¡Gracias!" cuando Webster, Sofía y Ricardo se burlan de él por sus sonidos de las ranas? *(Se supone que las descripciones de sus amigos de los sonidos que él hace sean graciosas. Pero Hediondo se alegra cuando le dicen que sus sonidos se parecen realmente a esas cosas).*

TEKS 3.6F, 3.8B

DOK 2

LECTURA EN DETALLE GUIADA

Lenguaje figurado

Pida a los estudiantes que vuelvan a leer la página 69 para analizar el uso de la autora del lenguaje figurado.

¿Cuál es el primer símil de esta página? (como un pato)
¿Qué palabra te indica que es un símil? (como)

¿Es Hediondo realmente un pato? *(no)* **Entonces, ¿por qué la autora hace que Webster use este símil para describir a Hediondo?** *(para describir cómo es el sonido de la rana que Hediondo está imitando)*

SUGERENCIA PARA NOTAS: Pida a los estudiantes que subrayen los demás ejemplos de símil que hay en esta página.

TEKS 3.10D

DOK 2

READ FOR UNDERSTANDING

Why does Hediondo say "¡Gracias!" when Webster, Sofía, and Ricardo tease him about his frog sounds? *(His friends' descriptions of his sounds are meant to be funny. But Hediondo is pleased to hear that his sounds really sound like these things.)*

TARGETED CLOSE READ

Figurative Language

Have students reread page 69 to analyze the author's use of figurative language.

What is the first simile on this page? (como un pato)
Which words signals that this is a simile? (como)

Is Hediondo really a duck? (no) **So, why does the author have Webster use this simile to describe Hediondo?** *(to tell what the frog sound that Hediondo is making sounds like)*

ANNOTATION TIP: Have students underline the other examples of similes on this page.

* * *

17   A Hediondo le pareció una eternidad la clase de natación. Se le había ocurrido una gran idea para aprender los sonidos de las ranas. Iba a necesitar un peine, un globo, dos piedras, una lata de pintura en aerosol, una liga gruesa, un patito de goma, algunas campanillas y nada más.

18   Hediondo infló el globo y lo frotó con las manos. Golpeó las piedras una con otra. Hizo vibrar la liga.

19   Eugenia asomó la cabeza en el cuarto de Hediondo. Ratón, el gato de la familia, se escabulló tras ella.

20   —Hediondo, estoy tratando de aprenderme las tablas de multiplicar y no puedo escuchar lo que digo —dijo y se detuvo al ver la pila de cosas en el piso del cuarto de Hediondo.

21 —¿Qué? Necesito estas cosas para imitar los sonidos de las ranas. Entra, te mostraré —Hediondo frotó un dedo a lo largo de los dientes del peine—. Suena como una rana cantora.

22 —Y esto suena como la rana grillo norteña —dijo agitando la lata de pintura en aerosol.

23 Ratón corrió a meterse debajo de la cama.

24 —Y esto, ¡AARGH!, suena como mamá cuando vea el desorden que hay en tu cuarto —dijo Eugenia.

25 —¡Qué graciosa! —sonrió Hediondo—. ¡Me haces "croar" de la risa!

26 —¿Puedes cerrar la puerta, al menos para que no tenga que oír el «Rock de las ranas» todo el santo día?

65

LEER PARA COMPRENDER

Verificar y clarificar
DEMOSTRAR CÓMO VERIFICAR Y CLARIFICAR

PENSAR EN VOZ ALTA *No estoy seguro de por qué Ratón corrió a meterse debajo de la cama. Recuerdo que Ratón es un gato, pero no estoy seguro de por qué corre a esconderse. ¿Por qué se esconden los gatos? Puedo volver a leer los párrafos 22 y 23. Ahora veo por qué: Hediondo agita una lata de pintura para hacer el sonido de una rana. Este ruido debe asustar a Ratón. Entonces se esconde porque tiene miedo. Esto tiene sentido.*

SUGERENCIA PARA NOTAS: Pida a los estudiantes que escriban notas sobre cualquier sección del texto que les resulte confusa o sobre las palabras que no comprendan.

TEKS 3.6I, 3.10D

DOK 2

LEER PARA COMPRENDER

En *Eugenia Mal genio, Humor marciano*, Hediondo entra en el cuarto de Eugenia mientras ella está en el clóset tejiendo con los dedos. ¿En qué se parece y en qué se diferencia esa escena a la escena del cuarto de Hediondo? *(En el otro cuento, Eugenia está molesta cuando Hediondo entra en su cuarto. Hediondo no se molesta cuando Eugenia entra en su cuarto).*

¿En qué se parece la relación de Eugenia y Hediondo ahora y la relación entre ellos en el otro cuento? *(Hediondo molesta a Eugenia en los dos cuentos).*

TEKS 3.6E, 3.8B

DOK 4

READ FOR UNDERSTANDING
Monitor and Clarify
MODEL MONITORING AND CLARIFYING

THINK ALOUD *I'm not sure why Ratón runs and hides under the bed. I remember that Ratón is a cat, but I'm not sure why he hides under the bed. Why do cats hide? I can reread paragraphs 22, and 23. Now I see what it means— Hediondo shakes a paint can to make a frog noise. This noise must scare Ratón. So, he hides under the bed because he is afraid. It makes sense.*

ANNOTATION TIP: Have students write notes about any sections of the text that confuse them or any words that they don't understand as they read.

READ FOR UNDERSTANDING

In *Eugenia Mal genio, Humor marciano*, Hediondo comes into Eugenia's room while she's in her closet finger knitting. How is that scene similar to or different from this scene in Hediondo's room? *(In the other story, Eugenia is upset when Hediondo comes into her room. Hediondo isn't upset when Eugenia comes in to his room.)*

How is Eugenia's relationship with Hediondo here similar to their relationship in the other story? *(Hediondo annoys Eugenia in both stories.)*

66

 LEER PARA COMPRENDER

¿Cómo describirían la expresión en el rostro de cada personaje de la ilustración? *(Respuesta de ejemplo: Papá parece preocupado. Mamá parece enfadada. Eugenia parece satisfecha. Ratón parece asustado. Hediondo parece que está silbando felizmente).*

¿Cómo apoya el texto esta ilustración? *(Demuestra cómo toda la familia se ha visto afectada por la tarea de Hediondo sobre los sonidos de las ranas).*

TEKS 3.10C

DOK 2

LECTURA EN DETALLE GUIADA

Lenguaje figurado

Pida a los estudiantes que vuelvan a leer la página 67 para analizar el uso de la autora del lenguaje figurado.

En el párrafo 27, ¿qué expresión idiomática usa la autora para describir el sonido de los ronquidos? *("lanzó una tormenta")*

¿Crean realmente los ronquidos de Hediondo una tormenta en la cocina? *(no)*

¿Qué significa esta expresión idiomática? *(que Hediondo roncó con mucha fuerza y energía, similar a la energía que se produce durante una tormenta)*

¿Por qué esta expresión es también un ejemplo de hipérbole? *(Exagera el sonido que hace Hediondo).*

TEKS 3.3D, 3.10D, 3.10G

DOK 3

READ FOR UNDERSTANDING

How would you describe the expression on each character's face in the illustration? *(Sample response: Dad looks worried. Mom looks angry. Eugenia looks pleased. Ratón looks scared. Hediondo looks like he's happily whistling.)*

How does this illustration support the text? *(It shows how the whole family has become drawn in to Hediondo's frog sounds homework.)*

TARGETED CLOSE READ

Figurative Language

Have students reread page 67 to analyze the author's use of figurative language.

In paragraph 27, what is the idiom the author uses to describe the snoring sound? *("lanzó una tormenta")*

Does Hediondo's snoring really create a storm inside the kitchen? *(no)*

What does the idiom mean? *(that Hediondo snored with great energy and enthusiasm—like the weather energy in a storm)*

How is this also an example of hyperbole? *(It exaggerates Hediondo's sound making.)*

 CONOCIMIENTOS Y DESTREZAS ESENCIALES DE TEXAS **3.3D** identify/use/explain meaning of antonyms/synonyms/idioms/homophones/ homographs; **3.6I** monitor comprehension/make adjustments; **3.10C** explain use of print/graphic features; **3.10D** describe author's use of imagery/language; **3.10G** identify/explain use of hyperbole

— ✳ ✳ ✳ —

27 Hediondo bajó por las escaleras apretando el patito de goma chillón. Lanzó una tormenta de ronquidos mientras se preparaba un bocadillo. Agitó la lata de pintura, golpeó las piedras e hizo sonar las campanillas.

28 —Rana de bosque, rana *palustris*, rana grillo —recitó.

29 —Hediondo, no hagas tanto ruido —dijo su papá asomando la cabeza—. Estoy hablando por teléfono.

30 —No se permiten pinturas en aerosol dentro de la casa —dijo su mamá—. Lleva esa lata afuera.

31 —No estoy pintando —dijo Hediondo—. ¿Acaso nadie en esta casa conoce el croar de una rana grillo norteña?

32 Mamá frunció el ceño.

33 —Es una tarea —dijo Hediondo—. Tengo que presentarme a un examen.

34 —Un examen rana —dijo Eugenia mientras entraba en la cocina.

35 —Tengo que aprenderme los sonidos de las ranas —dijo Hediondo—. Es para el Primer Censo Anual de Ranas del Lago Cuello de Rana de este viernes.

36 —¡Claaaro! —dijo mamá.

37 —Es en serio. El examen está en la computadora —dijo Hediondo—. Haces clic en una rana y se oye un sonido. Luego, eliges qué rana croa así.

38 —¿Un examen de opción múltiple? —dijo Eugenia—. Eso es pan comido —se burló.

39 —Yo tengo un examen de opción múltiple para ti —dijo mamá—. Puedes subir a tu cuarto y: a) terminar tu tarea, b) terminar tu tarea, c) terminar tu tarea o d) todas las anteriores.

recitó Si una persona recitó algo, dijo en voz alta lo que se aprendió.

📖 **LEER PARA COMPRENDER**

Verificar y clarificar

Pida a los estudiantes que tomen notas de cualquier sección del texto o de las palabras que no comprendan y que usen la estrategia de cuatro pasos para clarificar su comprensión.

Si los estudiantes tienen dificultades para verificar y clarificar, use este modelo:

💬 **PENSAR EN VOZ ALTA** *En el párrafo 37, Hediondo explica cómo va a ser su examen. No estoy seguro de haberlo comprendido. Voy a volver a leerlo. El texto dice que el examen es en la computadora. Sé que es de opción múltiple. Creo que Hediondo escuchará el sonido de una rana en la computadora. Luego, verá las fotografías de las ranas. Entonces, tiene que hacer clic en la fotografía de la rana que hace ese sonido. Eso tiene sentido.*

TEKS 3.6I, 3.10D

DOK 2

READ FOR UNDERSTANDING

Monitor and Clarify

Have students make notes of any sections of text or words they don't understand and to use the four-part strategy to clarify their understanding.

If students have difficulty monitoring and clarifying, use this model:

THINK ALOUD *In paragraph 37, Hediondo explains how his test will work. I'm not sure I follow it. I'll reread. The text says the test is on the computer. I know it's multiple choice. I think Hediondo will hear a frog sound from the computer. Then he'll see pictures of frogs. He'll have to click on the picture of the frog that makes that sound. That makes sense to me.*

LECTURA EN DETALLE GUIADA

Elementos literarios

Pida a los estudiantes que vuelvan a leer las páginas 67 y 68 para analizar la trama.

¿Quiénes son los personajes principales y los personajes secundarios? ¿Por qué? *(Hediondo es el personaje principal porque el cuento trata principalmente sobre él. Eugenia, mamá, papá y Ratón son los personajes secundarios).*

¿Cuál es el ambiente donde Eugenia ayuda a Hediondo con la tarea? *(el cuarto de Hediondo)*

¿En qué se parece este ambiente al ambiente de *Eugenia Mal genio, Humor marciano* donde Hediondo y Eugenia hablan sobre el cojín del genio? *(El ambiente del otro cuento es el cuarto de Eugenia).*

¿Cómo influyen los ambientes en la trama de cada cuento? *(En ambos cuentos, Eugenia y Hediondo conversan lejos del resto de la familia).*

¿Cómo ayuda Eugenia a Hediondo a resolver un problema? *(A Eugenia se le ocurre un juego de adivinar sonidos para ayudar a Hediondo a estudiar).*

TEKS 3.8B, 3.8D, 3.10B

DOK 4

 LEER PARA COMPRENDER

¿Por qué Eugenia quiere convertir la tarea en un juego? *(porque así la tarea resulta más divertida)*

TEKS 3.6F

DOK 2

---

40   —Pero... —protestó Hediondo.

41   —Tú eliges —dijo mamá.

42   Hediondo subió con trabajo las escaleras, seguido de cerca por Eugenia.

43   —Y no se te olvide hacer también tu tarea de NINGUNA rana —gritó mamá.

44   En el cuarto de Hediondo, Ratón se acurrucó sobre su mochila.

45   —¿Cómo voy a aprenderme todos estos sonidos de rana para el martes? —le preguntó Hediondo a Eugenia y le mostró su cuaderno—. No se puede participar en el censo de ranas si no se aprueba el examen.

46   —Te voy a ayudar —dijo Eugenia—, pero hagámoslo jugando. En lugar de "Piedra, papel o tijeras", le llamaremos... "Piedra, globo y juguete chillón".

47   —¿Y cómo jugamos?

48   —Cierra los ojos. Voy a hacer un sonido y tú tienes que adivinar qué rana es. Pero tenemos que hacerlo en voz baja porque a mamá no le gustará que hagamos primero la tarea rana.

49   —Muy bien, empecemos —dijo Hediondo cerrando los ojos. Eugenia frotó el globo, hizo vibrar la liga gruesa y golpeó una piedra contra la otra.

> **protestó**   Si alguien protestó, dijo por qué no estaba de acuerdo con una afirmación o con una idea.

68

TARGETED CLOSE READ

Literary Elements

Have students reread pages 67–68 to analyze the plot.

Who are the primary and secondary characters? Why? *(Hediondo is a primary character because the story is mostly about him. Eugenia, Mom, Dad, and Ratón are secondary characters.)*

What is the setting when Eugenia helps Hediondo with his homework? *(Hediondo's bedroom)*

How is this similar to the setting in *Eugenia Mal genio, Humor marciano* where Hediondo and Eugenia talk about the mood pillow? *(That setting is Eugenia's bedroom.)*

How did these settings influence the plots of each story? *(in both stories, Eugenia and Hediondo have a conversation away from the rest of the family)*

How does Eugenia help solve a problem for Hediondo? *(Eugenia comes up with a sound-guessing game to help Hediondo study.)*

READ FOR UNDERSTANDING

Why does Eugenia want to turn the homework into a game? *(It will make doing homework fun.)*

 CONOCIMIENTOS Y DESTREZAS ESENCIALES DE TEXAS   **3.6E** make connections; **3.6F** make inferences/use evidence; **3.8B** explain relationships among characters; **3.8D** explain influence of setting on plot; **3.10B** explain use of text structure; **3.10C** explain use of print/graphic features

LEER PARA COMPRENDER

¿Cómo muestra esta ilustración una relación diferente entre Hediondo y Eugenia a la relación que tenían y sobre la que leyeron en *Eugenia Mal genio, Humor marciano*? *(En* Eugenia Mal genio, Humor marciano, *Eugenia estaba molesta con Hediondo. Aquí está contenta de poder ayudarle. Hediondo parece estar contento porque ella le ayude).*

TEKS 3.6E, 3.8B, 3.10C

DOK 4

69

READ FOR UNDERSTANDING

How does this illustration show a different relationship between Hediondo and Eugenia than the one you read about in *Eugenia Mal genio, Humor marciano?* *(In* Eugenia Mal genio, Humor marciano, *Eugenia was just annoyed by Hediondo. But here, she is happy to help him. Hediondo looks like he is happy to have her help him.)*

50 —¡Miau! —Ratón dio un zarpazo sobre las piedras.

51 —Rana cantora, rana de bosque, rana grillo —Hediondo intentó adivinar.

52 —Lo siento —dijo Eugenia mientras revisaba el cuaderno de Hediondo—. Rana leopardo, rana verde, rana grillo.

53 Hediondo agachó la cabeza.

54 —Oye, adivinaste una: rana grillo. Ánimo, Hediondo, solo mantente supertranquilo y escucha con mucha atención. Muy bien, ¿ya estás listo?

55 —¡Listo, Calixto! —dijo Hediondo.

56 Eugenia frotó, golpeteó, apretó e hizo vibrar la liga.

57 —Globo, piedras, juguete chillón, liga —dijo Hediondo—. O sea, rana leopardo, rana grillo, rana *pseudacris crucifer*, rana verde.

58 —¡Bingo! —dijo Eugenia. Y se rio a carcajadas y entre dientes y chifló, revisó el cuaderno, roncó, apretó, tintineó y croó hasta que Hediondo supo distinguir a la rana *palustris* de la rana *pseudacris crucifer* y a la rana cantora de la rana grillo.

59   —¡Vientos! —dijo Eugenia haciendo "shh" con un dedo sobre los labios—. Apuesto que pueden oírnos hasta el final de la calle Anfibio.

60   —¿Crees que le pusieron Anfibio a nuestra calle por todas las ranas que hay?

61   —Por las ranas ranas, Hediondo, no por los chicos rana.

62   —Croac-croac —croó Hediondo.

63   —Ahora, cierra los ojos. Apuesto a que te puedo dejar mudo. ¿Estás listo? —dijo Eugenia y luego hizo "riiiiriiii".

64   —Rana toro. No. Rana de bosque. No. Rana toro —Hediondo abrió los ojos.

65   —Rana cremallera —dijo Eugenia—. Fui yo abriendo y cerrando la cremallera de tu mochila.

66   —No es justo —dijo Hediondo—. No existe ninguna rana cremallera.

LEER PARA COMPRENDER

¿Cómo confunde finalmente Eugenia a Hediondo? *(Usa una cremallera para hacer un sonido que no está en la lista que él usa para estudiar).*

¿Qué dice eso sobre lo bien que conoce Hediondo los sonidos de las ranas? *(Significa que Hediondo ha memorizado muy bien los sonidos. El único que no conoce es el que acaba de inventar Eugenia).*

TEKS 3.6F, 3.8B

DOK 2

71

READ FOR UNDERSTANDING

How does Eugenia finally stump Hediondo? *(She makes a zipper to make a sound that isn't on the list he uses to study.)*

What does that say about how well Hediondo knows his frog sounds? *(It means that Hediondo has memorized the sounds very well. The only one he doesn't know is the one Eugenia just made up.)*

LEER PARA COMPRENDER

Verificar y clarificar

Recuerde a los estudiantes que deben seguir verificando su comprensión de las palabras y los detalles del cuento. Indique que, al final del cuento, deben repasar las notas que tomaron para clarificar cualquier pregunta que puedan tener pendiente. Pida a los estudiantes que vuelvan a leer sus notas para clarificar cualquier pregunta que puedan tener pendiente.

TEKS 3.6I, 3.10D

DOK 2

LEER PARA COMPRENDER

Concluir

Vuelva a comentar el propósito que los estudiantes establecieron antes de leer el texto. Pida a los estudiantes que citen evidencias del texto para explicar lo que aprendieron sobre las ranas al leer cómo Hediondo Mal genio, el genio de la ranas, se prepara para su examen.

TEKS 3.7C, 3.10A

DOK 3

67   —¡Miau! —Ratón se abalanzó sobre las campanillas.

68   —¡Rana campanilla! —dijeron Hediondo y Eugenia al unísono. Y se rieron a carcajadas.

69   —Tenemos que terminar nuestra tarea de NINGUNA rana, Hediondo. Además, ya eres como el rey de las ranas. No, más bien eres como el presidente de las ranas. Ahora te falta practicar con ranas de verdad.

70   —¡Escui-inc! —dijo Hediondo.

——————————— ✳ ✳ ✳ ———————————

71   El martes, Hediondo Mal genio, el genio de las ranas, aprobó su examen brillantemente. El examen rana, claro está.

72   Hediondo estaba loco porque llegara el viernes rana.

72

READ FOR UNDERSTANDING
Monitor and Clarify
Remind students to keep monitoring their understanding of words and story details. Point out that by the end of the story, they should look at any notes they made to clarify any remaining questions they might have. Have students go back through their notes to clarify any remaining questions they might have.

READ FOR UNDERSTANDING
Wrap-Up
Revisit the purpose students set before they read the text. Have students cite text evidence to explain what they learned about frogs from reading how Hediondo Mal genio, Frog Genius prepares for his test.

 CONOCIMIENTOS Y DESTREZAS ESENCIALES DE TEXAS **3.1A** listen actively/ask relevant questions, **3.1C** speak coherently; **3.1E** develop social communication; **3.6F** make inferences/use evidence; **3.6G** evaluate details; **3.6I** monitor comprehension/make adjustments; **3.7C** use text evidence; **3.7G** discuss text ideas; **3.8B** explain relationships among characters; **3.8C** analyze plot elements; **3.10A** explain author's purpose/message; **3.10D** describe author's use of imagery/language

Conversación colaborativa

Vuelve a leer lo que escribiste en la página 60. Comenta tus respuestas con un compañero. Luego trabaja en grupo y comenta las preguntas de abajo. Busca detalles y ejemplos en *Hediondo y las ranas raras rarísimas*. Toma notas para responder las preguntas y úsalas cuando hables. Agrega detalles nuevos a lo que dicen los demás en vez de repetir sus respuestas.

1 Vuelve a leer las páginas 62 y 63. ¿Cómo describirías el interés que tiene Hediondo por las ranas? ¿Por qué?

2 Vuelve a leer las páginas 64 a 67. ¿Cuáles son algunos de los efectos de sonido que crea Hediondo con diferentes objetos comunes? ¿Qué te dice esto de Hediondo?

3 Vuelve a leer la página 68. ¿Qué te dice sobre la personalidad de Eugenia la manera en que ella ayuda a Hediondo a estudiar?

 Sugerencia para escuchar

Escucha atentamente a los demás. Piensa en cómo puedes relacionar tus ideas con las de ellos.

Sugerencia para hablar

Asegúrate de que todos tus comentarios están relacionados con el tema de discusión.

Conversación académica

Use la rutina de **CONVERSACIÓN COLABORATIVA**. Pida a los estudiantes que tomen notas para responder las preguntas. Luego pídales que trabajen en grupos y que apliquen las Sugerencias para escuchar y hablar mientras comentan sus respuestas.

Respuestas posibles:

1. *Hediondo está muy interesado en las ranas. Se ha estado topando con ellas por todos lados. Ahora no piensa en nada más que aprenderse los sonidos de las ranas.* DOK 2

2. *Hediondo usa un peine para hacer el sonido de una rana cantora. Agita la lata de pintura en aerosol para hacer el sonido de una rana grillo norteña. Demuestra que es muy ingenioso.* DOK 2

3. *Le gusta hacer las cosas de un modo diferente, divertido y creativo. Le gusta ayudar a los demás. No le gusta estar aburrida.* DOK 3

TEKS 3.1A, 3.1C, 3.1E, 3.6F, 3.6G, 3.7C, 3.7G, 3.8B, 3.8C

73

Academic Discussion

Use the **COLLABORATIVE DISCUSSION** routine. Have students write notes to answer the questions. Then have groups apply the Listening and Speaking Tips as they discuss their responses.

Possible responses:

1. *Hediondo is totally preoccupied with frogs. He has been finding them all over the place. Now he doesn't think about anything else other than learning frog sounds.*

2. *Hediondo uses a comb to make the sound of a singer frog. He shakes the spray paint can to sound like a Northern cricket frog. It shows he is very inventive.*

3. *She likes to do things in a different, fun, and creative way. She likes helping others. She doesn't like being bored.*

Escribir sobre la lectura

- **Lea en voz alta** el tema para desarrollar con los estudiantes.

- **Inicie un debate** en el que los estudiantes compartan sus ideas sobre Hediondo y cómo afronta los desafíos, como aprender los sonidos de las ranas. Recuerde a los estudiantes que deben utilizar evidencias del texto de la selección.

- **Luego lea en voz alta** la sección Planificar. Pida a los estudiantes que usen ideas del debate en sus notas para hacer una lista de ideas sobre cómo Hediondo podría estudiar para su examen sin la ayuda de Eugenia.

TEKS 3.1E, 3.7B, 3.7C, 3.7F, 3.11A

Escribir un recuento

TEMA PARA DESARROLLAR

En *Hediondo y las ranas raras rarísimas*, Eugenia Mal genio ayuda a su hermano a estudiar para un examen sobre las ranas por medio de un juego. Hediondo aprueba el examen gracias a su hermana.

Imagina cómo el cuento *Hediondo y las ranas raras rarísimas* sería diferente si Eugenia Mal genio no ayuda a Hediondo a estudiar para el examen. Escribe un recuento sobre cómo Hediondo podría prepararse para su examen. Trata de imaginártelo. ¿Qué estrategias podría usar Hediondo para aprender sobre las ranas? ¿Crees que Hediondo aprobaría el examen? Usa lo que sabes de Hediondo para escribir tu recuento.

PLANIFICAR

Toma notas sobre el personaje de Hediondo y haz una lista de ideas sobre cómo piensas que podría estudiar sin la ayuda de Eugenia.

Las respuestas variarán, pero los estudiantes deben identificar las características que describen a Hediondo y demostrar cómo esas características podrían afectar la manera en que él estudia.

74

Write About Reading

- **Read aloud** the prompt with students.
- **Lead a discussion** in which students share their ideas about Hediondo and how he approaches challenges like learning frog sounds. Remind students to use text evidence from the selection.
- **Then read aloud** the Plan section. Have students use ideas from the discussion in their notes to list ideas for how he might prepare for his text without Eugenia.

 CONOCIMIENTOS Y DESTREZAS ESENCIALES DE TEXAS **3.1E** develop social communication; **3.7B** write responses that demonstrate understanding; **3.7C** use text evidence; **3.7D** retell/paraphrase texts; **3.7F** respond using vocabulary; **3.11A** plan first draft; **3.11B(i)** develop drafts by organizing with purposeful structure; **3.11B(ii)** develop drafts by developing an engaging idea; **3.12B** compose informational texts

74 Módulo 1

....

Ahora escribe tu recuento con consejos para estudiar.

✓ Asegúrate de que tu recuento
☐ establece el ambiente.
☐ utiliza información del texto para recontar el cuento.
☐ presenta los acontecimientos en un orden lógico.
☐ usa diálogo y descripciones para contar el cuento.
☐ provee una conclusión.

Las respuestas variarán, pero deben ser un recuento de cómo Hediondo se prepara para su examen y debe incluir los elementos de la lista de comprobación.

Escribir sobre la lectura

- **Repase con los estudiantes** las instrucciones y la lista de comprobación de la sección Escribir.

- **Anime a los estudiantes** a usar diálogo en sus recuentos y palabras de secuencia para ayudar a los lectores a seguir los acontecimientos en orden cronológico.

TEKS 3.7B, 3.7C, 3.7D, 3.7F, 3.11B(i), 3.11B(ii), 3.12B

Write About Reading
- **Review with students** the directions and checklist in the Write section.
- **Encourage students** to include examples of dialogue in their retellings and to use time-order signal words to help readers follow the events in chronological order.

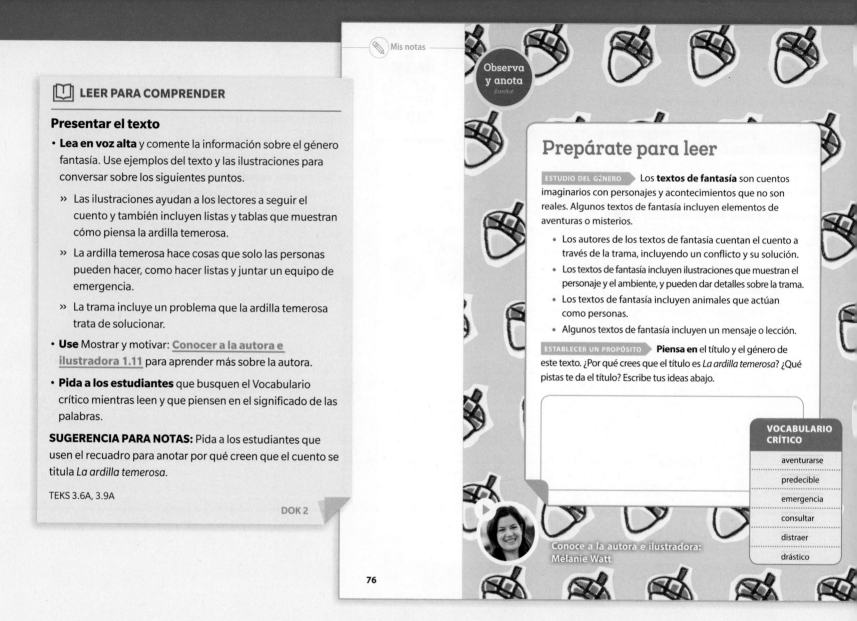

LEER PARA COMPRENDER

Presentar el texto

- **Lea en voz alta** y comente la información sobre el género fantasía. Use ejemplos del texto y las ilustraciones para conversar sobre los siguientes puntos.

  » Las ilustraciones ayudan a los lectores a seguir el cuento y también incluyen listas y tablas que muestran cómo piensa la ardilla temerosa.

  » La ardilla temerosa hace cosas que solo las personas pueden hacer, como hacer listas y juntar un equipo de emergencia.

  » La trama incluye un problema que la ardilla temerosa trata de solucionar.

- **Use** Mostrar y motivar: Conocer a la autora e ilustradora 1.11 para aprender más sobre la autora.

- **Pida a los estudiantes** que busquen el Vocabulario crítico mientras leen y que piensen en el significado de las palabras.

SUGERENCIA PARA NOTAS: Pida a los estudiantes que usen el recuadro para anotar por qué creen que el cuento se titula *La ardilla temerosa*.

TEKS 3.6A, 3.9A

DOK 2

✎ Mis notas

Observa y anota
¡Eureka!

Prepárate para leer

ESTUDIO DEL GÉNERO Los **textos de fantasía** son cuentos imaginarios con personajes y acontecimientos que no son reales. Algunos textos de fantasía incluyen elementos de aventuras o misterios.

- Los autores de los textos de fantasía cuentan el cuento a través de la trama, incluyendo un conflicto y su solución.
- Los textos de fantasía incluyen ilustraciones que muestran el personaje y el ambiente, y pueden dar detalles sobre la trama.
- Los textos de fantasía incluyen animales que actúan como personas.
- Algunos textos de fantasía incluyen un mensaje o lección.

ESTABLECER UN PROPÓSITO **Piensa en** el título y el género de este texto. ¿Por qué crees que el título es *La ardilla temerosa*? ¿Qué pistas te da el título? Escribe tus ideas abajo.

Conoce a la autora e ilustradora: Mélanie Watt

VOCABULARIO CRÍTICO

aventurarse

predecible

emergencia

consultar

distraer

drástico

76

READ FOR UNDERSTANDING

Introduce the Text

- **Read aloud** and discuss the information about the fantasy genre. Use examples from the text and illustrations to discuss the following points.

  » The illustrations help readers follow the story and also include lists and charts that show how the scaredy squirrel thinks.

  » The scaredy squirrel does things that only people can do, such as make lists and put together an emergency kit.

  » The plot includes a problem that the scaredy squirrel tries to solve.

- **Use Mostrar y motivar: Conocer a la autora e ilustradora 1.11** to learn more about the author.

- **Tell students** to look for the Critical Vocabulary as they read, and think about the words' meanings.

ANNOTATION TIP: Have students use the box to note why they think the story is titled *La ardilla temerosa*.

 CONOCIMIENTOS Y DESTREZAS ESENCIALES DE TEXAS **3.6A** establish purpose for reading; **3.9A** demonstrate knowledge of literature characteristics

Mélanie Watt

La ardilla temerosa

📖 **LEER PARA COMPRENDER**

Establecer un propósito

- **Pida a los estudiantes** que miren las características del texto y las ilustraciones en las primeras páginas para identificar cómo pueden ayudar estas características a los lectores a saber quién es, dónde vive y cómo piensa la ardilla temerosa.

- **Guíe a los estudiantes** para que establezcan un propósito para la lectura. Hable con ellos sobre el problema o conflicto que deberá superar la ardilla temerosa.

TEKS 3.6A

DOK 2

77

READ FOR UNDERSTANDING

Set a Purpose

- **Have students** look at the illustrations and text features on the first few pages to identify how these features can help readers now who the scaredy squirrel is, where he lives, and how he thinks.

- **Guide students** to set a purpose for reading. Discuss with them what problem or conflict the scaredy squirrel might have to overcome.

Respuesta de ejemplo: *la ardilla temerosa piensa que estos lugares son aterradores.*

LEER PARA COMPRENDER

Hacer inferencias
DEMOSTRAR CÓMO HACER INFERENCIAS

💬 **PENSAR EN VOZ ALTA** *En esta página, leo que la ardilla temerosa nunca abandona su nogal. También sé que la llaman "temerosa". Entonces, puedo hacer la inferencia de que la ardilla temerosa se siente segura en su nogal. Seguiré leyendo para encontrar más detalles y ver si estas inferencias son correctas.*

SUGERENCIA PARA NOTAS: Pida a los estudiantes que escriban otra inferencia sobre lo que piensa la ardilla temerosa de los lugares fuera de su árbol.

TEKS 3.6F

DOK 3

LEER PARA COMPRENDER

¿Es la ardilla temerosa una ardilla de ciudad o una ardilla de campo? *(de campo)*

¿En qué lugar del campo vive la ardilla temerosa? *(en un nogal)*

¿Qué detalle de las ilustraciones de la página 78 son cosas que pueden ocurrir en la vida real y cuáles solo pueden ocurrir en una fantasía? *(Una ardilla real puede vivir en un árbol. La ardilla temerosa está saludando con la mano. Una ardilla real no puede hacer eso).*

TEKS 3.6E, 3.6F, 3.6G, 3.8D, 3.10C

DOK 3

1 **La ardilla temerosa nunca abandona su nogal.**

78

READ FOR UNDERSTANDING
Make Inferences
MODEL MAKING INFERENCES

THINK ALOUD *On this page I read that the scaredy squirrel never leaves her nut tree. I also know she is called "scaredy." So I can make an inference that the scaredy squirrel feels safe in her tree. I'll read on to find more details to see if these inferences are correct.*

ANNOTATION TIP: Have students write another inference about how the scaredy squirrel might feel about places beyond her tree. *(Sample response: Scaredy Squirrel feels these places are scary.)*

READ FOR UNDERSTANDING

Is the scaredy squirrel a city squirrel or a country squirrel? *(country)*

Where in the country does the scaredy squirrel live? *(in a nut tree)*

Which detail in the illustrations on page 78 are things that could happen in real life and which can only happen in a fantasy? *(A real squirrel could live in a tree. The scaredy squirrel is waving "Hi." A real squirrel could not do that.)*

 CONOCIMIENTOS Y DESTREZAS ESENCIALES DE TEXAS **3.6E** make connections; **3.6F** make inferences/use evidence; **3.6G** evaluate details; **3.8D** explain influence of setting on plot; **3.10C** explain use of print/graphic features; **3.10E** identify/understand literary devices

2 **Prefiere quedarse en su árbol seguro y conocido que aventurarse en lo desconocido. Lo desconocido puede asustar a una ardilla.**

lo desconocido

aventurarse Al aventurarse en un lugar, una persona va a un sitio desconocido que puede ser peligroso.

LECTURA EN DETALLE GUIADA

Punto de vista

Pida a los estudiantes que lean la página 79 para determinar el punto de vista.

¿Es la ardilla temerosa la narradora del cuento? *(no)*

¿Qué palabras muestran que este cuento tiene un narrador en tercera persona? (su, prefiere quedarse, aventurarse)

Si la ardilla temerosa fuera un narrador en primera persona, ¿qué palabras usaría para hablar sobre sí misma? (mi, prefiero quedarme, aventurarme)

TEKS 3.10E

DOK 3

LEER PARA COMPRENDER

¿Por qué lo desconocido podría ser un lugar inseguro para una ardilla? *(Respuesta de ejemplo: Podría haber animales que comen ardillas).*

¿Cómo lo sabe la ardilla temerosa si nunca abandona su nogal? *(No lo sabe. Por eso se llama "lo desconocido").*

TEKS 3.6F, 3.8D

DOK 3

79

TARGETED CLOSE READ
Point of View
Have students reread page 79 to determine the point of view.

Is the scaredy squirrel the narrator of this story? *(no)*

Which words show that this story has a third-person narrator? (su, prefiere quedarse, aventurarse)

If the scaredy squirrel were the first-person narrator, what words would she use to tell about herself? (mi, prefiero quedarme, aventurarme)

READ FOR UNDERSTANDING

Why might the unknown be an unsafe place for a squirrel? *(Sample response: There could be animals that eat squirrels.)*

How would the scaredy squirrel know this if she never leaves her nut tree? *(She can't. That is why it is called "lo desconocido.")*

LEER PARA COMPRENDER

¿A qué le tiene miedo la ardilla temerosa? *(tarántulas, hiedra venenosa, marcianos verdes, abejas asesinas, gérmenes, tiburones)*

¿Por qué muestra la autora estas cosas que dan miedo en una tabla? *(Una tabla ayuda a organizar la información. Esta tabla muestra que la ardilla temerosa se siente segura con las cosas organizadas y bajo control).*

TEKS 3.6F, 3.6G, 3.7C, 3.10C

DOK 2

3 **Algunas cosas a las que la ardilla temerosa tiene miedo:**

tarántulas

hiedra venenosa

marcianos verdes

abejas asesinas

gérmenes

tiburones

80

READ FOR UNDERSTANDING

What things is the scaredy squirrel afraid of?
(tarantulas, poison ivy, green Martians, killer bees; germs; sharks)

Why did the author show these scary things in a chart? *(A chart helps people organize information. This shows that the scaredy squirrel feels safe with things organized and in control.)*

CONOCIMIENTOS Y DESTREZAS ESENCIALES DE TEXAS **3.6E** make connections; **3.6F** make inferences/use evidence; **3.6G** evaluate details; **3.7C** use text evidence; **3.10C** explain use of print/graphic features

⁴ **Por eso ella está muy contenta de poder quedarse donde está.**

📖 **LEER PARA COMPRENDER**

¿Qué se podría perder la ardilla temerosa si se queda en su árbol? *(Respuesta posible: Quizás no llegue a conocer a otros animales. No verá otras partes del campo. No vivirá ninguna aventura).*

TEKS 3.6E, 3.6F

DOK 2

81

READ FOR UNDERSTANDING
What might the scaredy squirrel be missing if she just stays in her tree? *(Possible response: She might not get to meet other animals. She won't get to see other parts of the countryside. She won't have any adventures.)*

LEER PARA COMPRENDER

Hacer inferencias

¿Qué inferencia pueden hacer sobre lo emocionante que es la vida de la ardilla temerosa en esta página? *(Respuesta de ejemplo: No es muy emocionante porque nunca abandona su árbol).*

Si los estudiantes tienen dificultades para hacer inferencias, use este modelo:

💬 **PENSAR EN VOZ ALTA** *La autora no dice claramente qué tipo de vida lleva la ardilla en su árbol, solo que está segura. Sé por experiencia que hacer siempre lo mismo puede resultar aburrido. Puedo hacer la inferencia de que la vida de la ardilla posiblemente no sea muy interesante.*

TEKS 3.6F

DOK 3

LEER PARA COMPRENDER

¿Cuál de las ventajas de la lista de la ardilla es probablemente la más importante para ella? *("lugar seguro")*

TEKS 3.6F

DOK 2

⁵ **Ventajas de no abandonar nunca el nogal:**

- **excelente vista**

- **muchas nueces**

- **lugar seguro**

- **no hay**

Lunes   Martes   Miércoles

⁶ **En el nogal de la ardilla temerosa, todos los días son iguales.**

82

READ FOR UNDERSTANDING

Make Inferences

What inference can you make about how exciting the scaredy squirrel's life is on this page? *(Sample response: It's not very exciting because she never leaves her tree.)*

If students are having difficulty making an inference, use this model:

THINK ALOUD *The author doesn't clearly say what kind of life the squirrel has in her tree, except that it's safe. I know from experience that doing the same thing all the time can get boring. I can make an inference that the squirrel's life might not be very interesting.*

READ FOR UNDERSTANDING

Which of the advantages in the squirrel's list is probably the most important one for her? *("lugar seguro")*

Desventajas de no abandonar nunca el nogal:

- la misma vista de siempre

- las mismas nueces de siempre

- el mismo lugar de siempre

Jueves   Viernes   Sábado   Domingo

8 **Todo es predecible. Todo está bajo control.**

predecible   Algo predecible sucede como uno lo espera, sin sorpresas.

83

🔍 LECTURA EN DETALLE GUIADA

Características del texto y elementos gráficos

Pida a los estudiantes que vuelvan a leer las páginas 82 y 83 y que miren los diagramas para analizar los elementos gráficos.

¿Qué comparan y contrastan los dos diagramas de las páginas 82 y 83? *(las ventajas y las desventajas de no abandonar nunca el nogal)*

¿Qué se menciona en cada diagrama? *(las razones para quedarse en el nogal o abandonarlo)*

Según los diagramas, ¿por qué la ardilla temerosa prefiere quedarse en el nogal? *(Hay más razones en el diagrama de ventajas).*

Mira las ilustraciones de la parte inferior de las páginas 82 y 83. ¿Por qué esas ilustraciones ayudan a los lectores a comprender el texto que está debajo de ellas? *(Las imágenes muestran que el nogal no cambia nunca. Eso significa que es predecible, así que, la ardilla temerosa tiene todo bajo control).*

TEKS 3.10C

DOK 2

TARGETED CLOSE READ

Text and Graphic Features

Have students reread pages 82–83 and look at the diagrams to analyze the graphic features.

What do the two diagrams on pages 82 and 83 compare and contrast? *(The advantages and disadvantages of never leaving the nut tree.)*

What does each diagram list? *(reasons to stay or leave the nut tree)*

According to the diagrams, why might the scaredy squirrel stay in the nut tree? *(There are more reasons in the advantages diagram.)*

How do the illustrations at the bottom of pages 82 and 83 help readers understand the text below the illustrations? *(The pictures show that the nut tree never changes. That means it is predictable, so that everything is under control for the scaredy squirrel.)*

₉ **Rutina diaria de la ardilla temerosa:**

	6:45 a. m.	se despierta	
	7:00 a. m.	come una nuez	
	7:15 a. m.	mira la vista	
	12:00 del mediodía	come una nuez	
	12:30 p. m.	mira la vista	
	5:00 p. m.	come una nuez	
	5:31 p. m.	mira la vista	
	8:00 p. m.	se va a dormir	

84

LEER PARA COMPRENDER

Miren el horario de la rutina diaria de la ardilla temerosa. ¿Cuántas actividades diferentes hay? *(cuatro)*

¿Qué actividades repite? *("come una nuez" y "mira la vista")*

¿Por qué un horario es una buena forma de organizar una rutina? *(Una rutina es algo que se hace siempre. Un horario organiza tu tiempo).*

¿En qué se parece la rutina de la ardilla temerosa a lo que hacemos cada día en el salón de clases? *(Las respuestas variarán, pero los estudiantes deben estar familiarizados con las rutinas del salón de clases o la escuela).*

TEKS 3.6E, 3.6F

DOK 2

READ FOR UNDERSTANDING

Look at the timetable of the scaredy squirrel's routine. How many different activities are there? *(four)*

Which activities repeat? *("come una nuez" y "mira la vista")*

Why is a timetable a good way to organize a routine? *(A routine is something you do all the time. A timetable keeps you on schedule.)*

How does the scaredy squirrel's routine compare to what we do each day in our classroom? *(Reponses will vary, but students should be familiar with classroom or school routines.)*

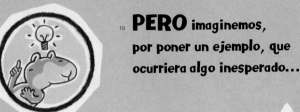

10 **PERO** imaginemos, por poner un ejemplo, que ocurriera algo inesperado…

11 Pueden estar seguros de que la ardilla está MUY preparada.

85

LECTURA EN DETALLE GUIADA

Características del texto y elementos gráficos

Pida a los estudiantes que vuelvan a leer la página 85 para analizar las características del texto.

¿Qué palabras se destacan del resto del texto en estas páginas? (PERO y MUY)

¿En qué se diferencian estas palabras de las demás? (*PERO es más grande y está escrita en letras mayúsculas. MUY está escrita en letras mayúsculas*).

¿Por qué la autora decidió cambiar las palabras de esa manera? (*para mostrar un cambio importante en las ideas sobre la ardilla temerosa y para mostrar que la ardilla está realmente preparada si algo sale mal*)

TEKS 3.10C

DOK 2

LEER PARA COMPRENDER

¿Por qué es importante para la ardilla temerosa estar preparada para algo inesperado? (*Estar preparada le hace sentirse segura*).

TEKS 3.6E, 3.6F

DOK 2

TARGETED CLOSE READ

Text and Graphic Features

Have students reread page 85 to analyze the text features.

Which words on this page stand out from the other words? (PERO *and* MUY)

How are they different from the other words? (PERO *is bigger and in all capital letters.* MUY *is in all capital letters.*)

Why did the author change these words like that? (*to show an important change in the ideas about the scaredy squirrel and that he really is prepared if something does go wrong*)

READ FOR UNDERSTANDING

Why would it be important to the scaredy squirrel to be prepared for something unexpected? (*Being prepared makes her feel safe.*)

LEER PARA COMPRENDER

Miren la tabla de la página 86. ¿Qué muestra? *(Las cosas que contiene el equipo de emergencia de la ardilla temerosa).*

En caso de emergencia, ¿cómo ayudaría cada una de estas cosas a la seguridad de la ardilla? *(Respuesta de ejemplo: El repelente de insectos mantendrá alejados a los insectos, como las abejas asesinas. Las curitas, el jabón antibacteriano, la máscara y los guantes de goma la protegerán de los gérmenes).*

SUGERENCIA PARA NOTAS: Pida a los estudiantes que escriban notas que relacionen las cosas del equipo de emergencia de la ardilla temerosa con las cosas a las que tiene miedo.

TEKS 3.6E, 3.6F, 3.10C

DOK 3

Respuesta de ejemplo:

repelente de insectos
—tarántulas, abejas asesinas

máscara y guantes de goma
—gérmenes

jabón antibacteriano
—gérmenes

loción de calamina
—hiedra venenosa

12 **Algunas cosas del equipo de emergencia de la ardilla temerosa:**

paracaídas | repelente de insectos | máscara y guantes de goma

casco | jabón antibacteriano | loción de calamina

red | curita | sardinas

86

READ FOR UNDERSTANDING

Look at the chart on page 86. What does it show? *(The items in the scaredy squirrel's emergency kit.)*

How might each item keep the scaredy squirrel safe in an emergency? *(Sample response: Bug spray will help keep away bugs like killer bees. Bandages, antibacterial soap, and a mask and rubber gloves can keep out germs.)*

ANNOTATION TIP: Have students write notes that match items in the scaredy squirrel's emergency kit with the things she is afraid of. *(Sample response: bug spray— tarantulas, killer bees; mask and rubber gloves—germs; antibacterial soap—germs; calamine lotion—poison ivy)*

13 **Qué hacer en caso de emergencia según la ardilla temerosa:**

Mis notas

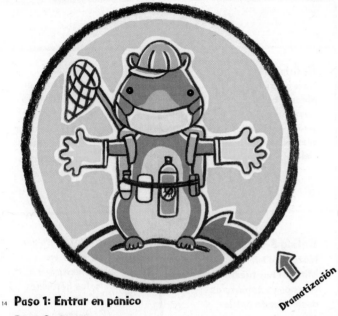

Dramatización

14 **Paso 1: Entrar en pánico**

Paso 2: Correr

Paso 3: Buscar el equipo

Paso 4: Ponerse el equipo

Paso 5: Consultar el plan de salida

Paso 6: Salir del árbol (si no existe absolutamente, definitivamente, verdaderamente ninguna otra opción)

emergencia Una emergencia es una situación inesperada que requiere ayuda o una acción rápida para mejorarla.

consultar Al consultar algo, buscas información en un libro o le preguntas a alguna persona capacitada.

87

LEER PARA COMPRENDER

Hacer inferencias

Lean los pasos que sigue la ardilla temerosa en caso de emergencia. ¿Cuál es el primer paso? *(entrar en pánico)*

¿Es buena idea entrar en pánico si hay una emergencia? *(no)*

¿Qué inferencia pueden hacer sobre el personaje de la ardilla temerosa en base a este detalle? *(Es muy nerviosa y hasta su plan de emergencia incluye entrar en pánico).*

TEKS 3.6E, 3.6F

DOK 3

READ FOR UNDERSTANDING

Make Inferences

Read the list of steps that the scaredy squirrel takes in an emergency. What is the first step? *(panic)*

Is it a good idea to panic in an emergency? *(no)*

What inference can you make about the scaredy squirrel's character from this detail? *(She's very nervous, and even her emergency plan includes panicking.)*

LEER PARA COMPRENDER

Miren el diagrama del plan de salida de la ardilla temerosa. ¿Qué observan en todas las salidas? *(Incluyen una de las cosas a las que tiene miedo).*

¿En qué se parece su plan de salida a su equipo de emergencia? *(La ardilla temerosa planeó ambos para protegerse de las cosas a las que tiene miedo).*

¿Qué tiene pensado hacer la ardilla temerosa si no funcionan los demás planes? *(Tiene pensado hacerse la muerta).*

SUGERENCIA PARA NOTAS: Pida a los estudiantes que subrayen el texto que indica el plan de respaldo de la ardilla temerosa.

TEKS 3.6F, 3.6G, 3.10C

DOK 2

distraer   Para distraer a alguien, se aparta su atención de algo.

88

READ FOR UNDERSTANDING

Look at the diagram of the scaredy squirrel's Exit Plan. What do you notice about each Exit? *(They include one of the things that she's afraid of.)*

How is her Exit Plan like her emergency kit? *(The scaredy squirrel planned both to protect her from the things she's afraid of.)*

What does the scaredy squirrel plan to do if all of her other plans don't work? *(She plans to play dead.)*

ANNOTATION TIP: Have students underline the text that shows the scaredy squirrel's backup plan.

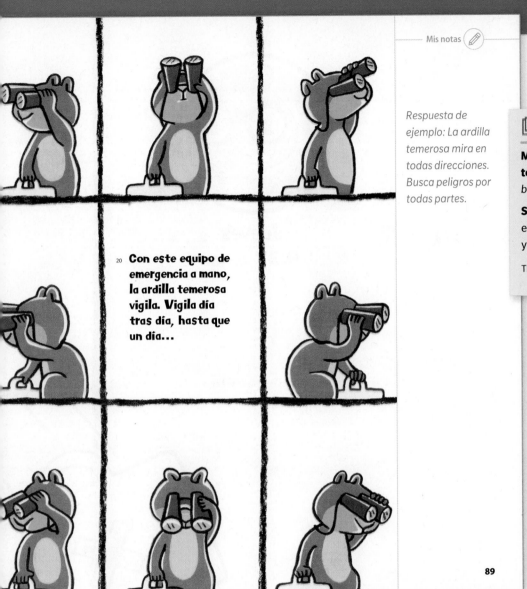

20 **Con este equipo de emergencia a mano, la ardilla temerosa vigila. Vigila día tras día, hasta que un día...**

Respuesta de ejemplo: La ardilla temerosa mira en todas direcciones. Busca peligros por todas partes.

📖 **LEER PARA COMPRENDER**

Miren la ilustración. ¿Qué está haciendo la ardilla temerosa? *(mirando en todas las direcciones con sus binoculares y su equipo de emergencia)*

SUGERENCIA PARA NOTAS: Pida a los estudiantes que escriban oraciones en sus notas que describan la ilustración y lo que esto dice sobre la ardilla temerosa.

TEKS 3.6G, 3.10C

DOK 2

89

READ FOR UNDERSTANDING

Look at the illustration. What is the scaredy squirrel doing? *(looking in every direction with her binoculars and her emergency kit)*

ANNOTATION TIP: Have students write sentences in their notes that describe the illustration and what it tells about the scaredy squirrel. *(Sample response: The scaredy squirrel is looking in every direction. She is looking for danger everywhere.)*

LEER PARA COMPRENDER

¿Qué detalles importantes de la trama muestra la ilustración? *(La ardilla temerosa ve una abeja asesina).*

¿Qué crees que ocurrirá a continuación? *(Respuesta posible: La ardilla temerosa entrará en pánico y saltará del árbol).*

TEKS 3.6C, 3.8C, 3.10C

DOK 3

21 **Jueves
9:37 a. m.**

90

READ FOR UNDERSTANDING

What important plot details does the illustration show? *(The scaredy squirrel sees a killer bee.)*

What do you think will happen next? *(Possible response: The scaredy squirrel will panic and jump out of the tree.)*

¡Aparece una abeja asesina!

23 La ardilla temerosa entra en pánico y, al saltar, golpea el equipo de emergencia y lo arroja del árbol.

24 Esto **NO** era parte del plan.

91

📖 LEER PARA COMPRENDER

¿Qué ocurre según el plan de la ardilla temerosa cuando ve a la abeja? *(Entra en pánico).*

¿Qué ocurre que no está en el plan de la ardilla temerosa cuando aparece la abeja asesina? *(La ardilla temerosa salta y golpea el equipo de emergencia, que se cae del árbol).*

¿Por qué esto es un problema para la ardilla temerosa? *(No podrá seguir su plan. No estará segura).*

TEKS 3.8C

DOK 2

READ FOR UNDERSTANDING

What goes according to the scaredy squirrel's plan when she sees the bee? *(She panics.)*

What does not go according to the scaredy squirrel's plan when the killer bee appears? *(The scaredy squirrel jumps and knocks her emergency kit out of her hands.)*

Why is this a problem for the scaredy squirrel? *(She won't be able to follow her plan. She won't be safe.)*

 LEER PARA COMPRENDER

¿Por qué el texto del párrafo 25 dice que saltar "no fue una buena idea"? *(porque el paracaídas está con el equipo)*

¿Cómo puedes usar el contexto de las palabras alrededor de esta frase para saberlo? *(El texto dice que la ardilla temerosa salta, pero que no tiene el paracaídas porque está con el equipo).*

¿Por qué no es buena idea que la ardilla temerosa salte sin el paracaídas? *(Tiene miedo de caer al piso y lastimarse).*

TEKS 3.3B, 3.8C

DOK 2

25 **La ardilla temerosa salta para agarrar el equipo. Enseguida se da cuenta de que no fue una buena idea. El paracaídas está con el equipo.**

26 **De repente, pasa algo increíble...**

READ FOR UNDERSTANDING

Why does the text say that jumping "no fue una buena idea" in paragraph 25? *(Because the parachute is in the kit.)*

How can you use the context of the surrounding words to figure this out? *(The text says the scaredy squirrel jumps, but she doesn't have her parachute because it is in the kit.)*

Why it is not a good idea that the scaredy squirrel jumps without her parachute? *(She's afraid she'll fall to the ground and hurt herself.)*

CONOCIMIENTOS Y DESTREZAS ESENCIALES DE TEXAS 3.3B use context to determine meaning; **3.6F** make inferences/use evidence; **3.8A** infer theme/distinguish from topic; **3.8C** analyze plot elements

La ardilla temerosa no tiene que tener miedo de caerse nunca más.

27 **Comienza a planear.**

28 **La ardilla temerosa no es una ardilla común.**

29 **¡Es una ardilla VOLADORA!**

93

Observa **y** anota

¡Eureka!

- **Explique a los estudiantes** que los autores a menudo incluyen momentos en los que los personajes se dan cuenta de repente de algo importante. Indique que, cuando los estudiantes se encuentren con estos momentos, pueden preguntarse cómo podría cambiar el descubrimiento la forma de actuar o pensar del personaje.

- **Pida a los estudiantes** que expliquen por qué deberían usar esta estrategia cuando lean la página 93. *(La ardilla temerosa se da cuenta de repente de algo que no sabía sobre sí misma: es una ardilla voladora. Estará segura ¡y puede volar!)*

SUGERENCIA PARA NOTAS: Pida a los estudiantes que escriban una nota que diga por qué esto es importante para la ardilla temerosa.

- **Pida a los estudiantes** que reflexionen sobre la pregunta principal *¿Cómo podría cambiar esto las cosas?* y que añadan ideas a sus notas.

TEKS 3.6F, 3.8A, 3.8C

DOK 3

NOTICE & NOTE

Aha Moment

- **Explain to students** that author's often include moments when characters suddenly realize something important. Point out that when students come across such a moment, they can ask themselves how the discovery might change how a character acts or feels.

- **Have students** explain why they might use this strategy when reading page 93. *(The scaredy squirrel suddenly realizes something she never knew about herself—she is a flying squirrel. She will be safe, and she can fly!)*

ANNOTATION TIP: Have students write a note that tells why this is important for the scaredy squirrel. *(The scaredy squirrel doesn't have to be scared of falling anymore.)*

- **Have students** reflect on the Anchor Question: *How might this change things?* and add to their notes.

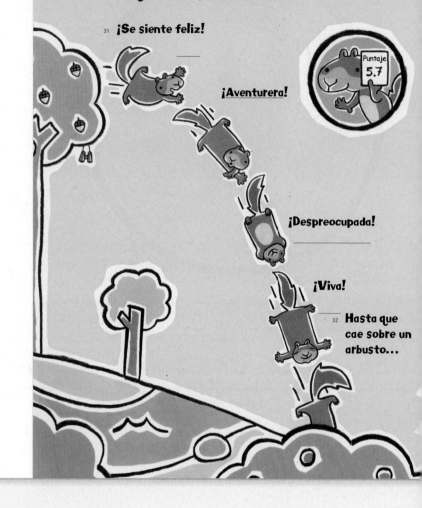

30 La ardilla temerosa se olvida de la abeja asesina y, por supuesto, de las tarántulas, la hiedra venenosa, los marcianos verdes, los gérmenes y los tiburones.

31 ¡Se siente feliz!

¡Aventurera!

¡Despreocupada!

¡Viva!

32 Hasta que cae sobre un arbusto...

Puntaje 5.7

94

LEER PARA COMPRENDER

¿Por qué la ardilla temerosa se olvida de las cosas a las que tiene miedo? *(Está muy contenta de descubrir que puede volar).*

SUGERENCIA PARA NOTAS: Pida a los niños que subrayen las palabras que dicen cómo se siente la ardilla temerosa.

TEKS 3.6F

DOK 2

READ FOR UNDERSTANDING

Why does the scaredy squirrel forget about all the things that scare her? *(She is so happy to discover she can fly.)*

ANNOTATION TIP: Have students underline the words that tell how the scaredy squirrel feels.

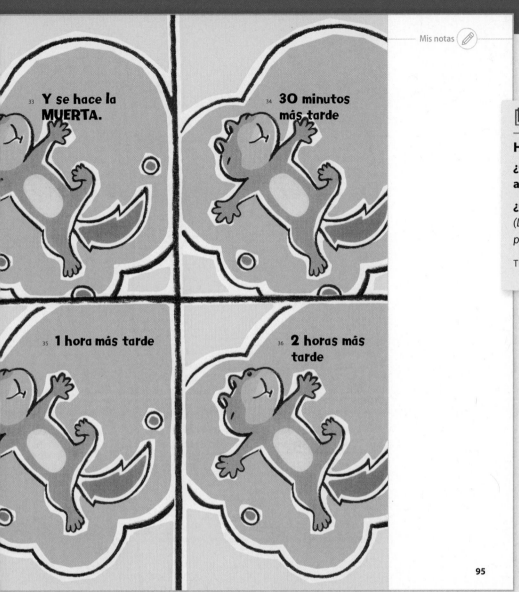

33 **Y se hace la MUERTA.**

34 **30 minutos más tarde**

35 **1 hora más tarde**

36 **2 horas más tarde**

95

📖 **LEER PARA COMPRENDER**

Hacer inferencias

¿Qué hace la ardilla temerosa cuando cae sobre el arbusto? *(Se hace la muerta durante 2 horas).*

¿Qué inferencia pueden hacer de este detalle del cuento? *(La ardilla temerosa sigue su plan de seguridad. No ha cambiado por completo y todavía tiene un poco de miedo).*

TEKS 3.6E, 3.6F

DOK 3

READ FOR UNDERSTANDING

Make Inferences
What does the scaredy squirrel do when she lands in the bush? *(She plays dead for 2 hours.)*

What inference can you make from this story detail?
(The scaredy squirrel is still being safe. She hasn't changed completely, and she still is a little scared.)

Observa **y** anota

¡Eureka!

- **Recuerde a los estudiantes** que los personajes a menudo descubren cosas importantes sobre sí mismos. Cuando los estudiantes se encuentren con momentos como este, pueden preguntarse por qué es importante el descubrimiento y cómo podría cambiar al personaje de forma considerable.

SUGERENCIA PARA NOTAS: Pida a los estudiantes que subrayen la oración que dice de qué se da cuenta la ardilla temerosa.

- **Pida a los estudiantes** que expliquen cómo podría cambiar este momento a la ardilla temerosa. *(La ardilla temerosa ha descubierto que lo desconocido no es aterrador. De ahora en adelante, es posible que salga del árbol y corra riesgos).*

- **Pida a los estudiantes** que reflexionen sobre la pregunta principal *¿Cómo podría cambiar esto las cosas?* y que añadan ideas a sus notas.

TEKS 3.6F, 3.8A, 3.8C

DOK 3

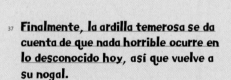

37 **Finalmente, la ardilla temerosa se da cuenta de que nada horrible ocurre en lo desconocido hoy, así que vuelve a su nogal.**

38 **Toda esta emoción animó a la ardilla temerosa a hacer un cambio drástico en su vida...**

drástico   Hacer un cambio drástico es hacer algo muy diferente a lo que siempre se hizo.

96

NOTICE & NOTE

Aha Moment

- **Remind students** that characters often make important discoveries about themselves. When students come across moments like this, they can ask why the discovery is important and how it might change the character in a significant way.

ANNOTATION TIP: Have students underline the sentence that tells what the scaredy squirrel's realization is.

- **Have students** explain how this moment might change the scaredy squirrel. *(The scaredy squirrel has discovered the unknown is not scary. From now on, she might leave her tree and take risks.)*

- **Have students** reflect on the Anchor Question: *How might this change things?* and add to their notes.

 CONOCIMIENTOS Y DESTREZAS ESENCIALES DE TEXAS   3.6F make inferences/use evidence; **3.8A** infer theme/distinguish from topic; **3.8C** analyze plot elements; **3.10A** explain author's purpose/message

₃₉ **Rutina diaria nueva y mejorada de la ardilla temerosa:**

6:45 a. m.	se despierta
7:00 a. m.	come una nuez
7:15 a. m.	mira la vista
9:37 a. m.	salta hacia lo desconocido
9:45 a. m.	se hace la muerta
11:45 a. m.	vuelve a casa
12:00 del mediodía	come una nuez
12:30 p. m.	mira la vista
5:00 p. m.	come una nuez
5:31 p. m.	mira la vista
8:00 p. m.	se va a dormir

97

🔍 LECTURA EN DETALLE GUIADA

Mensaje

Pida a los estudiantes que vuelvan a leer las páginas 94 a 97 para analizar el mensaje o la lección que aprende la ardilla temerosa.

¿Cómo cambia la ardilla temerosa después de descubrir que es una ardilla voladora? *(Ya no tiene miedo. Se divierte).*

¿Cómo cambia ahora la rutina diaria de la ardilla temerosa? *(De ahora en adelante, piensa saltar hacia lo desconocido).*

¿Qué lección aprende la ardilla temerosa? *(Respuesta posible: No debemos perder el tiempo teniendo miedo a lo desconocido).*

¿En qué se diferencia el mensaje del tema del cuento? *(El tema es el miedo a lo desconocido. El mensaje es que no debemos perder el tiempo teniendo miedo a lo desconocido).*

TEKS 3.8A, 3.10A

DOK 3

TARGETED CLOSE READ

Theme

Have students reread pages 94–97 to analyze the lesson, or theme, that the scaredy squirrel learns.

How does the scaredy squirrel change after she discovers she is a flying squirrel? *(She isn't afraid anymore. She has fun.)*

How does this make the scaredy squirrel change her daily routine? *(She plans to jump into the unknown from now on.)*

What lesson does this teach the scaredy squirrel? *(Possible response: Don't waste your time being afraid of unknown things.)*

How is this theme different from the topic of the story? *(The topic is being scared of unknown things. The theme is that you don't need to waste your time being afraid of unknown things.)*

LEER PARA COMPRENDER

¿Dónde cayó el equipo de emergencia de la ardilla temerosa? *(en una planta de hiedra venenosa)*

Miren la ilustración. ¿Se ve nerviosa sin el equipo de emergencia? *(no)*

¿Sigue siendo "temerosa" un buen sobrenombre para la ardilla? ¿Por qué? *(No. Ya no tiene miedo de abandonar su árbol).*

TEKS 3.8F, 3.10C

DOK 3

 LEER PARA COMPRENDER

Concluir

Vuelva a pensar en el propósito que los estudiantes establecieron antes de leer el texto. Pida a los estudiantes que expliquen lo que aprendieron sobre el título del cuento y que citen evidencias del texto en sus explicaciones.

TEKS 3.6A, 3.8A

DOK 2

40 **P. D.: En cuanto al equipo de emergencia, la ardilla temerosa no tiene prisa de recogerlo por el momento.**

FIN

hiedra venenosa

98

READ FOR UNDERSTANDING

Where did the scaredy squirrel's emergency kit land? *(in a plant of poison ivy)*

Look at the illustration. Does she seem nervous without it? *(no)*

Is "scaredy" still a good nickname for this squirrel? Why? *(No. She isn't scared of leaving her tree anymore.)*

READ FOR UNDERSTANDING

Wrap-Up

Revisit the purpose students set before they read the text. Have students explain what they learned about the title of the story and to cite text evidence in their explanations.

 CONOCIMIENTOS Y DESTREZAS ESENCIALES DE TEXAS **3.1A** listen actively/ask relevant questions; **3.1C** speak coherently; **3.1E** develop social communication; **3.6A** establish purpose for reading; **3.6F** make inferences/use evidence; **3.6G** evaluate details; **3.7C** use text evidence; **3.7G** discuss text ideas; **3.8A** infer theme/distinguish from topic; **3.8B** explain relationships among characters; **3.8C** analyze plot elements; **3.10C** explain use of print/graphic features

98 Módulo 1

Conversación colaborativa

Vuelve a leer lo que escribiste en la página 76. Comenta tus ideas con un compañero. Luego trabaja en grupo y comenta las preguntas de abajo. Busca detalles y ejemplos en *La ardilla temerosa*. Toma notas para responder las preguntas y úsalas cuando hables. Recuerda prestar atención a los demás integrantes de tu grupo cuando converses.

1 Repasa las páginas 79 y 80. ¿Cuál de las cosas a las que le tiene miedo la ardilla temerosa podría hacerle daño en realidad? ¿Cuál de ellas parece tonta o sorprendente?

2 Repasa las páginas 86 a 89. ¿Qué aprendes de la ardilla temerosa, de su equipo de emergencia y su plan de salida?

3 ¿Cómo ha cambiado la ardilla temerosa al final del cuento?

 Sugerencia para escuchar

Escucha atentamente. Muestra interés volteándote hacia cada hablante o mirándolo.

Sugerencia para hablar

Mientras hablas, observa la expresión del rostro de los demás integrantes del grupo. Si alguien parece confuso, invita a esa persona a hacerte una pregunta.

99

Conversación académica

Use la rutina de **CONVERSACIÓN COLABORATIVA**. Pida a los estudiantes que tomen notas para responder las preguntas. Luego pídales que trabajen en grupos y que apliquen las Sugerencias para escuchar y hablar mientras comentan sus respuestas.

Respuestas posibles:

1. *La ardilla temerosa debe tenerle miedo a la hiedra venenosa, a las abejas y, quizás, a los tiburones, si vivieran en algún río cerca de su árbol. Pero tenerle miedo a los marcianos verdes parece tonto porque no hay marcianos verdes.* DOK 2

2. *La ardilla temerosa pasa tiempo preocupándose por su seguridad. Es muy cuidadosa y le gusta estar preparada para todo.* DOK 3

3. *Al final del cuento, la ardilla temerosa ha aprendido a preocuparse menos y a correr riesgos, como saltar hacia lo desconocido.* DOK 3

TEKS 3.1A, 3.1C, 3.1E, 3.6F, 3.6G, 3.7C, 3.7G, 3.8B, 3.8C

Academic Discussion

Use the **COLLABORATIVE DISCUSSION** routine. Have students write notes to answer the questions. Then have groups apply the Listening and Speaking Tips as they discuss their responses.

Possible responses:

1. *The scaredy squirrel should be afraid of poison ivy, bees, and maybe sharks, if sharks live in the river near her tree. But being scared of green Martians is silly, because there are no green Martians.*

2. *The scaredy squirrel spends a lot of time worrying about her safety. She is very careful and likes to be ready for anything.*

3. *By the end of the story, the scaredy squirrel has learned to worry less and take risks such as jumping out into the unknown.*

Escribir sobre la lectura

- **Lea en voz alta** el tema para desarrollar con los estudiantes.

- **Inicie un debate** en el que los estudiantes compartan sus ideas sobre la personalidad de la ardilla temerosa. Recuerde a los estudiantes que deben usar evidencias del texto de la selección.

- **Luego lea en voz alta** la sección Planificar. Pida a los estudiantes que usen ideas del debate en sus notas para hacer una lista con los detalles del texto sobre la personalidad, los hábitos y las creencias de la ardilla temerosa.

TEKS 3.1E, 3.7B, 3.7C, 3.7F, 3.11A

Citar evidencia del texto

Escribir una biografía

TEMA PARA DESARROLLAR

En *La ardilla temerosa*, leíste sobre un personaje cuyo nombre describe una parte de su personalidad. Al final del cuento, la ardilla temerosa aprende que lo desconocido no es tan horrible después de todo.

Escribe una biografía de la ardilla temerosa. Resume la personalidad, los hábitos y las creencias de la ardilla con detalles y ejemplos del cuento. Trata de usar algunas palabras del Vocabulario crítico en tu escritura.

PLANIFICAR

Usa una tabla de tres columnas para enumerar los detalles clave del texto sobre la personalidad, los hábitos y las creencias de la ardilla temerosa. Recuerda que las biografías se escriben desde el punto de vista de la tercera persona.

> Las respuestas variarán, pero los estudiantes deben hacer una tabla de tres columnas con los encabezados "Personalidad", "Hábitos" y "Creencias". En cada columna, los estudiantes deben escribir uno o más detalles para describir a la ardilla temerosa. Por ejemplo, en "Hábitos", los estudiantes pueden escribir que la ardilla sigue una rutina muy detallada que es exactamente igual todos los días.

Write About Reading

- **Read aloud** the prompt with students.

- **Lead a discussion** in which students share their ideas about the scaredy squirrel's personality. Remind students to use text evidence from the selection.

- **Then read aloud** the Plan section. Have students use ideas from the discussion in their notes to list details from the text about the scaredy squirrel's personality, habits, and beliefs.

 CONOCIMIENTOS Y DESTREZAS ESENCIALES DE TEXAS 3.1E develop social communication; **3.7B** write responses that demonstrate understanding; **3.7C** use text evidence; **3.7D** retell/paraphrase texts; **3.7F** respond using vocabulary; **3.11A** plan first draft; **3.11B(i)** develop drafts by organizing with purposeful structure; **3.11B(ii)** develop drafts by developing an engaging idea; **3.12B** compose informational texts

Ahora escribe tu biografía de la ardilla temerosa, resumiendo su personalidad, sus hábitos y sus creencias.

Asegúrate de que tu biografía

- ☐ presenta a la ardilla temerosa.

- ☐ está escrita desde el punto de vista de la tercera persona.

- ☐ tiene detalles sobre la personalidad, los hábitos y las creencias de la ardilla temerosa.

- ☐ incluye detalles y acontecimientos del cuento.

Las respuestas variarán, pero los estudiantes deben escribir una biografía de la ardilla temerosa que resuma su personalidad, sus hábitos y sus creencias. La biografía también debe incluir los elementos de la lista de comprobación.

Escribir sobre la lectura

- **Repase con los estudiantes** las instrucciones y la lista de comprobación de la sección Escribir.

- **Anime a los estudiantes** a que se aseguren de que han escrito sus biografías desde el punto de vista de la tercera persona y a que usen detalles del cuento que hayan incluido en las tres columnas de sus notas.

TEKS 3.7B, 3.7C, 3.7D, 3.7F, 3.11B(i), 3.11B(ii), 3.12B

101

Write About Reading
- **Review with students** the directions and checklist in the Write section.
- **Encourage students** to make sure they have written their biographies in the third-person point of view and to use details from the story that they listed in the three columns of their notes.

Volver a pensar en la pregunta esencial

- **Lea en voz alta** la pregunta esencial.
- **Recuerde a los estudiantes** que los cuentos de este módulo tienen personajes principales interesantes y memorables por su forma de resolver los problemas y que pensar en estos personajes puede ayudarles a responder la pregunta.

TEKS 3.1A, 3.6E, 3.8B, 3.12A

DOK 3

Escribir un relato personal

- **Guíe a los estudiantes** para que piensen en cómo solucionaron los problemas cada uno de los personajes del módulo y cómo podrían usarse sus acciones para solucionar un problema en la vida real. Anime a los estudiantes a pensar en cada personaje y el problema, así como sus propias experiencias, antes de elegir uno para escribir sobre él.
- **Repase las características** de los relatos personales usando la lista de comprobación. Pida a los estudiantes que usen la lista de comprobación mientras hacen el borrador, revisan y editan sus relatos personales.

TEKS 3.6E, 3.7A, 3.7C, 3.8B, 3.8C, 3.8D, 3.11A, 3.12A

DOK 2

 Pregunta esencial

¿Por qué son interesantes los personajes de los cuentos?

Escribir un relato personal

TEMA PARA DESARROLLAR Piensa en los personajes sobre los que leíste en este módulo. ¿Qué hace a cada uno de estos personajes alguien a quien recordar?

Imagina que tu clase está creando un libro llamado *Personajes para recordar*. Escribe un relato personal sobre una vez que un personaje de un cuento te dio una idea para resolver un problema. Usa evidencias y ejemplos del texto como apoyo.

Voy a escribir sobre aquella vez que _____.

✓	Asegúrate de que tu relato personal
☐	presenta al personaje.
☐	expone el problema.
☐	usa evidencias y ejemplos del texto como apoyo.
☐	dice lo que pensabas y sentías.
☐	explica lo que ocurrió en un orden claro.
☐	tiene un final que demuestra cómo se solucionó el problema.

102

Revisit the Essential Question
- **Read aloud** the Essential Question.
- **Remind students** that the stories in this module have main characters that were memorable for the way they solved problems and that thinking about these characters can help students answer the question.

Write a Personal Narrative
- **Guide students** to think about how each character in the module solved a problem and how the character's actions might work to solve a real-life problem. Encourage students to think about each character and problem as well as their own experiences before picking one to write about.
- **Review the features** of a personal narrative using the checklist. Tell students to use the checklist as they draft, revise, and edit their personal narratives.

 CONOCIMIENTOS Y DESTREZAS ESENCIALES DE TEXAS 3.1A listen actively/ask relevant questions; **3.6E** make connections; **3.7A** describe personal connections to sources; **3.7C** use text evidence; **3.8B** explain relationships among characters; **3.8C** analyze plot elements; **3.8D** explain influence of setting on plot; **3.11A** plan first draft; **3.12A** compose literary texts

PLANIFICAR ······ Haz un mapa con tus ideas.

Piensa en tu problema. ¿Qué personaje del cuento provocó la idea que te ayudó y por qué? Vuelve a leer tus notas y repasa los textos si lo necesitas.

Usa el mapa del cuento de abajo para planificar tu relato. Identifica tu problema. Haz una lista de lo que sucedió en un orden lógico. Escribe algunas notas sobre el personaje y cómo te ayudó. Usa las palabras del Vocabulario crítico siempre que sea posible.

Mi tema: ______________________________

Ambiente	Personajes
Problema	
Acontecimientos	
Solución	

103

Planificar

- **Según sea necesario, guíe a los estudiantes** para que piensen en el problema del que quieren hablar en su relato personal.
- **Anímelos** a usar la información de sus notas para enumerar las razones y los detalles que apoyan el problema.
- **Anime a los estudiantes** a incluir las Palabras de la idea esencial y el Vocabulario crítico en sus relatos personales, según corresponda.

TEKS 3.7C, 3.11A, 3.12A

DOK 2

Plan

- **As needed, guide students** to think of the problem that they want to talk about in their personal narrative.
- **Encourage them** to use information from their notes and list reasons and details that support the problem.
- **Encourage students** to include Big Idea Words and Critical Vocabulary in their personal narratives, as appropriate.

Hacer un borrador

- **Lea en voz alta** las instrucciones, haciendo referencia a la lista de comprobación mientras lo hace.

- **Sugiera** a los estudiantes que usen la primera persona para indicar que son el narrador al principio del primer párrafo y para plantear con claridad por qué se inspiraron en ese personaje. Sugiera también que deben aclarar por qué fue útil para ellos la solución al problema del personaje para solucionar un problema suyo.

- **Pida a los estudiantes** que usen sus redes como referencia para crear un párrafo intermedio que detalle su problema en orden cronológico y un final que concluya claramente su historia.

TEKS 3.7C, 3.11B(ii), 3.12A

DOK 3

HACER UN BORRADOR ·········· Escribe tu relato.

Usa la información que escribiste en el organizador gráfico de la página 103 para hacer un borrador de tu relato personal.

Escribe un **principio** que hable sobre tu problema y atraiga la atención de los lectores.

Escribe un **párrafo intermedio** que cuente lo que ocurrió y cómo sirvió de guía el personaje. Usa palabras y frases que muestren el orden de los acontecimientos.

Escribe un **final** que exprese cómo solucionaste el problema.

104

Draft

- **Read aloud** the directions, referring back to the checklist as you do so.

- **Suggest** that students use the first-person to establish that they are the narrator early in the first paragraph and to clearly state why the story character inspired them. Also suggest that they make it clear how the character's problem solving was helpful to them for dealing with a problem of their own.

- **Have students** refer to their webs to construct a middle paragraph that details their problem in a chronological order and an ending that clearly wraps up their story.

CONOCIMIENTOS Y DESTREZAS ESENCIALES DE TEXAS **3.7C** use text evidence; **3.11B(ii)** develop drafts by developing an engaging idea; **3.11C** revise drafts; **3.11D(iv)** edit drafts using adjectives; **3.11D(v)** edit drafts using adverbs; **3.11E** publish written work; **3.12A** compose literary texts

REVISAR Y EDITAR
Revisa tu borrador.

REVISAR Y EDITAR

Los pasos de revisión y edición te dan la oportunidad de observar detenidamente tu escritura y hacer cambios. Trabaja con un compañero y determina si has explicado tus ideas con claridad a los lectores. Usa estas preguntas como ayuda para evaluar y mejorar tu relato personal.

PROPÓSITO/ ENFOQUE	ORGANIZACIÓN	EVIDENCIA	LENGUAJE/ VOCABULARIO	CONVENCIONES
☐ ¿Habla mi relato sobre algún personaje de un cuento que me ayudó? ☐ ¿Expliqué el problema que me ayudó a solucionar el personaje?	☐ ¿Cuento lo que sucedió en un orden claro? ☐ ¿Muestro la solución en el final?	☐ ¿Incluí ejemplos y otras evidencias del texto sobre el personaje?	☐ ¿Usé palabras que indican el orden de los acontecimientos? ☐ ¿Usé palabras descriptivas para hablar sobre los pensamientos y los sentimientos?	☐ ¿He escrito todas las palabras correctamente? ☐ ¿Usé la puntuación correcta? ☐ ¿Usé varias clases de oraciones?

PRESENTAR

Comparte tu trabajo.

Crear la versión final Elabora la versión final de tu relato personal. Puedes incluir una fotografía o un dibujo. Considera estas opciones para compartir tu relato.

1. Junta tu relato con el de tus compañeros para crear una colección de *Personajes para recordar*.

2. Trabaja con tus compañeros y compartan sus relatos con los de otra clase. Lean en voz alta los relatos y respondan a las preguntas de la audiencia.

3. Graba tu relato en video o audio. Practica hasta que puedas leerlo claramente y sin errores. Comparte tu grabación para que los demás puedan escucharla.

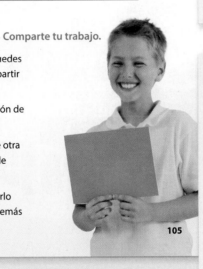

105

Revisar y editar

- **Guíe a los estudiantes** para que usen la lista de comprobación mientras trabajan con sus compañeros para mejorar sus relatos personales.

- **Recuerde a los estudiantes** que deben revisar sus notas para asegurarse de que han expresado claramente su problema con un principio atrayente y cómo les ayudó el personaje a solucionarlo, así como para asegurarse de que usaron las palabras que indican un orden de los acontecimientos claro. Recuérdeles que también deben comprobar que usaron palabras descriptivas para explicar sus pensamientos y sentimientos.

TEKS 3.7C, 3.11B(ii), 3.11C, 3.11D(iv), 3.11D(v), 3.12A

DOK 3

Presentar

- **Los estudiantes pueden copiar** sus borradores revisados con su mejor caligrafía. Consulte las páginas R2 a R7 que se encuentran al final de la Guía del maestro para ver modelos de caligrafía.

- **Los estudiantes pueden usar** una computadora para ingresar sus borradores revisados. Consulte las Páginas imprimibles: Mecanografía 1.1, 1.2 y 1.3 de los Centros de lectoescritura para ver las lecciones sobre el uso del teclado.

TEKS 3.11E, 3.12A

DOK 3

Revise and Edit
- **Guide students** to use the checklist as they work with partners to improve their personal narratives.
- **Remind students** to check their notes to make sure they clearly stated their problem in an engaging beginning and how the character helped them solve it as well as to make sure they used signal words to show a clear order of events. Remind them also to check that they used vivid words to describe their own thoughts and feelings.

Present
- **Students can copy** their revised drafts using their best handwriting. See pages R2–R7 in the back of the **Guía del maestro** for handwriting models.
- **Students can use** a computer to input their revised drafts. See Literacy Centers **Páginas imprimibles: Mecanografía 1.1, 1.2, and 1.3** for keyboarding lessons.

Presentar el tema

- **Lea en voz alta** el título del módulo: *Usa tus palabras*.

- **Diga a los estudiantes** que en este módulo van a leer cuentos y poemas que demuestran la importancia de las palabras y cómo las usan las personas.

- **Pida a los estudiantes** que expliquen lo que saben sobre la importancia de las palabras y cómo usan las palabras las personas para expresar ideas, sentimientos o pensamientos.

- **Luego pida a los estudiantes** que comenten lo que significa *Usa tus palabras*. (*Respuestas posibles: Puede significar "di lo que piensas" y también puede servir para alentar a usar palabras para narrar cuentos escritos y orales*).

TEKS 3.1A, 3.1E, 3.6E

Comentar la cita

- **Lea en voz alta** la cita de José Martí.

- **Inicie un debate** en el que los estudiantes comenten el significado de lo que dice José Martí sobre cómo las palabras pueden ampliar el pensamiento y el conocimiento de las personas.

- **Explique** el significado de la cita, según sea necesario: *Cuanto más amplio es nuestro lenguaje o cuantas más palabras conocemos, mayor capacidad tenemos para pensar, comprender y aprender sobre el mundo que nos rodea*.

TEKS 3.1A, 3.1E, 3.6E, 3.7A

Usa tus palabras

"La grandiosidad del lenguaje invita a la grandiosidad del pensamiento".

— José Martí

106

Introduce the Topic

- **Read aloud** the module title, *Usa tus palabras*.

- **Tell students** that in this module they will be reading stories and poems that show the importance of words and how people use them.

- **Have students** explain what they know about the importance of words, how people use words to tell ideas, feelings, or thoughts.

- **Then ask students** to discuss what *Usa tus palabras* means. (*Possible responses: It can mean both "speak up" and be an encouragement to use words to tell stories through writing and speaking.*)

Discuss the Quotation

- **Read aloud** the quotation by José Martí.

- **Lead a discussion** in which students discuss what José Martí's words mean about how words can expand people's thinking and knowledge.

- **Explain** the meaning of the quote, as needed: *The broader our language or the more words we know, the greater our capacity to think, understand and learn about the world around us.*

CONOCIMIENTOS Y DESTREZAS ESENCIALES DE TEXAS **3.1A** listen actively/ask relevant questions; **3.1E** develop social communication; **3.6E** make connections; **3.7A** describe personal connections to sources

Pregunta esencial

¿Cómo utilizan las personas las palabras para expresarse?

Presentar la pregunta esencial

- **Lea en voz alta** la pregunta esencial.

- **Diga a los estudiantes** que a lo largo de este módulo leerán cuentos y poemas que les ayudarán a responder la pregunta esencial.

- **Asegúrese** de que los estudiantes comprenden el significado de *expresarse* en este contexto. *("manifestar sentimientos, opiniones o ideas")* Si es necesario, vuelva a plantear la pregunta: *¿Cómo utilizan las personas las palabras para expresarse?*

TEKS 3.1A, 3.1E, 3.6E, 3.7A

Ver y responder a un video

- Use la rutina de **VISUALIZACIÓN ACTIVA** con el Video de Mentes curiosas: *Usa tus palabras.*

TEKS 3.1A, 3.6E, 3.7A

Introduce the Essential Question
- **Read aloud** the Essential Question.
- **Tell students** that throughout this module, they will read stories and poems that will help them answer the Essential Question.
- **Make sure** students understand the meaning of *express* in this context. *("to state feelings, opinions, or ideas")* As needed, restate the question: *How do people use words to express themselves?*

View and Respond to a Video
- Use the **ACTIVE VIEWING** routine with the **Video de Mentes curiosas:** *Usa tus palabras.*

Palabras de la idea esencial

Use la rutina de **VOCABULARIO** y las Tarjetas de vocabulario para presentar las Palabras de la idea esencial *expresar, transmitir, crónica* y *creativo*. Puede mostrar la Tarjeta de vocabulario correspondiente a cada palabra mientras la comenta.

1. **Diga** la Palabra de la idea esencial.
2. **Explique** el significado.
3. **Comente** la oración de contexto.

TEKS 3.3B, 3.7F

Red de vocabulario

Guíe a los estudiantes para que piensen cómo se relaciona cada palabra con el uso de palabras propias y para expresarse, mientras deciden qué añadir a la Red de vocabulario. Recuerde a los estudiantes que regresen a esta página después de cada selección para añadir más palabras.

TEKS 3.3B, 3.3C, 3.7F

Palabras acerca de cómo usar las palabras

Las palabras de la tabla de abajo te ayudarán a hablar y escribir sobre las selecciones de este módulo. ¿Cuáles de las palabras ya has visto antes? ¿Cuáles son nuevas para ti?

Completa la Red de vocabulario de la página 109. Escribe sinónimos, antónimos y palabras y frases relacionadas para cada palabra.

Después de leer cada selección del módulo, vuelve a la Red de vocabulario y añade más palabras. Si es necesario, dibuja más recuadros.

PALABRA	SIGNIFICADO	ORACIÓN DE CONTEXTO
expresar (verbo)	Cuando te expresas, muestras lo que sientes y piensas.	Sus sonrisas expresan que están disfrutando la fiesta.
transmitir (verbo)	Cuando transmites información o sentimientos, comunicas una idea o se la das a entender a otra persona.	El maestro transmite lo que espera de los estudiantes.
crónica (sustantivo)	Una crónica es un cuento o relato de una serie de acontecimientos.	Leímos una crónica sobre cómo Sacajawea ayudó a Lewis y Clark a viajar hacia el oeste.
creativo (adjetivo)	Una persona creativa puede imaginar ideas e inventar cosas nuevas.	Los artistas son personas muy creativas.

108

Big Idea Words

Use the **VOCABULARY** routine and the **Tarjetas de vocabulario** to introduce the Big Idea Words *expresar, transmitir, crónica,* and *creativo*. You may wish to display the corresponding **Tarjeta de vocabulario** for each word as you discuss it.

1. **Say** the Big Idea Word.
2. **Explain** the meaning.
3. **Discuss** the context sentence.

Vocabulary Network

Guide students to think about how each word relates to using words and expressing themselves as they decide what to add to the Vocabulary Network. Remind students to come back to this page after each selection to add more words.

 CONOCIMIENTOS Y DESTREZAS ESENCIALES DE TEXAS **3.3B** use context to determine meaning; **3.3C** identify meaning/use words with affixes; **3.7F** respond using vocabulary

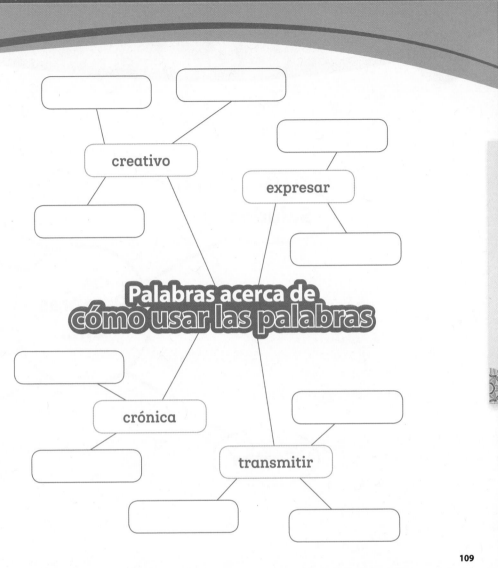

creativo

expresar

Palabras acerca de cómo usar las palabras

crónica

transmitir

109

Dual Language Settings

Desarrollo del lenguaje en español

Enseñar los cognados Recuerde a los estudiantes cuyo primer idioma es el inglés, que pueden buscar y escuchar cognados: palabras que son parecidas en inglés y en español. Reconocer los cognados puede ayudar a los estudiantes a comprender palabras nuevas en español.

Inglés	Español
chronicle	crónica
creative	creativo

TEKS 3.3B, 3.7F

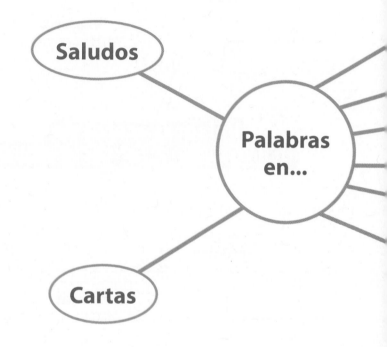

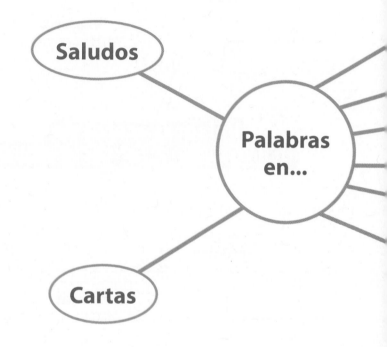

Mapa de conocimientos

- **Pida a los estudiantes** que añadan información al mapa de conocimientos después de leer la lectura breve, *Un cuento JA, JA, JA,* y al final de cada semana. Recuérdeles que repasen los textos para añadir detalles al mapa.

- **Al final del módulo, pida a los estudiantes** que trabajen en parejas o grupos pequeños para comparar y contrastar la información que añadieron a sus mapas de conocimientos.

TEKS 3.6B, 3.6E, 3.6H, 3.7A, 3.7G

Saludos

Palabras en...

Cartas

110

Knowledge Map

- **Have students** add information to the knowledge map after reading the Short Read, *Un cuento JA, JA, JA,* and at the end of each week. Remind students to review the texts to add details to the map.

- **At the end of the module, have students** work in pairs or small groups to compare and contrast the information they added to their knowledge maps.

CONOCIMIENTOS Y DESTREZAS ESENCIALES DE TEXAS **3.6B** generate questions about text; **3.6E** make connections; **3.6H** synthesize information; **3.7A** describe personal connections to sources; **3.7G** discuss text ideas

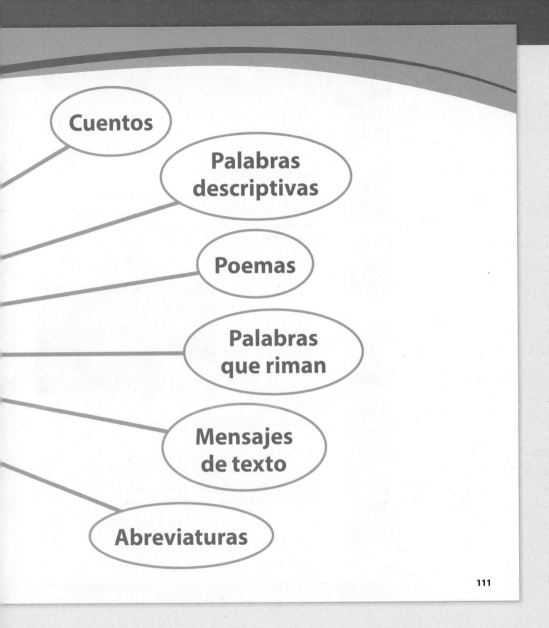

Cuentos

Palabras descriptivas

Poemas

Palabras que riman

Mensajes de texto

Abreviaturas

111

LEER PARA COMPRENDER

Presentar el texto

- **Lea en voz alta** el título. Diga a los estudiantes que esto es un intercambio de mensajes de texto entre dos personas a través de un teléfono celular. Hable sobre lo que los estudiantes saben acerca de los mensajes de texto. (*Los mensajes de texto son comentarios cortos entre amigos*). Señale las letras *JA, JA, JA* que aparecen en el título. Explique que estas letras representan la imitación de la risa y se pueden usar para expresar la frase más larga: "reírse mucho".

- **Guíe a los estudiantes** para que establezcan un propósito para la lectura.

- **Señale** las Palabras de la idea esencial que aparecen resaltadas.

- **Pida a los estudiantes** que lean el texto.

TEKS 3.6A, 3.6E, 3.10C

DOK 1

LEER PARA COMPRENDER

Características del texto y elementos gráficos

- **¿Cuáles son las palabras abreviadas que aparecen en el texto? ¿Qué representan estas "palabras"?** (*q en lugar de "qué", d en lugar de "de", = en lugar de "igual", x en lugar de "por", + en lugar de "más". Estas letras y símbolos suenan igual que las palabras que representan*).

- **¿Por qué creen que los personajes usan palabras abreviadas?** (*Es más rápido y fácil usar palabras abreviadas en un dispositivo pequeño como un teléfono celular*).

TEKS 3.10C

DOK 2

Mis notas

Lectura breve

Un cuento JA, JA, JA

Clara   **Martin**

1   Oye, Martin, ¿q haces?

2   ¡Hola, Clara! Nada. ¿Q pasa?

3   Estoy leyendo la tarea d mañana.

4   Yo = pero hay algo que no entiendo. ¿Quién es Zaron?

5   ¡Es la mascota de Abetha, tonto! Al principio del cuento dice que es un dragón y que es su mascota. Hay que leer la selección y escribir una idea para otro cuento con una mascota inusual.

6   Cierto. Hablando de mascotas, mira esta foto de mi gato Raymond.

7   JA, JA, JA 😊

8   ¡Qué bonito!! ¿Cómo lo llevaste al espacio??

9   Es una aplicación que descargó mi mamá. ¡La puedo usar para convertir a cualquier mascota (o persona) en un astronauta, un vaquero o un futbolista!!!

10   ¡Q DIVER!!! Volviendo a la tarea... No se me ocurre ninguna aventura graciosa. No me siento nada creativa.

11   ¡Y x eso le mandaste un msj a tu mejor amigo para que te ayudara!

12   No, ¡te lo mandé a TI!

13   Brma JA, JA, JA

112

READ FOR UNDERSTANDING

Introduce the Text

- **Read aloud** the title. Tell students that this is a text message exchange between two people using cell phones. Discuss what students know about texting. (*Texts are short comments between friends.*) Point out JA, JA, JA in the title. Explain that these letters represent the imitation of laughter and can be used to express the longer phrase "laugh out loud."

- **Guide students** to set a purpose for reading.
- **Point out** the highlighted Big Idea Words.
- **Have** students read the text.

READ FOR UNDERSTANDING

Text and Graphic Features

- **What are the shortened words in this text? What do these "words" stand for?** (q for "what," d for "of," = for "same," x for "for," + for "more." The letters and symbols stand for the words they sound like.)

- **Why do you think the characters used shortened words?** (It is faster and easier to use short forms on a small device like a phone.)

 CONOCIMIENTOS Y DESTREZAS ESENCIALES DE TEXAS   **3.3B** use context to determine meaning; **3.6A** establish purpose for reading; **3.6E** make connections; **3.10C** explain use of print/graphic features

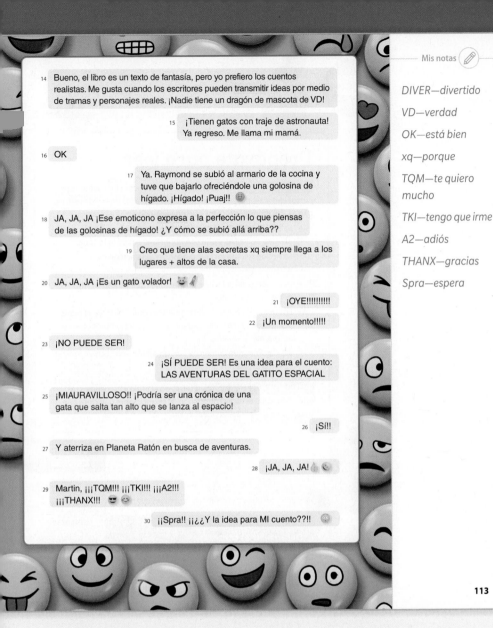

14 Bueno, el libro es un texto de fantasía, pero yo prefiero los cuentos realistas. Me gusta cuando los escritores pueden transmitir ideas por medio de tramas y personajes reales. ¡Nadie tiene un dragón de mascota de VD!

15 ¡Tienen gatos con traje de astronauta! Ya regreso. Me llama mi mamá.

16 OK

17 Ya. Raymond se subió al armario de la cocina y tuve que bajarlo ofreciéndole una golosina de hígado. ¡Hígado! ¡Puaj!!

18 JA, JA, JA ¡Ese emoticono expresa a la perfección lo que piensas de las golosinas de hígado! ¿Y cómo se subió allá arriba??

19 Creo que tiene alas secretas xq siempre llega a los lugares + altos de la casa.

20 JA, JA, JA ¡Es un gato volador!

21 ¡OYE!!!!!!!!!!

22 ¡Un momento!!!!!

23 ¡NO PUEDE SER!

24 ¡SÍ PUEDE SER! Es una idea para el cuento: LAS AVENTURAS DEL GATITO ESPACIAL

25 ¡MIAURAVILLOSO!! ¡Podría ser una crónica de una gata que salta tan alto que se lanza al espacio!

26 ¡Sí!!

27 Y aterriza en Planeta Ratón en busca de aventuras.

28 ¡JA, JA, JA!

29 Martin, ¡¡¡TQM!!! ¡¡¡TKI!!! ¡¡¡A2!!! ¡¡¡THANX!!!

30 ¡¡Spra!! ¡¡¿¿Y la idea para MI cuento??!!

Mis notas

DIVER—divertido

VD—verdad

OK—está bien

xq—porque

TQM—te quiero mucho

TKI—tengo que irme

A2—adiós

THANX—gracias

Spra—espera

📖 **LEER PARA COMPRENDER**

Características del texto y elementos gráficos

• **Las imágenes pequeñas se llaman emoticonos. Un emoticono es una imagen pequeña que representa una idea o estado de ánimo. ¿En qué se parece usar emoticonos a usar palabras?** (*Los emoticonos son como palabras. Permiten que las personas expresen ideas y estados de ánimo*).

• **¿Qué pistas del texto les ayudan a saber el significado de los emoticonos del gato y el cohete?** (*¡Es un gato volador!*).

TEKS 3.3B, 3.10C

DOK 2

📖 **LEER PARA COMPRENDER**

Características del texto y elementos gráficos

• **¿Qué significa *Brma*? Usa el contexto para saber el significado.** (*"Broma". Clara escribe "JA, JA, JA" después de "Brma"*).

SUGERENCIA PARA NOTAS: Pida a los estudiantes que hagan una lista con las demás abreviaturas y su significado en sus notas.

TEKS 3.3B, 3.10C

DOK 2

113

READ FOR UNDERSTANDING

Text and Graphic Features

• The little pictures are called emojis. An emoji is a small illustration that stands for an idea or a feeling. How is using emojis similar to using words? (*Emojis are like words. They let people express ideas and feelings.*)

• What text clues help you figure out the meaning of the cat and rocket emojis? (*¡Es un gato volador!*)

READ FOR UNDERSTANDING

Text and Graphic Features

• What does *Brma* mean? Use context to help you figure out the meanings. (*"Just kidding". Clara writes "JA, JA, JA" after "Brma."*)

ANNOTATION TIP: Have students list the other abbreviations and meanings in their notes. (*DIVER—fun; VD—right; OK—okay; xq—because; TQM—love you very much; TKI—I have to go; A2—bye; THANX—thanks; Spra—wait*)

Presentar el texto

- **Lea en voz alta** y comente la información sobre el género. Señale algunos de los elementos de la ficción realista y las cartas.

  » Eche un vistazo a los detalles de las ilustraciones que se pueden encontrar en la vida real, como los ambientes del departamento y la granja (páginas 116 y 117).

  » Hable sobre los personajes de los dos niños y las cosas que hacen los niños reales (páginas 120 y 121).

  » Eche un vistazo a los formatos de las cartas que escribe cada niño y señale los saludos y el punto de vista en la primera persona (páginas 117 y 118).

- **Use** Mostrar y motivar: **Desarrollar el contexto 2.2** para desarrollar el contexto necesario para acceder al texto.

- **Pida a los estudiantes** que busquen el Vocabulario crítico mientras leen y que piensen en el significado de las palabras.

SUGERENCIA PARA NOTAS: Pida a los estudiantes que usen el recuadro para anotar lo que piensan que dice el título sobre el texto y sobre qué creen que trata el cuento.

TEKS 3.6A, 3.10E

DOK 2

Mis notas

Observa y anota ¡Eureka!

Prepárate para leer

ESTUDIO DEL GÉNERO La **ficción realista** cuenta un cuento sobre personajes y acontecimientos que se parecen a los de la vida real. Las **cartas** son mensajes escritos que una persona envía a otra.

- La ficción realista está ambientada en un tiempo y lugar que pueden ser reales y que son importantes para la historia.
- La ficción realista incluye personajes que actúan como personas reales.
- La ficción realista incluye ilustraciones que muestran a los personajes y el ambiente.
- Los textos de ficción realista pueden contarse desde el punto de vista de uno o varios personajes con pronombres como *yo, mí, me, mío* y *nosotros*.
- Las cartas suelen comenzar con un saludo amistoso y terminar con una despedida amistosa.

ESTABLECER UN PROPÓSITO **Piensa en** el título y los géneros de este texto. ¿Qué te dice el título sobre el texto? ¿Sobre qué crees que trata el cuento? Escribe tus ideas abajo.

Desarrollar el contexto: Inmigración

VOCABULARIO CRÍTICO

videojuegos

hidrante

manzana

disfraces

desfilan

114

READ FOR UNDERSTANDING

Introduce the Text

- **Read aloud** and discuss the genre information. Point out some of the elements of realistic fiction and letters.

  » Preview details in the illustrations that are found in real life, such as the apartment and farm settings (pages 116 and 117).

  » Discuss the two boy characters and the things real boys do (page 120–121).

  » Preview the formats of the letters each boy is writing and point out the greetings and the first-person point of view (pages 117 and 118).

- **Use Mostrar y motivar: Desarrollar el contexto 2.2** to build background for accessing the text.

- **Tell students** to look for the Critical Vocabulary as they read, and think about the words' meanings.

ANNOTATION TIP: Have students use the box to note what they think the title tells them about the text and what they think the story is about.

Querido primo

Una carta para mi primo

por Duncan Tonatiuh

📖 **LEER PARA COMPRENDER**

Establecer un propósito

- **Pida a los estudiantes** que miren las primeras páginas de *Querido primo* para identificar a los dos primos, Carlitos y Charlie, y el formato de intercambio de cartas.

- **Guíe a los estudiantes** para que establezcan un propósito para la lectura. Hable con ellos sobre lo que creen que van a aprender sobre los dos primos de países diferentes que se escriben las cartas.

TEKS 3.6A

DOK 2

115

READ FOR UNDERSTANDING

Set a Purpose

- **Have students** look at the first few pages of *Querido primo* to identify the two cousins, Carlitos and Charlie, and the letter exchange format.

- **Guide students** to set a purpose for reading. Discuss with them what they think they will learn about cousins from two different countries who write letters to each other.

Charlie escribirá una carta a Carlitos.

¡Qué alegría! Acabo de recibir una carta de mi primo, Carlitos. Yo vivo en los Estados Unidos, pero él vive en México, de donde viene mi familia. ¡Quizás algún día nos conozcamos!

116

Observa y anota

¡Eureka!

- **Recuerde a los estudiantes** que los autores a menudo incluyen un momento especial en un cuento cuando un personaje descubre algo importante. Este descubrimiento suele cambiar la forma de pensar y actuar del personaje a partir de ese momento.

- **¿Qué momento especial está viviendo Charlie?** *(Acaba de recibir una carta de su primo Carlitos, que vive en México).*

- **¿Cómo saben que Charlie lo considera especial?** *(Dice "¡Qué alegría!" nada más recibir la carta y esta frase indica que está emocionado).*

SUGERENCIA PARA NOTAS: Pida a los estudiantes que escriban una oración que diga lo que probablemente hará Charlie después de leer la carta.

- **Anime a los estudiantes** a reflexionar sobre la pregunta principal *¿Cómo podría cambiar esto las cosas?* y a que añadan ideas a sus notas.

TEKS 3.6F, 3.8A, 3.8C

DOK 3

NOTICE & NOTE

Aha Moment

- **Remind students** that authors often include a special moment in a story when a character discovers something important. This discovery usually changes how the character thinks and acts from then on.

- **What special moment is Charlie having?** *(He has just received a letter from his or cousin, Carlitos in Mexico.)*

- **How do you know Charlie thinks this is special?** *(He says "¡Qué alegría!" That is a phrase that shows excitement.)*

ANNOTATION TIP: Have students write a sentence that tells what Charlie will probably do after he reads the letter. *(Charlie will write a letter to Carlitos.)*

- **Encourage students** to reflect on the Anchor Question: *How might this change things?* and add to their notes.

CONOCIMIENTOS Y DESTREZAS ESENCIALES DE TEXAS **3.6F** make inferences/use evidence; **3.6G** evaluate details; **3.7D** retell/paraphrase texts; **3.8A** infer theme/distinguish from topic; **3.8C** analyze plot elements

maíz

burro

gallo

pollos

2 Querido primo Charlie:

3 ¿Cómo estás? ¿Te preguntas igual que yo cómo es la vida de quienes viven lejos de ti? Yo vivo en una granja rodeada de montañas y árboles. Mi familia cultiva muchas cosas, como, por ejemplo, maíz.

4 Tenemos un burro, pollos y un gallo. Todas las mañanas, el gallo canta: quiquiriquí, quiquiriquí.

117

LEER PARA COMPRENDER

Volver a contar/Resumir
DEMOSTRAR CÓMO VOLVER A CONTAR UN CUENTO

PENSAR EN VOZ ALTA *Puedo volver a contar algunas partes de los cuentos con mis propias palabras como ayuda para comprenderlos y recordarlos. El cuento trata sobre dos primos. Se llaman Charlie y Carlitos. Carlitos vive en México. Charlie vive en Estados Unidos. Charlie acaba de recibir una carta de Carlitos. En ella, Carlitos le cuenta a Charlie que se pregunta cómo es la vida de quienes viven lejos. Él vive en una granja con su familia.*

TEKS 3.6G, 3.7D

DOK 3

READ FOR UNDERSTANDING

Retell/Summarize
MODEL RETELLING

THINK ALOUD *I can retell parts of stories in my own words to help me understand and remember them. The story is about two cousins. They are Charlie and Carlitos. Carlitos lives in Mexico. Charlie lives in America. Charlie just received a letter from Carlitos. In the letter, Carlitos tells Charlie that he wonders what life is like far away. He lives on a farm with his family.*

LECTURA EN DETALLE GUIADA

Punto de vista

Pida a los estudiantes que vuelvan a leer las páginas 117 y 118 para analizar el punto de vista.

¿Sobre quién trata este cuento? (*sobre dos niños que se llaman Carlitos y Charlie*)

¿Quién es el narrador de este cuento? (*Los dos niños se turnan*).

¿Están las cartas escritas en primera o en tercera persona? (*primera persona*) **¿Qué palabras les ayudan a saberlo?** (*yo, mi*)

SUGERENCIA PARA NOTAS: Pida a los estudiantes que subrayen las palabras en primera persona *yo*, *tenemos* y *mi* en los párrafos 3, 4 y 6.

TEKS 3.10E

DOK 3

✏ Mis notas

5 Querido primo Carlitos:

6 Yo vivo en la ciudad. Desde mi ventana puedo ver un puente y coches que pasan zumbando. También veo muchos rascacielos.

7 Los rascacielos son edificios tan altos que tocan las nubes. Por la noche, las luces de la ciudad parecen estrellas en el cielo.

118

TARGETED CLOSE READ

Point of View

Have students reread pages 117–118 to analyze the point of view.

Who is this story about? (*two boys named Carlitos and Charlie*)

Who is the narrator of this story? (*Both boys take turns.*)

Are the letters written in third-person or first-person? (*first person*) **What words help you know this?** (*yo, mi*)

ANNOTATION TIP: Have students highlight the first-person words *yo, tenemos,* and *mi* in paragraphs 3, 4 and 6.

 CONOCIMIENTOS Y DESTREZAS ESENCIALES DE TEXAS 3.10C explain use of print/graphic features; 3.10E identify/understand literary devices

LEER PARA COMPRENDER

¿Qué tres detalles pueden ver sobre Charlie en las ilustraciones que no dice el texto? *(Tiene un pez de mascota. Juega al baloncesto. Escribe con la mano izquierda).*

TEKS 3.10C

DOK 2

READ FOR UNDERSTANDING

What are three details about Charlie in the illustrations that the text does not tell about? *(He has a pet goldfish. He plays basketball. He writes with his left hand.)*

8 Por la mañana, voy en bicicleta a la escuela.

 Mis notas

📖 **LEER PARA COMPRENDER**

¿Cómo saben cuál de los primos escribió las palabras de estas dos páginas? *(Las palabras de las cartas de Carlitos se muestran en letra bastardilla. Las palabras de las cartas de Charlie parecen letra de imprenta).*

SUGERENCIA PARA NOTAS: Pida a los estudiantes que escriban notas junto a cada sección del texto para identificar qué niño lo escribió. Los estudiantes pueden continuar haciéndolo en toda la selección como ayuda para seguir de qué personaje es la carta que están leyendo.

TEKS 3.10C

DOK 2

READ FOR UNDERSTANDING

How can you tell which words are written by which cousin on these two pages? *(The words in Carlitos's letters look like cursive writing. The words in Charlie's letters look like printed writing.)*

ANNOTATION TIP: Have students write notes next to each section of text to identify which boy wrote it. Students might want to continue to do this throughout the selection to help them keep track of which character's letter they are reading.

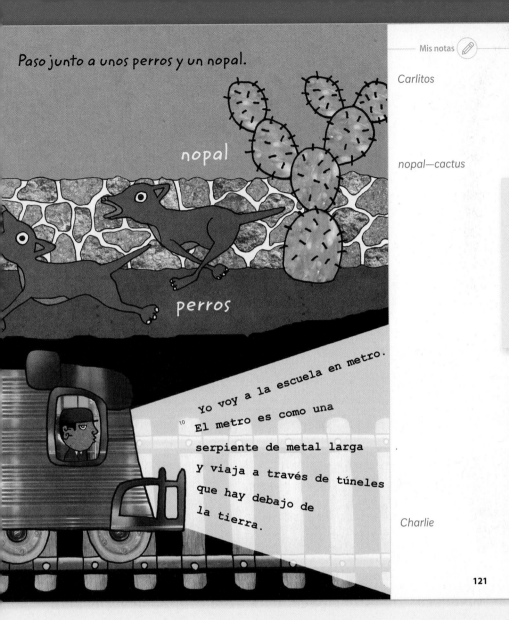

Paso junto a unos perros y un nopal.

nopal

perros

Yo voy a la escuela en metro.
10 El metro es como una
serpiente de metal larga
y viaja a través de túneles
que hay debajo de
la tierra.

Mis notas ✏️

Carlitos

nopal—cactus

Charlie

121

📖 **LEER PARA COMPRENDER**

¿Qué les dice la ilustración de Carlitos yendo en bicicleta hacia la escuela acerca del significado de la palabra *nopal*? *(que la palabra nopal es un cactus)*

SUGERENCIA PARA NOTAS: Pida a los estudiantes que escriban en sus notas la palabra *nopal* y su significado.

TEKS 3.3B, 3.10C

DOK 2

READ FOR UNDERSTANDING

What does the illustration of Carlitos riding to school tell you about the meaning of *nopal*? *(The word* nopal *is a cactus.)*

ANNOTATION TIP: Have students write in their notes the word *nopal* and its meaning.

11 En el recreo, juego al fútbol. Mi amigo me pasa el balón, yo lo pateo y si marco, grito: ¡Gol!

¡Gol!

TEKS 3.3B, 3.10C

DOK 2

LEER PARA COMPRENDER

¿Qué muestran el párrafo 11 y la ilustración? (*Carlitos juega al fútbol en México*).

¿Qué muestra la ilustración sobre el ambiente de la casa de Carlitos? (*El suelo es marrón. Hay montañas en la distancia*).

READ FOR UNDERSTANDING

What do paragraph 11 and the illustration show?
(*Carlitos plays soccer in Mexico.*)

What does the illustration show about the setting of Carlitos's home? (*The earth is brown. There are mountains in the distance.*)

CONOCIMIENTOS Y DESTREZAS ESENCIALES DE TEXAS **3.3B** use context to determine meaning; **3.6G** evaluate details; **3.7C** use text evidence; **3.7D** retell/paraphrase texts; **3.10C** explain use of print/graphic features

Yo juego al baloncesto. Mi amigo regatea y me pasa el balón. Yo salto y lanzo y...

¡Nada! El balón solo toca la red.

📖 LEER PARA COMPRENDER

Volver a contar

Usen sus palabras para volver a contar cómo juega cada primo con sus amigos. (*Carlitos juega al fútbol con sus amigos. Charlie juega al baloncesto con sus amigos*).

Si los estudiantes tienen problemas para volver a contar un cuento, utilice este modelo:

💬 **PENSAR EN VOZ ALTA** *Quiero volver a contar la parte en la que los dos niños practican deportes con sus amigos. Volveré a contar los acontecimientos de forma resumida. Usaré la información del texto y de las ilustraciones. Carlitos juega al fútbol. Patea la pelota para anotar un gol. Charlie juega al baloncesto. Él finta, pasa la pelota y la lanza con sus manos para anotar una canasta.*

TEKS 3.6G, 3.7D

DOK 3

📖 LEER PARA COMPRENDER

¿En qué se parecen el fútbol y el baloncesto? (*Ambos deportes se juegan con otras personas. En los dos se usa una pelota redonda*).

TEKS 3.7C, 3.10C

DOK 2

.**123**

READ FOR UNDERSTANDING

Retell
Use your own words to retell how each cousin plays with his friends. (*Carlitos plays soccer with his friends. Charlie plays basketball with his friends.*)

If student have difficulty retelling, use this model:

THINK ALOUD *I want to retell about the sports the two boys play. I will retell the events in a shorter way. I will use information from both the text and the illustrations. Carlitos plays soccer. He kicks the ball to score a goal. Charlie plays basketball. He dribbles, passes, and shoots the ball with his hands to score a goal.*

READ FOR UNDERSTANDING

How are soccer and basketball similar games? (*Both sports are played with other people. Both use a round ball.*)

13 Cuando vuelvo de la escuela, ayudo a mi mamá a cocinar. Mi comida favorita son las quesadillas. Las preparo con queso y tortillas.

quesadillas

tortillas

124

READ FOR UNDERSTANDING

Why does the author tell about *quesadillas*? *(to show a Mexican food that Carlitos likes to eat)*

ANNOTATION TIP: Have students highlight the words on the page that tell what goes into *quesadillas*.

14 En los Estados Unidos tenemos muchos tipos de alimentos diferentes. Mi comida favorita es la *pizza*. Me gusta comerme un pedazo por el camino, cuando regreso de la escuela a casa.

LEER PARA COMPRENDER

¿Qué hace Charlie después de la escuela parecido a lo que hace Carlitos? *(Charlie come algo).*

¿En qué se parecen las quesadillas y la *pizza*? *(Las dos tienen queso. Las dos tienen un pan plano. Las dos son redondas).*

TEKS 3.6E

DOK 2

125

READ FOR UNDERSTANDING

What does Charlie do after school that is similar to what Carlitos does? *(Charlie has something to eat.)*

How are quesadillas and pizza alike? *(They both have cheese. They both have flat bread. They are both round.)*

15

Cuando termino las tareas, mi mamá me deja salir a jugar. En México, tenemos muchos juegos, como trompos y canicas.

trompo

canicas

LEER PARA COMPRENDER

¿A qué juegan Carlitos y sus amigos en estas dos páginas? *(trompos, canicas, papalotes)*

Al *papalote* también se le llama *barrilete* o *cometa*. Si no saben lo que es un *papalote*, ¿cómo les ayuda el texto a saber lo que es? Citen evidencias del texto. *(El texto dice que con un poco de viento, el papalote vuela muy alto. La ilustración muestra un barrilete o cometa).*

TEKS 3.3B, 3.10C

DOK 2

READ FOR UNDERSTANDING

What are the games that Carlitos and his friends play on these two pages? *(tops, marbles, kites)*

A *papalote* is also known as a *barrilete or cometa*. If you don't know what a papalote is, how does the text help you know what it is? Cite text evidence. *(The text says the papalote flies high up with a little wind. The illustration shows a barrilete or cometa (kyte).)*

CONOCIMIENTOS Y DESTREZAS ESENCIALES DE TEXAS **3.3B** use context to determine meaning; **3.10C** explain use of print/graphic features; **3.10E** identify/understand literary devices

16 Mi juego favorito es empinar *papalotes*. Mis amigos y yo corremos y corremos, y con un poco de viento, logramos que el *papalote* vuele muy alto.

papalote

 Mis notas

trompo—juguete de forma cónica con una punta sobre la que se hace girar

canicas—bolas pequeñas que sirven para jugar a las canicas

🔍 LECTURA EN DETALLE GUIADA

Características del texto y elementos gráficos

Pida a los estudiantes que vuelvan a leer las páginas 126 y 127 para identificar y analizar las características del texto y los elementos gráficos.

¿Cómo destaca el autor la palabra *papalote*? (*La palabra* papalote *aparece en el texto con una tipografía diferente: letra bastardilla*).

¿Por qué destaca el autor la palabra *papalote*? (*para hacer notar una palabra que quizás algunos estudiantes no conozcan*)

¿Dónde más aparece la palabra *papalote*? (*en un rótulo en la ilustración*)

¿Cómo ayudan las ilustraciones y los rótulos a los lectores a comprender el significado de las palabras? (*Los rótulos dicen lo que son las palabras y las ilustraciones muestran su significado*).

SUGERENCIA PARA NOTAS: Pida a los estudiantes que escriban en sus notas los demás rótulos que aparecen en las ilustraciones y su significado.

TEKS 3.10C, 3.10E

DOK 2

127

TARGETED CLOSE READ

Text and Graphic Features

Have students reread pages 126–127 to identify and analyze the text and graphic features.

How does the author make the word *papalote* stand out? (*the word* papalote *is in different type—italics*)

Why does the author make the word *papalote* stand out? (*to point out a word that some students may not know*)

Where else does the word *papalote* appear? (*as label in the illustration*)

How do the illustrations and labels help readers understand the meanings of the words? (*The labels tell what the words are and the illustrations show what the words mean.*)

ANNOTATION TIP: In their notes, have students write the other two labels in the illustrations and its meaning. (*top—a toy with a point on which it is made to spin; marbles—little balls used to play marbles*)

17 Cuando termino mis tareas, juego con mis amigos del edificio. Jugamos frente a los primeros peldaños de las escaleras...

128

LEER PARA COMPRENDER

¿Qué es un *peldaño*? ¿Cómo les ayuda el texto y las ilustraciones a saber el significado? *(Un peldaño es un escalón de una escalera. El texto dice que Charlie y sus amigos juegan frente a los primeros peldaños de las escaleras. La ilustración muestra que están frente a los primeros escalones de las escaleras).*

TEKS 3.3B, 3.10C

DOK 2

READ FOR UNDERSTANDING

What is a *stairstep*? How do the text and illustration help you figure out the meaning? *(A stairstep is one step in a staircase. The text says that Charlie and his friends play games by the first stairsteps of the staircase. The illustration shows that they are in front of the first steps of the staircase.)*

CONOCIMIENTOS Y DESTREZAS ESENCIALES DE TEXAS **3.3B** use context to determine meaning; **3.6G** evaluate details; **3.7D** retell/paraphrase texts; **3.10C** explain use of print/graphic features

18 ... y también en nuestros departamentos.
Me gusta ir a la casa de mi amigo a
jugar videojuegos.

videojuegos La palabra *videojuegos* es una palabra compuesta por dos palabras: *video* y *juegos*. La palabra *video* describe una grabación de movimientos y acciones que se pueden ver en la pantalla de un televisor o una computadora.

129

📖 LEER PARA COMPRENDER

Volver a contar

Recuerde a los estudiantes que, mientras leen, es importante que vuelvan a contar cada sección con sus propias palabras. Pídales que cuenten lo que hacen los primos cuando terminan la tarea.

TEKS 3.6G, 3.7D

DOK 3

READ FOR UNDERSTANDING

Retell

Remind students that as they read, it is important to retell each section in their own words. Have students retell what each cousin does after he finishes his homework.

la playa, una
piscina, un lago

río

19 Por la tarde, muchas veces
hace calor. Para refrescarme,
salto al agua en un río pequeño
que queda cerca.

130

LEER PARA COMPRENDER

¿Dónde están Carlitos y su amigo? *(en un río al aire libre)*

¿Por qué el lugar donde vive Carlitos lo ha llevado a refrescarse de esta forma? *(Vive en el campo cerca de un río, así que posiblemente sea la única forma que tiene de refrescarse en el agua).*

SUGERENCIA PARA NOTAS: Pida a los estudiantes que escriban en sus notas lugares donde ellos van a refrescarse.

TEKS 3.6E, 3.6F, 3.8D

DOK 3

READ FOR UNDERSTANDING

Where are Carlitos and his friend? *(outside by a river)*

Why does where Carlitos live lead him to cool off this way? *(He lives in the country near a river, so it may be the only way he can cool off in water.)*

ANNOTATION TIP: Have students write places where they can cool off in water in their notes. *(the beach, a pool, a lake)*

CONOCIMIENTOS Y DESTREZAS ESENCIALES DE TEXAS **3.6E** make connections; **3.6F** make inferences/use evidence; **3.7C** use text evidence; **3.8B** explain relationships among characters; **3.8D** explain influence of setting on plot; **3.10B** explain use of text structure

En la ciudad, también hace calor en el verano. Me gusta mojarme con el agua del **hidrante**. Los bomberos lo abren y cierran las calles de la **manzana** para que no pase el tráfico.

hidrante   Un hidrante es una tubería de agua que hay en las calles y que los bomberos usan para apagar los fuegos.

manzana   Una manzana es una sección de una comunidad que tiene calles por todos sus lados.

131

Mis notas

LECTURA EN DETALLE GUIADA

Elementos literarios

Pida a los estudiantes que vuelvan a leer las páginas 130 y 131 para identificar y analizar cómo afectan los diferentes ambientes a la trama.

¿En qué se parece el clima donde vive cada niño? (*En ambos lugares hace mucho calor en el verano*).

¿Qué hace cada niño en ese clima? (*Tanto Carlitos como Charlie buscan la manera de refrescarse*).

¿Por qué los diferentes ambientes hacen que cada niño busque una manera diferente de refrescarse? (*Carlitos vive cerca de un río. Así que puede ir a refrescarse al río. Cerca de la casa de Charlie en la ciudad no hay ríos. Así que juega en la calle con el agua del hidrante*).

TEKS 3.7C, 3.8B, 3.8D, 3.10B

DOK 3

TARGETED CLOSE READ

Literary Elements

Have students reread pages 130–131 to identify and analyze how the different settings affect the plot.

How is the weather alike in the boys' homes? (*The weather can be hot in both places.*)

What does this weather make each boy do? (*Both Carlitos and Charlie find ways to cool off.*)

Why do the different settings cause each of the boys to find a different way to cool off? (*Carlitos lives near a river, so he can cool off there. There is no river near Charlie's home in the city, so he plays in water from a fire hydrant in the street.*)

21 El fin de semana voy con mis padres al mercado, un mercado al aire libre que hay en un pueblo cercano. Vendemos maíz y tuna, una fruta con espinas que cultivamos aquí en México. También compramos alimentos y otras cosas que necesitamos.

maíz

tuna

📖 **LEER PARA COMPRENDER**

¿Qué dos cosas hacen Carlitos y sus papás en esta página? *(Venden los alimentos que cultivan. Compran la comida que necesitan).* **¿Por qué hacen esas cosas en ese lugar?** *(porque es un mercado)*

SUGERENCIA PARA NOTAS: Pida a los niños que subrayen los nombres de los alimentos que vende la familia de Carlitos.

TEKS 3.8D

DOK 1

READ FOR UNDERSTANDING

What are two things that Carlitos and his parents do on this page? *(They sell the food that they grow. They buy food that they need.)* **Why do they do these things in this place?** *(because it is a market)*

ANNOTATION TIP: Have students underline the names of the foods that Carlitos's family sells.

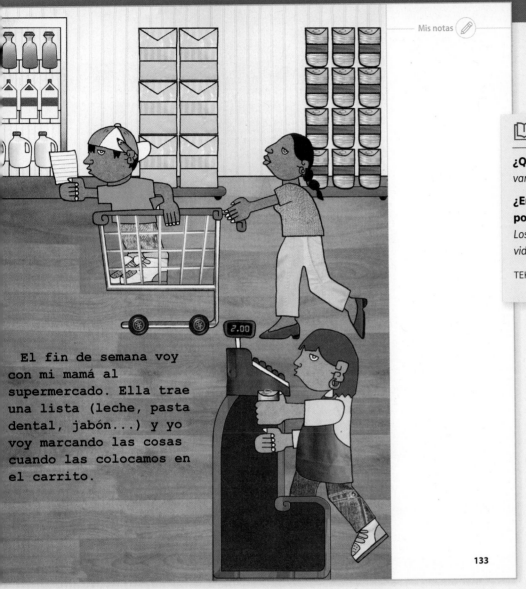

El fin de semana voy con mi mamá al supermercado. Ella trae una lista (leche, pasta dental, jabón...) y yo voy marcando las cosas cuando las colocamos en el carrito.

133

LEER PARA COMPRENDER

¿Qué hacen Charlie y Carlitos el fin de semana? (*Los dos van a hacer la compra a mercados cerca de sus casas*).

¿En qué se parece esto a lo que los niños de su edad podrían hacer un fin de semana? (*Las respuestas variarán. Los estudiantes deben ser capaces de conectar el texto con su vida o su experiencia personal*).

TEKS 3.6E

DOK 3

READ FOR UNDERSTANDING

What do Charlie and Carlitos both do on the weekend? (*They both go shopping at markets near their homes.*)

How are these things similar to what children your age might do on a weekend? (*Responses will vary. Students should be able to connect the text to their lives or personal experience.*)

23 A veces, en el pueblo hacen fiestas que duran dos o tres días. Por las noches, hay cohetes que iluminan el cielo y mariachis que tocan y tocan.

cohetes

mariach

134

LEER PARA COMPRENDER

¿Qué son cohetes? (fuegos artificiales)

¿Cómo lo saben? Cita evidencia del texto. (El texto dice que los cohetes iluminan el cielo. Los fuegos artificiales están rotulados como cohetes en la ilustración).

TEKS 3.3B, 3.10C

DOK 2

READ FOR UNDERSTANDING

What are cohetes? (fireworks)

How do you know? Cite text evidence. (The text says they light up the sky. The illustration labels the fireworks as cohetes.)

CONOCIMIENTOS Y DESTREZAS ESENCIALES DE TEXAS **3.3B** use context to determine meaning; **3.10B** explain use of text structure; **3.10C** explain use of print/graphic features

En mi ciudad, a veces hay desfiles. Algunas personas se ponen disfraces y otras, uniformes, y desfilan por las calles. Todos nos reunimos para verlos pasar.

disfraces Los disfraces son ropas especiales que pueden vestir las personas para fingir que son de otra época o lugar.

desfilan Cuando las personas desfilan, caminan al mismo paso, normalmente en grupo.

135

📖 **LEER PARA COMPRENDER**

¿Qué dos cosas se describen en estas páginas? *(las fiestas en México y un desfile en los Estados Unidos)*

¿Por qué el autor colocó estas dos cartas e ilustraciones una al lado de la otra? *(para que el lector pueda comparar más fácilmente en qué se parecen y en qué se diferencian estos dos acontecimientos en México y en los Estados Unidos)*

TEKS 3.10B, 3.10C

DOK 3

READ FOR UNDERSTANDING

What two things are described on these pages? *(fiestas in Mexico and a parade in the America)*

Why did the author place these two letters and illustrations side by side? *(so the reader can more easily compare how two events are similar and different in Mexico and America)*

25 ¡Ojalá pudieras ver los charros de México! Hacen demostraciones fascinantes con sus caballos y reatas.

charros

reata

caballo

LEER PARA COMPRENDER

Cuando el autor muestra cartas de los dos primos en dos páginas una frente a la otra, ¿qué regla suele seguir el autor para organizar el cuento? *(Las cartas de Carlitos suelen estar en el lado izquierdo y las de Charlie están a la derecha. Las páginas 116 y 117, y 120 y 121 son la excepción hasta el momento).*

¿Cómo ayuda esto a seguir el cuento? *(Es más fácil decir quién habla en cada página cuando conoces el patrón).*

TEKS 3.10B, 3.10C

DOK 3

READ FOR UNDERSTANDING

When the author shows letters from both cousins on two opposite pages, what rule does the author mostly follow to organize the story? *(Carlitos's letters are usually on the left side, and Charlie's are on the right. Pages 116–117 and 120–121 are the exception up to this point.)*

How does this help you follow the story? *(It is easier to tell whose words are on the page once you know the pattern.)*

CONOCIMIENTOS Y DESTREZAS ESENCIALES DE TEXAS 3.10B explain use of text structure; **3.10C** explain use of print/graphic features; **3.10D** describe author's use of imagery/language

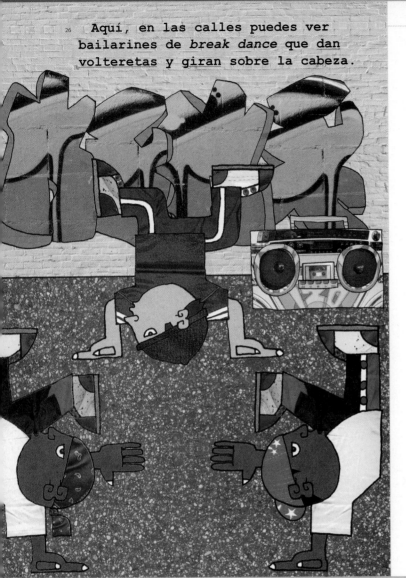

26 Aquí, en las calles puedes ver bailarines de *break dance* que <u>dan</u> <u>volteretas</u> y <u>giran</u> sobre la cabeza.

LEER PARA COMPRENDER

¿Qué comparten los primos entre ellos en estas páginas? *(demostraciones divertidas que hacen otras personas y que pueden ver cerca de sus casas)*

¿Qué palabras usa Charlie para ayudar a Carlitos a imaginar lo que hacen los bailarines de *break dance*? *(dan volteretas y giran)*

¿Por qué usa estas palabras el autor? *(Ayudan al lector a imaginar cómo se mueven los bailarines).*

SUGERENCIA PARA NOTAS: Pida a los estudiantes que subrayen estas palabras en el texto.

TEKS 3.10D

DOK 3

READ FOR UNDERSTANDING

What do the cousins share with each other on these pages? *(fun ways people perform tricks that they can watch near their homes)*

What words does Charlie use to help Carlitos picture what break-dancers do? *(flips and spins)*

Why does the author use these words? *(They help the reader picture how the dancers move.)*

ANNOTATION TIP: Have students underline these words in the text.

LEER PARA COMPRENDER

¿Cómo pueden saber que las tradiciones son importantes para Carlitos? *(Le escribe sobre ellas a Charlie y las describe).*

¿Qué tradiciones celebran las personas de su ciudad?
(Las respuestas variarán).

TEKS 3.6E, 3.6F

DOK 3

 Mis notas

27 En México, tenemos muchísimas tradiciones, como el Día de los Muertos.

READ FOR UNDERSTANDING

How can you tell traditions are important to Carlitos?
(He writes about them to Charlie and describes them.)

What traditions do people around in our town celebrate? *(Responses will vary.)*

138 Módulo 2   **CONOCIMIENTOS Y DESTREZAS ESENCIALES DE TEXAS** **3.6E** make connections; **3.6F** make inferences/use evidence

28 Mi tradición preferida es asistir a las fiestas de diciembre que se llaman Posadas. Al final de cada Posada, hay una piñata llena de frutas y dulces. Cuando alguien la rompe, todos nos lanzamos a recoger lo que cae de ella.

piñata

📖 LEER PARA COMPRENDER

¿Por qué las _Posadas_ son una tradición tan divertida para Carlitos? _(Alguien rompe una piñata llena de frutas y dulces. Todos los niños se lanzan a recogerlos)._

SUGERENCIA PARA NOTAS: Pida a los niños que subrayen el texto que cuenta lo que ocurre al final de cada Posada.

TEKS 3.6F

DOK 2

139

READ FOR UNDERSTANDING

What makes Posadas such a fun tradition for Carlitos? _(Someone breaks open a piñata filled with fruit and sweets. Then all the children jump in and grab them.)_

ANNOTATION TIP: Have students underline the text that tells what happens at the end of each _Posada_.

Los dos niños tienen tradiciones preferidas que les gusta celebrar.

29 En los Estados Unidos, también tenemos tradiciones, como el Día de Acción de Gracias, que es cuando comemos pavo...

 LEER PARA COMPRENDER

¿Se comporta Charlie como un niño real en estas dos páginas? ¿Por qué? (*Sí. Escribe que come pavo en Acción de Gracias y que va de casa en casa pidiendo dulces en Halloween. También dice que su mamá le dice que se lave los dientes y se vaya a la cama. Todas estas son cosas que hacen los niños de verdad*).

SUGERENCIA PARA NOTAS: Pida a los niños que tomen notas sobre los motivos por los que Charlie y Carlitos se comportan como niños reales.

TEKS 3.6E

DOK 3

140

READ FOR UNDERSTANDING

Does Charlie act like a real boy on these two pages? How? (*Yes. He writes that he eats turkey on Thanksgiving and goes trick-or-treating on Halloween. He also writes that his mom tells him he has to brush his teeth and go to bed. These are things that real boys do.*)

ANNOTATION TIP: Have students make notes about ways in which Charlie and Carlitos are like real boys. (*Both boys have favorite traditions they like to celebrate.*)

30 ... y *Halloween*. Ese día nos disfrazamos y vamos de casa en casa pidiendo dulces, diciendo: *trick or treat*. Pero ahora no puedo seguir escribiendo. Mi mamá me dice que me lave los dientes y me vaya a la cama.

141

📖 **LEER PARA COMPRENDER**

Volver a contar

Recuerde a los estudiantes que, mientras leen, pueden volver a contar las partes del cuento con sus propias palabras. Pídales que vuelvan a contar las tradiciones que celebra cada primo.

TEKS 3.6G, 3.7D

DOK 3

READ FOR UNDERSTANDING
Retell
Remind students that as they read, they can retell parts of the story in their own words. Have students retell about the traditions each cousin celebrates.

Observa anota

¡Eureka!

- **Recuerde a los estudiantes** que los autores suelen incluir un momento "¡Eureka!" en los cuentos, que es cuando un personaje se da cuenta de algo importante. Este descubrimiento suele cambiar la forma en la que el personaje piensa y actúa. Cuando los lectores se encuentran con un momento de este tipo, deben preguntarse por qué es importante y cómo cambia al personaje.

- **En este cuento, ¿de qué se dan cuenta de pronto los dos niños?** *(de que deberían visitarse)*

SUGERENCIA PARA NOTAS: Pida a los estudiantes que hagan una lista de los aspectos en que cambiarían Carlitos y Charlie si se visitaran el uno al otro.

- **Anime a los estudiantes** a reflexionar sobre la pregunta principal *¿Cómo podría cambiar esto las cosas?* y que añadan ideas a sus notas.

TEKS 3.6F, 3.8A, 3.8C

DOK 3

Mis notas

Los primos serían mejores amigos. Podrían hacer juntos sus cosas favoritas.

¡Mi primo debería venir a visitarme!

¡Tengo

142

NOTICE & NOTE

Aha Moment

- **Remind students** that authors often include Aha Moments in a story—a moment when a character realizes something important. This discovery usually changes how the character thinks and acts. When readers come to a moment like this, they should ask themselves why this moment is important and how it changes the character.

- **In this story, what do both boys suddenly realize?** *(that they should visit each other)*

ANNOTATION TIP: Have students list ways that visiting each other will change Carlitos and Charlie. *(The cousins would be best friends. They would be able to do their favorite things together.)*

- **Encourage students** to reflect on the Anchor Question: *How might this change things?* and add to their notes.

 CONOCIMIENTOS Y DESTREZAS ESENCIALES DE TEXAS 3.6F make inferences/use evidence; **3.8A** infer theme/distinguish from topic; **3.8B** explain relationships among characters; **3.8C** analyze plot elements

una idea!

¡Mi primo debería venir a visitarme!

143

¿En qué piensan los dos primos al mismo tiempo? *(En que el otro debería venir a visitarlo).*

¿Por qué se les ocurrió esto? *(Porque se han hecho muy buenos amigos y quieren conocerse en persona. Quieren enseñarle su vida al otro y no solo escribirle sobre ella).*

TEKS 3.6F, 3.8B

DOK 3

READ FOR UNDERSTANDING

What does each cousin think about at the same time? *(That they should come visit him.)*

Why do they have this thought? *(Because they have become such good friends, they want to meet in person. They want to show each other their lives, not just write about them.)*

LECTURA EN DETALLE GUIADA

Elementos literarios

Pida a los estudiantes que vuelvan a leer las páginas 142 a 144 para analizar cómo han influido los personajes entre ellos y en la trama.

¿Cómo se han conocido los niños hasta ahora? *(por medio de cartas en las que cuentan de su vida)*

¿Cómo ha cambiado la relación entre ellos? ¿Cómo lo saben? *(Se han hecho buenos amigos. Los dos quieren conocerse en persona).*

¿Qué les dice la ilustración de la página 144 acerca de su amistad? *(Ambos llegan a visitarse, porque la mitad de la ilustración muestra la casa de Carlitos y la otra mitad muestra la casa de Charlie).*

TEKS 3.7C, 3.8B, 3.8D, 3.10B

DOK 3

LEER PARA COMPRENDER

Concluir

Vuelva a comentar el propósito que los estudiantes establecieron antes de leer el texto. Pida a los estudiantes que expliquen lo que aprendieron de la selección y que citen evidencias del texto.

TEKS 3.6A, 3.8A

DOK 2

144

TARGETED CLOSE READ

Literary Elements

Have students reread pages 142–144 to analyze how the characters have affected each other and the plot.

How have the boys been learning about each other until now? *(by writing letters about their lives to each other)*

How has this changed their relationship with each other? How do you know? *(They have become good friends. They both want to visit each other in person.)*

What does the illustration on page 144 tell you about their friendship? *(They both get to visit each other at their own homes, because half of the illustration shows Carlitos's home and half shows Charlie's home.)*

READ FOR UNDERSTANDING

Wrap-Up

Revisit the purpose students set before they read the text. Have students explain what they learned from the selection and cite text evidence.

 CONOCIMIENTOS Y DESTREZAS ESENCIALES DE TEXAS 3.1A listen actively/ask relevant questions; **3.1E** develop social communication; **3.6A** establish purpose for reading; **3.6F** make inferences/use evidence; **3.7B** write responses that demonstrate understanding; **3.7C** use text evidence; **3.8A** infer theme/distinguish from topic; **3.8B** explain relationships among characters; **3.8C** analyze plot elements; **3.8D** explain influence of setting on plot; **3.10B** explain use of text structure

Conversación colaborativa

Vuelve a leer lo que escribiste en la página 114. Explica a un compañero por qué tus ideas eran correctas o incorrectas. Luego trabaja en grupo y comenta las preguntas de abajo. Busca detalles y ejemplos en *Querido primo* para apoyar tus respuestas. Toma notas para responder las preguntas y úsalas cuando hables. Sigue las normas para mantener una conversación respetuosa, escuchando atentamente y turnándote para hablar.

1 Repasa las páginas 120 y 121. ¿Por qué explica Charlie lo que es el metro en su carta?

2 Vuelve a leer las páginas 124 a 127. ¿Qué suele hacer Carlitos después de la escuela?

3 ¿En qué se parece la vida de los dos primos? ¿En qué se diferencia? Da ejemplos para apoyar tu respuesta.

 Sugerencia para escuchar

Escucha atentamente lo que dice cada integrante de tu grupo. Mira hacia la persona que está hablando.

Sugerencia para hablar

No empieces a hablar hasta que la persona anterior haya terminado. Asegúrate de que todos los integrantes de tu grupo tengan la oportunidad de compartir sus ideas.

Conversación académica

Use la rutina de **CONVERSACIÓN COLABORATIVA**. Pida a los estudiantes que tomen notas para responder las preguntas. Luego pídales que trabajen en grupos y que apliquen las Sugerencias para escuchar y hablar mientras comentan sus respuestas.

Respuestas posibles:

1. *Charlie explica lo que es un metro porque Carlitos no vive en la ciudad. Es posible que Carlitos no sepa lo que es un metro.* DOK 2

2. *Después de la escuela, Carlitos ayuda a su mamá a cocinar.* DOK 1

3. *Una semejanza en la vida de los dos primos es que los dos hacen cosas similares, como ir de compras y jugar. Una diferencia es que Charlie vive en una ciudad en los Estados Unidos y Carlitos vive en una granja en México.* DOK 3

TEKS 3.1A, 3.1E, 3.6F, 3.7B, 3.7C, 3.8B, 3.8C, 3.8D

145

Academic Discussion
Use the **COLLABORATIVE DISCUSSION** routine. Have students write responses to the questions. Then have groups apply the Listening and Speaking Tips as they discuss their responses.

Possible responses:

1. *Charlie explains what a subway is because Carlitos does not live in a city. Carlitos might not know what a subway is.*

2. *After school Carlitos helps his mother cook.*

3. *One way their lives are alike is that they both do similar things, such as shopping and playing. One way their lives are different is that Charlie lives in a city in America while Carlitos lives on a farm in Mexico.*

Escribir sobre la lectura

- **Lea en voz alta** el tema para desarrollar con los estudiantes.

- **Inicie un debate** en el que los estudiantes compartan sus opiniones sobre cómo aprendieron Carlitos y Charlie sobre la vida del otro a través de las cartas. Luego comente en qué se parece y en qué se diferencia el lugar donde viven los estudiantes y el lugar donde viven Carlitos y Charlie. Pida a los estudiantes que usen evidencias del texto de la selección para apoyar sus ideas.

- **Luego lea en voz alta** la sección Planificar. Pida a los estudiantes que usen ideas del debate en sus notas y que piensen en la mejor forma de describir las semejanzas y las diferencias entre sus vidas y la vida de Carlitos o Charlie.

TEKS 3.1E, 3.7C, 3.7E, 3.7F

Escribir una carta amistosa

TEMA PARA DESARROLLAR

En *Querido primo*, dos primos se escriben cartas entre sí y comparten historias sobre sus vidas. Carlitos vive en México y su primo Charlie vive en los Estados Unidos.

Imagina que participas en un programa de amigos por carta. Escribe una carta a Carlitos o a Charlie. Compara tu vida con la de él, contándole en qué se parece y en qué se diferencia la vida de ambos. Trata de usar algunas palabras del Vocabulario crítico en tu escritura.

PLANIFICAR

Usa una tabla de dos columnas para comparar y contrastar tu vida y la de uno de los personajes del texto. Usa una columna para anotar las semejanzas y otra para anotar las diferencias. Asegúrate de tener en cuenta en qué se parecen y en qué se diferencian los ambientes donde viven.

Las respuestas variarán, pero los estudiantes deben hacer una tabla de dos columnas para comparar y contrastar en qué se parecen y en qué se diferencian sus vidas y la de uno de los personajes de la selección.

Write About Reading

- **Read aloud** the prompt with students.
- **Lead a discussion** in which students share their ideas about how Carlitos and Charlie learned about each other's lives using letters. Then discuss how the place where students live is similar to and different from where Carlitos and Charlie live. Tell students to use text evidence from the selection to support their ideas.

- **Then read aloud** the Plan section. Have students use ideas from the discussion in their notes and to think about the best way to describe similarities and differences between their lives and the life of either Carlitos or Charlie.

CONOCIMIENTOS Y DESTREZAS ESENCIALES DE TEXAS **3.1E** develop social communication; **3.7A** describe personal connections to sources; **3.7B** write responses that demonstrate understanding; **3.7C** use text evidence; **3.7E** interact with sources; **3.7F** respond using vocabulary; **3.11B(i)** develop drafts by organizing with purposeful structure; **3.11B(ii)** develop drafts by developing an engaging idea; **3.12D** compose correspondence

Ahora escribe tu carta amistosa a Carlitos o a Charlie comparando tu vida y la suya.

Asegúrate de que tu carta amistosa

- ☐ comienza con tu presentación.

- ☐ reúne información relacionada con la información del cuento, como pasatiempos, alimentos y ambientes.

- ☐ incluye ejemplos y detalles del texto.

- ☐ termina con una oración de cierre.

Las respuestas variarán, pero debe ser una carta amistosa que compare la vida del estudiante con la de Carlitos o Charlie. La carta amistosa también debe incluir los elementos de la lista de comprobación.

Escribir sobre la lectura

- **Repase con los estudiantes** las instrucciones y la lista de comprobación de la sección Escribir.

- **Anime a los estudiantes** a incluir una introducción y una despedida amistosas, así como detalles organizados claramente de sus vidas y del texto de las cartas.

TEKS 3.7A, 3.7B, 3.7C, 3.7E, 3.7F, 3.11B(i), 3.11B(ii), 3.12D

Querido primo
Una carta para mi primo

Write About Reading

- **Review with students** the directions and checklist in the Write section.

- **Encourage students** to include a friendly introduction and closing as well as clearly organized details from their own lives and the text in their letters.

 **LEER PARA COMPRENDER**

Presentar el texto

- **Lea en voz alta** y comente la información sobre el género. Dé un vistazo a los primeros dos poemas que aparecen en las páginas 150 y 151 y comente lo siguiente.

  » Los versos de la poesía pueden romperse en el medio de una oración o al final de una oración.

  » Los poemas se organizan en estrofas, que son similares a los párrafos en prosa. Algunos poemas tienen una sola estrofa.

  » Aunque muchos poemas contienen palabras que riman, especialmente al final de los versos, no todos los poemas tienen un patrón de rimas.

    Use Mostrar y motivar: <u>Conocer a los poetas 2.6</u> para aprender más acerca de los poetas.

- **Pida a los estudiantes** que busquen las palabras del Vocabulario crítico mientras leen y que piensen en el significado de las palabras.

  SUGERENCIA PARA NOTAS: Pida a los estudiantes que usen el recuadro para anotar cómo los poemas se diferencian de otras selecciones que han leído hasta ahora.

TEKS 3.6A, 3.10E

DOK 2

Prepárate para leer

ESTUDIO DEL GÉNERO La **poesía** usa los sonidos y el ritmo de las palabras para representar imágenes y expresar sentimientos.

- Los poemas suelen escribirse en párrafos llamados estrofas.
- Los poemas incluyen efectos de sonido, como la rima, el ritmo y la métrica.
- Los poemas utilizan los sonidos de las palabras, como la aliteración, la onomatopeya y la repetición, para enfatizar determinadas palabras o ideas.
- El poeta reflexiona sobre un tema en particular en el poema.

ESTABLECER UN PROPÓSITO **Piensa en** el género de este texto y mira las ilustraciones. ¿Serán diferentes los poemas de los demás textos que has leído hasta ahora? ¿Por qué? Escribe tus ideas abajo.

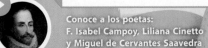 Conoce a los poetas:
F. Isabel Campoy, Liliana Cinetto
y Miguel de Cervantes Saavedra

VOCABULARIO CRÍTICO
pena
gracia

148

READ FOR UNDERSTANDING

Introduce the Text

- **Read aloud** and discuss the genre information. Preview the first two poems on pages 150–151 and discuss the following.

  » Lines of poetry can break in the middle of a sentence or at the end of a sentence.

  » Poems are organized into stanzas, which are similar to paragraphs in prose, and some poems have just one stanza.

  » While many poems contain rhyming words, especially at the ends of lines, not all poems have a rhyming pattern.

  Use Mostrar y motivar: Conocer a los poetas 2.6 to learn more about the poets.

- **Tell students** to look for the Critical Vocabulary as they read, and think about the words' meanings.

ANNOTATION TIP: Have students use the box to note how the poems seem to be different from the other selections they have read so far.

Aventuras con las palabras

149

📖 LEER PARA COMPRENDER

Establecer un propósito

- **Pida a los estudiantes** que observen las primeras páginas de *Aventuras con las palabras* y que se fijen en el título de los poemas y las ilustraciones.

- **Guíe a los estudiantes** para que establezcan un propósito para la lectura. Comente con ellos de qué se tratarán los poemas en esta selección.

TEKS 3.6A

DOK 2

READ FOR UNDERSTANDING

Set a Purpose

- **Have students** look at the first few pages of *Aventuras con las palabras* to note the titles of the poems and illustrations.

- **Guide students** to set a purpose for reading. Discuss with them what the poems will be about in this selection.

Abre la mano

por F. Isabel Campoy

1 Abre tu mano y mira
cómo se distingue un dedo
de otro dedo.
Toma un pincel y pinta
5 tu nombre letra a letra
y todo entero.
Es igual en este mundo:
cada uno es parte distinta
de un todo bello y eterno.

150

📖 LEER PARA COMPRENDER

Hacer y contestar preguntas
DEMOSTRAR CÓMO HACER Y CONTESTAR PREGUNTAS

💬 **PENSAR EN VOZ ALTA** *Me haré preguntas y las contestaré para asegurarme de que entiendo lo que está ocurriendo. El título es "Abre la mano". Me puedo preguntar: ¿Qué es lo primero que me llama la atención cuando abro la mano? La mano está formada por cinco dedos, cada uno distinto del otro, todos conectados a la palma. Ahora preguntaré: ¿Cuál es el mensaje del poema? Leeré el poema para averiguarlo.*

TEKS 3.6B, 3.7G

DOK 2

📖 LEER PARA COMPRENDER

¿Sobre qué escribe la poetisa? *(La poetisa escribe sobre los dedos de la mano y sobre el nombre de cada cual).*

¿Cuál es el mensaje de la poetisa? *(La poetisa dice que al igual que los dedos de la mano y el nombre propio de cada cual, todos somos diferentes, pero somos iguales porque todos pertenecemos al mismo mundo. Nuestras diferencias nos hacen únicos).*

¿Cómo utiliza la poetisa la palabra "todo"? *(La utiliza de dos maneras distintas: para expresar la suma total de todas las letras de un nombre y para referirse a la humanidad).*

SUGERENCIA PARA NOTAS: Pida a los estudiantes que resalten la palabra *todo* cada vez que aparece en la poesía.

TEKS 3.9B

DOK 3

READ FOR UNDERSTANDING
Ask and Answer Questions
MODEL ASKING AND ANSWERING QUESTIONS

THINK ALOUD *I will ask myself questions and answer them to make sure I understand what is going on. The title is "Abre la mano." I can ask myself: What is the first thing that catches my attention when I open my hand? My hand has five fingers. They are all different, but they are all connected to the palm. Now I'll ask: What is the message of the poem? I'll read the poem to find out.*

READ FOR UNDERSTANDING

What is the poet writing about? *(The poet is writing about the fingers of the hand and about our names.)*

What is the poet's message? *(The poet says that, like the fingers of the hand and our names, we are all different from each other, but we are also equal because we all belong to the same world. Our differences make us unique.)*

How does the poet use the word *todo*? *(She uses it in two different ways: to express the total sum of all the letters of a name and to refer to humanity.)*

ANNOTATION TIP: Have students highlight the word *todo* every time it appears in the poem.

 CONOCIMIENTOS Y DESTREZAS ESENCIALES DE TEXAS 3.6B generate questions about text; **3.7G** discuss text ideas; **3.9A** demonstrate knowledge of literature characteristics; **3.9B** explain rhyme scheme/sound devices in poetry

¿De qué color es la música?

por F. Isabel Campoy

1   Abuela, ¿de qué color es la música?
    ¿Cómo la puedo pintar?
    ¿Es verdad que la del violín es rosada
    y la del tambor tan roja
5   como mi amor por mamá?
    ¿Es verdad que la guitarra llora
    lágrimas blancas
    cuando la luna añora
9   una carta por llegar?

    Dime, abuela, si es verdad
    que la alegría puede ser azul y verde
    como las olas del mar.

151

LECTURA EN DETALLE GUIADA

Elementos de la poesía

Pida a los estudiantes que vuelvan a leer la página 151 para identificar y analizar los elementos de la poesía.

¿Cuántas estrofas tiene este poema? ¿Cuántos versos tiene cada estrofa? (dos estrofas: una larga y una corta. La primera estrofa tiene nueve versos y la segunda estrofa tiene tres versos).

¿Qué les llama la atención de la estructura de la primera estrofa? (Respuesta de ejemplo: está compuesta por preguntas).

¿Qué notan sobre las palabras que están al final de los versos 6 y 8, y 9 y 12? (Las palabras riman: llora y añora, llegar y mar).

¿Por qué la poetisa usa la rima en este poema? (La rima hace que el poema sea más divertido y agradable al oído. También une todas sus partes).

SUGERENCIA PARA NOTAS: Pida a los estudiantes que resalten las palabras que riman.

TEKS 3.9A, 3.9B

DOK 3

TARGETED CLOSE READ

Elements of Poetry

Have students reread page 151 to identify and analyze the elements of poetry.

How many stanzas does this poem have? How many lines does each stanza have? (two stanzas: one long and one short. The first stanza has nine lines and the second stanza has three lines.)

What draws your attention about the structure of the first stanza? (Sample response: it is made up of questions.)

What do you notice about the words at the end of lines 6 and 8, and 9 and 12? (They rhyme—llora and añora, llegar and mar.)

Why does the poet use rhyme in this poem? (Rhyme makes the poem more fun; it is pleasing to the ear; it ties the parts of the poem together.)

ANNOTATION TIP: Have students highlight the rhyming words.

Hacer y contestar preguntas

¿Qué pregunta quieren contestar acerca de este poema?
(Respuesta de ejemplo: ¿de qué hablarán las palabras?).

Si los estudiantes tienen dificultad para aplicar la destreza, use este modelo:

💬 **PENSAR EN VOZ ALTA** *El título es "Palabras". Me pregunto: ¿de qué hablarán las palabras? Leo para encontrar la respuesta: con las palabras, la poetisa habla sobre diferentes acontecimientos de la vida y diferentes sentimientos.*

SUGERENCIA PARA NOTAS: Pida a los estudiantes que escriban una pregunta para responder en sus notas.

TEKS 3.6B, 3.7G

DOK 2

 LEER PARA COMPRENDER

¿Por qué escribe la poetisa "palabras de luna"? *(porque quiere escribir una canción de cuna para cantarle a su hijo)*

¿Qué sentimientos expresan las palabras que escribe la poetisa para borrar la tristeza? *(sentimientos de alegría y felicidad)*

¿Por qué las palabras viajan contentas dentro de un bolsillo? *(Respuesta de ejemplo: porque con las palabras hacemos llegar diferentes mensajes motivadores, como mensajes de amor, de la vida y de reflexión, a otras personas)*

TEKS 3.6D, 3.6E, 3.7C, 3.10D

DOK 3

✏️ Mis notas

Respuesta de ejemplo: ¿Por qué la poetisa escribe "palabras de tiza" en los pizarrones?

152

Palabras
por Liliana Cinetto

1   Escribo palabras,
    palabras de tiza
    que a los pizarrones
    les hacen cosquillas.

5   Escribo palabras,
    palabras traviesas
    que llegan y borran
    todas las tristezas.

9   Escribo palabras,
    palabras de luna
    que cantan de noche
    mi canción de cuna.

13 Escribo palabras,
    palabras con brillo
    que viajan contentas
    dentro de un bolsillo.

READ FOR UNDERSTANDING
Ask and Answer Questions
What question do you want to answer about this poem? *(Sample response: What will the words talk about?)*

If students have difficulty applying the skill, use this model:

THINK ALOUD *The title is "Palabras." I ask a question: What will the words talk about? I read to find the answer: With the words, the poet talks about different life events and different feelings.*

ANNOTATION TIP: Have students write a question to answer in their notes. *(Why does the poet write "palabras de tiza" in the blackboard?)*

READ FOR UNDERSTANDING
Why does the poet write "palabras de luna"? *(because she wants to write a lullaby to sing to her child)*

What feelings do the words that the poet writes to erase the sorrows express? *(feelings of happiness and joy)*

Why do words travel happy inside someone's pocket? *(Sample response: because with words we communicate messages of encouragement, such as messages of love, life, and reflection, to other people)*

 CONOCIMIENTOS Y DESTREZAS ESENCIALES DE TEXAS **3.6B** generate questions about text; **3.6D** create mental images; **3.6E** make connections; **3.7C** use text evidence; **3.7G** discuss text ideas; **3.9A** demonstrate knowledge of literature characteristics; **3.9B** explain rhyme scheme/sound devices in poetry; **3.10D** describe author's use of imagery/language

Mis notas

17 Escribo palabras,
    palabras de arena
    que hilvanan consuelos
    para cada pena.

21 Escribo palabras,
    palabras sin dueño
    que esconden secretos
    y tejen los sueños.

25 Y escribo palabras,
    palabras tan mías
    que nacen y crecen
    en mi poesía.

pena Cuando sientes pena, sientes mucha tristeza por algo o por alguien.

153

LEER PARA COMPRENDER

La poetisa utiliza metáforas en el poema. ¿Qué quiere decir la poetisa con "palabras de arena"? (*Respuesta de ejemplo: todo lo que se escribe en la arena se borra con el mar, la lluvia y el viento, y desaparece. La poetisa escribe palabras de arena para hacer desaparecer las penas*).

¿Por qué dice la poetisa que las palabras no tienen dueño? (*Respuesta de ejemplo: porque las palabras son de todos. Todos podemos usar las palabras para expresar nuestros sentimientos*).

Si las palabras no tienen dueño, ¿por qué la poetisa dice "Y escribo palabras, palabras tan mías. . ." en la última estrofa? (*Respuesta de ejemplo: porque la poetisa usa las palabras para escribir sus propios sentimientos en su poesía*)

TEKS 3.7G   DOK 3

LEER PARA COMPRENDER

¿Por qué las palabras "Escribo palabras" y "que nacen y crecen en mi poesía" están en color y tamaño diferentes? (*para mostrar que son importantes: las palabras le dan a la poetisa la inspiración para escribir su poesía*)

¿Cómo apoya la ilustración el mensaje de esta poesía? (*Respuesta de ejemplo: con las palabras podemos expresar nuestros sentimientos y emociones, y comunicarnos con el mundo entero*).

TEKS 3.9A, 3.9B   DOK 3

READ FOR UNDERSTANDING

The poet uses metaphors in the poem. What does the author mean by "palabras de arena"? (*Sample response: the ocean, the rain, and the wind erase everything we write in the sand, and it disappears. The poet writes words of sand to make her sorrows disappear.*)

Why does the poet say that words have no owner? (*Sample response: because words belong to all of us. We can use words to express our feelings.*)

If words have no owner, why does the poet say "Y escribo palabras, palabras tan mías. . ." in the last stanza? (*Sample response: because she uses the words to write her own feelings in her own poem*)

READ FOR UNDERSTANDING

Why are the words "Escribo palabras" and "que nacen y crecen en mi poesía" a different font size and color? (*to show they are important—words give the poet the inspiration to write her poetry*)

How does the illustration support the message of this poem? (*Sample response: With words, we can express our feelings and emotions, and communicate with the whole world.*)

LECTURA EN DETALLE GUIADA

Elementos de la poesía

Pida a los estudiantes que vuelvan a leer la página 154 para analizar los elementos de la poesía.

¿Por qué la primera poesía no tiene título? (*porque es una adivinanza y por lo general, las adivinanzas no tienen título para no revelar lo que es*)

¿Qué pistas del texto les ayudan a saber que esta poesía es una adivinanza? (*la pregunta del último verso "¿qué es esa cosa?"*)

¿Cómo se esconde la solución de la adivinanza en el texto? (*La solución está escrita al revés al final de la adivinanza*).

¿Cuántas estrofas tiene esta poesía? ¿Cuántos versos tiene cada estrofa? (*Esta poesía tiene tres estrofas. Cada estrofa tiene cuatro versos*).

En la poesía "Ensalada de risas", ¿qué notan en las palabras que están al final de los versos 3 al 8? (*Las palabras riman: cosquillas y mentirijillas, compartir y reír, simpatía y alegría*).

TEKS 3.9A, 3.9B

DOK 4

LEER PARA COMPRENDER

Concluir

Vuelva a comentar el propósito que los estudiantes establecieron antes de leer el texto. Pida a los estudiantes que expliquen cómo la poesía transmite ideas y sentimientos de una manera diferente a las historias escritas en prosa.

TEKS 3.6A, 3.8A

DOK 2

---

1 Es muy oscura y es clara,
   tiene mil contrariedades.
   Nos esconde las verdades
   y luego nos las declara.

5 Sabe su nombre cualquiera,
   hasta los niños pequeños
   y podemos ser su dueño
   de una u otra manera.

9 Es traviesa y es curiosa,
   es fácil y es complicada,
   pero sea o no sea nada,
   dime tú, ¿qué es esa cosa?

¡La adivinanza!

Miguel de Cervantes Saavedra
(Fragmento y adaptación de *La Galatea*)

Ensalada de risas

por F. Isabel Campoy

1 Para hacer una ensalada de risas
   se necesitan:

   Chistes, bromas, cosquillas.
   Y un cuento de mentirijillas.
5 Gracia para compartir
   un montón de simpatía.
   Tres kilos de sana alegría.

   ¡Y amigos con quien reír!

gracia Si algo o alguien tiene gracia, tiene cualidades que le hacen agradable, como la simpatía.

154

TARGETED CLOSE READ

Elements of poetry

Have students reread page 154 to analyze the elements of poetry.

Why does the first poem is untitled? (*because it is a riddle; and in general, riddles don't have a title so they don't reveal the answer*)

What text clues help you know that this poem is a riddle? *the question in the last line "¿qué es esa cosa?"*)

How is the riddle solution hidden in the text? (*The solution is written upside down at the end of the riddle.*)

How many stanzas are there in this poem? How many lines are there in each stanza? (*There are three stanzas. There are four lines in each stanza.*)

In the poem "Ensalada de risas", what do you notice about the words at the end of lines 3-8? (*They rhyme—* cosquillas *and* mentirijillas, compartir *and* reír, simpatía *and* alegría.)

READ FOR UNDERSTANDING

Wrap-Up

Revisit the purpose students set before they read the text. Have students explain how the poems conveyed ideas and feelings in a different way from stories written in prose.

 CONOCIMIENTOS Y DESTREZAS ESENCIALES DE TEXAS **3.1A** listen actively/ask relevant questions; **3.1E** develop social communication; **3.6A** establish purpose for reading; **3.6F** make inferences/use evidence; **3.7B** write responses that demonstrate understanding; **3.7C** use text evidence; **3.8A** infer theme/distinguish from topic; **3.9A** demonstrate knowledge of literature characteristics; **3.9B** explain rhyme scheme/sound devices in poetry

154 Módulo 2

Conversación colaborativa

Vuelve a leer lo que escribiste en la página 148. Dile a un compañero dos cosas que notaste en *Aventuras con las palabras*. Luego trabaja en grupo y comenta las preguntas de abajo. Explica tus respuestas con detalles y ejemplos de los poemas. Toma notas para responder las preguntas y úsalas cuando hables. Mientras escuchas a los demás, asegúrate de que comprendes lo que dicen todos los participantes de la conversación.

1. Repasa el poema de la página 150. ¿Qué mensaje transmiten los diferentes dedos de la mano?

2. Vuelve a leer el poema "¿De qué color es la música?". ¿Quién habla en el poema? ¿Cómo lo sabes?

3. ¿Qué te dice el poema de la escritora Liliana Cinetto sobre lo que ella piensa de las palabras?

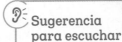

Sugerencia para escuchar

Si no comprendes lo que dice algún integrante del grupo, espera hasta que acabe de hablar para hacerle preguntas.

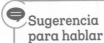

Sugerencia para hablar

Una forma de comprobar que comprendes lo que otra persona ha dicho es volver a contar con tus palabras de forma resumida los puntos principales.

Conversación académica

Use la rutina de **CONVERSACIÓN COLABORATIVA**. Pida a los estudiantes que tomen notas para responder las preguntas. Luego pídales que trabajen en grupos y que apliquen las Sugerencias para escuchar y hablar mientras comentan sus respuestas.

Respuestas posibles:

1. *Todos somos diferentes, pero a la vez somos iguales porque todos pertenecemos a un mismo mundo. Nuestras diferencias nos hacen únicos.* DOK 3

2. *Un nieto o una nieta. Las preguntas de la poesía están dirigidas a la abuela.* DOK 3

3. *Con las palabras podemos expresar diferentes sentimientos y transmitir diferentes mensajes.* DOK 3

TEKS 3.1A, 3.1E, 3.6F, 3.7B, 3.7C, 3.8A, 3.9B

155

Academic Discussion

Use the **COLLABORATIVE DISCUSSION** routine. Have students write notes to answer the questions. Then have groups apply the Listening and Speaking Tips as they discuss their responses.

Possible responses:

1. *We are all different from each other, but we are also equal because we all belong to the same world. Our differences make us unique.*

2. *A grandchild or a granddaughter. The questions in the poetry are addressed to a grandma.*

3. *With words we can express different feelings and communicate different messages.*

Escribir sobre la lectura

- **Lea en voz alta** el tema para desarrollar con los estudiantes.

- **Inicie un debate** en el que los estudiantes compartan sus opiniones sobre los poemas que leyeron en esta colección. Dígales que utilicen ejemplos del texto de los poemas para apoyar sus ideas.

- **Luego lea en voz alta** la sección Planificar. Pida a los estudiantes que usen ideas de la conversación en sus notas para elegir un poema sobre el cual escribir. Señale que los estudiantes deben pensar en tres razones para su elección y apoyar las razones con ejemplos de palabras y frases del poema.

TEKS 3.1E, 3.7C, 3.7E, 3.7F

Citar evidencia del texto

Escribir un poema

TEMA PARA DESARROLLAR

Los poemas de *Aventuras con las palabras* siguen diferentes patrones de rima, están escritos por diferentes poetas y son de diferentes longitudes, pero todos tienen algo en común: festejan las palabras.

¡Ahora es tu turno! Escribe un poema que exprese cuál de los poemas te gustó más. ¿Te interesa el mensaje de uno de los poemas? ¿Te gustó más el patrón de rima de un poema que el de otro? ¿Fue la selección de palabras lo que más llamó tu atención? Piensa en estas preguntas mientras planificas y escribes tu poema.

PLANIFICAR

Escribe tres razones para explicar por qué el poema que elegiste es tu preferido. Asegúrate de incluir elementos de la poesía, como los patrones de rima, los elementos de sonido, la selección de palabras o la estructura. Haz una lista de las frases o las palabras del poema sobre las que quieres hablar en tu propio poema.

> Las respuestas variarán, pero los estudiantes deben escribir notas sobre el poema que más les gusta, indicando tres razones que justifiquen su elección. Los estudiantes también deben hacer una lista de varias palabras o frases del poema seleccionado para incorporarlas en su propio poema.

156

Write About Reading

- **Read aloud** the prompt with students.
- **Lead a discussion** in which students share their opinions about the poems that they read in this collection. Tell students to use examples from the texts of the poems to support their ideas.

- **Then read aloud** the Plan section. Have students use ideas from the discussion in their notes in order to choose a poem to write about. Point out that students should think of three reasons for their choice and

support the reasons with examples of words and phrases from the poem.

CONOCIMIENTOS Y DESTREZAS ESENCIALES DE TEXAS 3.1E develop social communication; **3.7A** describe personal connections to sources; **3.7C** use text evidence; **3.7E** interact with sources; **3.7F** respond using vocabulary; **3.11B(i)** develop drafts by organizing with purposeful structure; **3.11B(ii)** develop drafts by developing an engaging idea; **3.12A** compose literary texts; **3.12C** compose argumentative texts

Ahora escribe tu propio poema sobre tu poema preferido de *Aventuras con las palabras*.

✔	**Asegúrate de que tu poema**
☐	plantea tu opinión sobre el poema que más te gusta.
☐	indica las razones que apoyan tu opinión.
☐	ofrece ejemplos o citas de la selección.

Las respuestas variarán, pero deben mostrar un poema con un patrón de rima que identifique uno de los poemas de *Aventuras con las palabras* y que explique por qué el estudiante eligió ese poema. Las respuestas deben incluir los elementos de la lista de comprobación.

Escribir sobre la lectura

- **Repase con los estudiantes** las instrucciones y la lista de comprobación de la sección Escribir.

- **Anime a los estudiantes** a que expresen claramente su opinión e incluyan razones de apoyo y ejemplos del poema en su propio poema.

TEKS 3.7A, 3.7C, 3.7E, 3.7F, 3.11B(i), 3.11B(ii), 3.12A, 3.12C

157

Write About Reading
- **Review with students** the directions and checklist in the Write section.
- **Encourage students** to clearly state their opinion and include reasons and examples from the poem in their own poem.

LEER PARA COMPRENDER

Presentar el texto

- **Lea en voz alta** y comente la información del género. Luego eche un vistazo a la selección y lea en voz alta la introducción del autor en la página 160. Use las ilustraciones para comentar que esta memoria trata sobre el autor, Juan Felipe Herrera, de cuando era niño. Señale estos ejemplos de características del texto de la memoria:

  » pronombres en primera persona *mi, yo* (página 160)

  » acontecimientos en el orden en que ocurren (páginas 161 a 164)

  » lenguaje literario, incluyendo símiles y metáforas (página 165)

- **Use** Mostrar y motivar: <u>Conocer al autor y a la ilustradora 2.11</u> para aprender más sobre el autor y la ilustradora.

- **Pida a los estudiantes** que busquen el Vocabulario crítico mientras leen y que piensen en el significado de las palabras.

SUGERENCIA PARA NOTAS: Pida a los estudiantes que usen el recuadro para anotar por qué creen que el autor usó el título *El niño del revés*.

TEKS 3.6A, 3.8C, 3.9D(ii), 3.10E

DOK 2

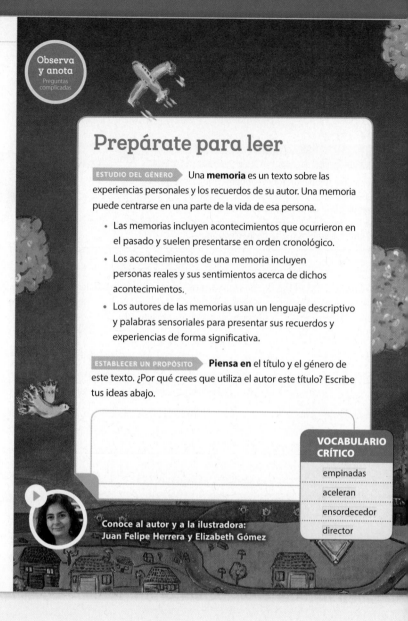

Prepárate para leer

ESTUDIO DEL GÉNERO Una **memoria** es un texto sobre las experiencias personales y los recuerdos de su autor. Una memoria puede centrarse en una parte de la vida de esa persona.

- Las memorias incluyen acontecimientos que ocurrieron en el pasado y suelen presentarse en orden cronológico.

- Los acontecimientos de una memoria incluyen personas reales y sus sentimientos acerca de dichos acontecimientos.

- Los autores de las memorias usan un lenguaje descriptivo y palabras sensoriales para presentar sus recuerdos y experiencias de forma significativa.

ESTABLECER UN PROPÓSITO **Piensa en** el título y el género de este texto. ¿Por qué crees que utiliza el autor este título? Escribe tus ideas abajo.

Conoce al autor y a la ilustradora:
Juan Felipe Herrera y Elizabeth Gómez

VOCABULARIO CRÍTICO

empinadas

aceleran

ensordecedor

director

158

READ FOR UNDERSTANDING

Introduce the Text

- **Read aloud** and discuss the genre information. Then preview the selection by reading aloud the author's introduction on page 160. Use the illustrations to discuss that this memoir is about the author, Juan Felipe Herrera, when he was a boy. Point out these examples of memoir text features:

  » first-person pronouns *mi, yo* (page 160)

  » events in the order in which they happen (pages 161–164)

  » literary language, including similes and metaphors (page 165)

- **Use Mostrar y motivar: Conocer al autor y a la ilustradora 2.11** to learn more about the author and the illustrator.

- **Tell students** to look for the Critical Vocabulary as they read, and think about the words' meanings.

ANNOTATION TIP: Have students use the box to note why they think the author used the title *El niño del revés*.

CONOCIMIENTOS Y DESTREZAS ESENCIALES DE TEXAS **3.6A** establish purpose for reading; **3.8C** analyze plot elements; **3.9D(ii)** recognize features in informational text; **3.10E** identify/understand literary devices

El
niño del revés

Cuento de **Juan Felipe Herrera**
Ilustraciones de **Elizabeth Gómez**

159

LEER PARA COMPRENDER

Establecer un propósito

- **Pida a los estudiantes** que miren las primeras páginas de *El niño del revés* para que observen el nombre del autor y algunas de las ilustraciones. Explique que este cuento es una memoria o recuerdo de la vida del escritor hace mucho tiempo.

- **Guíe a los estudiantes** para que establezcan un propósito para la lectura. Comente con ellos por qué alguien que llega a un lugar nuevo podría sentirse de revés.

TEKS 3.6A, 3.9D(ii)

DOK 2

READ FOR UNDERSTANDING

Set a Purpose

- **Have students** look at the first few pages of *El niño del revés* to note the author's name and some of the illustrations. Explain that this story is a memoir or memory of the writer's life long ago.

- **Guide students** to set a purpose for reading. Discuss with them why someone who arrives in a new place might feel upside down.

LEER PARA COMPRENDER

Indique que la nota de la primera página, en letra bastardilla, es una nota del autor. ¿Cuál es el propósito de esta nota escrita en letra bastardilla? *(ofrecer información sobre el contexto para que el lector comprenda lo que va a ocurrir después)*

¿Qué les dice esto sobre el cuento que van a leer? *(El cuento trata sobre el autor cuando era niño. Al autor lo llamaban Juanito. Su familia se mudó a la casita rosada de doña Andasola en la calle Juniper para que Juanito pudiera ir a la escuela).*

TEKS 3.6F, 3.9D(ii), 3.10C

DOK 2

1 *Cuando era niño, mi familia trabajaba en el campo. Eran campesinos que llevaban años labrando la tierra. Un día, mi mamá le dijo a mi papá: "Debemos buscar un sitio donde asentarnos. Juanito tiene que ir a la escuela". Aquel año, vivíamos en las montañas junto al lago Wolfer, un mundo transparente inundado con los colores del cielo.*

2 *Bajamos en el viejo camión militar de papá por las carreteras empinadas de la montaña hasta la casita rosada de doña Andasola, en la calle Juniper. Yo tenía ocho años y estaba a punto de vivir por primera vez en la gran ciudad.*

—Juan Felipe Herrera

empinadas Las colinas o montañas empinadas son difíciles de escalar porque están muy inclinadas.

160

READ FOR UNDERSTANDING

- Point out that the note on the first page, in italics, is a note from the author. What is the purpose of the note in italics? *(to provide background information, so the reader understands what comes next)*

- What does it tell you about the story you will read? *(That the story is about the author when he was a boy. The author was called Juanito. His family moved into Mrs. Andasola's pink house on Juniper Street so Juanito could go to school.)*

 CONOCIMIENTOS Y DESTREZAS ESENCIALES DE TEXAS **3.6B** generate questions about text; **3.6F** make inferences/use evidence; **3.7C** use text evidence; **3.9D(ii)** recognize features in informational text; **3.10C** explain use of print/graphic features

³ Mamá, a quien le encantan las palabras, canta el nombre del cartel de la calle Juniper: "¡Ju-ni-peeer! ¡Ju-ni-peeer!".

⁴ Papá estaciona el viejo camión militar en la calle Juniper frente a la casita rosada de doña Andasola.
—Al fin la encontramos —grita papá—. ¡Ju-ni-per!

⁵ —Es hora de empezar la escuela —me dice mamá con voz musical.
—¡Mi calle Ju-ni-per! —grito a las gallinas del jardín.

161

📖 **LEER PARA COMPRENDER**

Hacer y contestar preguntas
DEMOSTRAR CÓMO HACER PREGUNTAS

💬 **PENSAR EN VOZ ALTA** *Puedo pensar en preguntas que quiero que me conteste el cuento cuando lo lea. Esto me ayuda a comprender el cuento. Veo que Juanito parece contento en la ilustración. Parece emocionado por ir a la escuela. Haré una pregunta: ¿Le gustará a Juanito su nueva escuela?*

TEKS 3.6B

DOK 2

📖 **LEER PARA COMPRENDER**

¿Cómo saben que la familia está feliz? (*La mamá de Juanito habla con voz musical. El niño grita el nombre de la calle a las gallinas*).

SUGERENCIA PARA NOTAS: Pida a los estudiantes que resalten las palabras que demuestran que la familia está feliz.

TEKS 3.6F, 3.7C

DOK 3

READ FOR UNDERSTANDING
Ask and Answer Questions
MODEL ASKING QUESTIONS

THINK ALOUD *I can think of questions I want answered in the story as I read. This helps me understand the story. I see Juanito looks happy in the illustration. He seems excited to go to school. I'll ask a question: How will Juanito like his new school?*

READ FOR UNDERSTANDING

How can you tell the family is happy? (*Mom speaks with musical voice; the boy yells the street name to the chickens.*)

ANNOTATION TIP: Have students highlight words that show the family is happy.

 Mis notas

6 —No te preocupes, chico —dice papá mientras me lleva a la escuela—. Todo cambia. Los lugares nuevos tienen hojas nuevas en los árboles y soplan aire fresco en tu vida.

7 Me pellizco la oreja. ¿Estoy aquí realmente? Quizás la farola de la calle sea realmente un tallo de maíz cubierto de polvo gris.

8 La gente viaja sola en sus autos lujosos que aceleran al pasar por las calles. En los valles, los campesinos cantaban: "Buenos días, Juanito".

9 Pongo cara de payaso, mitad por diversión, mitad por miedo. —Yo no hablo inglés —le digo a papá—. ¿Se convertirá mi lengua en una piedra?

aceleran Cuando las personas aceleran los autos, los conducen muy rápido.

 LECTURA EN DETALLE GUIADA

Características del texto y elementos gráficos

¿Cómo apoya la ilustración lo que dice el papá de Juanito en el párrafo 6? *(En la ilustración, Juanito está en un lugar nuevo donde hay hojas volando en el aire. La farola de la ilustración me dice que Juanito está en un lugar nuevo).*

TEKS 3.10C

DOK 3

 LEER PARA COMPRENDER

¿Por qué se pregunta Juanito si la farola de la calle es realmente un tallo de maíz cubierto de polvo gris? *(Está nervioso, por tanto, intenta imaginar algo familiar: el maíz de los campos de donde viene. Las farolas son altas, como los tallos de maíz. Las cosas familiares en un lugar extraño le ayudan a sentirse mejor).*

Miren el párrafo 8. ¿Qué quiere decir el autor cuando dice que los autos aceleran al pasar por las calles? *(Los autos pasan muy rápido y Juanito no está acostumbrado a verlos).*

TEKS 3.6F, 3.8D, 3.10C, 3.10D

DOK 3

162

TARGETED CLOSE READ

Text and Graphic Features
How does the illustration support Juanito's father words in paragraph 6? *(In the illustration, Juanito is in a new place where there are leaves flying in the air. The street lamp in the illustration tells me that Juanito is in a new place.)*

READ FOR UNDERSTANDING

Why does Juanito wonder if the street lamp is really a golden cornstalk with a dusty gray coat? *(He is nervous, so he is imagining something familiar—cornstalks from the fields where he came from. The streetlamps are tall, like cornstalks. Familiar things in a strange place help him feel better.)*

Look at line 8. What does the writer mean when he says the cars speed by? *(The cars go fast and Juanito is not used to see this.)*

 CONOCIMIENTOS Y DESTREZAS ESENCIALES DE TEXAS 3.6F make inferences/use evidence; **3.8D** explain influence of setting on plot; **3.10C** explain use of print/graphic features; **3.10D** describe author's use of imagery/language

10 Entro despacio en la escuela.
Llevo mi burrito de papas en una bolsa marrón.
El patio de juegos está vacío, las vallas están cerradas.
Hay una nube en el cielo.

11 No hay nadie en los corredores.
Abro una puerta con el número 27.
"¿Dónde estoy?". Mi pregunta
se desvanece mientras la enorme puerta
se cierra de golpe detrás de mí.

12 La maestra Sampson me muestra mi pupitre.
Los niños se ríen cuando meto la nariz en la bolsa del almuerzo.

13 Escucho el tictac del reloj rígido sobre mi cabeza
que me apunta con sus flechas extrañas.

163

📖 LEER PARA COMPRENDER

¿Qué cosas ve Juanito cuando llega a la escuela nueva?
(*Respuestas posibles: el patio de juegos vacío, las vallas cerradas, una nube en el cielo, nadie en los corredores, una puerta con el número 27*)

¿Por qué Juanito se pregunta: "¿Dónde estoy?"?
(*Respuesta posible: No reconoce el lugar porque todo es nuevo para él. La escuela nueva es muy diferente a la escuela que Juanito iba antes*).

SUGERENCIA PARA NOTAS: Pida a los estudiantes que resalten las oraciones de los párrafos 10 y 11 que indican lo que Juanito ve en la escuela nueva.

TEKS 3.6F, 3.8D

DOK 4

READ FOR UNDERSTANDING

What things does Juanito see when he arrives at the new school? (*Possible responses: the empty playground, the fences closed, a cloud in the sky, no one in the corridors, and a door with the number 27*)

Why does Juanito ask himself: "¿Dónde estoy?" **(Where am I?)** (*Possible response: He is not familiar with the place because everything is new to him. The new school is very different from the school that Juanito used to go.*)

ANNOTATION TIP: Have students highlight the sentences in paragraphs 10 and 11 that indicate what Juanito sees in the new school.

Observa anota

Preguntas complicadas

- **Explique a los estudiantes** que los personajes de los cuentos a menudo hacen preguntas que demuestran que están haciendo un gran esfuerzo por solucionar un problema. Indique que, a lo largo de este cuento, Juanito se hace preguntas que demuestran cómo se siente en este lugar nuevo.

- **Pida a los estudiantes** que expliquen por qué deberían usar esta estrategia cuando lean los párrafos 14 a 21. (*Juanito hace preguntas sobre el inglés. Parece que lo está pasando mal en este lugar nuevo donde no habla el mismo idioma que hablan los demás*).

SUGERENCIA PARA NOTAS: Pida a los estudiantes que subrayen las preguntas que se hace Juanito en los párrafos 14 a 21.

- **Pida a los estudiantes** que reflexionen sobre la pregunta principal *¿En qué me hace pensar esta pregunta?* y que añadan ideas a sus notas.

TEKS 3.6F, 3.7C, 3.7G

DOK 3

📖 LEER PARA COMPRENDER

¿Por qué Juanito no puede contestar la pregunta de la maestra sobre los chiles? (*No sabe mucho inglés para poder explicarlo*).

TEKS 3.6G, 3.7C, 3.10C

DOK 2

164

NOTICE & NOTE

Tough Questions

- **Tell students** that story characters often ask questions that show they are struggling to solve a problem. Point out that throughout this story, Juanito asks himself questions that show how he feels in the new place.

- **Have students** explain why they might use this strategy while reading paragraphs 14–21. (*Juanito asks questions about not speaking English. He seems to* be having a hard time in a new place where he does not speak the same language as everyone else.)

ANNOTATION TIP: Have students underline the questions Juanito asks himself in paragraphs 14-21.

- **Have students** reflect on the Anchor Question: *What does this question make me wonder about?* and add to their notes.

READ FOR UNDERSTANDING

Why is Juanito unable to answer the teacher's question about the chiles? (*He does not know enough English to explain.*)

 CONOCIMIENTOS Y DESTREZAS ESENCIALES DE TEXAS 3.6F make inferences/use evidence; **3.6G** evaluate details; **3.7C** use text evidence; **3.7G** discuss text ideas; **3.10C** explain use of print/graphic features; **3.10D** describe author's use of imagery/language

14 En el pizarrón, veo una fila
con las letras del alfabeto y sumas de números. Si me los aprendo,
¿crecerán como las semillas?

15 Si aprendo palabras en inglés,
¿llegará mi voz al techo entretejida
como las enredaderas?

16 Pintamos con los dedos.
Dibujo soles enormes con mis manos abiertas,
disparatados autos de tomate y sombreros de pepino.
Escribo mi nombre con siete chiles.

17 —¿Qué es eso? —pregunta la maestra Sampson.
Mi lengua es una piedra.

18 Suena el timbre de la escuela
y tiemblo.

19 Corro y agarro mi bolsa del almuerzo,
y me siento en el banco de acero verde.
Enseguida termino mi burrito de papas.
Pero todos juegan
y yo estoy solo.

20 —Es el receso —me dice mi compañera Amanda en español.
Repito la palabra *receso* lentamente.
—Suena como *reses*, como el ganado —digo.

21 —¿Qué es el receso?
—le pregunto a Amanda.

165

LECTURA EN DETALLE GUIADA

Lenguaje figurado

Pida a los estudiantes que vuelvan a leer la página 165 para identificar y analizar los símiles y la metáfora.

¿Qué símiles usa el autor en los párrafos 14 y 15? *("crecerán como las semillas" y "como las enredaderas")*

¿Qué comparan estos símiles? *("¿crecerán como las semillas?" compara las letras y las sumas de números que se aprenden con las semillas que crecen y se convierten en plantas; "¿llegará mi voz al techo entretejida como las enredaderas?" compara la voz de Juanito con una enredadera larga y entretejida).*

¿Cómo le llama Juanito a su lengua? *(una piedra)*

¿Es su lengua realmente una piedra? *(no)*

¿Qué significa esta metáfora? *(Juanito siente temor de hablar porque no sabe expresarse en inglés. Su lengua se pone tiesa como una piedra).*

LECTURA EN DETALLE GUIADA

Características del texto y elementos gráficos

¿Por qué usa el autor en letra bastardilla las palabras *receso* y *reses* en el párrafo 20? *(para indicar que receso y reses tienen una pronunciación parecida).*

TARGETED CLOSE READ

Figurative Language

Have students reread page 165 to identify and analyze the similes and metaphor.

What similes does the author use in paragraphs 14 and 15? *("grow like seeds" and "like grape vines")*

What are these similes comparing? *("Will they grow like seeds" compares learning letters and addition numbers to seeds that can grow like plant. "Will my voice reach the ceiling like grape vines" compares Juanito's voice to a long, weaving grape vine.)*

What does Juanito call his tongue? *(a rock)*

Is his tongue really a rock? *(no)*

What does that metaphor mean? *(Juanito is afraid to speak because he doesn't know the words he needs to express himself. So his tongue feels heavy and unmoving, like a rock.)*

TARGETED CLOSE READ

Text and Graphic Features

Why does the author use the words *receso* and *reses* in italics in paragraph 20? *("to point out the similarities in the pronunciation of the words receso and reses.)*

LEER PARA COMPRENDER

Miren la ilustración. ¿Qué muestra? *(A Juanito flotando por el cielo de revés).*

¿Cómo les ayuda esta imagen a comprender los sentimientos de Juanito? *(Dice que se siente de revés. Se siente apartado y diferente a los demás. La imagen muestra esto).*

SUGERENCIA PARA NOTAS: Pida a los estudiantes que subrayen las palabras que describen que Juanito se siente diferente a los demás estudiantes.

TEKS 3.6F, 3.10C

DOK 3

Mis notas

22 El timbre ensordecedor
retumba de nuevo.

23 Esta vez, todos comen sus emparedados
mientras yo juego solo en el campo
de béisbol donde hace viento.

24 —¿Esto es el receso? —pregunto de nuevo.

25 Cuando yo salto,
todos se sientan.
Cuando yo me siento,
todos los niños vuelan por el aire.
Mis pies flotan entre las nubes
cuando lo único que deseo es tocar la tierra.
Soy el niño del revés.

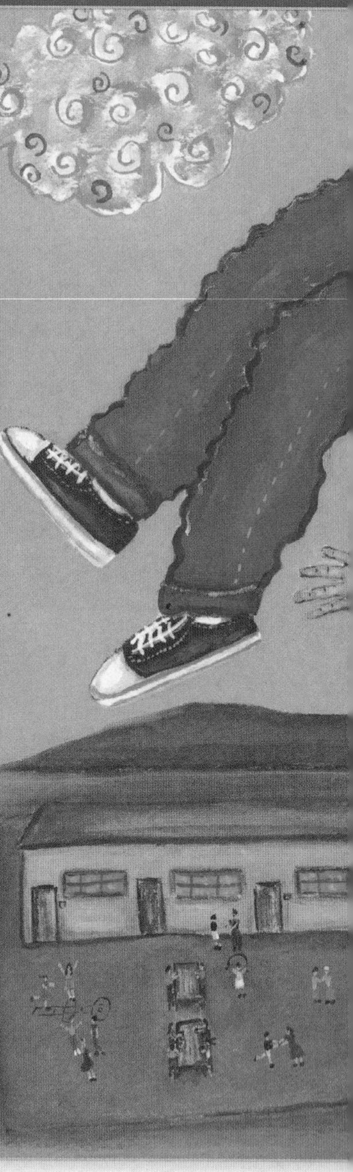

ensordecedor Un ruido ensordecedor es un sonido muy intenso.

166

READ FOR UNDERSTANDING

Look at the illustration. What does it show? *(Juanito floating upside down in the sky.)*

How does this picture help you understand Juanito's feelings? *(He says he feels like an upside down boy. He feels separate and different from everyone else. The picture shows this.)*

ANNOTATION TIP: Have students underline the words that show Juanito feels different from the other students.

CONOCIMIENTOS Y DESTREZAS ESENCIALES DE TEXAS **3.6F** make inferences/use evidence; **3.10C** explain use of print/graphic features

167

LECTURA EN DETALLE GUIADA

Características del texto y elementos gráficos

Pida a los estudiantes que miren la ilustración y vuelvan a leer el texto de la página 167 para analizar cómo la ilustración apoya el texto.

¿Dónde está Juanito en la ilustración? *(Juanito está flotando en el aire encima de la escuela y del patio de juegos).*

En el cuento, ¿está realmente Juanito flotando de revés encima de la escuela? *(no)*

¿Cómo les ayuda esta ilustración a comprender el texto? *(En el texto, Juanito dice que se siente diferente a los demás niños de la escuela. Dice que es el niño del revés. La ilustración muestra cómo se siente).*

¿Le gusta a Juanito la sensación de estar flotando? *(No, en el cuento dice que lo único que desea es tocar la tierra. Quiere sentirse seguro y que lo comprende todo).*

TEKS 3.10C

DOK 3

TARGETED CLOSE READ

Text and Graphic Features

Have students look at the illustration and reread the text on page 167 to analyze how the illustration supports the text.

Where is Juanito in the illustration? *(He is floating high above the school and playground.)*

In the story, is Juanito really floating above the school, upside down? *(no)*

How does this picture help you understand the text? *(In the text, Juanito tells how he feels different from everyone at school. He says he is the upside down boy. The picture shows how he feels.)*

Does Juanito like the feeling of floating? *(No, the story says all he wants is to touch the earth. He wants to feel safe, like he understands.)*

 LEER PARA COMPRENDER

¿Qué piensan doña Andasola y la familia de Juanito de su pintura? *(Les gusta).* **¿Cómo lo saben?** *(El papá de Juanito dice que el sol le recuerda a los días cálidos de verano en el valle de San Joaquín, el lugar de donde vienen. La mamá canta que son tomates voladores. Doña Andasola le muestra la pintura a su canario. Son formas divertidas de demostrar que les gustó. Quieren que Juanito se sienta bien consigo mismo).*

TEKS 3.6F, 3.7C

DOK 3

26 Papá llega a la casita rosada de doña Andasola.
Le enseño la pintura que hice con los dedos.
—¡Qué sol tan picante! —vocea—.
Me recuerda los días cálidos de verano en el valle de San Joaquín
—dice, acomodando su pelo negro con las manos.

27 —¡Mira, mamá!
¿Ves mi pintura?

28 —Estos son tomates voladores
listos para la salsa —canta mamá.
Le enseña mi pintura a doña Andasola,
que se la muestra a Gabino, el canario.

29 —¡Gabino, Gabino! ¿La ves? —grita doña Andasola—.
¿Qué te parece?
Gabino mueve la cabeza de un lado a otro.
—¡Pío, pío, piiiii!

168

READ FOR UNDERSTANDING

What do Mrs. Andasola and Juanito's family think of his painting? *(They like it.)* **How can you tell?** *(Dad says the sun reminds him of hot summer days in the San Joaquin Valley, where they came from. Mom sings that they are flying tomatoes. Mrs. Andasola shows the picture to her canary. These are fun ways to show they like it. They want to make Juanito feel good about himself.)*

 CONOCIMIENTOS Y DESTREZAS ESENCIALES DE TEXAS **3.6F** make inferences/use evidence; **3.7C** use text evidence; **3.8B** explain relationships among characters; **3.10D** describe author's use of imagery/language

30 La maestra Sampson me invita
al frente de la clase:
—Canta, Juanito, canta una canción que hayamos ensayado.

31 Comienzo a temblar. Estoy solo frente al salón.

32 —¿Listo para cantar? —me pregunta la maestra Sampson.
Estoy congelado. Entonces respiro profundo.
—Tres ratones ciegos, tres ratones ciegos —canto.

33 Mis ojos se abren tan grandes como el techo
y mis manos se extienden como para agarrar
gotas de lluvia del cielo.

34 —Tienes una voz magnífica, Juanito —dice la maestra Sampson en inglés.
—¿Qué es magnífica? —le pregunto a Amanda después de la escuela.

Mis notas

169

🔍 LECTURA EN DETALLE GUIADA

Lenguaje figurado

Pida a los estudiantes que vuelvan a leer las páginas 168 y 169 para analizar el lenguaje figurado.

Cuando Juanito está listo para cantar, dice "Estoy congelado". ¿Qué quiere decir esto? *(que al principio tiene miedo)*

¿Se abren realmente los ojos de Juanito tan grande como el techo? *(no)* **¿Qué significa esta expresión?** *(que Juanito abre mucho los ojos)*

¿Qué quiere decir Juanito con "mis manos se extienden como para agarrar gotas de lluvia del cielo"? *(Significa que Juanito extendió las manos para cantar con emoción y expresión. Puso todo su esfuerzo en cantar).*

SUGERENCIA PARA NOTAS: Pida a los estudiantes que resalten los ejemplos de lenguaje figurado.

TEKS 3.10D

DOK 3

📖 LEER PARA COMPRENDER

¿Por qué le dice la maestra Sampson a Juanito que tiene una voz magnífica? *(porque canta muy bien; también porque quiere que él se sienta parte del grupo)*

TEKS 3.6F, 3.7C, 3.8B

DOK 2

TARGETED CLOSE READ

Figurative Language

Have students reread pages 168–169 to analyze the figurative language.

When Juanito gets ready to sing, he says, "I'm frozen." What does this mean? *(That he is afraid at first.)*

Do Juanito's eyes really open as big as the ceiling? *(no)* **What does the expression mean?** *(that Juanito's eyes opened very wide)*

What does Juanito mean when he says, "My hands spread out as if catching rain drops from the sky."? *(It means he spread out his hands and sang with emotion and expression. He put all of his effort into singing.)*

ANNOTATION TIP: Have students highlight examples of figurative language.

READ FOR UNDERSTANDING

Why does Mrs. Sampson tell Juanito he has a beautiful voice? *(because he can sing well; she also wants him to feel that he fits in)*

35 En casa, ayudo a mamá y a doña Andasola a hacer buñuelos: trozos de tortilla fritos con azúcar y canela.

36 —¡Piiiiicho, ven aquí! —grito, llamando a mi perro mientras aplasto una bola de masa.

37 —¡Escúchameeeee! —le canto a Picho mientras empina las orejas en forma de triángulos peludos—. Mi voz es magníficaaaa.

38 —¿Qué canta? —pregunta doña Andasola a mi mamá mientras coloca un buñuelo en la sartén.

39 —Mi maestra dice que mi voz es magníficaaaa —canto mientras bailo con una diminuta bola de masa pegada a la nariz.

40 —¡Sí, sí! —se ríe mamá—. Veamos si tus buñuelos también son magníficos.

READ FOR UNDERSTANDING

Why does Juanito sing so much when he gets home?
(He is happy and proud that Mrs. Sampson said he had a beautiful voice.)

ANNOTATION TIP: Have students underline the words that show Juanito is proud.

170 Módulo 2

CONOCIMIENTOS Y DESTREZAS ESENCIALES DE TEXAS **3.6B** generate questions about text; **3.6F** make inferences/use evidence; **3.7C** use text evidence; **3.7G** discuss text ideas

41 —Yo solo estudié hasta tercer grado, Juanito
—me cuenta mamá ya en la cama.

42 —Cuando vivíamos en El Paso, Texas,
mi mamá necesitaba ayuda en la casa. Éramos muy pobres
y ella estaba cansada de limpiar las casas de los demás.

43 —Aquel año, tu mamá ganó una medalla de ortografía
—dice papá mientras se afeita en el baño.

44 —Tu papá aprendió inglés sin ir a la escuela —dice mamá—.
Cuando trabajaba en los trenes, les hubiese pagado
a sus compañeros un centavo por cada palabra que le enseñaron.

45 —Cada palabra, cada idioma tiene su propia magia
—dice papá en voz baja.

171

 LEER PARA COMPRENDER

¿Qué quieren los papás de Juanito que comprenda?
(que estudiar es importante y que los dos querían estudiar cuando tenían la edad de Juanito; también quieren que comprenda que las palabras son mágicas).

TEKS 3.6F, 3.7G

DOK 2

 LEER PARA COMPRENDER

Hacer y contestar preguntas
¿Qué pregunta les gustaría hacer y contestar sobre las palabras del papá de Juanito en el párrafo 45? *(Las respuestas deben ayudar a los estudiantes a comprender la imagen de la magia de las palabras).*

Si los estudiantes tienen problemas para hacer y contestar preguntas, use este modelo:

💬 **PENSAR EN VOZ ALTA** *El papá de Juanito dice que cada palabra y cada idioma tienen su propia magia. ¿Qué magia tienen las palabras y los idiomas? Puedo seguir leyendo para descubrirlo, pero creo que la respuesta está relacionada con que Juanito aprenda palabras nuevas y un idioma nuevo.*

TEKS 3.6B

DOK 2

READ FOR UNDERSTANDING

What do Juanito's parents want him to understand?
(that learning is important, and that they both wanted to learn when they were Juanito's age; they also want him to understand that words have magic.)

READ FOR UNDERSTANDING
Ask and Answer Questions
What question might you want to ask and answer about Dad's words in paragraph 45? *(Responses should help students understand the image of the magic of words.)*

If students have trouble asking and answering questions, use this model:

THINK ALOUD *Dad says that each word and each language has its own magic. What magic do words and language have? I can read on to find out, but I think the answer has something to do with Juanito learning new words and a new language.*

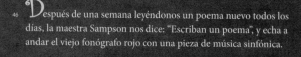

46 Después de una semana leyéndonos un poema nuevo todos los días, la maestra Sampson nos dice: "Escriban un poema", y echa a andar el viejo fonógrafo rojo con una pieza de música sinfónica.

47 Pienso en mamá, agarro el lápiz con fuerza
y escribo letras que fluyen de la lustrosa punta como riachuelo.

48 Las ondas ruedan sobre el papel.
Las "L" tienen curvas al final.
Las "F" se ponen sus sombreros.
Las "M" parecen olas del mar que rompen sobre mi mesa.

49 *El poema de Juanito*

Papá Felipe tiene un bigote de palabras.
Mamá Lucha lleva fresas en el pelo.
¡Veo salsa mágica en mi casa y en todas partes!

172

Mis notas ✐

📖 **LEER PARA COMPRENDER**

¿Cómo les ayuda la ilustración a comprender mejor el poema de Juanito? *(Muestra a los papás bailando. El papá tiene la palabra "bigote" en el bigote. La mamá tiene fresas en la cabeza, como si fueran el pelo).*

TEKS 3.10C

DOK 2

READ FOR UNDERSTANDING

How does the illustration help you to better understand Juanito's poem? *(It shows the parents dancing. Dad has a moustache that says "bigote," which is a word. Mum has strawberries on her head, like hair.)*

LEER PARA COMPRENDER

Hacer y contestar preguntas

Recuerde a los estudiantes que ellos también pueden hacer y contestar preguntas sobre las ilustraciones de un cuento, y sobre cómo les ayudan a comprender mejor a los personajes y los acontecimientos. Pida a los estudiantes que hagan y contesten una pregunta sobre detalles de la ilustración que no se mencionen en el texto.

TEKS 3.6B

DOK 2

 LEER PARA COMPRENDER

¿Qué detalles de la ilustración les ayudan a saber cómo se siente Juanito? (*Los pollitos están agitando las alas en el aire. El gato está saltando en el tejado. Todo el mundo está emocionado y contento, como Juanito*).

TEKS 3.10C

DOK 2

174

READ FOR UNDERSTANDING

Ask and Answer Questions

Remind students that they can also ask and answer questions about the illustrations in a story, and how the illustrations help them to better understand the characters and events. Have students ask a question about details in the illustration that are not mentioned in the text.

READ FOR UNDERSTANDING

Which details in the illustration help show how Juanito feels? (*The chicken are waving their wings in the air. The cat is jumping on the roof. Everyone is excited and happy, just like Juanito.*)

 CONOCIMIENTOS Y DESTREZAS ESENCIALES DE TEXAS **3.6B** generate questions about text; **3.7C** use text evidence; **3.10A** explain author's purpose/message; **3.10C** explain use of print/graphic features; **3.10D** describe author's use of imagery/language

50 —Saqué sobresaliente en mi poema —les grito a todos
en el jardín, donde mamá le corta el pelo a papá.

51 Le enseño mi papel a Gabino
mientras vuelo por la cocina hasta el patio.

52 —Escuchen —les canto a los pollitos
con las manos en alto como si fuera un famoso director musical.

53 Reparto granos de maíz y recito mi poema.
Cada pollito de plumas rizadas recibe un nombre:
—¡Beethoven! ¡Tú tienes la cabeza más lanuda!
¡Mozart! ¡Una gallina saltarina con manchas negras!
¡Johann Sebastian! ¡Baila, baila, diminuto gallo rojo!

> **director** Un director musical dirige a un grupo de personas que cantan o tocan instrumentos musicales.

175

📖 LEER PARA COMPRENDER

¿Cómo se siente Juanito en los párrafos 50 a 53? (*Está contento y orgulloso*).

¿Qué detalles incluye el autor para explicarles cómo se siente? (*Grita que sacó sobresaliente. "Vuela" por la cocina. Les canta a los pollitos con las manos en alto como si fuera director musical. Recita su poema*).

¿Por qué el autor usa detalles sobre la música para describir cómo se siente Juanito con su poema? (*El autor quiere demostrar que la poesía y la música son similares*).

TEKS 3.7C, 3.10A, 3.10D

DOK 3

READ FOR UNDERSTANDING

How does Juanito feel in paragraphs 50–53? (*He is happy and proud.*)

What details does the author include to show you how he feels? (*He yells that he got an A. He "flies" through the kitchen. He sings to the baby chicks with his hands up like a music conductor. He sings out his poem.*)

Why does the author use details about music to describe how Juanito feels about his poem? (*The author wants to show that poetry and music are similar.*)

LEER PARA COMPRENDER

¿En qué se diferencian los sentimientos de Juanito ahora de cuando fue a la nueva escuela por primera vez? *(Ahora siente que es parte del grupo. Está contento).*

¿Cómo lo saben? *(Está cantando. Su papá se da cuenta de que ahora es diferente. Los dos están contentos).*

SUGERENCIA PARA NOTAS: Pida a los estudiantes que escriban en sus notas sobre los cambios de Juanito.

TEKS 3.6F, 3.7C

DOK 3

Juanito ya no se siente de revés.

54 Por la mañana, mientras caminamos
hacia la escuela, papá me dice:
—Es cierto que tienes una voz magnífica, Juanito.
Nunca te había oído cantar hasta ayer,
cuando alimentaste a los pollos.
Al principio, cuando nos mudamos aquí,
parecías triste y no sabía qué hacer.

55 —Me sentía extraño, como de revés —le dije—.
Las calles de la ciudad no son suaves con flores.
Los edificios no tienen caras. Sabes, papá,
que en el campo me sabía todos los nombres, hasta el
de aquellos insectos con ojitos feroces y narices brillantes.

56 —Toma —dice—. Te doy mi armónica.
Tiene muchas voces, muchas canciones hermosas
como tú. ¡Cántalas!

176

READ FOR UNDERSTANDING

How are Juanito's feelings different from how he felt when he first went to his new school? *(He feels he fits in now. He is happy.)* **How can you tell?** *(He is singing. His dad notices how he is different. They are both happy.)*

ANNOTATION TIP: Have students write in their notes about how Juanito has changed. *(Juanito no longer feels upside down.)*

Mis notas

177

¿Qué detalle agregó la ilustradora para que el cielo se vea tan hermoso como la voz de Juanito? *(el arcoíris)*

TEKS 3.6F, 3.10C

DOK 3

READ FOR UNDERSTANDING

What detail did the illustrator add that makes the sky as beautiful as Juanito's singing? *(the rainbow)*

LEER PARA COMPRENDER

¿Qué ha aprendido Juanito sobre las palabras y la música que le ayuda a sentirse confiado en su nueva escuela? (*Aprende que puede cantar magníficamente y que puede escribir poemas hermosos. Aprende que las palabras tienen la magia de la música*).

SUGERENCIA PARA NOTAS: Pida a los estudiantes que subrayen las palabras que muestran que Juanito ahora se siente cómodo cuando habla frente a los demás.

TEKS 3.6F, 3.7C, 3.8B

DOK 3

 LEER PARA COMPRENDER

Concluir

Vuelva a comentar el propósito que los estudiantes establecieron antes de leer el texto. Pida a los estudiantes que citen evidencias del texto que explican lo que significa sentirse de revés en este cuento y cómo aprendió Juanito a controlar este sentimiento.

TEKS 3.6A, 3.7G

DOK 2

57 El día de la exhibición en la escuela,
mamá y papá se sientan en primera fila.
Doña Andasola, con Gabino en su hombro,
admira los dibujos en las paredes.

58 —Nuestros dibujos se parecen a los campos floridos
del valle —le digo a Amanda.

59 —Tengo una sorpresa —le susurro a mamá—.
¡Soy 'El maestro Juanito', el director del coro!
La maestra Sampson, con su sombrero de chile,
sonríe y pone la música.

60 Soplo un "do" con mi armónica:
—¡La la la laaaaa! ¿Listos para cantar sus poemas?
—pregunto a mi coro—. Uno… dos… ¡y tres!

178

READ FOR UNDERSTANDING

What has Juanito learned about words and music that helps him feel confident at his new school? (*He learns he can sing beautifully and that he can write beautiful poems. He learned that words have the magic of music in them.*)

ANNOTATION TIP: Have students underline the words that show Juanito is now comfortable speaking in front of others.

READ FOR UNDERSTANDING
Wrap-Up

Revisit the purpose students set before they read the text. Have students cite text evidence to explain what it means to feel upside down in this story and how Juanito learned to deal with this feeling.

 CONOCIMIENTOS Y DESTREZAS ESENCIALES DE TEXAS **3.1A** listen actively/ask relevant questions; **3.1D** work collaboratively; **3.6A** establish purpose for reading; **3.6F** make inferences/use evidence; **3.7B** write responses that demonstrate understanding; **3.7C** use text evidence; **3.7G** discuss text ideas; **3.8B** explain relationships among characters; **3.8C** analyze plot elements

Conversación colaborativa

Vuelve a leer lo que escribiste en la página 158. Explica a un compañero por qué pensaste que el autor usó el título *El niño del revés*. Luego trabaja en grupo y comenta las preguntas de abajo. Busca detalles y ejemplos en *El niño del revés* para apoyar tus ideas. Toma notas para responder las preguntas y úsalas cuando hables. Cuando compartas tus ideas, asegúrate de hablar con claridad y de forma que todos puedan comprender lo que dices.

1 Vuelve a leer la página 162. ¿Por qué le preocupa al autor que su lengua se convierta en una piedra?

2 Vuelve a leer las páginas 168 y 169. ¿Qué le invita a hacer la maestra Sampson a Juanito? ¿Cómo le ayuda esto?

3 ¿Por qué Juanito se llama a sí mismo "el niño del revés"? ¿Por qué cree Juanito que está de revés?

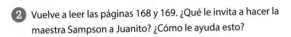 Sugerencia para escuchar

Mientras escuchas, piensa cómo puedes aportar información a la conversación. Planifica lo que quieres decir sobre cada pregunta.

Sugerencia para hablar

Usa oraciones completas. Habla alto de forma que todos los integrantes del grupo puedan escucharte.

Conversación académica

Use la rutina de **CONVERSACIÓN COLABORATIVA**. Pida a los estudiantes que tomen notas para responder las preguntas. Luego pídales que trabajen en grupos y que apliquen las Sugerencias para escuchar y hablar mientras comentan sus respuestas.

Respuestas posibles:

1. *Porque no va a poder hablar inglés y es como si su lengua fuera una piedra.* **DOK 3**

2. *La maestra Sampson lo invita a cantar y a dirigir. Esto ayuda a Juanito porque de esta manera se puede expresar con más facilidad. Cuando las personas cantan, memorizan las palabras y no tienen que pensar en cómo decir las cosas.* **DOK 2**

3. *Juanito se llama a sí mismo "el niño del revés" porque no sabe cómo hacer las cosas correctamente. No habla muy bien el inglés y siente que no es parte del grupo. Cuando los demás saltan, él se sienta. Siente como si flotara de revés lejos de los demás.* **DOK 3**

TEKS 3.1A, 3.1D, 3.6F, 3.7B, 3.7C, 3.7G, 3.8B, 3.8C

179

Academic Discussion
Use the **COLLABORATIVE DISCUSSION** routine. Have students write responses to the questions. Then have groups apply the Listening and Speaking Tips as they discuss their responses.

Possible responses:

1. *He is afraid that he will not be able to speak in English, which would be like his tongue were a rock.*

2. *Mrs. Sampson invites him to sing and to conduct. This helps Juanito because he can express himself more easily. When you sing, the words are memorized, so you don't have to think of how to say things.*

3. *Juanito calls himself the upside down boy because he doesn't understand how to do things correctly. He is new in town, so he feels he doesn't fit in. He sits when others jump. He feels as if he is floating apart from everyone, upside down.*

Escribir sobre la lectura

- **Lea en voz alta** el tema para desarrollar con los estudiantes.

- **Inicie un debate** en el que los estudiantes vuelvan a contar los acontecimientos del primer día de escuela de Juanito como si fueran su compañero de clase. Pida a los estudiantes que usen evidencias del texto de la selección para apoyar sus ideas.

- **Luego lea en voz alta** la sección Planificar. Pida a los estudiantes que usen ideas del debate en sus notas y que hagan una lista con los acontecimientos en orden cronológico.

TEKS 3.1E, 3.7B, 3.7C, 3.7D, 3.7F

Escribir un recuento

TEMA PARA DESARROLLAR

El autor de *El niño del revés* escribe sobre un momento importante de su vida. Habla sobre sus sentimientos y todas las cosas que son nuevas para él.

Imagina que eres uno de los compañeros de clase de Juanito. Escribe un cuento sobre su primer día en la escuela desde tu punto de vista. Di lo que piensas, haces y dices cuando Juanito entra en el salón de clases por primera vez. ¿En qué se parecerían los acontecimientos? ¿En qué cambiarían? Trata de usar las palabras del Vocabulario crítico en tu escritura.

PLANIFICAR

Usa el texto y las ilustraciones para hacer una lista de los acontecimientos más importantes del primer día de escuela de Juanito.

Las respuestas variarán, pero los estudiantes deben crear una lista en orden cronológico de los acontecimientos que ocurrieron el primer día de escuela de Juanito. Si los estudiantes enumeran los acontecimientos en el orden incorrecto, pueden numerar los elementos para indicar el orden correcto.

180

Write About Reading
- **Read aloud** the prompt with students.
- **Lead a discussion** in which students retell the events of Juanito's first day of school as if they were a student in his school. Tell students to use text evidence from the selection to support their ideas.
- **Then read aloud** the Plan section. Have students use ideas from the discussion in their notes and to list the events in chronological order.

 CONOCIMIENTOS Y DESTREZAS ESENCIALES DE TEXAS 3.1E develop social communication; **3.7B** write responses that demonstrate understanding; **3.7C** use text evidence; **3.7D** retell/paraphrase texts; **3.7F** respond using vocabulary; **3.11B(i)** develop drafts by organizing with purposeful structure; **3.11B(ii)** develop drafts by developing an engaging idea; **3.12A** compose literary texts

ESCRIBIR

Ahora escribe tu recuento del primer día de escuela de Juanito desde tu punto de vista.

✓

Asegúrate de que tu recuento

☐ presenta a los personajes importantes.

☐ se cuenta desde tu punto de vista, como si fueras uno de los compañeros de Juanito.

☐ usa diálogos y descripciones de la acción.

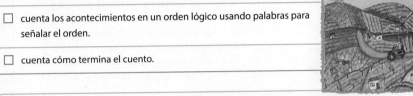

☐ cuenta los acontecimientos en un orden lógico usando palabras para señalar el orden.

☐ cuenta cómo termina el cuento.

Las respuestas variarán, pero debe ser un recuento narrativo del primer día de escuela de Juanito contado desde el punto de vista de uno de los estudiantes de su clase. El recuento debe incluir los elementos de la lista de comprobación.

181

Escribir sobre la lectura

- **Repase con los estudiantes** las instrucciones y la lista de comprobación de la sección Escribir.

- **Anime a los estudiantes** a asegurarse de que están contando los acontecimientos desde su punto de vista y que usan palabras de secuencia para señalar el orden de los acontecimientos en sus recuentos.

TEKS 3.7B, 3.7C, 3.7D, 3.7F, 3.11B(i), 3.11B(ii), 3.12A

Write About Reading
- **Review with students** the directions and checklist in the Write section.
- **Encourage students** to make sure they are telling the events from their point of view and that they use time order words to signal the order of the events in their retellings.

LEER PARA COMPRENDER

Presentar el texto

- **Lea en voz alta** y comente la información sobre el género. Señale algunos de los elementos de la poesía, las cartas y los textos informativos.

  » Compare y contraste las ilustraciones de las páginas 188 a 191 para comentar los diferentes ambientes.

  » Lea en voz alta el texto que aparece en las páginas 184 a 187 y comente los elementos de la poesía, como las palabras que riman.

  » Dé un vistazo a la carta que aparece en las páginas 206 y 207 para observar elementos, como el saludo y la despedida.

  » Repase el texto de las páginas 210 a 214 para comentar las características de los textos informativos, como encabezados, fotos y pies de fotos.

- **Use** Mostrar y motivar: <u>Conocer a la autora y a la ilustradora 2.11</u> para conocer más acerca de la autora y la ilustradora.

- **Pida a los estudiantes** que busquen las palabras del Vocabulario crítico mientras leen y que piensen en el significado de las palabras.

SUGERENCIA PARA NOTAS: Pida a los estudiantes que usen el recuadro para anotar los tres géneros de literatura que aparecen en esta selección.

TEKS 3.6A, 3.9A, 3.9B, 3.9D(ii), 3.10C

DOK 2

 Mis notas

Observa y anota
¡Eureka!

Prepárate para leer

ESTUDIO DEL GÉNERO La **poesía** usa los sonidos y el ritmo de las palabras para representar imágenes y expresar sentimientos. Las **cartas** son mensajes escritos que una persona envía a otra. Los **textos informativos** ofrecen datos y ejemplos sobre un tema.

- Los poemas suelen escribirse en párrafos llamados estrofas.
- Los poemas suelen utilizar un lenguaje descriptivo y rítmico.
- Las cartas suelen comenzar con un saludo amistoso y terminar con una despedida amistosa.
- Los textos informativos pueden incluir encabezados y subtítulos para indicar qué viene después. También incluyen elementos visuales, como fotos, y características del texto, como letra negrita y bastardilla, y pies de foto.

ESTABLECER UN PROPÓSITO **Piensa en** el título y los géneros de este texto. ¿Por qué crees que este cuento es un poema? ¿Por qué crees que una parte de este texto es una carta y otra parte es un texto informativo? Escribe tus ideas abajo.

 Conoce a la autora y a la ilustradora: Georgina Lázaro León y Valeria Cís

VOCABULARIO CRÍTICO
cristalinas
contemplaba
literato
retahíla
esfumó
reconocimiento

182

READ FOR UNDERSTANDING

Introduce the Text

- **Read aloud** and discuss the genre information. Point out some of the elements of poetry, letters, and informational texts.

  » Compare and contrast the illustrations on pages 188–191 to discuss the different settings.

  » Read aloud the text on pages 184–187 and discuss elements of poetry such as rhyming words.

  » Preview the letter on pages 206 and 207 to note elements such as the greeting and closing.

  » Preview the text on pages 210-214 to discuss elements of informational texts such as headings, photos, and photo captions.

- **Use Mostrar y motivar: Conocer a la autora y a la ilustradora 2.11** to learn more about the author and illustrator.

- **Tell students** to look for the Critical Vocabulary as they read, and think about the words' meanings.

ANNOTATION TIP: Have students use the box to note three genres of literature that appear in this selection.

 CONOCIMIENTOS Y DESTREZAS ESENCIALES DE TEXAS 3.6A establish purpose for reading; **3.9A** demonstrate knowledge of literature characteristics; **3.9B** explain rhyme scheme/sound devices in poetry; **3.9D(ii)** recognize features in informational text; **3.10C** explain use of print/graphic features

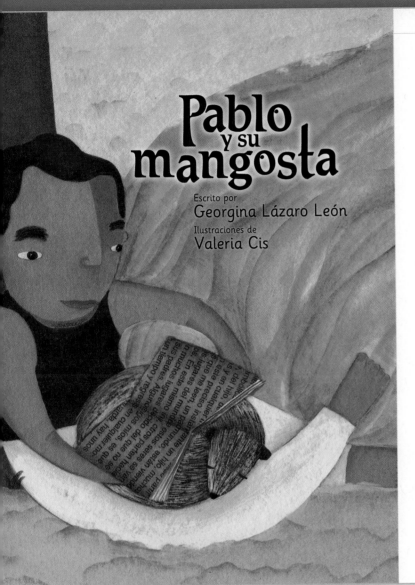

Pablo
y su
mangosta

Escrito por
Georgina Lázaro León

Ilustraciones de
Valeria Cis

📖 **LEER PARA COMPRENDER**

Establecer un propósito

- **Pida a los estudiantes** que miren las primeras páginas de *Pablo y su mangosta* para observar el ambiente y el personaje principal, y cómo pueden usar las ilustraciones para entender los sentimientos del personaje principal.

- **Guíe a los estudiantes** para que establezcan un propósito para la lectura. Comente lo que los estudiantes piensan que aprenderán en una selección que contiene tres géneros diferentes.

TEKS 3.6A

DOK 2

READ FOR UNDERSTANDING

Set a Purpose

- **Have students** look at the first few pages of *Pablo y su mangosta* to note the setting and who the main character is, and how they can use the illustrations to understand the main character's feelings.

- **Guide students** to set a purpose for reading. Discuss what students think they will learn from a selection with three different genres.

Colombo: *capital de Ceilán, país que lleva hoy día el nombre de Sri Lanka.*

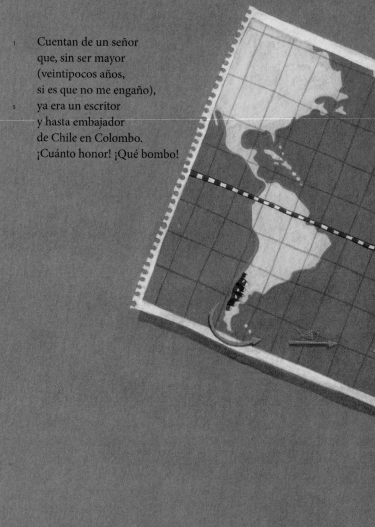

1   Cuentan de un señor
que, sin ser mayor
(veintipocos años,
si es que no me engaño),
5   ya era un escritor
y hasta embajador
de Chile en Colombo.
¡Cuánto honor! ¡Qué bombo!

LEER PARA COMPRENDER

Repase el glosario de la página 209 y explique la definición de "Colombo".

¿Qué les dice la ilustración acerca del ambiente de esta historia? *(La ilustración muestra un mapa. El mapa muestra con flechas y peces un viaje en barco desde Chile hasta la isla de Ceilán. Esto indica que la historia sucede en Ceilán, país que hoy se conoce como Sri Lanka).*

¿Por qué Pablo se muda a Ceilán? ¿Cómo lo saben? *(Él era el embajador de Chile en Ceilán. El texto dice "y hasta embajador de Chile en Colombo". Colombo es la capital de Ceilán).*

SUGERENCIA PARA NOTAS: Pida a los estudiantes que escriban la definición de Colombo.

TEKS 3.6E, 3.6G, 3.7C, 3.8D

DOK 3

184

READ FOR UNDERSTANDING

Review the Glossary on page 209 and explain the definition of "Colombo".

What does the illustration tell you about the setting of this story? *(The illustration shows a map. The map shows with arrows and fish a boat trip from Chile to the island of Ceylon. This indicates that the story takes place in Ceylon, which is known today as Sri Lanka.)*

¿Why does Pablo move to Ceilán? How do you know? *(He was the Ambassador of Chile in Ceylon. The text says "y hasta embajador de Chile en Colombo". Colombo is the capital city of Ceylon.)*

ANNOTATION TIP: Have students write the definition of Colombo. (**Colombo:** *capital city of Ceylon, the country that is known today as Sri Lanka.*)

CONOCIMIENTOS Y DESTREZAS ESENCIALES DE TEXAS **3.6E** make connections; **3.6F** make inferences/use evidence; **3.6G** evaluate details; **3.7C** use text evidence; **3.8D** explain influence of setting on plot; **3.9A** demonstrate knowledge of literature characteristics; **3.9B** explain rhyme scheme/sound devices in poetry

Residía en Ceilán
10 sin ningún afán,
una isla situada
allá por Bengala,
en cierto lugar
cerquita del mar:
15 aguas cristalinas,
música marina,
algas, caracoles,
peces de colores,
el fuerte oleaje…
20 ¡Qué bello paisaje!

cristalinas Las cosas que son
cristalinas, son claras y transparentes.

185

LEER PARA COMPRENDER

¿Qué palabras del texto les ayudan a comprender que Ceilán es una isla? (cerquita del mar, aguas cristalinas, música marina, algas, caracoles, peces de colores, el fuerte oleaje)

¿Qué tipo de texto literario suele tener palabras que riman al final de cada verso? (la poesía)

3.6F, 3.9A, 3.9B

DOK 2

READ FOR UNDERSTANDING

What words in the text help you understand that Ceylon is an island? (near the sea, clear cristal waters, marine music, seaweed, snails, colorful fish, strong waves)

What kind of literary text often has rhyming words at the end of each verse? (poetry)

Todas las mañanas,
desde su ventana,
al desayunar
veía desfilar
25 muchos elefantes,
lentos y elegantes,
que se iban a dar
su baño de mar.

 LEER PARA COMPRENDER

¿Cómo se relaciona la ilustración de las páginas 184 y 185 con el ambiente y los sucesos de las páginas 186 y 187? *(La ilustración de las páginas 184 y 185 muestra que Pablo se mudó de Chile a la isla de Ceilán. En las páginas 186 y 187, Pablo está mirando unos elefantes por la ventana de una casa cerquita del mar).*

¿Qué detalles del texto les ayudan a comprender esto?
(Sabemos que Pablo vive ahora en la isla de Ceilán porque el texto explica que todas las mañanas mira los elefantes bañarse en el mar mientras desayuna).

TEKS 3.8C, 3.8D

DOK 3

READ FOR UNDERSTANDING

How does the illustration on pages 184 and 185 relate to the setting and events on pages 186 and 187? *(The illustration on pages 184 and 185 shows that Pablo moved from Chile to the island of Ceylon. On pages 186 and 187, Pablo is looking at some elephants through the window of a house near the ocean.)*

What details in the text help you understand this? *(We know that Pablo now lives in the island of Ceylon, because the text says that every morning he watches the elephants bathe in the sea while he eats breakfast.)*

 CONOCIMIENTOS Y DESTREZAS ESENCIALES DE TEXAS **3.6C** make/correct/confirm predictions; **3.6G** evaluate details; **3.7C** use text evidence; **3.7F** respond using vocabulary; **3.8C** analyze plot elements; **3.8D** explain influence of setting on plot

Luego, el pobre Pablo,
30 ese de quien hablo,
contemplaba el viento
<u>con aburrimiento,</u>
pues entre papeles,
cenas y cocteles,
35 citas, protocolo,
<u>se sentía muy solo.</u>

contemplaba   Si una persona contemplaba alguna cosa o idea, le prestaba mucha atención.

187

📖 LEER PARA COMPRENDER

Observen la ilustración y lean el texto de la página 187. ¿Cómo se siente Pablo? ¿Por qué? *(Respuesta de ejemplo: Pablo se siente solo porque no tiene amigos).*

SUGERENCIA PARA NOTAS: *Pida a los estudiantes que subrayen las palabras que indican que Pablo no tiene amigos.*

Repase el glosario de la página 209 y explique la definición de "protocolo".

¿Por qué creen que Pablo tiene que asistir a protocolos? *(Respuesta de ejemplo: Pablo es embajador y los embajadores tienen que ir a protocolos).*

TEKS 3.6C, 3.6G, 3.7C, 3.7F, 3.8D

DOK 3

READ FOR UNDERSTANDING

Look at the illustration and read the text on page 187. How does Pablo feel? Why? *(Sample response: Pablo feels alone because he has no friends.)*

ANNOTATION TIP: Have students underline the words in the text that indicate that Pablo has no friends.

Review the Glossary on page 209 and explain the definition of "protocolo".

Why do you think Pablo has to go to protocols?
(Sample response: He is an ambassador and ambassadors go to protocols.)

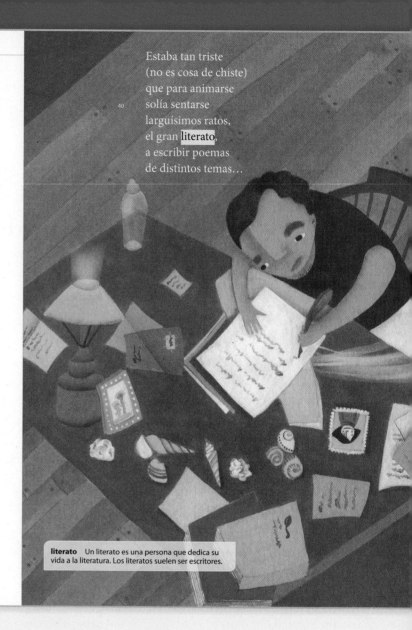

LEER PARA COMPRENDER

¿Por qué Pablo pasaba tanto tiempo escribiendo? *(para animarse)* **¿Cómo lo saben?** *(El verso 37 dice "estaba tan triste").*

¿Qué tipo de texto literario escribía Pablo? ¿Cómo lo saben? *(poesía; el verso 43 dice que escribía poemas)*

¿Por qué la autora dice que Pablo era un gran literato? *(porque Pablo escribía y leía mucho)*

¿Cómo les ayuda la ilustración a saberlo? *(La ilustración muestra a Pablo escribiendo y hay muchas hojas escritas sobre su escritorio. También hay libros).*

SUGERENCIA PARA NOTAS: Pida a los estudiantes que escriban las cosas que hay sobre el escritorio que indican que Pablo era un gran literato.

TEKS 3.6F, 3.7C, 3.8C, 3.10B, 3.10C

DOK 3

Mis notas

hojas escritas, libros

Estaba tan triste
(no es cosa de chiste)
que para animarse
solía sentarse
larguísimos ratos,
el gran literato,
a escribir poemas
de distintos temas…

40

literato Un literato es una persona que dedica su vida a la literatura. Los literatos suelen ser escritores.

188

READ FOR UNDERSTANDING

Why did Pablo spend so much time writing? *(to cheer up)* **How do you know?** *(Line 37 says "estaba tan triste.")*

What type of literary text did Pablo write? How do you know? *(poetry; on line 43, the words say that he wrote poems)*

Why do the author say that Pablo was a man of letters? *(because Pablo was always writing and reading)*

How does the illustration help you know this? *(The illustration shows Pablo is writing. There are many written sheets of paper on his desk. There are books too.)*

ANNOTATION TIP: Have students write the things on the desk that indicate that Pablo was a man of letters. *(written sheets of paper, books)*

CONOCIMIENTOS Y DESTREZAS ESENCIALES DE TEXAS **3.6F** make inferences/use evidence; **3.7C** use text evidence; **3.8C** analyze plot elements; **3.10B** explain use of text structure; **3.10C** explain use of print/graphic features

 **LEER PARA COMPRENDER**

¿Qué otro tema sobre los que escribía Pablo se muestra en la ilustración, pero no se menciona en el texto? *(Pablo también escribía sobre los árboles).*

¿Cómo lo sabes? *(Junto al tren hay muchos árboles).*

TEKS 3.10C

DOK 2

45 la madera, el río,
la uva, el rocío,
la lluvia, los trenes,
raíces, andenes,
las olas, la arena,
50 el gozo y la pena.
Así combatía
desde la poesía
el terrible hastío,
el duelo, el vacío,
55 de estar tan distante;
pesar de emigrante.

189

READ FOR UNDERSTANDING

What other topic that Pablo wrote about is shown in the illustration, but is not mentioned in the text?
(Pablo also wrote about trees.)

How do you know? *(There are many trees next to the train.)*

Punto de vista

Pida a los estudiantes que vuelvan a leer las páginas 184 a 191 para identificar el punto de vista.

¿Está escrito este poema desde el punto de vista de la primera o la tercera persona? *(tercera persona)*

¿Qué palabras son pistas que les permiten saber cuál es el punto de vista? *(el pronombre posesivo su y las conjugaciones de los verbos en tercera persona: residía, veía, contemplaba, se sentía, estaba, animarse, solía, sentarse, combatía, halló, quedó, llevó e hizo)*

SUGERENCIA PARA NOTAS: Pida a los estudiantes que escriban en sus notas las palabras que indican el punto de vista de la tercera persona en las páginas 188 a 191.

TEKS 3.10E

DOK 2

📖 **LEER PARA COMPRENDER**

Observen la ilustración de las páginas 190 y 191.

¿Qué detalles notan en la expresión del rostro de Pablo en la ilustración? *(Pablo parece curioso e interesado en la mangosta).*

¿Por qué Pablo tiene esa expresión? *(Respuesta de ejemplo: porque quizás nunca se había encontrado con una mangosta).*

TEKS 3.6F, 3.10C

DOK 3

🖊 Mis notas

estaba, animarse, solía, sentarse, combatía, su, halló, quedó, llevó, hizo

> Hasta que un buen día,
> para su alegría,
> allá, por la costa,
> 60 halló una mangosta.
> Era tan graciosa
> que parecía hermosa
> con su vestimenta
> de sal y pimienta,
> 65 una miradita
> casi dinamita,
> y el gesto meloso,
> un poco orgulloso.

190

TARGETED CLOSE READ

Point of View

Have students reread pages 184–191 to identify the point of view.

Is the text written in first-person or third-person point of view? *(third-person)*

What words are clues that let you know what this point of view is? *(possessive pronoun su, and verbs in third person singular).*

ANNOTATION TIP: Have students write in their notes the words that indicate the third-person point of view on pages 188–191.

READ FOR UNDERSTANDING

Look at the illustration on pages 190–191.

What details do you notice in Pablo's facial expression in the illustration? *(Pablo seems curious and interested in the mongoose.)*

Why does Pablo have this facial expression? *(Sample response: Because it is possible that he has never met a mongoose before.)*

 CONOCIMIENTOS Y DESTREZAS ESENCIALES DE TEXAS 3.6F make inferences/use evidence; **3.7B** write responses that demonstrate understanding; **3.7C** use text evidence; **3.9A** demonstrate knowledge of literature characteristics; **3.9B** explain rhyme scheme/sound devices in poetry; **3.10C** explain use of print/graphic features; **3.10E** identify/ understand literary devices

Quedó tan prendado,
70 que, con mucho agrado,
nuestro buen amigo
le dio pan y abrigo.
La llevó a su casa
de riqueza escasa
75 y la hizo familia
llamándola Kiria.

 LECTURA EN DETALLE GUIADA

Elementos de la poesía

Pida a los estudiantes que vuelvan a leer las páginas 188 a 191 para analizar los elementos de la poesía.

¿Por qué esta historia es un poema? *(La historia usa palabras que riman).*

¿Qué característica de los poemas pueden notar en estas páginas? *(El poema está dividido en estrofas).*

¿Son iguales todas las estrofas? ¿En qué se diferencian? *(No. Las estrofas de las páginas 189 y 190 tienen 12 versos. Las estrofas de las páginas 188 y 191 tienen 8 versos).*

¿En qué se parecen los versos de cada estrofa? *(El final del primer verso rima con el final del segundo verso. El final del tercer verso rima con el final del cuarto verso y así sucesivamente).*

TEKS 3.9A, 3.9B

DOK 3

📖 **LEER PARA COMPRENDER**

¿De qué color es Kiria? ¿Qué pista del texto les ayuda a saberlo? *(Kiria es gris. El texto dice "con su vestimenta de sal y pimienta").*

TEKS 3.6F, 3.7B, 3.7C

DOK 2

TARGETED CLOSE READ

Elements of Poetry

Have students reread pages 188–191 to analyze the elements of poetry in the story.

How is this story also a poem? *(The story uses rhyming words.)*

What characteristic of poems can you notice in these pages? *(The text is divided into stanzas.)*

Are all stanzas the same? How are they different? *(No. The stanzas on pages 189 and 190 have 12 verses. The stanzas on pages 188 and 191 have 8 verses.)*

How are the verses similar in each stanza? *(The end of the first verse rhymes with the end of the second verse. The end of the third verse rhymes with the end of the fourth verse, and so on.)*

READ FOR UNDERSTANDING

What color is Kiria? What text clue helps you know this? *(Kiria is gray. The text says "con su vestimenta de sal y pimienta".)*

LEER PARA COMPRENDER

Visualizar

DEMOSTRAR CÓMO VISUALIZAR

🗨 **PENSAR EN VOZ ALTA** *Puedo usar los sentidos para imaginarme los detalles del texto y verlos en la ilustración. Me imagino a Kiria subiéndose a la silla y trepando por la espalda de Pablo hasta posarse en su hombro, como una gatita. Veo a Pablo sonreír mientras lee. Escucho el ronroneo de Kiria y siento como su barriguita se hincha y deshincha al respirar. Veo a Pablo acariciando el pelaje de Kiria. Escucho el sonido que hacen los libros cuando Pablo pasa las páginas.*

TEKS 3.6D

DOK 3

LEER PARA COMPRENDER

¿Por qué Pablo luce contento en la ilustración? *(Ya no está solo. Ahora Kiria es su amiga).*

¿Creen que Pablo tiene miedo de Kiria? ¿Por qué? *(No. En ninguna de las ilustraciones Kiria aparece como un animal peligroso o que da miedo).*

TEKS 3.6F, 3.7C, 3.10C

DOK 3

192

READ FOR UNDERSTANDING

Visualize

MODEL VISUALIZING

THINK ALOUD *I can use my senses to picture in my mind the details in the text and see in the illustration. I picture Kiria climbing on the chair and up Pablo's back until she settles on his shoulder, like a kitten. I see Pablo smiling while he reads. I hear Kiria's purring. I feel how her belly inflates and deflates as she breathes. I see Pablo caressing Kiria's fur. I hear the sound of the pages turning.*

READ FOR UNDERSTANDING

Why does Pablo look happy in the illustration? *(Pablo does not feel lonely any more. Now he has a friend, Kiria.)*

Do you think Pablo is afraid of Kiria? Why? *(No. None of the illustrations shows Kiria as dangerous or scary.)*

 CONOCIMIENTOS Y DESTREZAS ESENCIALES DE TEXAS 3.6D create mental images; **3.6F** make inferences/use evidence; **3.7C** use text evidence; **3.8B** explain relationships among characters; **3.8D** explain influence of setting on plot; **3.10B** explain use of text structure; **3.10C** explain use of print/graphic features

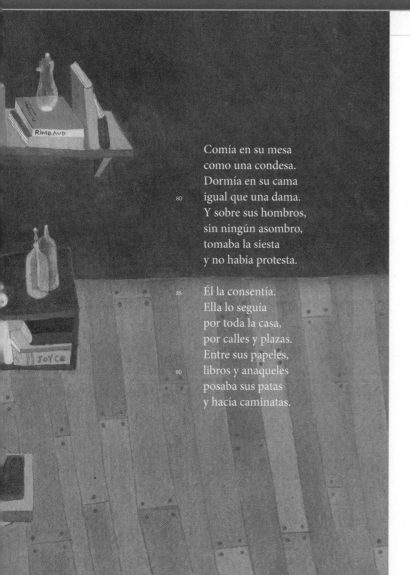

Comía en su mesa
como una condesa.
Dormía en su cama
80 igual que una dama.
Y sobre sus hombros,
sin ningún asombro,
tomaba la siesta
y no había protesta.

85 Él la consentía.
Ella lo seguía
por toda la casa,
por calles y plazas.
Entre sus papeles,
90 libros y anaqueles
posaba sus patas
y hacía caminatas.

193

LECTURA EN DETALLE GUIADA

Elementos literarios

Pida a los estudiantes que vuelvan a leer las páginas 190 a 193 y que miren las ilustraciones para analizar los personajes y el ambiente.

¿En qué se parecen Pablo y Kiria? (*Respuesta de ejemplo: a los dos les gusta tener amigos y estar acompañados*). **¿En qué se diferencian?** (*Pablo es humano y Kiria es una mangosta*).

¿Qué detalles del texto sobre la relación entre Pablo y Kiria pueden notar en las ilustraciones? (*En la ilustración de las páginas 190 y 191, Pablo y Kiria no se conocen, están separados, mirándose. En la ilustración de las páginas 192 y 193, Pablo y Kiria ya son amigos. Kiria duerme sobre los hombros de Pablo*).

¿En qué se diferencian los ambientes? (*Kiria y Pablo se encuentran en la playa, donde Kiria vivía. Ahora Kiria vive con Pablo en su casa*).

TEKS 3.7C, 3.8B, 3.8D, 3.10B

DOK 3

TARGETED CLOSE READ

Literary Elements

Have students reread pages 190–193 and look at the illustrations to analyze the characters and settings.

How are Pablo and Kiria alike? (*Sample response: They both like to have friends.*) **How are they different?** (*Pablo is a human and Kiria is a mongoose.*)

What text details about the relationship between Kiria and Pablo can you notice in the illustrations? (*In the illustration on pages 190–191, Pablo and Kiria do not know each other; they are separated, looking at each other. In the illustration on pages 192–193, Pablo and Kiria are already friends. Kiria is sleeping on Pablo's shoulders.*)

How are the settings different? (*Kiria and Pablo met at the beach, where Kiria used to live. Now Kiria lives with Pablo in his house.*)

agilidad, valentía,
osadía, cazaba
serpientes

LEER PARA COMPRENDER

¿Por qué Kiria se hace famosa en la vecindad? *(porque era muy valiente. Kiria cazaba serpientes).*

¿Qué detalles del texto apoyan la ilustración de las páginas 194 y 195? *(El texto de la página 194 dice que la gente solicitaba a Kiria. En la ilustración se ve mucha gente que viene a casa de Pablo a hablar con él).*

SUGERENCIA PARA NOTAS: Pida a los estudiantes que escriban en sus notas las características por las que Kiria era tan famosa.

TEKS 3.10B, 3.10C

DOK 2

Era muy fogosa
y se hizo famosa
95 en la vecindad
por su agilidad
y su valentía.
Con gran osadía
cazaba serpientes,
100 por eso la gente
la solicitaba,
si alguna asomaba
su rostro salvaje
por entre el follaje.

194

READ FOR UNDERSTANDING

Why does Kiria become famous in the neighborhood?
(because she was very brave; she hunted snakes)

What text details support the illustration on pages 194–195? *(The text on page 194 says that people were asking for Kiria. The illustration shows many people that come to Pablo's house to talk to him.)*

ANNOTATION TIP: Have students write in their notes the characteristics for which Kiria was so famous. *(agility, courage, daring, snakes hunter)*

CONOCIMIENTOS Y DESTREZAS ESENCIALES DE TEXAS **3.9A** demonstrate knowledge of literature characteristics; **3.10B** explain use of text structure; **3.10C** explain use of print/graphic features

105   Fue así que un buen día
con algarabía
todo el vecindario
buscó al dignatario.
Niños y mayores
110   de todos colores,
altos y bajitos,
feos y bonitos,
en gran procesión,
con mucha aprensión,
115   le solicitaron,
y hasta le rogaron,
que con Kiria fuera
en pos de una fiera;
que a un reptil atroz
120   cazara veloz.

195

LEER PARA COMPRENDER

¿En qué se parecen los textos *Querido primo* y *Pablo y su mangosta*? ¿En qué se diferencian? *(Los dos textos se parecen porque ambos contienen personajes reales y tratan el tema de la amistad. Se diferencian porque Querido primo es un texto escrito en prosa desde el punto de vista de la primera persona a través de cartas que intercambian dos primos. Pablo y su mangosta es una narración escrita en verso desde el punto de vista de la tercera persona sobre la amistad entre un hombre y una mangosta.*

TEKS 3.9A, 3.10B

DOK 4

READ FOR UNDERSTANDING

How are *Querido primo* and *Pablo y su mangosta* similar? How are they different? *(They are similar because both stories have real characters and they are both about friendship. They are different because Querido primo is a text written in prose from the first person point of view, and told with letters. Pablo y su mangosta is a narrative written in verse from the third-person point of view about the friendship between a man and his mongoose.*

Fueron todos juntos
derechito al punto.
Callados y en fila,
larga retahíla,
125 como en un desfile
los niños tamiles
y los cingaleses,
como tantas veces,
dando largos pasos
130 con sus pies descalzos.

Pablo iba adelante
con su acompañante
guardada en sus brazos
casi en un abrazo.

retahíla Una retahíla es una serie de muchas cosas que están en orden.

196

LEER PARA COMPRENDER

¿Por qué iban todos los niños "callados y en fila"?
(Respuesta de ejemplo: para no alertar a la serpiente)

¿Cómo creen que se siente Kiria? (Respuesta de ejemplo:
Kiria es muy valiente, pero quizás está preocupada porque veo
en la ilustración que Pablo la lleva cargada).

TEKS 3.6F, 3.10C

DOK 3

READ FOR UNDERSTANDING

Why were all the children "callados y en fila"? (Sample
response: not to alert the snake)

How do you think Kiria feels? (Sample response: Kiria is
very brave, but maybe she is worried because I see in the
illustration that Pablo is carrying her.)

CONOCIMIENTOS Y DESTREZAS ESENCIALES DE TEXAS **3.6D** create mental images; **3.6E** make connections; **3.6F** make inferences/use evidence; **3.9A** demonstrate knowledge of literature characteristics; **3.10C** explain use of print/graphic features

197

READ FOR UNDERSTANDING

What types of trees in real life could be the trees that appear in the illustration? How do you know? *(Sample response: palm trees, coconut trees, and mango trees. In tropical islands, like Sri Lanka, there are many trees like these.)*

What image of the events that are about to happen can you picture in your minds? *(Sample response: I imagine all children and adults gathered in a circle around Kiria and the snake cheering up the mongoose.)*

LEER PARA COMPRENDER

¿Qué les dice la ilustración sobre los sentimientos de la gente de la vecindad en este momento? *(Respuesta de ejemplo: Algunos sienten curiosidad, otros temor y otros asombro).*

TEKS 3.6F, 3.10C

DOK 3

 LECTURA EN DETALLE GUIADA

Lenguaje figurado

Pida a los estudiantes que vuelvan a leer la página 198 para relacionar la selección de palabras de la autora con las imágenes.

¿Por qué creen que la autora eligió la frase *"olfateó tormenta"* para referirse a Kiria? *(Los animales tienen un olfato muy fino. Las tormentas son condiciones del tiempo violentas. La autora usa esta frase para mostrar que Kiria se dio cuenta de que estaba en problemas).*

SUGERENCIA PARA NOTAS: Pida a los estudiantes que subrayen otros ejemplos de lenguaje figurado en la página 198.

TEKS 3.10D

DOK 3

135 Al ver la serpiente
se sintió valiente
y se tiró al suelo
comenzando el duelo.
Los que la seguían
140 con algarabía
quedaron distantes,
casi vacilantes,
silenciosos, mudos,
la garganta un nudo.

145 Kiria avanzó lenta.
Olfateó tormenta.
La feroz serpiente
le enseñó los dientes.
Con su cuerpo entero
150 fue formando un cero
y con gran fiereza
alzó la cabeza.
La miró a los ojos
con ira y enojo.
155 Era una centella
la serpiente aquella.

198

READ FOR UNDERSTANDING

What does this illustration tell you about the people's **feelings at this moment?** *(Sample response: Some people show curiosity, some people show fear, and some people show amazement.)*

TARGETED CLOSE READ

Figurative Language

Have students reread page 198 to connect the author's word choices to imagery.

Why do you think the author chose the phrase *"olfateó tormenta"* refering to Kiria? *(Sample response: Animals have a very fine sense of smell. Storms are violent weather conditions. The author uses this phrase to show that Kiria realized that she was in trouble.)*

ANNOTATION TIP: Have students underline other examples of figurative language on page 198.

 CONOCIMIENTOS Y DESTREZAS ESENCIALES DE TEXAS **3.6D** create mental images; **3.6F** make inferences/use evidence; **3.10C** explain use of print/graphic features; **3.10D** describe author's use of imagery/language

📖 **LEER PARA COMPRENDER**

Visualizar

Pida a los estudiantes que visualicen cómo se sintió Kiria cuando vio a la serpiente abrir la boca y mostrarle los dientes. *(Las respuestas de los estudiantes deben incluir detalles relacionados con los sentidos).*

Si los estudiantes tienen dificultad para visualizar, use este modelo:

💭 **PENSAR EN VOZ ALTA** *El texto me dice que la feroz serpiente le enseñó los dientes a Kiria. En la ilustración puedo ver a la serpiente con su boca llena de dientes filosos. Creo que Kiria sintió miedo. Creo que tenía deseos de huir. Puedo ver a Kiria temblando del miedo con el pelo erizado. Puedo escucharla chillando del miedo. La ilustración de la página 199 me ayuda a imaginar algunas de estas cosas.*

TEKS 3.6D

DOK 3

📖 **LEER PARA COMPRENDER**

¿Qué quiere decir la autora con la frase *"fue formando un cero"*? *(La serpiente enrolló su cuerpo en forma de círculo, como un cero).*

TEKS 3.6F, 3.10C

DOK 3

199

READ FOR UNDERSTANDING
Visualize
Have students visualize how Kiria felt when she saw the snake open its mouth and show its teeth.
(Students' responses should include details connected to their senses.)

If students have difficulty visualizing, use this model:

THINK ALOUD *The text tells that the snake opened its mouth and show its teeth. In the illustration I can see its mouth full of sharp teeth. I think Kiria was scared. I think Kiria wanted to run away. I can see Kiria trembling with fear and its hair standing up on end. I can hear Kiria screaming with fear. The illustration on page 199 helps me picture some of these things.*

READ FOR UNDERSTANDING
What does the author mean with the phrase *"fue formando un cero"*? *(The snake coiled its body in the shape of a circle, like a zero.)*

Observa y anota

¡Eureka!

- **Recuerde a los estudiantes** que los autores a menudo incluyen momentos en los que los personajes se dan cuenta de repente de algo importante. Indique que, cuando los estudiantes se encuentren con estos momentos, pueden preguntarse cómo podría el descubrimiento cambiar la forma de actuar o pensar de los personajes.

- **Pida a los estudiantes** que expliquen por qué podrían usar esta estrategia para leer la página 200. (*Pablo y la gente del vecindario se dan cuenta de repente de que Kiria no es tan valiente como todos creían. Hay serpientes muy peligrosas que las mangostas no pueden cazar*).

SUGERENCIA PARA NOTAS: Pida a los estudiantes que escriban una nota que diga por qué esto es importante para Pablo y la gente del vecindario.

- **Pida a los estudiantes** que reflexionen sobre la pregunta principal *¿Cómo podría cambiar esto las cosas?* y que añadan ideas a sus notas.

TEKS 3.6F, 3.8A, 3.8C

DOK 3

Kiria es muy valiente, pero hay serpientes muy peligrosas.

Mientras, avanzaba
la mangosta brava.
Se acercó a su boca;
160 por poco la toca,
y en aquel instante
dio un salto gigante.
Corre, vuela, pita.
"Patitas, patitas
165 para qué las quiero…".
Y con desafuero
emprendió carrera
por la carretera.
Dejó a sus amigos
170 con el enemigo,
incrédulos, quietos
y en un gran aprieto.

200

NOTICE & NOTE

Aha Moment

- **Remind students** that author's often include moments when characters suddenly realize something important. Point out that when students come across such a moment, they can ask themselves how the discovery might change how the characters act or feel.

- **Have students** explain why they might use this strategy when reading page 200. (*Pablo and the people from the neighborhood suddenly realize that Kiria is not as brave as everybody thought. There are very dangerous snakes that mongooses cannot hunt.*)

ANNOTATION TIP: Have students write a note that tells why this is important for Pablo and the people from the neighborhood. (*Kiria is very brave, but there are very dangerous snakes.*)

- **Have students** reflect on the Anchor Question: *How might this change things?* and add to their notes.

CONOCIMIENTOS Y DESTREZAS ESENCIALES DE TEXAS **3.3D** identify/use/explain meaning of antonyms/synonyms/idioms/homophones/; **3.6F** make inferences/use evidence; **3.8A** infer theme/distinguish from topic; **3.8C** analyze plot elements; **3.10C** explain use of print/graphic features

Mis notas ✏️

READ FOR UNDERSTANDING

Look at the illustration on pages 200–201.

What does the idiom "*Patitas, patitas para qué las quiero...*" mean? *(It means to flee or run away.)* **How do you know?** *(The illustration shows that everyone but the snake runs away.)*

Why is the snake the only one that doesn't run away?
(because the snake is the only one that is not afraid)

Como acto final
cruzó el arrabal
y sin detenerse
175   corrió hasta esconderse
en el dormitorio,
bajo el escritorio.
Este es el momento
de acabar el cuento.
180   Sin pena ni gloria
termina la historia.
En un solo día,
esa es la ironía,
luego del litigio
185   se esfumó el prestigio
que en aquellas costas
Pablo y su mangosta
habían cultivado
190   con tanto cuidado.

esfumó   Si algo o alguien se esfumó, desapareció.

LEER PARA COMPRENDER

¿Qué hizo Kiria después de huir de la serpiente? *(Se fue de vuelta a la casa y se escondió debajo del escritorio).*

¿Por qué creen que Kiria eligió esconderse debajo del escritorio? *(Respuesta de ejemplo: Kiria se sentía segura y protegida debajo del escritorio).*

¿Qué le ocurrió al prestigio de Kiria a partir de ese día? ¿Por qué? *(Su prestigio desapareció en un solo día porque no pudo ayudar a la gente de la vecindad a cazar la serpiente).*

TEKS 3.6F, 3.8B, 3.10C

DOK 3

READ FOR UNDERSTANDING

What did Kiria do after running from the snake? *(She went back to the house and hid under the desk.)*

Why do you think Kiria chose to hide under the desk? *(Sample response: Kiria felt safe and protected under the desk.)*

What happened to Kiria's reputation after her encounter with the snake? Why? *(Her reputation vanished in a single day because she couldn't help the people from the neighborhood hunt the snake.)*

CONOCIMIENTOS Y DESTREZAS ESENCIALES DE TEXAS   **3.6D** create mental images; **3.6F** make inferences/use evidence; **3.8B** explain relationships among characters; **3.10C** explain use of print/graphic features

Respuesta de ejemplo: puedo escuchar la risa de la gente de la vecindad mientras cuentan cómo Kiria huyó de la serpiente.

📖 LEER PARA COMPRENDER

Visualizar

Recuerde a los estudiantes que mientras leen, es importante que utilicen los sentidos para visualizar los detalles del texto. Pida a los estudiantes que visualicen lo que sucedió luego en la vecindad que acabó con el prestigio de Kiria.

SUGERENCIA PARA NOTAS: Pida a los estudiantes que escriban una oración que describa una imagen mental usando uno de los sentidos sobre lo que sucedió luego en la vecindad que acabó con el prestigio de Kiria.

TEKS 3.6D

DOK 3

203

READ FOR UNDERSTANDING

Visualize

Remind students that as they read, it is important to use their senses to visualize the details in the text. Have students visualize what happens later in the neighborhood that made Kiria's reputation vanished.

ANNOTATION TIP: Have students write a sentence that describes an image using one of their senses about what happens later in the neighborhood that made Kiria's reputation vanished. *(I can hear people laughing while they tell others how Kiria ran away from the snake.)*

TEKS 3.6F, 3.7C, 3.8B, 3.8C, 3.8D, 3.10B, 3.10C

LEER PARA COMPRENDER

¿Por qué la autora dice que el mar es testigo de la amistad entre Pablo y su mangosta? (*Respuesta de ejemplo: Pablo y Kiria siempre estaban juntos y siempre paseaban por la playa*).

¿Por qué creen que la autora y la ilustradora decidieron usar el mismo ambiente de la ilustración de las páginas 190 y 191 para concluir el cuento? (*Respuesta de ejemplo: quisieron mostrar que el ambiente donde Pablo conoció a Kiria es el mismo ambiente de los paseos que ambos hacían por la playa y que siguieron haciendo por mucho tiempo*).

DOK 3

Fueron siempre amigos,
el mar es testigo.
Sin cazar serpientes
se quisieron siempre.
195 El embajador,
poeta, escritor,
después de aquel drama
ganó nueva fama.
No por su mascota,
200 tema de chacota,
ni por su osadía
en las cacerías,
sino porque Pablo,
ese de quien hablo,
205 por si alguien lo duda,
es Pablo Neruda.

204

READ FOR UNDERSTANDING

Why does the author say that the sea is witness to Pablo and his mongoose friendship? (*Sample response: Pablo and Kiria were always together and always went for a stroll along the beach.*)

Why do you think the author and the illustrator decided to use the same setting from the illustration on pages 190 and 191 to conclude the story? (*Sample response: They wanted to show that the setting where Pablo met Kiria is the same as the setting where they used to go for a stroll along the beach, and continued to go for a long time.*)

CONOCIMIENTOS Y DESTREZAS ESENCIALES DE TEXAS **3.6E** make connections; **3.6F** make inferences/use evidence; **3.7C** use text evidence; **3.8B** explain relationships among characters; **3.8C** analyze plot elements; **3.8D** explain influence of setting on plot; **3.10B** explain use of text structure; **3.10C** explain use of print/graphic features

🔍 LECTURA EN DETALLE GUIADA

Elementos literarios

Pida a los estudiantes que vuelvan a leer las páginas 204 y 205 para analizar cómo cambiaron los personajes.

¿Cómo cambió la vida de Pablo después de conocer a Kiria? *(Pablo estaba triste y solo antes de conocer a Kiria. Luego estaba contento porque tenía una amiga que lo acompañaba en sus caminatas y comía y dormía con él).*

¿Cómo cambió la vida de Kiria después de conocer a Pablo? *(Respuesta de ejemplo: Kiria vivía en el bosque con otras mangostas y tenía que cazar para comer. Después de conocer a Pablo, Kiria comenzó a vivir en una casa con un humano que le proporcionaba alimento y un lugar donde dormir. Kiria quería mucho a Pablo).*

¿En qué se parece la amistad entre Pablo y Kiria a la amistad que puedes tener con tu mascota? *(Respuesta de ejemplo: Yo quiero a mi mascota igual que Pablo quería a Kiria. Yo también le doy de comer, duermo con ella y caminamos juntos).*

¿Qué aprendieron al final de esta historia que probablemente no sabían? ¿Qué evidencias del texto apoyan su comprensión? *(Respuesta de ejemplo: aprendí que el personaje principal de esta historia es Pablo Neruda, un escritor famoso del siglo XX. La autora dice: "… ese de quien hablo, por si alguien lo duda, es Pablo Neruda").*

TEKS 3.6E, 3.7C, 3.8B, 3.8C, 3.10B

DOK 3

TARGETED CLOSE READ

Literary Elements

Have students reread pages 204–205 to analyze how the characters changed.

How did Pablo's life change after he met Kiria? *(Pablo was sad and lonely before he met Kiria. Then he was happy because he had a new friend with whom to go for a stroll, eat and sleep.)*

How did Kiria's life change after he met Pablo? *(Sample response: Kiria lived in the forest with other mongooses and had to hunt to eat. After meeting Pablo, Kiria began living in a house with a human who provided her with food and a place to sleep. Kiria loved Pablo very much.)*

How is Pablo and Kiria friendship similar to the friendship that you could have with your pet? *(Sample response: I love my pet the same way Pablo loved Kiria. I also provide my pet with food and a place to sleep, and we go for a stroll together.)*

What did you learn at the end of this story that you probably didn't know before? What text evidence support your comprehension? *(Sample response: I learned that the main character of this story is Pablo Neruda, a famous writer from the twentieth century. The author says: "… ese de quien hablo, por si alguien lo duda, es Pablo Neruda.)*

LEER PARA COMPRENDER

Pida a los estudiantes que lean el texto de las páginas 206 y 207 y observen la fotografía.

¿Quién es la persona que aparece en el retrato?
(Pablo Neruda)

¿Qué tipo de texto es este? *(una carta)* **¿Cómo lo saben?**
(Comienza con la fecha, le sigue un saludo y termina con una despedida y firma).

¿En qué se diferencia este texto del texto de las páginas 183 a 205? *(El texto de las páginas 183 a 205 es una poesía escrita en versos que riman y este texto es una carta escrita en prosa).*

¿Por qué creen que la autora decidió colocar una carta al final de la poesía? *(Respuesta de ejemplo: para darnos más información sobre Pablo Neruda)*

SUGERENCIA PARA NOTAS: Pida a los estudiantes que subrayen en las páginas 206 y 207 la fecha, el saludo, la despedida y la firma de la carta.

TEKS 3.6F, 3.10A, 3.10B

DOK 3

Georgina les escribe a los niños acerca de Pablo

San Juan, 12 de julio de 2019

Queridos niños:

1   *Mucho tiempo después de los sucesos que se narran en este cuento, se encontraba Pablo Neruda frente al espejo, viéndose como se describió alguna vez: duro de nariz, mínimo de ojos, escaso de pelos, creciente de abdomen, largo de piernas, amarillo de tez… Sonreía mientras se abotonaba el cuello de la camisa. Esta noche se vestiría de frac.*

2   *"Si pudiera pintarme mis bigotitos con corcho quemado, como cuando me disfrazo en Isla Negra, todo sería perfecto", pensaba con cara de niño travieso.*

3   *El amigo de Kiria ya tenía sesenta y siete años. Además de cónsul en muchos lugares, había sido senador, embajador y Académico de la Lengua.*

4   *Había escrito hasta esa fecha dos mil páginas de poesía. Sus obras se habían traducido a muchos idiomas. Había recibido una gran cantidad de premios. Había viajado por todo el mundo.*

206

READ FOR UNDERSTANDING

Have students read the text on pages 206–207 and look at the photograph.

Who is the person in the portrait? *(Pablo Neruda)*

What type of text is this? *(a letter)* **How do you know?** *(It begins with the date followed by a greeting, and ends with a closing and the signature.)*

How is this text different from the text on pages 183–205? *(The text on pages 183–205 is a poem that rhymes and this text is a letter written in prose.)*

Why do you think the author decided to use a letter at the end of the poem? *(Sample response: to give us more information about Pablo Neruda)*

ANNOTATION TIP: Have students underline the date, greeting, closing, and signature of the letter on pages 206–207.

 CONOCIMIENTOS Y DESTREZAS ESENCIALES DE TEXAS **3.6D** create mental images; **3.6F** make inferences/use evidence; **3.7C** use text evidence; **3.10A** explain author's purpose/message; **3.10B** explain use of text structure

5 Esa noche estaba en Estocolmo y se preparaba para recibir, de manos del rey de Suecia, tal vez el reconocimiento más importante de su carrera: el Premio Nobel de Literatura. Sin embargo, se sentía como en un reparto de premios escolares en Temuco, la pequeña ciudad de Chile, donde vivió de niño.

6 Y es que Pablo, ese de quien hablo, uno de los mejores poetas de la literatura universal, conservó dentro de sí su alma de niño. Le gustaban los <u>caracoles</u>, los <u>volantines</u>, los pájaros, los <u>caballos de madera</u> o de cartón, los <u>mascarones</u>, las <u>botellas de diferentes formas, tamaños y colores</u> (algunas con barcos adentro)…

7 Coleccionaba objetos y libros como si fueran juguetes, con el propósito de entretenerse. Decía que el niño que no juega no es niño, y el hombre que no juega habrá perdido para siempre al niño que vivía en él y le hará mucha falta.

8 Nunca lo conocí, pero he leído sus libros y siento que lo conozco y es mi amigo. Supe de su experiencia con Kiria, su mangosta domesticada, porque él mismo la contó en un libro fascinante, *Confieso que he vivido*, donde habla de su vida como si fuera un largo cuento.

9 Mientras lo leía, sentía que él me hablaba. Por eso digo que los libros son mágicos.

Cariñosos saludos,
Georgina

reconocimiento Un reconocimiento es un premio que se le otorga a una persona por haber hecho algo extraordinario.

207

📖 **LEER PARA COMPRENDER**

¿Por qué creen que la autora y la ilustradora incluyen muchos árboles en las ilustraciones de esta selección?

(Respuesta de ejemplo: para mostrar que en Sri Lanka hay muchos árboles)

TEKS 3.10C

DOK 2

READ FOR UNDERSTANDING

Why do you think the author and the illustrator use so many trees in the illustrations of this selection?

(Sample response: to show that there are many trees in Sri Lanka)

 CONOCIMIENTOS Y DESTREZAS ESENCIALES DE TEXAS **3.3A** use print/digital resources to determine meaning; **3.6F** make inferences/use evidence; **3.7C** use text evidence; **3.7F** respond using vocabulary; **3.10C** explain use of print/graphic features

Glosario

aprensión: miedo excesivo o recelo.

atroz: feroz, salvaje.

bombo: elogio exagerado con que se alaba a una persona o se anuncia algo.

chacota: risa, burla.

cingalés: persona natural de Ceilán.

Colombo: capital de Ceilán, país que lleva hoy día el nombre de Sri Lanka.

dignatario: persona que ocupa un cargo importante.

en pos: detrás de, en busca de.

hastío: sensación de disgusto o aburrimiento.

ironía: burla o broma.

litigio: pelea.

meloso: dulce.

pesar: sentimiento de dolor y pena.

prendado: encantado.

protocolo: conjunto de reglas o ceremonias establecidas para actos oficiales.

tamil: miembro de uno de los pueblos que habitan Sri Lanka.

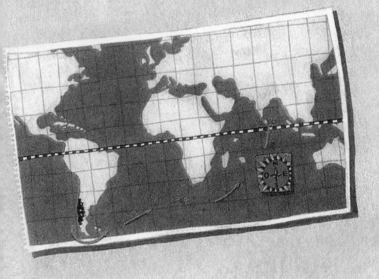

209

📖 **LEER PARA COMPRENDER**

¿Por qué incluyó la autora un glosario en estas páginas? *(Respuesta de ejemplo: para explicar el significado de algunas palabras que es probable que los estudiantes no conozcan)*

Pida a los estudiantes que lean el glosario para responder las siguientes preguntas:

¿Cómo se le llama a una persona natural de Ceilán? *(cingalés)*

¿Qué término del glosario usarían para referirse a un rey, un presidente o un cónsul? *(dignatario)*

¿Qué término del glosario usarían para completar la siguiente oración?

Pablo quedó _____ al ver lo simpática que era Kiria. *(prendado)*

SUGERENCIA PARA NOTAS: Pida a los estudiantes que busquen la palabra *litigio* en un diccionario en línea y que escriban una definición distinta a la del glosario.

TEKS 3.3A, 3.6F, 3.7C, 3.7F, 3.10C

DOK 3

READ FOR UNDERSTANDING

Why did the author include a Glossary on these pages? *(Sample response: to explain the meaning of some words that students might not know)*

Have students read the glossary to answer the following questions:

How is a person born in Ceylon called? *(Sinhalese)*

What glossary term would you use to refer to a king, a president or a consul? *(dignitary)*

What glossary term would you use to complete the following sentence?

Pablo quedó _____ al ver lo simpática que era Kiria. *(prendado)*

ANNOTATION TIP: Have students look up the word *litigio* in an online dictionary and write a different definition to that of the glossary.

¿En qué se parece el texto de las páginas 183 a 205 a este texto? *(Respuesta de ejemplo: El texto de las páginas 183 a 205 está ambientado en Ceilán, que hoy se conoce como Sri Lanka. Este texto trata acerca de Sri Lanka).* **¿En qué se diferencia?** *(El texto de las páginas 183 a 205 es una poesía. Este es un texto informativo).*

¿Por qué piensan que se incluyó un texto informativo al final de la selección? *(Respuesta de ejemplo: para que los estudiantes aprendan datos interesantes sobre los temas principales de la selección)*

Pida a los estudiantes que observen el mapa de Sri Lanka. ¿Por qué creen que a esta isla se le conoce también como la *Lágrima de la India*? *(Respuesta de ejemplo: porque el contorno de Sri Lanka parece una lágrima que cae de la India)*

TEKS 3.6F, 3.7C, 3.9D(ii), 3.10A, 3.10C

DOK 3

LECTURA EN DETALLE GUIADA

Características del texto y elementos gráficos

Pida a los estudiantes que vuelvan a leer el texto de las páginas 210 a 211 para analizar las características del texto.

¿Qué tipos de características del texto hay en estas páginas? *(un encabezado con letras en verde, un subtítulo con letras en anaranjado, pies de foto en letra bastardilla, dos párrafos con letras en verde)*

¿Por qué el ilustrador decidió usar el subtítulo con letras en color anaranjado? *(Respuesta de ejemplo: porque uno de los colores de la bandera de Sri Lanka es el anaranjado)*

TEKS 3.9D(ii), 3.10C

DOK 2

Mis notas

Datos interesantes
sobre la lectura

Sri Lanka, la isla de los mil nombres

1 Conocida como la Perla del Índico, la Lágrima de la India, la Tierra de Ceilán, entre muchos otros nombres, la República Democrática Socialista de Sri Lanka es un país insular de 21.5 millones de habitantes situado en la bahía de Bengala, en Asia.

2 Su moderna capital, Colombo, es una metrópolis bulliciosa y vibrante. Sin embargo, Sri Lanka también goza de fama mundial por ser un lugar ideal para relajarse y disfrutar de la naturaleza gracias a sus playas, bosques tropicales y extensas áreas de protección ambiental.

Bandera oficial de Sri Lanka

La ciudad costera de Colombo es la capital política, económica y cultural de Sri Lanka.

Safari en el parque nacional Minneriya, en el corazón de Sri Lanka

210

READ FOR UNDERSTANDING

How is this text similar to the text on pages 183–205? *(Sample response: The text on pages 183–205 is set on Ceylon, which is now known as Sri Lanka. This text is about Sri Lanka.)* **How is it different?** *(The text on pages 183–205 is a poem. This is an informational text.)*

Why do you think an informational text was included at the end of the selection? *(for students to learn interesting facts about the main topics of the selection)*

Look at the map of Sri Lanka. Why do you think this island is also known as the Tear of India? *(Sample response: because it is shaped like a tear falling from India)*

TARGETED CLOSE READ

Text and Graphic Features

Have students reread the text on pages 210–211 to analyze the text features.

What are the types of text features on these pages? *(a heading with green letters, a subheading with orange letters, photo captions in italic font, two paragraphs with green letters)*

Why did the illustrator decide to use a subheading with orange letters? *(Sample response: because orange is one of the colors of Sri Lanka's flag)*

 CONOCIMIENTOS Y DESTREZAS ESENCIALES DE TEXAS 3.6F make inferences/use evidence; **3.7B** write responses that demonstrate understanding; **3.7C** use text evidence; **3.9D(ii)** recognize features in informational text; **3.10A** explain author's purpose/message; **3.10C** explain use of print/graphic features

3 Esta hermosa isla tropical, hogar de diversas culturas, costumbres y lenguas milenarias, tiene dos idiomas oficiales: el cingalés (hablado únicamente en Sri Lanka) y el tamil. Estos dos idiomas usan sus propios alfabetos, que son muy distintos a nuestro alfabeto romano. Sin embargo, aunque no es oficial, el inglés es ampliamente reconocido en todo el país, así que es muy común encontrar carteles y los nombres de las calles escritos en inglés.

Los pescadores zancudos pescan durante la marea alta.

4 Si bien la economía de Sri Lanka continúa creciendo y fortaleciéndose, a mediados del siglo XX el país pasó por fuertes dificultades y hasta escasez de alimentos. Para sustentar a sus familias, algunos pescadores iniciaron la costumbre de enterrar zancos en las playas a los que se subían para pescar durante las horas de marea alta. Desde entonces se conoce a estos pescadores como los "pescadores zancudos de Sri Lanka".

La cosecha de té en las tierras altas de Sri Lanka

5 Las tierras altas del centro de la isla, con su clima húmedo y lluvioso, son ideales para la producción de té. De hecho, el principal producto de exportación de Sri Lanka es el famoso "té de Ceilán", que varía de sabor dependiendo de la altitud de la zona donde se produce.

La mangosta gris de Sri Lanka

6 En Sri Lanka viven dos especies de mangostas: la mangosta roja y la mangosta gris. Estos pequeños y veloces mamíferos son conocidos por su capacidad de ser inmunes al veneno de las serpientes. ¡En un enfrentamiento cuerpo a cuerpo, una mangosta puede ganarle incluso a una cobra de nueve pies de longitud! No sabemos exactamente qué especie de mangosta fue Kiria, la mascota de Pablo Neruda. En su libro *Confieso que he vivido*, Pablo solo nos dice que el pelo de Kiria era "color de sal y pimienta", lo que nos hace pensar que Kiria era una mangosta gris.

211

LECTURA EN DETALLE GUIADA

Características del texto y elementos gráficos

Pida a los estudiantes que vuelvan a leer las páginas 210 y 211 para analizar los elementos gráficos.

¿Cuáles son los dos tipos de elementos gráficos que hay en estas páginas? *(un mapa y fotografías)*

¿Para qué se usan estos elementos gráficos en el texto? *(El mapa muestra la ubicación de Sri Lanka y las fotografías ilustran la información del texto).*

TEKS 3.9D(ii), 3.10C

DOK 3

LEER PARA COMPRENDER

Después de leer el texto de la página 211, ¿por qué crees que Kiria, la mangosta de Pablo, cazaba serpientes con gran osadía? *(Respuesta de ejemplo: el texto dice que las mangostas pueden resistir el veneno de las serpientes. Por eso Kiria no tenía miedo de cazar serpientes, porque el veneno no le hacía daño).*

TEKS 3.6F, 3.7B, 3.7C

DOK 3

TARGETED CLOSE READ

Text and Graphic Features
Have students reread pages 210–211 to analyze the graphic features.

What are the two types of graphic features on these pages? *(a map and photos)*

How are the graphic features used in the text? *(The map shows the location of Sri Lanka and the photos illustrate the information in the text.)*

READ FOR UNDERSTANDING

After reading the text on page 211, why do you think that Kiria, Pablo's mongoose, hunted snake bravely?
(Sample response: The text says that mongooses are immune to the venom of snakes. This is why Kiria was not afraid to hunt snakes, because the venom couldn't harm her.)

LECTURA EN DETALLE GUIADA

Características del texto y elementos gráficos

Pida a los estudiantes que vuelvan a leer las páginas 212 y 213 para analizar las características del texto y los elementos gráficos, y establecer conexiones.

¿Qué elementos gráficos hay en estas páginas? *(una línea de tiempo y fotografías)*

¿Por qué se incluye una línea de tiempo en estas páginas? *(para ofrecer información sobre algunos de los acontecimientos importantes de la vida de Pablo Neruda)*

¿Cómo se relaciona la línea de tiempo con los acontecimientos de la vida de Pablo Neruda? *(La línea de tiempo muestra la fecha de los acontecimientos en orden cronológico).*

¿Qué muestra la fotografía del año 1919? *(Muestra a Pablo Neruda cuando era joven y aun firmaba como Ricardo Reyes).*

¿Qué característica del texto les ayuda a saber lo que muestra la fotografía? *(el pie de foto)*

TEKS 3.9D(ii), 3.10A, 3.10B, 3.10C

DOK 3

Pablo Neruda, el más grande poeta del siglo XX

El renombrado escritor Gabriel García Márquez dijo una vez que Pablo Neruda fue "el más grande poeta del siglo XX en cualquier idioma".

Pintura mural de Pablo Neruda

Pablo Neruda nació el 12 de julio de 1904 en la pequeña ciudad de Parral, cerca de Santiago de Chile.

Pablo Neruda cuando era niño.

En 1923, a la edad de diecinueve años, Pablo publicó su primera obra poética *Crepusculario*. El talento del joven poeta cautivó el interés y el respeto tanto de su público como de los críticos, dando así el puntapié inicial a una carrera de escritor que se extendería por medio siglo hasta el final de sus días.

1904 — **1919** **1923** **1927**

El nombre Pablo Neruda es en realidad un seudónimo. Su nombre real fue Ricardo Eliécer Neftalí Reyes Basoalto. Se dice que su seudónimo proviene del apellido del poeta y escritor checo Jan Neruda. También se cree que proviene de un personaje llamado Wilma Norman-Neruda, una violinista que aparece en la novela *Estudio en escarlata* de Sir Arthur Conan Doyle (el escritor de las novelas de Sherlock Holmes).

Pablo Neruda en 1919, cuando aún firmaba como Ricardo Reyes.

Pablo Neruda fue un notable diplomático y dignatario. Entre 1927 y 1939 se desempeñó como cónsul en Birmania (actualmente Myanmar), Ceilán (actualmente Sri Lanka), España, México y Francia; y finalmente como embajador en Francia, en 1971 y 1972.

212

TARGETED CLOSE READ

Text and Graphic Features

Have students reread pages 212–213 to analyze the text and graphic features and make connections.

What are the graphic features on these pages? *(a timeline and photos)*

Why is a timeline included on these pages? *(to give information about some of the important events in Pablo Neruda's life)*

How does the time line relate to the events in Pablo Neruda's life? *(The timeline shows the dates of the events in chronological order.)*

What does the photograph of the year 1919 show? *(It shows Pablo Neruda when he was young and still signed as Ricardo Reyes.)*

What text feature helps you know what the photograph is showing? *(the photo caption)*

CONOCIMIENTOS Y DESTREZAS ESENCIALES DE TEXAS **3.6E** make connections; **3.6F** make inferences/use evidence; **3.7B** write responses that demonstrate understanding; **3.7C** use text evidence; **3.9D(ii)** recognize features in informational text; **3.10A** explain author's purpose/message; **3.10B** explain use of text structure; **3.10C** explain use of print/graphic features

Pablo Neruda fue el primer escritor latinoamericano en recibir el título de Doctor Honoris Causa de Filosofía y Letras de la Universidad de Oxford.

Pablo Neruda vivió en Italia entre 1949 y 1952. Sus experiencias de vida durante estos tres años contribuyeron al argumento de la película italiana de 1994 *Il postino* (El cartero) y al de la ópera española del mismo nombre que se estrenó en 2010.

Casa de Isla Negra, hoy museo de Pablo Neruda, ubicada sobre la costa de Valparaíso, Santiago de Chile

Pablo Neruda fallece el 23 de septiembre de 1973 en Santiago de Chile.

1949		1963	1965		1971	1973

En 1963, cuando el poeta tenía casi sesenta años, recibió una notificación de la Academia Sueca en la que se le informaba que había sido considerado como candidato para recibir el Premio Nobel de Literatura. Ocho años pasaron hasta que finalmente viajó a Estocolmo para recibir el preciado galardón, el 21 de octubre de 1971.

Los libros de Pablo Neruda han sido traducidos a más de 35 idiomas. Entre sus obras literarias se destacan *Veinte poemas de amor y una canción desesperada*, *España en el corazón* y *Los versos del capitán*.

Pablo Neruda recibe el Premio Nobel de Literatura de manos del rey de Suecia.

213

📖 **LEER PARA COMPRENDER**

¿Por qué se hizo una película y una ópera basadas en la vida de Pablo Neruda? (*Respuesta de ejemplo: Pablo Neruda fue un escritor famoso y tuvo una vida muy interesante y llena de aventuras*).

¿Por qué creen que Pablo Neruda ejerció como diplomático en tantos países? (*Respuesta de ejemplo: pienso que Pablo Neruda era un hombre muy amable y responsable. También creo que se interesaba por las buenas relaciones entre los países*).

¿Qué objetos es posible encontrar en el museo Casa de Isla Negra? ¿Por qué? (*Respuesta de ejemplo: botellas de diferentes tamaños, botellas con barcos adentros, caracoles, veleros de juguete y otros objetos relacionados con el mar; porque a Pablo le gustaba coleccionar esas cosas*)

TEKS 3.6E, 3.6F, 3.7B, 3.7C

DOK 3

READ FOR UNDERSTANDING

Why was a movie and an opera based on Pablo Neruda's life made? (*Sample response: Pablo Neruda was a famous writer who had a very interesting life full of adventures.*)

Why do you think Pablo Neruda served as a diplomat in so many countries? (*I think Pablo Neruda was a very kind and responsible man. I also think he was interested in good relations between countries.*)

What objects might be displayed at Casa de Isla Negra museum? Why? (*Sample response: bottles of different sizes, bottles with boats inside, shells, toy sailboats and other objects related to the sea; because Pablo liked to collect those things*)

Premio Nobel,
para quienes hacen el bien por la humanidad

1. El Premio Nobel es un galardón internacional otorgado por la Fundación Nobel a personas cuyos logros en las áreas de física, química, medicina, literatura, paz y economía han contribuido notablemente al bienestar de la humanidad.

La medalla Nobel está hecha de oro y presenta la imagen en relieve de su fundador, Alfred Nobel.

2. El 27 de noviembre de 1895, un año antes de su muerte, el ingeniero, inventor y filántropo sueco Alfred Nobel firmó su testamento en el que incluyó el deseo de utilizar su fortuna para el progreso de las ciencias, el conocimiento y la paz en forma de premios anuales. Los primeros premios se entregaron en 1901.

3. Los Premios Nobel se entregan en la capital sueca de Estocolmo. La única excepción es el Premio Nobel de la Paz, que se entrega en Oslo, Noruega. Hasta 2017 se han entregado 585 premios a 923 individuos excepcionales. Las edades de los ganadores van de los 17 a los 90 años.

4. El Premio Nobel de Literatura que Pablo Neruda recibió constaba de una medalla, un diploma y un cheque. En la actualidad, el monto del premio es de 9,000,000 de coronas suecas, que equivalen a casi 1.2 millones de dólares estadounidenses. Cada diploma Nobel tiene impresa una frase única dedicada exclusivamente al ganador. La frase del diploma de Pablo Neruda dice: "por una poesía que, con la acción de una fuerza elemental, aviva el destino y los sueños de un continente".

El Palacio Nobel, sede de la Fundación Nobel en Estocolmo, Suecia

214

LECTURA EN DETALLE GUIADA

Idea principal

Pida a los estudiantes que vuelvan a leer la página 214 para analizar la idea principal.

¿Cuál es la idea principal de este texto informativo? *(El Premio Nobel es un premio que se otorga a hombres y mujeres de todas las edades que hacen el bien por la humanidad).*

¿Qué característica del texto apoya la idea principal? *(el encabezado en letras anaranjadas)*

¿Conocen a alguna personalidad importante que haya recibido el Premio Nobel en los últimos años? *(Respuesta de ejemplo: Sí, el presidente Barack Obama recibió el Premio Nobel de la Paz en 2009).*

TEKS 3.6E, 3.6G, 3.7B, 3.7C, 3.9D(i)

DOK 3

 LEER PARA COMPRENDER

Concluir

Vuelva a comentar el propósito que los estudiantes establecieron antes de leer el texto. Pida a los estudiantes que expliquen cómo la combinación de poesía, carta y texto informativo creó una verdadera aventura con las palabras.

TEKS 3.6A

DOK 2

TARGETED CLOSE READ
Main Idea
Have students reread page 214 to analyze the main idea.

What is the main idea of this informational text? *(The Nobel Prize is an award given to men and women of all ages who contribute to the good of humanity.)*

Which text feature supports the main idea? *(the heading with orange letters)*

Do you know of any important personality who has received the Nobel Prize in recent years? *(Sample response: Yes, President Barack Obama received the Nobel Piece Price in 2009.)*

READ FOR UNDERSTANDING
Wrap-Up
Revisit the purpose students set before they read the text. Have students explain how the combination of poetry, letter and informational text created an adventure in words.

CONOCIMIENTOS Y DESTREZAS ESENCIALES DE TEXAS **3.1A** listen actively/ask relevant questions; **3.1E** develop social communication; **3.6A** establish purpose for reading; **3.6E** make connections; **3.6F** make inferences/use evidence; **3.6G** evaluate details; **3.7B** write responses that demonstrate understanding; **3.7C** use text evidence; **3.8B** explain relationships among characters; **3.8C** analyze plot elements; **3.8D** explain influence of setting on plot; **3.9D(i)** recognize central idea in informational text

Conversación colaborativa

Vuelve a leer lo que escribiste en la página 182. Explica tus ideas a un compañero. Luego trabaja en grupo y comenta las preguntas de abajo. Busca detalles y ejemplos en *Pablo y su mangosta* para apoyar tus respuestas. Toma notas para responder las preguntas y úsalas cuando hables. Prepárate para aportar información útil a la conversación.

1 Repasa las páginas 194 y 195. ¿Por qué Kiria se hizo famosa en la vecindad? ¿Por qué se le esfumó el prestigio?

2 Repasa las páginas 206 y 207. ¿Qué información te ofrece la autora en la carta que no te dice en el poema? Escribe tres ejemplos en el recuadro de abajo.

3 Vuelve a leer las páginas 210 a 214. ¿Por qué crees que en esta selección se ha incluido un texto informativo?

Sugerencia para escuchar

Mientras escuchas, piensa en ideas nuevas que puedas compartir. Toma notas sobre lo que te gustaría decirle a tu grupo.

Sugerencia para hablar

Aporta ideas nuevas a la conversación. No te limites a repetir lo que ya se ha dicho.

215

Conversación académica

Use la rutina de **CONVERSACIÓN COLABORATIVA**. Pida a los estudiantes que tomen notas para responder las preguntas. Luego pídales que trabajen en grupos y que apliquen las Sugerencias para escuchar y hablar mientras comentan sus respuestas.

Respuestas posibles:

1. *Kiria se hizo famosa por su agilidad y su valentía para cazar serpientes. En el enfrentamiento con la serpiente, Kiria salió huyendo.* DOK 2

2. *Pablo se pintaba bigotitos de corcho frente al espejo cuando era niño. Pablo tenía sesenta y siete años cuando recibió el Premio Nobel. Pablo conservó siempre su alma de niño.* DOK 2

3. *Para proporcionar datos interesantes sobre Sri Lanka, las mangostas, la vida de Pablo Neruda y el Premio Nobel.* DOK 3

TEKS 3.1A, 3.1E, 3.6F, 3.7B, 3.7C, 3.8B, 3.8C, 3.8D

Collaborative Discussion

Use the **COLLABORATIVE DISCUSSION** routine. Have students write notes to answer the questions. Then have groups apply the Listening and Speaking Tips as they discuss their responses.

Possible responses:

1. *Kiria became famous for his agility and courage to hunt snakes. When Kiria faced the snake, she ran away.*

2. *Pablo used to draw a fake mustache with burnt cork in front of the mirror as a child. Pablo was sixty-seven years old when he received the Nobel Prize. Pablo always kept the spirit of a child.*

3. *To provide interesting facts about Sri Lanka, the mongooses, the life of Pablo Neruda, and the Nobel Prize.*

Escribir sobre la lectura

- **Lea en voz alta** el tema para desarrollar con los estudiantes.

- **Inicie un debate** en el que los estudiantes compartan sus ideas sobre Pablo y su mangosta. Pida a los estudiantes que usen evidencias del texto de la selección para comparar y contrastar la vida de Pablo Neruda en Ceilán antes y después de hallar la mangosta.

- **Luego lea en voz alta** la sección Planificar. Pida a los estudiantes que usen ideas del debate en sus notas para hacer dos listas separadas de las cosas que Pablo hacía antes y después de hallar la mangosta.

TEKS 3.1E, 3.7B, 3.7C, 3.7F

Citar evidencia del texto

Escribir una comparación

TEMA PARA DESARROLLAR

La poesía de *Pablo y su mangosta* narra una historia sobre el escritor Pablo Neruda durante la época en que vivió en Ceilán. La autora de la poesía nos cuenta que Pablo se sentía muy solo hasta un día en que halló una mangosta y la llevó a su casa.

Escribe un párrafo que compare y contraste la vida de Pablo Neruda en Ceilán antes y después de hallar la mangosta. ¿Cómo se sentía antes de hallar la mangosta? ¿Cómo cambia su vida después de llevarla a su casa? Trata de usar algunas palabras del Vocabulario crítico en tu escritura.

PLANIFICAR

Haz una lista de las cosas que Pablo hacía antes de hallar la mangosta. Haz otra lista de las cosas que hacía después de llevarla a su casa.

> Las respuestas variarán, pero los estudiantes deben hacer dos listas separadas: una con aspectos de la vida de Pablo antes de hallar la mangosta y otra con aspectos de su vida después de llevarla a su casa.

Write About Reading

- **Read aloud** the prompt with students.

- **Lead a discussion** in which students share their ideas about Pablo and his mongoose. Tell students to use text evidence from the selection to compare and contrast the life of Pablo Neruda in Ceylon before and after finding the mongoose.

- **Then read aloud** the Plan section. Have students use ideas from the discussion in their notes to make two separate lists of the things Pablo did before and after finding the mongoose.

CONOCIMIENTOS Y DESTREZAS ESENCIALES DE TEXAS **3.1E** develop social communication; **3.7B** write responses that demonstrate understanding; **3.7C** use text evidence; **3.7F** respond using vocabulary; **3.11B(i)** develop drafts by organizing with purposeful structure; **3.11B(ii)** develop drafts by developing an engaging idea; **3.12B** compose informational texts

ESCRIBIR

Ahora escribe tu párrafo de comparación sobre la vida de Pablo antes y después de hallar la mangosta.

✓	**Asegúrate de que tu comparación**
☐	comienza con una introducción del tema.
☐	describe semejanzas y diferencias en la vida de Pablo antes y después de hallar la mangosta.
☐	incluye detalles del texto.
☐	usa palabras y frases de enlace como *y*, *también* y *pero*.
☐	termina con una oración de cierre.

Las respuestas variarán, pero deben ser una comparación de la vida de Pablo antes y después de hallar la mangosta. La comparación también debe incluir los elementos de la lista de comprobación.

217

Escribir sobre la lectura

- **Repase con los estudiantes** las instrucciones y la lista de comprobación de la sección Escribir.

- **Anime a los estudiantes** a usar palabras de enlace como *y*, *también* y *pero*, además de los detalles del texto, para describir las semejanzas y las diferencias entre la vida de Pablo antes y después de hallar la mangosta en sus comparaciones.

TEKS 3.7B, 3.7C, 3.7F, 3.11B(i),
3.11B(ii), 3.12B

Write About Reading
- **Review with students** the directions and checklist in the Write section.
- **Encourage students** to use linking words such as *y*, *también,* and *pero*, as well as details from the texts to describe both similarities and differences between Pablo's life before and after finding the mongoose in their comparisons.

Volver a pensar en la pregunta esencial

- **Lea en voz alta** la pregunta esencial.

- **Recuerde a los estudiantes** que los cuentos y poemas de este módulo representan diferentes formas con las que los autores usan las palabras para expresarse y que pueden ayudarles a responder la pregunta.

TEKS 3.1A, 3.6E, 3.7A

DOK 3

Escribir una carta persuasiva

- **Guíe a los estudiantes** para que piensen en cómo los personajes de este módulo usaron las palabras para compartir sus pensamientos y sentimientos acerca de sus cosas preferidas. Anime a los estudiantes a pensar en las palabras preferidas que comparten con los demás todos los días.

- **Repase las características** de una carta persuasiva usando la lista de comprobación. Pida a los estudiantes que usen la lista de comprobación mientras hacen el borrador, revisan y editan sus cartas.

TEKS 3.7C, 3.9E(i), 3.9E(ii), 3.9E(iii), 3.12C

DOK 2

(?) **Pregunta esencial**

¿Cómo utilizan las personas las palabras para expresarse?

Escribir una carta persuasiva

TEMA PARA DESARROLLAR Piensa en las formas en que los personajes de este módulo y las personas que conoces usan las palabras para compartir sus ideas y pensamientos.

A veces, las personas "inventan" palabras nuevas. Cuando esto ocurre, los diccionarios deciden si deben agregar esas palabras. Imagina que una palabra que usas todo el tiempo no está en el diccionario. Escribe una carta a las personas que se encargan de elaborar el diccionario para explicarles por qué deberían agregar tu palabra. Usa ejemplos de los textos como ayuda para exponer el caso de tu palabra.

Voy a escribir sobre la palabra _____.

✓ Asegúrate de que tu carta persuasiva
☐ incluye un saludo y un cierre.
☐ tiene una petición clara que indica la palabra que deseas agregar y el porqué.
☐ presenta las razones de forma clara y lógica.
☐ usa palabras como *porque* para conectar tu petición y las razones.
☐ usa hechos y ejemplos de apoyo.
☐ termina volviendo a plantear por qué se debería agregar tu palabra.

218

Revisit the Essential Question

- **Read aloud** the Essential Question.
- **Remind students** that the stories and poems in this module were different ways that writers use their words to express themselves and can help students answer the question.

Write a Persuasive Letter

- **Guide students** to think about how characters in this module used words to share their thoughts and feelings about their favorite things. Encourage students to think of favorite words that they share with each other every day.

- **Review the features** of a persuasive letter using the checklist. Tell students to use the checklist as they draft, revise, and edit their letters.

 CONOCIMIENTOS Y DESTREZAS ESENCIALES DE TEXAS **3.1A** listen actively/ask relevant questions; **3.6E** make connections; **3.7A** describe personal connections to sources; **3.7C** use text evidence; **3.9E(i)** identify claim in argumentative text; **3.9E(ii)** distinguish fact/opinion in argumentative text; **3.9E(iii)** identify audience in argumentative text; **3.11A** plan first draft; **3.12C** compose argumentative texts

¿Por qué debe incluirse tu palabra en el diccionario? Repasa tus notas para buscar evidencias que apoyen tu petición.

Usa la tabla de abajo para planificar tu carta. Escribe tu palabra y una oración que plantee tu petición. Luego escribe las razones y las evidencias que apoyan cada una de ellas. Usa las palabras del Vocabulario crítico siempre que sea posible.

Mi tema: _____

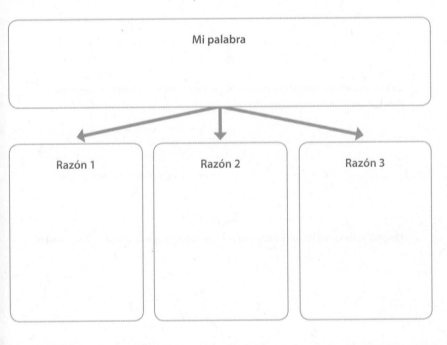

Mi palabra

Razón 1

Razón 2

Razón 3

219

Hacer un borrador

- **Lea en voz alta** las instrucciones, haciendo referencia a la lista de comprobación mientras lo hace.

- **Sugiera** a los estudiantes que, si tienen problemas para escribir el principio de la carta, usen la palabra *porque* en la primera oración para presentar su petición. Sugiérales también que tengan en cuenta a quién están tratando de persuadir.

- **Pida a los estudiantes** que usen sus redes como referencia para crear un párrafo central con un orden lógico y un final que incluya su palabra y su petición.

TEKS 3.7C, 3.11B(i), 3.11B(ii), 3.12C

DOK 3

Tarea del rendimiento

HACER UN BORRADOR .... Escribe tu carta persuasiva.

Usa la información que escribiste en el organizador gráfico de la página 219 para hacer un borrador de tu carta persuasiva.

Escribe un **principio** que indique la palabra que deseas agregar al diccionario y por qué debería agregarse. Comparte tu idea de forma que resulte interesante para el lector.

Escribe un **párrafo central** que indique las razones y cualquier evidencia que las apoye. Presenta tus razones en un orden lógico.

Finaliza tu carta con un recordatorio de por qué debe agregarse la palabra al diccionario.

220

Draft

- **Read aloud** the directions, referring back to the checklist as you do so.
- **Suggest** that students use the word *because* to write a first sentence to present their claim, if they are having trouble generating a beginning to their letter. Also suggest that they keep in mind whom they are trying to persuade.

- **Have students** refer to their webs to construct a body paragraph in a logical order and an ending that includes their word and their claim.

CONOCIMIENTOS Y DESTREZAS ESENCIALES DE TEXAS **3.7C** use text evidence; **3.11B(i)** develop drafts by organizing with purposeful structure; **3.11B(ii)** develop drafts by developing an engaging idea; **3.11C** revise drafts; **3.11D(xi)** edit drafts using correct spelling; **3.11E** publish written work; **3.12C** compose argumentative texts; **3.13E** demonstrate understanding of information

·········· Revisa tu borrador.

Los pasos de revisión y edición te dan la oportunidad de observar detenidamente tu escritura y hacer cambios. Trabaja con un compañero y determina si has explicado tus ideas con claridad a los lectores. Usa estas preguntas como ayuda para evaluar y mejorar tu carta persuasiva.

✓ PROPÓSITO/ ENFOQUE	ORGANIZACIÓN	EVIDENCIA	LENGUAJE/ VOCABULARIO	CONVENCIONES
☐ ¿Se identifica en mi carta la palabra que deseo agregar? ☐ ¿He incluido las razones que apoyan mi petición?	☐ ¿Explico mis razones en un orden lógico? ☐ ¿Se vuelve a plantear mi petición al final?	☐ ¿Incluí ejemplos y otras evidencias del texto?	☐ ¿Usé palabras como *porque* para conectar mi opinión y las razones? ☐ ¿Usé palabras claras y exactas para explicar mis razones?	☐ ¿He escrito todas las palabras correctamente? ☐ ¿He usado el formato correcto de una carta? ☐ ¿He usado los sustantivos propios correctamente?

PRESENTAR ·········· Comparte tu trabajo.

Crear la versión final Elabora la versión final de tu carta persuasiva. Puedes incluir una fotografía o un dibujo de la palabra que elegiste. Considera estas opciones para compartir tu relato.

1. Coloca tu carta en el tablero de anuncios del salón de clases o en la biblioteca de la escuela.

2. Trabaja con tus compañeros en un panel de conversación sobre palabras nuevas. Lee tu carta en voz alta y responde las preguntas de la audiencia.

3. Comparte tu carta en el sitio web o en la página de redes sociales de la escuela. Pide la opinión de los lectores.

Revisar y editar

- **Guíe a los estudiantes** para que usen la lista de comprobación mientras trabajan con sus compañeros para mejorar sus cartas.

- **Recuerde a los estudiantes** que deben revisar sus notas para asegurarse de que incluyeron sus mejores razones y evidencias y repasaron los textos del módulo para ver cómo usaron los escritores las palabras de forma efectiva. Recuérdeles también que deben asegurarse de que firman las cartas con su nombre.

TEKS 3.7C, 3.11C, 3.11D(xi), 3.12C

DOK 3

Presentar

- **Los estudiantes pueden copiar** sus borradores revisados con su mejor caligrafía. Consulte las páginas R2 a R7 que se encuentran al final de la Guía del maestro para ver modelos de caligrafía.

- **Los estudiantes pueden usar** una computadora para ingresar sus borradores revisados. Consulte las Páginas imprimibles: **Mecanografía 2.1, 2.2 y 2.3** de los Centros de lectoescritura para ver las lecciones sobre el uso del teclado.

TEKS 3.11E, 3.12C, 3.13E

DOK 3

Revise and Edit
- **Guide students** to use the checklist as they work with partners to improve their letters.
- **Remind students** to check their notes to make sure they included their best reasons and evidence, to review the texts in the module to see how those writers used their words effectively, and to make sure they sign their names to their letters.

Present
- **Students can copy** their revised drafts using their best handwriting. See pages R2–R7 in the back of the **Guía del maestro** for handwriting models.
- **Students can use** a computer to input their revised drafts. See Literacy Centers **Páginas imprimibles: Mecanografía 2.1, 2.2, and 2.3** for keyboarding lessons.

Presentar el tema

- **Lea en voz alta** el título del módulo: *¡Que suene la libertad!*
- **Diga a los estudiantes** que en este módulo van a leer textos y ver un video sobre lugares, documentos y símbolos importantes en la historia de nuestra nación.
- **Pida a los estudiantes** que describan lugares, documentos y símbolos históricos sobre los que hayan leído o que quizás hayan visto en persona. Comente cómo algunos de estos lugares, documentos y símbolos han llegado a representar valores e ideales importantes para los estadounidenses, como la libertad.
- **Pregunte a los estudiantes** qué creen que significa el título del módulo. Explique que es la traducción de una frase de la canción patriótica *América*. *(Respuestas posibles: Estas selecciones tratan sobre los Estados Unidos; estas selecciones están relacionadas con la libertad).*

TEKS 3.1A, 3.1E, 3.6E

Comentar la cita

- **Lea en voz alta** la cita. Indique que es un verso del poema "Our Flag" de autor desconocido.
- **Inicie un debate** en el que los estudiantes comenten lo que muestra la fotografía. *(Unos niños con la bandera de los Estados Unidos).* Pídales que describan cómo se sienten cuando ven ondear la bandera de los Estados Unidos.
- **Pida a los estudiantes** que nombren ejemplos de lugares o eventos en los que han visto ondear la bandera de los Estados Unidos. *(desfiles, eventos deportivos, los Juegos Olímpicos, escuelas, bibliotecas)*

TEKS 3.1A, 3.1E, 3.6E, 3.7A

¡Que suene la libertad!

"Me gusta ver la bandera estrellada
que ondea sobre mi cabeza".
— de "Our Flag"

222

Introduce the Topic

- **Read aloud** the module title, *¡Que suene la libertad!*
- **Tell students** that in this module they will be reading texts and viewing a video about important places, documents, and symbols in our nation's history.
- **Have students** describe historical places, documents, and symbols they have read about or perhaps seen in person. Discuss how some of these places, documents, and symbols have come to represent important American values and ideals, such as freedom.

- **Ask students** what they think the module title means. Point out that it's a translated phrase from the patriotic song *America*. *(Possible responses: These selections are about America; these selections have something to do with freedom.)*

Discuss the Quotation

- **Read aloud** the quotation. Point out that it is a line from the poem "Our Flag" by an unknown author.
- **Lead a discussion** in which students discuss what the photo shows. *(Children waving an American flag.)* Have them describe how they feel when they see the American flag flying.
- **Ask students** to name examples of places or events where they have seen the American flag flying. *(parades, sporting events, the Olympics, schools, libraries)*

 CONOCIMIENTOS Y DESTREZAS ESENCIALES DE TEXAS 3.1A listen actively/ask relevant questions; **3.1E** develop social communication; **3.6E** make connections; **3.7A** describe personal connections to sources; **3.7F** respond using vocabulary

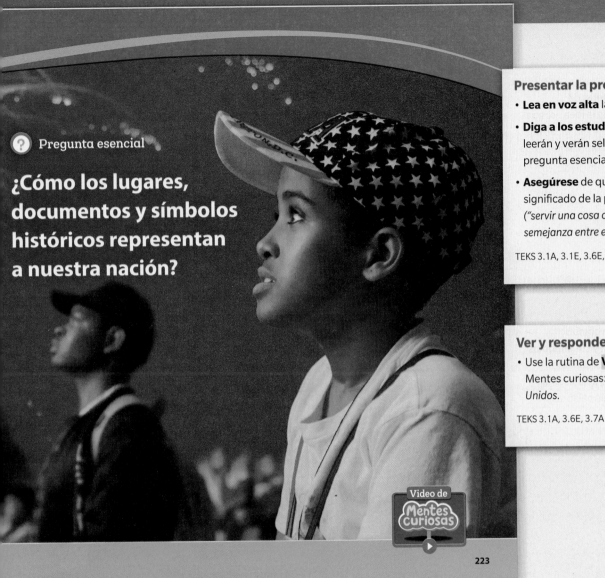

Pregunta esencial

¿Cómo los lugares, documentos y símbolos históricos representan a nuestra nación?

Presentar la pregunta esencial

- **Lea en voz alta** la pregunta esencial.

- **Diga a los estudiantes** que a lo largo de este módulo leerán y verán selecciones que les ayudarán a responder la pregunta esencial.

- **Asegúrese** de que los estudiantes comprenden el significado de la palabra *representar* en este contexto. *("servir una cosa como símbolo de otra por la relación o semejanza entre ellas")*

TEKS 3.1A, 3.1E, 3.6E, 3.7A, 3.7F

Ver y responder a un video

- Use la rutina de **VISUALIZACIÓN ACTIVA** con el Video de Mentes curiosas: *Símbolos y monumentos de Estados Unidos.*

TEKS 3.1A, 3.6E, 3.7A

Introduce the Essential Question

- **Read aloud** the Essential Question.

- **Tell students** that throughout this module, they will read and view selections that will help them answer the Essential Question.

- **Make sure** students understand the meaning of the word *represent* in this context. *("to stand for something else")*

View and Respond to a Video

- Use the **ACTIVE VIEWING** routine with the **Video de Mentes curiosas**: *Símbolos y monumentos de Estados Unidos.*

Palabras de la idea esencial

Use la rutina de **VOCABULARIO** y las Tarjetas de vocabulario para presentar las Palabras de la idea esencial *leal, soberanía, democracia* y *cívico*. Puede mostrar la Tarjeta de vocabulario correspondiente a cada palabra mientras la comenta.

1. **Diga** la Palabra de la idea esencial.
2. **Explique** el significado.
3. **Comente** la oración de contexto.

TEKS 3.3B, 3.7F

Red de vocabulario

Guíe a los estudiantes para que piensen cómo se relaciona cada palabra con nuestra nación y sus símbolos mientras deciden qué añadir a la Red de vocabulario. Recuerde a los estudiantes que regresen a esta página después de cada selección para añadir más palabras.

TEKS 3.3B, 3.3C, 3.7F

Palabras acerca de nuestra nación

Las palabras de la tabla de abajo te ayudarán a hablar y escribir sobre las selecciones de este módulo. ¿Cuáles de las palabras acerca de nuestra nación ya has visto antes? ¿Cuáles son nuevas para ti?

Completa la Red de vocabulario de la página 225. Escribe sinónimos, antónimos y palabras y frases relacionadas para cada palabra.

Después de leer cada selección del módulo, vuelve a la Red de vocabulario y añade más palabras. Si es necesario, dibuja más recuadros.

PALABRA	SIGNIFICADO	ORACIÓN DE CONTEXTO
leal (adjetivo)	Cuando eres leal a alguien o a algo, lo apoyas con entusiasmo.	Los leales seguidores gritaron y aplaudieron cuando el equipo anotó.
soberanía (sustantivo)	La soberanía es el derecho y poder que tiene una nación para gobernarse a sí misma o a otro país o estado.	Los Padres Fundadores querían la soberanía, o la independencia, del Imperio británico.
democracia (sustantivo)	Una democracia es un tipo de gobierno en el que las personas eligen a sus líderes mediante votación.	En los Estados Unidos, votamos por nuestro presidente porque somos una democracia.
cívico (adjetivo)	La palabra cívico describe las obligaciones, los derechos y las responsabilidades que tienen los ciudadanos en una comunidad, ciudad o nación.	Los funcionarios electos cumplen con su deber cívico sirviendo nuestra nación.

224

Big Idea Words

Use the **VOCABULARY** routine and the **Tarjetas de vocabulario** to introduce the Big Idea Words *leal, soberanía, democracia,* and *cívico*. You may wish to display the corresponding **Tarjeta de vocabulario** for each word as you discuss it.

1. **Say** the Big Idea Word.
2. **Explain** the meaning.
3. **Discuss** the context sentence.

Vocabulary Network

Guide students to think about how each word relates to our nation and its symbols as they decide what to add to the Vocabulary Network. Remind students to come back to this page after each selection to add more words.

224 Módulo 3

CONOCIMIENTOS Y DESTREZAS ESENCIALES DE TEXAS 3.3B use context to determine meaning; **3.3C** identify meaning/use words with affixes; **3.7F** respond using vocabulary

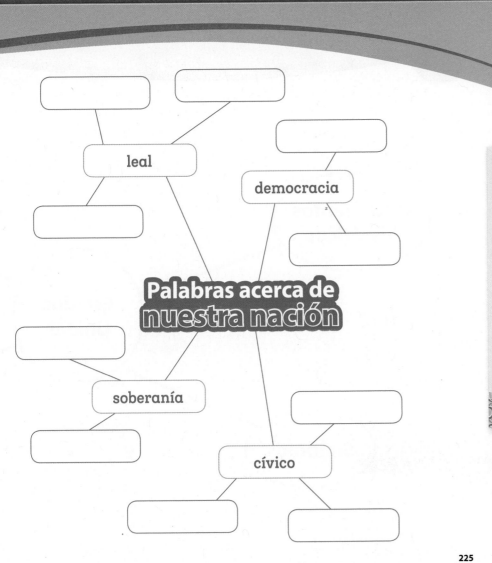

leal

democracia

Palabras acerca de
nuestra nación

soberanía

cívico

225

Soporte lingüístico adicional

Enseñar los cognados Recuerde a los estudiantes que pueden buscar y escuchar cognados: palabras que son parecidas en inglés y en español. Reconocer los cognados puede ayudar a los estudiantes a comprender palabras nuevas.

Español	Inglés
soberanía	sovereignty
democracia	democracy
cívico	civic

TEKS 3.3B, 3.7F

Mapa de conocimientos

- **Pida a los estudiantes** que añadan información al mapa de conocimientos después de leer la lectura breve, *Lugares estadounidenses, ideales estadounidenses,* y al final de cada semana. Recuérdeles que repasen los textos y el video para añadir detalles al mapa.

- **Al final del módulo, pida a los estudiantes** que trabajen en parejas o grupos pequeños para comparar y contrastar la información que añadieron a sus mapas de conocimientos.

TEKS 3.6B, 3.6E, 3.6H, 3.7A, 3.7G

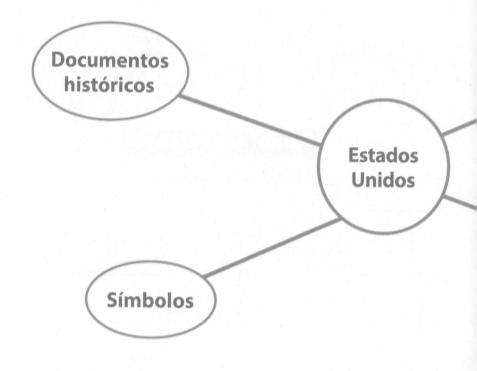

Documentos históricos

Estados Unidos

Símbolos

226

Knowledge Map
- **Have students** add information to the knowledge map after reading the Short Read, *Lugares estadounidenses, ideales estadounidenses,* and at the end of each week. Remind students to review the texts and video to add details to the map.

- **At the end of the module, have students** work in pairs or small groups to compare and contrast the information they added to their knowledge maps.

CONOCIMIENTOS Y DESTREZAS ESENCIALES DE TEXAS **3.6B** generate questions about text; **3.6E** make connections; **3.6H** synthesize information; **3.7A** describe personal connections to sources; **3.7G** discuss text ideas

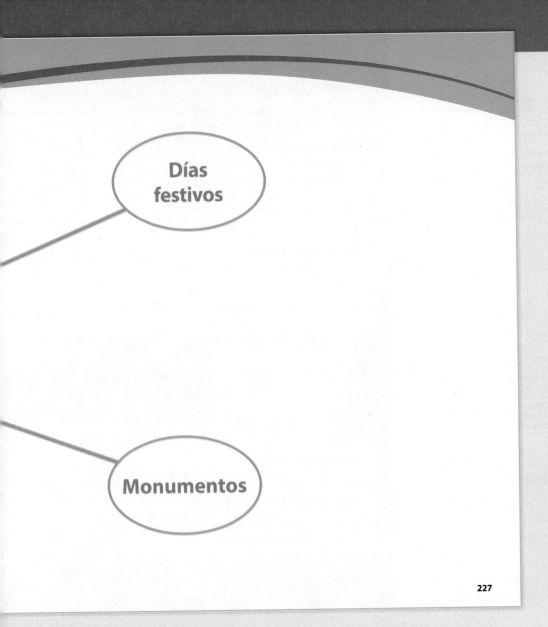

Días festivos

Monumentos

227

Presentar el texto

- **Lea en voz alta** el título. Diga a los estudiantes que este es un texto informativo. Comente con los estudiantes lo que saben sobre los textos informativos. *(Los textos informativos ofrecen datos e información sobre un tema).*

- **Guíe a los estudiantes** para que establezcan un propósito para la lectura.

- **Señale** las Palabras de la idea esencial que aparecen resaltadas.

- **Pida a los estudiantes** que lean el texto.

TEKS 3.6A, 3.6E, 3.10C

DOK 2

 LEER PARA COMPRENDER

Características del texto y elementos gráficos

- **¿Cuáles son las características del texto en estas dos páginas?** *(los encabezados; las palabras resaltadas; los rótulos en el mapa)*

- **¿Cuáles son los elementos gráficos?** *(el mapa; los iconos pequeños o símbolos en el mapa; las fotos)*

- **¿Por qué incluyó el autor el mapa?** *(para ayudar a los lectores a comprender dónde se encuentra cada uno de estos lugares en Washington D. C.)*

TEKS 3.9D(ii), 3.10C

DOK 3

 Mis notas

Lectura breve

LUGARES ESTADOUNIDENSES, IDEALES ESTADOUNIDENSES

1 El pueblo estadounidense es leal a la idea de la libertad. Nuestra nación se fundó sobre la base de la libertad. Washington, D.C., la capital de nuestro país, representa este ideal importante. Este mapa muestra lugares de Washington que representan la libertad.

El monumento a Lincoln

2 Abraham Lincoln fue nuestro 16.° presidente. Lincoln lideró el país durante la Guerra Civil, de 1861 a 1865.

3 El monumento a Lincoln se terminó de construir en 1922. El edificio alberga una estatua de Lincoln. En una de sus paredes está escrito el discurso de Lincoln en Gettysburg. Este monumento honra a Lincoln y sus ideales de libertad y justicia.

El monumento a Jefferson

4 Thomas Jefferson fue nuestro tercer presidente. Escribió el primer borrador de la Declaración de Independencia. En ella se decía que los Estados Unidos quedaban libres de la soberanía o el dominio de Gran Bretaña.

5 El monumento a Jefferson se terminó en 1943. Tiene una estatua de Jefferson mirando hacia la Casa Blanca. Al lado de la estatua hay unas palabras de la Declaración de Independencia.

228

READ FOR UNDERSTANDING

Introduce the Text

- **Read aloud** the title. Tell students that this is informational text. Discuss with students what they know about informational texts. *(Informational texts give facts and information about a topic.)*

- **Guide students** to set a purpose for reading.

- **Point out** the highlighted Big Idea Words.

- **Have students** read the text.

READ FOR UNDERSTANDING

Text and Graphic Features

- **What are the text features on these two pages?** *(the headings; the highlighted words; the labels on the map)*

- **What are the graphic features?** *(the map; the little icons, or symbols, on the map; the photos)*

- **Why did the author include the map?** *(to help readers understand where each of these places is located in Washington, D.C.)*

 CONOCIMIENTOS Y DESTREZAS ESENCIALES DE TEXAS 3.6A establish purpose for reading; **3.6E** make connections; **3.7E** interact with sources; **3.9D(ii)** recognize features in informational text; **3.10C** explain use of print/graphic features

La Casa Blanca

6   En 1792, se comenzó la construcción de una casa para el presidente. El presidente John Adams fue el primero en habitarla. Durante la guerra de 1812, las tropas británicas le prendieron fuego. La casa se reparó y se pintó de color blanco para ocultar los daños. Desde entonces se conoce como la Casa Blanca.

7   La Casa Blanca es un símbolo de la **democracia**. Democracia significa "poder del pueblo". Así funciona nuestro gobierno. Somos libres de elegir a nuestros líderes mediante el proceso de votación.

Mis notas

El monumento a Washington

El monumento a Washington se terminó de construir en 1884. El mismo rinde homenaje al primer presidente de los Estados Unidos, George Washington, quien luchó por nuestra independencia de Gran Bretaña. El monumento a Washington es el edificio más alto de Washington y siempre lo será. ¡Hay una ley que prohíbe construir edificaciones más altas!

El Capitolio de los Estados Unidos

El Capitolio de los Estados Unidos se construyó en el año 1800. El Congreso de los Estados Unidos se reúne en este lugar para hacer las leyes. Este compromiso **cívico** es tan importante que los ciudadanos de los 50 estados eligen a los miembros del Congreso. A través del Congreso, todos los ciudadanos ayudan a definir el futuro del país.

En la cúpula del Capitolio se encuentra la estatua de la Libertad de Washington, o *Statue of Freedom*. Es una figura en bronce de una mujer con casco. El casco simboliza su función como protectora de los valores estadounidenses.

229

📖 LEER PARA COMPRENDER

Características del texto y elementos gráficos

- **¿Cómo les ayudan los encabezados a obtener información?** *(Los encabezados dicen sobre qué trata el texto del recuadro; dicen qué lugar muestra cada foto).*

SUGERENCIA PARA NOTAS: Pida a los estudiantes que subrayen los encabezados que nombran cada lugar importante.

- **¿Qué tipo de información les da el texto en los recuadros sobre los encabezados?** *(cuándo se construyó cada lugar; por qué es importante cada lugar; qué conmemora cada lugar)*

TEKS 3.7E, 3.9D(ii), 3.10C

DOK 3

📖 LEER PARA COMPRENDER

Características del texto y elementos gráficos

- **¿Cómo les ayudan los símbolos de cada lugar a comprender el mapa?** *(Es más fácil ver los cinco lugares que se mencionan en el texto).*

- **¿Por qué ha incluido el autor estos elementos?** *(para ayudar a los lectores a encontrar información más fácilmente; para ayudar a los lectores a visualizar el aspecto de cada lugar y dónde está cada lugar)*

TEKS 3.9D(ii), 3.10C

DOK 3

READ FOR UNDERSTANDING

Text and Graphic Features

- **How do the headings help you find information?** *(The headings tell what the text in the box is about; they tell which place each photo shows.)*

ANNOTATION TIP: Have students underline the headings that name each important place.

- **What kind of information does the text in the box give you about each of the headings?** *(when each site was built; why each site is important; who each site honors)*

READ FOR UNDERSTANDING

Text and Graphic Features

- **How do the symbols for each place help you understand the map?** *(They make it easier to see the five places mentioned in the text.)*

- **Why has the author included these features?** *(to help readers find information more easily; to help readers visualize what each site looks like and where each site is)*

LEER PARA COMPRENDER

Presentar el texto

- **Lea en voz alta** y comente la información sobre el género. Señale estos ejemplos de características del texto informativo en la selección:

  » fechas que muestran el orden cronológico de los acontecimientos (página 234)

  » datos que apoyan las ideas principales (página 234)

  » pies de foto que dan información sobre las ilustraciones (páginas 234 y 235)

  » encabezados y subtítulos que identifican la idea principal de cada sección (página 233)

  » diagramas que dan apoyo visual a las ideas importantes (página 238)

- **Use** Mostrar y motivar: <u>Conocer al autor y al ilustrador 3.2</u> para aprender más sobre el autor y el ilustrador.

- **Pida a los estudiantes** que busquen las palabras del Vocabulario crítico mientras leen y que piensen en el significado de las palabras.

SUGERENCIA PARA NOTAS: Pida a los estudiantes que usen el recuadro para anotar lo que saben sobre la Constitución de los Estados Unidos y qué les gustaría aprender.

TEKS 3.1A, 3.6A, 3.7E, 3.9D(ii), 3.10B, 3.10C

DOK 2

Observa
y anota
3 preguntas
importantes

Prepárate para leer

ESTUDIO DEL GÉNERO Los **textos informativos** ofrecen datos y ejemplos sobre un tema.

- Los textos informativos pueden incluir encabezados y subtítulos para indicar qué viene después.
- Los textos informativos incluyen ideas principales. Cada idea principal se apoya en detalles clave y datos.
- Los textos informativos pueden incluir palabras específicas del tema de estudios sociales.
- Los textos informativos incluyen elementos visuales y características del texto.

ESTABLECER UN PROPÓSITO **Piensa en** el título y el género de este texto. ¿Qué sabes sobre la Constitución de los Estados Unidos? ¿Qué quieres aprender? Escribe tus ideas abajo.

VOCABULARIO CRÍTICO

convención

delegados

nacional

bienestar

posteridad

Conoce al autor y al ilustrador:
Norman Pearl y Matthew Skeens

230

READ FOR UNDERSTANDING

Introduce the Text

- **Read aloud** and discuss the genre information. Point out these examples of informational text features in the selection:

  » dates showing the chronological order of events (page 234)

  » facts that support central ideas (page 234)

  » captions that give information about the illustrations (pages 234–235)

  » headings and subheadings that identify the central idea of each section (page 233)

  » diagrams that give visual support to important ideas (page 238)

- **Use Mostrar y motivar: Conocer al autor y al ilustrador 3.2** para aprender más sobre el autor y el ilustrador.

- **Tell students** to look for the Critical Vocabulary as they read, and to think about the meaning of the words.

ANNOTATION TIP: Have students use the box to note what they know about the United States Constitution and what they would like to learn about it.

 CONOCIMIENTOS Y DESTREZAS ESENCIALES DE TEXAS **3.1A** listen actively/ask relevant questions; **3.6A** establish purpose for reading; **3.6B** generate questions about text; **3.7E** interact with sources; **3.9D(ii)** recognize features in informational text; **3.10B** explain use of text structure; **3.10C** explain use of print/graphic features

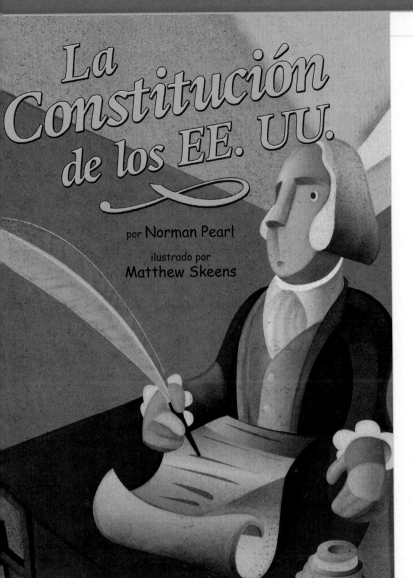

La
Constitución
de los EE. UU.

por Norman Pearl

ilustrado por
Matthew Skeens

 LEER PARA COMPRENDER

Establecer un propósito

- **Pida a los estudiantes** que miren las primeras páginas de *La Constitución de los EE. UU.* para observar algunos de los encabezados y las ilustraciones.

- **Guíe a los estudiantes** para que establezcan un propósito para la lectura. Comente con ellos qué creen que van a aprender sobre la Constitución de los Estados Unidos en esta selección.

TEKS 3.6A, 3.6B, 3.9D(ii)

DOK 2

READ FOR UNDERSTANDING

Set a Purpose

- **Have students** look at the first few pages of *La Constitución de los EE. UU.* to note some of the headings and the illustrations.

- **Guide students** to set a purpose for reading. Discuss with them what they think they will learn about the U.S. Constitution from this selection.

1 Mi nombre es James Madison.
Fui el cuarto presidente de los Estados Unidos. También participé en la creación de un conjunto de reglas para la nación. Estas reglas se conocen como la Constitución. Te contaré la historia.

LEER PARA COMPRENDER

¿Quién es el hombre de la ilustración en la página 232 y por qué creen que es él el que cuenta el cuento?
(*James Madison; participó en la creación del conjunto de reglas para los Estados Unidos*).

¿Por qué necesita una nación un conjunto de reglas?
(*Las reglas pueden ayudar a un país a funcionar sin problemas; las personas de un país pueden necesitar reglas para saber qué esperar y cómo actuar*).

TEKS 3.6E, 3.7A, 3.10C

DOK 2

232

READ FOR UNDERSTANDING

Who is the man in the illustration on page 232 and why do you think he is telling the story? (*James Madison; he played a big part in making the rules for the United States.*)

Why would a country need a set of rules? (*Rules can help a country run smoothly; people in a country might need rules so they know what to expect and how to act.*)

CONOCIMIENTOS Y DESTREZAS ESENCIALES DE TEXAS **3.6E** make connections; **3.6F** make inferences/use evidence; **3.6H** synthesize information; **3.6I** monitor comprehension/make adjustments; **3.7A** describe personal connections to sources; **3.10C** explain use of print/graphic features

¿Qué es la Constitución de los EE. UU.?

2 La Constitución de los Estados Unidos es la guía que muestra cómo funciona el gobierno. La misma establece cuánto poder pueden tener las ramas o partes del gobierno. Les dice cómo deben hacer las leyes y cómo deben asegurarse de que todos los estadounidenses las cumplen. La Constitución es un símbolo de la democracia.

La *Constitución* es la ley suprema de los Estados Unidos. Es más importante que la ley de cualquier ciudad o estado.

Las primeras reglas de los EE. UU.

3 Después de ganar la Guerra de Independencia en 1783, los Estados Unidos se convirtieron en un nuevo país. Como cualquier otra nación, necesitaba reglas o leyes. El primer conjunto de reglas se llamó los Artículos de la Confederación. Estas reglas unían a los 13 estados.

4 Era un comienzo, pero la nación necesitaba aún más. Los Estados Unidos necesitaban una forma de gobierno mejor.

Mis notas

📖 **LEER PARA COMPRENDER**

Sintetizar
DEMOSTRAR CÓMO SINTETIZAR

💬 **PENSAR EN VOZ ALTA** *Mientras leo, pienso en los detalles y cómo pueden cambiar lo que pienso de la selección. Cuando leo que la Constitución es un conjunto de reglas para el país, en un primer momento pienso que se refiere a las reglas que ya conozco, como las de tránsito. Pero luego leo que la Constitución es la guía de funcionamiento del gobierno, así que empiezo a pensar que la Constitución abarca más que unas simples reglas de tránsito.*

TEKS 3.6E, 3.6F, 3.6H, 3.6I

DOK 3

233

READ FOR UNDERSTANDING

Synthesize
MODEL SYNTHESIZING

THINK ALOUD *As I read, I think about the details and how they can change how I think about the selection. When I read that the Constitution is a set of rules for the country, at first I'm thinking it means rules like the kind I'm familiar with, such as traffic rules. But then I read that the Constitution is a plan for how the government works, so I'm beginning to think that the Constitution covers more than just traffic rules.*

LECTURA EN DETALLE GUIADA

Estructura del texto

Pida a los estudiantes que vuelvan a leer los párrafos 3 a 6 para analizar la estructura del texto.

¿Cómo ha organizado el autor la información: en una estructura de causa-efecto, problema-solución o secuencia? *(secuencia)*

¿Por qué ha usado el autor la estructura de secuencia en esta sección? *(El autor quiere explicar que los acontecimientos relacionados con la planificación de un nuevo gobierno ocurrieron en un orden cronológico determinado).*

SUGERENCIA PARA NOTAS: Pida a los estudiantes que subrayen las fechas, palabras y frases que indican secuencia.

TEKS 3.7E, 3.9D(iii), 3.10B

DOK 2

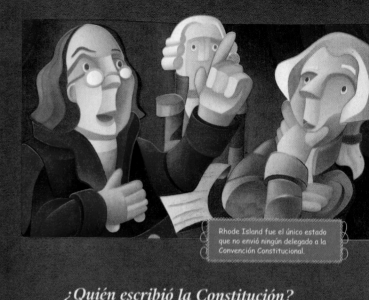

Rhode Island fue el único estado que no envió ningún delegado a la Convención Constitucional.

¿Quién escribió la Constitución?

En mayo de 1787, delegados de casi todos los 13 estados se reunieron en Filadelfia, Pensilvania. Su tarea era escribir la Constitución, un nuevo conjunto de reglas para el gobierno del país.

La reunión se llamó la Convención Constitucional. Los 55 delegados de la reunión después se conocieron con el nombre de legisladores de la Constitución.

convención Una convención es una reunión de personas que comparten los mismos objetivos o ideas.

delegados Las personas elegidas para tomar decisiones en nombre de un grupo mayor se llaman delegados.

234

TARGETED CLOSE READ

Text Structure

Have students reread paragraphs 3–6 to analyze the text structure.

How has the author organized the information: by cause-effect, problem-solution, or sequence? *(sequence)*

Why has the author used the text structure of sequence in this section? *(The author wants to explain that the events in planning a new government took place in a particular time order.)*

ANNOTATION TIP: Have students underline the dates, words, and phrases that signal sequence.

 CONOCIMIENTOS Y DESTREZAS ESENCIALES DE TEXAS **3.6B** generate questions about text; **3.6E** make connections; **3.6G** evaluate details; **3.6I** monitor comprehension/make adjustments; **3.7A** describe personal connections to sources; **3.7C** use text evidence; **3.7E** interact with sources; **3.9D(iii)** recognize organizational patterns in informational text; **3.10B** explain use of text structure

Muchas ideas diferentes

7 Escribir la Constitución no fue fácil. Muchas personas tenían ideas diferentes sobre lo que debía decir. Algunos querían un gobierno nacional fuerte. Otros no. Hubo muchas discusiones.

8 Finalmente, el 17 de septiembre de 1787, terminaron las discusiones y los delegados firmaron la Constitución. Luego, los estados debían aceptar respetarla. El último de ellos lo hizo en 1790.

James Madison era un delegado de Virginia. Ayudó a los demás delegados de la Convención Constitucional a solucionar sus diferencias. Madison era listo y justo. Hoy se le conoce como el Padre de la Constitución.

Mis notas

Respuesta de ejemplo: El autor piensa que los lectores ya saben quién o qué son los delegados.

Observa y anota

3 preguntas importantes

- **Explique a los estudiantes** que hacerse determinadas preguntas importantes, como *¿Qué me sorprendió?* o *¿Qué creyó el autor que ya sabía?,* mientras leen textos informativos puede ayudar a los lectores a analizar el texto y a comprender mejor las ideas más importantes de un texto.

- **Pida a los estudiantes** que piensen en lo que leyeron hasta el momento y que se hagan la pregunta importante *¿Qué me sorprendió? (Respuesta posible: que los delegados discutieron mucho cuando escribieron la Constitución; que pasaron varios años antes de que todos los delegados firmaran la Constitución)*

- **Pida a los estudiantes** que comenten sus respuestas a la pregunta importante *¿Qué creyó el autor que ya sabía?* sobre este tema.

SUGERENCIA PARA NOTAS: Pida a los estudiantes que hagan una lista con la información que les sorprendió o que ya sabían.

- **Pida a los estudiantes** que continúen reflexionando sobre las preguntas principales anteriores mientras leen y que lo agreguen a sus notas.

TEKS 3.6B, 3.6E, 3.6G, 3.6I, 3.7A, 3.7C, 3.7E   DOK 2

235

NOTICE & NOTE
3 Big Questions
- **Explain to students** that asking certain Big Questions such as *What surprised me?* or *What did the author think I already know?* as they are reading informational texts can help readers analyze the text and more fully understand the most important ideas in a text.

- **Have students** think about what they have read so far and ask themselves the Big Question *What surprised me? (Possible response: that the delegates argued a lot*

when writing the Constitution; that it took several years before all the delegates signed the Constitution)

- **Have students** discuss their responses to the Big Question *What did the author think I already knew?* about this topic.

ANNOTATION TIP: Have students list the information that surprised them or that they already knew. *(Sample response: The author thinks that readers already know who or what delegates are.)*

- **Have students** continue to reflect on the above Anchor Questions as they read and to add to their notes.

Las partes de la Constitución

9 La Constitución tiene tres partes principales: el preámbulo, los artículos y las enmiendas.

1. PREÁMBULO

10 El preámbulo es el comienzo de la Constitución. Explica a los estadounidenses por qué necesitan un gobierno y una Constitución.

11 *Nosotros, el Pueblo de los Estados Unidos, a fin de formar una Unión más perfecta, establecer la Justicia, garantizar la Tranquilidad nacional, proveer para la defensa común, fomentar el Bienestar general y asegurar los Beneficios de la Libertad para nosotros y para nuestra Posteridad, por la presente promulgamos y establecemos esta Constitución para los Estados Unidos de América.*

nacional Cuando algo es nacional, forma parte o está relacionado con el país donde vives.

bienestar Si alguien se ocupa de tu bienestar, esa persona se asegura de que estás sano y feliz.

posteridad Si piensas en todas las personas que vivirán en el futuro y cómo serán sus vidas, piensas en la posteridad.

236

 LEER PARA COMPRENDER

Sintetizar

¿Por qué creen que los legisladores de la Constitución incluyeron el preámbulo? ¿Cómo sintetizarían la información sobre el preámbulo en lo que ya saben?

DEMOSTRAR CÓMO SINTETIZAR

Si los estudiantes tienen dificultades para sintetizar los detalles del texto, use este modelo:

> **PENSAR EN VOZ ALTA** *En un primer momento, no creía que este preámbulo fuera importante para la Constitución porque no contiene ninguna de las reglas del país. Pero luego leí que el preámbulo explica por qué necesitamos un gobierno y una Constitución. Ahora creo que comprendo por qué los legisladores incluyeron el preámbulo. Probablemente querían explicar las razones por las que escribieron la Constitución comenzando por: "a fin de formar una Unión más perfecta", o una nueva nación.*

TEKS 3.6E, 3.6F, 3.6H, 3.6I

DOK 3

 LEER PARA COMPRENDER

Según el preámbulo, ¿quién le dice al mundo que los Estados Unidos necesitan una Constitución y por qué la necesitan? (*"Nosotros, el Pueblo de los Estados Unidos"*)

¿Qué les dice esto sobre el gobierno de los Estados Unidos? (*Está hecho por y para el pueblo de los Estados Unidos*).

TEKS 3.6F, 3.6G, 3.7C

DOK 2

READ FOR UNDERSTANDING

Synthesize

Why do you think the framers of the Constitution included the preamble? How would you synthesize the information about the preamble into what you already know?

MODEL SYNTHESIZING

If students have difficulty synthesizing the text details, use this model:

THINK ALOUD *At first I didn't think the preamble was important to the Constitution because it doesn't contain any of the rules for the country. But then I read that the preamble tells why we need a government and a Constitution. Now I think I understand why the framers included the preamble. They probably wanted to explain their reasons for writing the Constitution to begin with: "a fin de formar una Unión más perfecta," or new country.*

READ FOR UNDERSTANDING

According to the preamble, who is telling the world that the United States needs a Constitution and why they need it? (*"Nosotros, el Pueblo de los Estados Unidos"*)

What does that tell you about the government of the United States? (*It is for and by the people of America.*)

 CONOCIMIENTOS Y DESTREZAS ESENCIALES DE TEXAS 3.6E make connections; **3.6F** make inferences/use evidence; **3.6G** evaluate details; **3.6H** synthesize information; **3.6I** monitor comprehension/make adjustments; **3.7C** use text evidence; **3.9D(i)** recognize central idea in informational text

Los artículos permiten que los gobernantes cuiden de la seguridad de los ciudadanos estadounidenses. Indican que el gobierno puede crear un ejército y una armada para proteger la nación.

2. ARTÍCULOS

12 Los siete artículos de la Constitución explican las ramas del gobierno de los EE. UU. Establecen lo que pueden o no pueden hacer. En los Estados Unidos, los ciudadanos dirigen el gobierno. Los estadounidenses tienen el derecho al voto. Mediante el voto, los estadounidenses eligen a las personas que quieren que trabajen para ellos en el gobierno.

13 Los artículos dividen el gobierno de los EE. UU. en tres ramas. Cada una tiene diferentes poderes. Ninguna puede ser más fuerte que las otras. Esto es lo que se llama "equilibrio de poder". Todas las ramas son iguales.

237

🔍 LECTURA EN DETALLE GUIADA

Idea principal

Pida a los estudiantes que vuelvan a leer los párrafos 12 y 13 para analizar las ideas principales y los detalles de apoyo.

¿Cómo ayuda el subtítulo a los lectores a comprender la idea principal? *(El subtítulo "Artículos" indica que el párrafo explica lo que son los Artículos de la Constitución).*

SUGERENCIA PARA NOTAS: Pida a los estudiantes que resalten la oración que contiene la idea principal sobre los Artículos en cada uno de los párrafos 12 y 13.

¿Qué evidencias o detalles del texto explican el significado de la frase "equilibrio de poder"? *("Todas las ramas son iguales".).*

TEKS 3.6G, 3.9D(i)

DOK 3

TARGETED CLOSE READ

Central Idea

Have students reread paragraphs 12 and 13 to analyze main ideas and supporting details.

How does the subhead help readers understand the central idea? *(The subhead "Artículos" shows that the paragraphs tell what the Articles of the Constitution are.)*

ANNOTATION TIP: Have students highlight a main-idea sentence about the Articles in each of paragraphs 12 and 13.

What evidence or details in the text explains what "balance of power" means? *("Todas las ramas son iguales.")*

¿Qué son los tres edificios que se muestran en el diagrama? *(la Casa Blanca, la Corte Suprema y el Capitolio)*

¿Cómo ilustra este diagrama la idea de "equilibrio de poder"? *(Cada edificio representa una rama del gobierno. Los tres edificios están en equilibrio en una balanza. Eso demuestra que son iguales).*

TEKS 3.9D(ii), 3.10C

DOK 3

LECTURA EN DETALLE GUIADA

Características del texto y elementos gráficos

Pida a los estudiantes que vuelvan a leer las páginas 237 y 238 para analizar las características del texto y los elementos gráficos.

¿Con qué se relaciona la ilustración de la página 237: con la barra lateral del recuadro azul o con el texto principal? ¿Por qué? *(Se relaciona con el texto principal porque muestra a las personas votando. El derecho al voto se menciona en el párrafo 12).*

¿Cómo se relaciona la barra lateral con el resto del texto? *(Proporciona más información sobre cómo los artículos permiten que los gobernantes protejan la seguridad de los estadounidenses).*

En el diagrama de la página 238, ¿qué describen los rótulos? *(Los rótulos identifican la rama de gobierno que tiene su sede en cada edificio).*

¿Por qué es útil tener este tipo de ilustraciones en este texto? *(Los lectores pueden imaginar qué aspecto tiene cada edificio).*

TEKS 3.9D(ii), 3.10C

DOK 3

Mis notas

Rama ejecutiva

14 Esta rama está formada por el presidente, el vicepresidente y las personas que les ayudan a realizar su trabajo. Su sede se encuentra en la Casa Blanca.

Rama judicial

15 Esta rama es el sistema de justicia. Los jueces vigilan que las leyes se cumplan correctamente. La rama judicial tiene su sede en la Corte Suprema el tribunal más importante de lo Estados Unidos.

Rama legislativa

16 Esta rama está formada por el Congreso, que a su vez se divide en dos partes: la Cámara de Representantes y el Senado. El Congreso crea las leyes de la nación. Tiene su sede en el Capitolio.

238

READ FOR UNDERSTANDING

What are the three buildings shown in the diagram? *(the White House, the Supreme Court, the Capitol)*

How does this diagram illustrate the idea of "balance of power"? *(Each building stands for a branch of the government. All three buildings are in balance on the scale. That shows that they are equal.)*

TARGETED CLOSE READ

Text and Graphic Features
Have students reread pages 237–238 to analyze the text and graphic features.

Does the illustration on page 237 connect to the sidebar in the blue box or the main text? Why? *(It connects to the main text because it shows people voting. The right to vote is mentioned in paragraph 12.)*

How does the sidebar connect to the rest of the text? *(It gives additional information about how the articles allow people in the government to keep Americans safe.)*

In the diagram on page 238, what do the labels tell about? *(The labels name the branch of government that each building houses.)*

Why is it helpful to have these kinds of illustrations with this text? *(Readers can picture what each building looks like are.)*

 CONOCIMIENTOS Y DESTREZAS ESENCIALES DE TEXAS 3.6B generate questions about text; **3.6E** make connections; **3.6G** evaluate details; **3.6I** monitor comprehension/ make adjustments; **3.7A** describe personal connections to sources; **3.7C** use text evidence; **3.7E** interact with sources; **3.9D(ii)** recognize features in informational text; **3.10C** explain use of print/graphic features

238 Módulo 3

3. ENMIENDAS

17　Las enmiendas no formaron parte de la Constitución original. Se agregaron más tarde. Otorgan muchos derechos a los estadounidenses. Por ejemplo, las enmiendas establecen que los estadounidenses no pueden convertirse en esclavos. Pueden pertenecer a cualquier religión que deseen. Todos los estadounidenses mayores de 18 años pueden votar. Desde que se firmó en 1787, la Constitución se ha enmendado o ampliado 27 veces. Las primeras 10 enmiendas se llaman la Carta de Derechos. Son los derechos más importantes que tienen los estadounidenses.

Mis notas

239

Observa y anota

3 preguntas importantes

- **Recuerde a los estudiantes** que cuando leen textos informativos, pueden hacerse preguntas importantes para analizar el texto. Indique que los lectores a menudo pueden encontrarse información que puede cambiar lo que los lectores pensaban antes sobre un tema.

- **Pida a los estudiantes** que piensen en el texto de la página 239 y que se hagan la pregunta importante *¿Qué puso en duda, cambió o confirmó lo que ya sabía? (Respuestas posibles: que la Constitución original no era perfecta; que se le hicieron muchos cambios o enmiendas; que todavía es posible hacer cambios en la Constitución)*

- **Pida a los estudiantes** que continúen reflexionando sobre esta y otras preguntas principales mientras leen y que añadan ideas a sus notas.

TEKS 3.6B, 3.6E, 3.6G, 3.6I, 3.7A, 3.7C, 3.7E

DOK 2

NOTICE & NOTE

3 Big Questions

- **Remind students** that when they read informational text they can ask Big Questions to analyze the text. Point out that readers often come across information that can change what readers previously thought about a topic.

- **Have students** think about the text on page 239 and ask themselves the Big Question *What challenged, changed, or confirmed what I already knew? (Possible responses: that the original Constitution was not perfect; that many changes or amendments have been made to it; that it's even possible to make changes to the Constitution)*

- **Have students** continue to reflect on this and the other Anchor Questions as they read and to add to their notes.

La Constitución y tú

18 ¿Qué representa la Constitución en tu vida? La Constitución le da al gobierno de los EE. UU. el poder de hacer las leyes. Las leyes no son solo para los adultos. También son para los niños.

19 Hay leyes que permiten que los niños vayan a la escuela. Otras dicen qué tipo de trabajos pueden hacer los niños y la cantidad de horas que pueden trabajar.

20 Durante más de 200 años, la Constitución ha mantenido fuerte al gobierno de los EE. UU. Estoy orgulloso de nuestra Constitución. Ahora que sabes la historia, espero que tú también lo estés.

La Constitución original se puede ver en el Centro de Archivos Nacionales en Washington D. C. La Carta de Derechos y la Declaración de Independencia también están allí.

240

 LEER PARA COMPRENDER

Sintetizar

Recuerde a los estudiantes que cuando leen textos informativos, su idea sobre el tema puede cambiar a medida que conocen nuevos datos e información. Pida a los estudiantes que sinteticen los detalles del texto para explicar cómo y por qué se escribió la Constitución de los Estados Unidos.

TEKS 3.6E, 3.6F, 3.6H, 3.6I

DOK 3

 LEER PARA COMPRENDER

Concluir

Vuelva a comentar el propósito que los estudiantes establecieron antes de leer la selección. Pida a los estudiantes que expliquen lo que aprendieron sobre la Constitución de los EE. UU. en esta selección y que citen evidencias del texto.

TEKS 3.6A

DOK 2

READ FOR UNDERSTANDING
Synthesize
Remind students that when they read informational texts their thinking about the topic can change as they learn new facts and information. Have students synthesize the text details to explain how and why the U.S. Constitution was written.

READ FOR UNDERSTANDING
Wrap-Up
Revisit the purpose students set before they read the selection. Have students explain what they learned about the U.S. Constitution from this selection and to cite evidence from the text.

 CONOCIMIENTOS Y DESTREZAS ESENCIALES DE TEXAS 3.1A listen actively/ask relevant questions; **3.1C** speak coherently; **3.1D** work collaboratively; **3.6A** establish purpose for reading; **3.6E** make connections; **3.6F** make inferences/use evidence; **3.6G** evaluate details; **3.6H** synthesize information; **3.6I** monitor comprehension/make adjustments; **3.7B** write responses that demonstrate understanding; **3.7C** use text evidence; **3.7E** interact with sources; **3.7F** respond using vocabulary; **3.7G** discuss text ideas

240 Módulo 3

Conversación colaborativa

Vuelve a leer lo que escribiste en la página 230. Dile a un compañero dos cosas que aprendiste del texto. Luego trabaja en grupo y comenta las preguntas de abajo. Busca detalles y ejemplos en *La Constitución de los EE. UU.* para apoyar tus ideas. Toma notas para responder las preguntas y úsalas cuando hables.

1 Repasa la página 235. ¿Por qué se le llama a James Madison el "Padre de la Constitución"?

2 Vuelve a leer las páginas 237 a 239. ¿Por qué el "equilibrio de poder" es una buena idea para el gobierno de los EE. UU.?

3 Vuelve a leer la página 240. ¿Por qué la Constitución es importante para los jóvenes?

Sugerencia para escuchar

Escucha atentamente a los demás. Si hay alguna idea que no esté clara o necesitas más información, prepara preguntas para obtener más detalles.

Sugerencia para hablar

Comparte tus ideas con claridad. Prepárate para responder las preguntas que puedan tener los demás sobre lo que has dicho.

Conversación académica

Use la rutina de **CONVERSACIÓN COLABORATIVA**. Pida a los estudiantes que tomen notas para responder las preguntas. Luego pídales que trabajen en grupos y que apliquen las Sugerencias para escuchar y hablar mientras comentan sus respuestas.

Respuestas posibles:

1. *James Madison era inteligente y justo, como un buen padre. Ayudó a escribir la Constitución. Cuando los demás delegados discutían, Madison les ayudaba a solucionar sus diferencias.* DOK 2

2. *El texto dice que hay tres ramas en el gobierno de los EE. UU.: la ejecutiva, la judicial y la legislativa. Las tres ramas tienen el mismo poder para que ninguna sea más poderosa que las demás.* DOK 3

3. *Los derechos que se dan en la Constitución son para las personas de todas las edades, pero hay leyes en nuestra nación que son para los niños. Algunas leyes permiten que los niños vayan a la escuela. Otras leyes dicen qué tipos de trabajos pueden hacer los niños y cuántas horas pueden trabajar.* DOK 2

TEKS 3.1A, 3.1C, 3.1D, 3.6E, 3.6F, 3.6G, 3.7B, 3.7C, 3.7E, 3.7F, 3.7G

241

Academic Discussion

Use the **COLLABORATIVE DISCUSSION** routine. Have students write notes to answer the questions. Then have groups apply the Listening and Speaking Tips as they discuss their responses.

Possible responses:

1. *James Madison was smart and fair, like a good father. He helped write the Constitution. When the other delegates argued, Madison helped them work through their differences.*

2. *The text says there are three branches in the U.S. government: executive, judicial, and legislative. The three branches have an equal amount of power so no one branch is more powerful than the others.*

3. *The rights given in the Constitution are for people of all ages, but there are laws in our country that are for children. Some laws allow children to go to school. Other laws say what kinds of jobs children can have and how many hours they can work.*

Escribir sobre la lectura

- **Lea en voz alta** el tema para desarrollar con los estudiantes.

- **Inicie un debate** en el que los estudiantes compartan sus ideas sobre las tres partes principales de la Constitución y por qué es importante cada parte. Recuerde a los estudiantes que deben usar evidencias del texto de la selección para apoyar sus ideas.

- **Lea en voz alta** la sección Planificar y pida a los estudiantes que usen ideas del debate en sus notas.

TEKS 3.1E, 3.7C, 3.7E, 3.7F

Citar evidencia del texto

Escribir una entrada de enciclopedia

TEMA PARA DESARROLLAR

En *La Constitución de los EE. UU.*, leíste sobre un documento importante en la historia de los Estados Unidos.

Imagina que eres escritor de una enciclopedia en línea para jóvenes. Te han pedido que escribas una entrada sobre la Constitución de los EE. UU. Escribe un párrafo corto que nombre las tres partes principales de la Constitución de los EE. UU. y que explique por qué es importante cada una de ellas. No olvides usar algunas de las palabras del Vocabulario crítico en tu escritura.

PLANIFICAR

Crea una tabla de tres columnas para tomar notas sobre los datos importantes de cada parte de la Constitución de los EE. UU. Usa una columna para cada parte.

> Las respuestas variarán, pero los estudiantes deben hacer una tabla de tres columnas con los rótulos "Preámbulo", "Artículos" y "Enmiendas". Cada columna debe llenarse con los datos correspondientes del texto.

242

Write About Reading

- **Read aloud** the prompt with students.
- **Lead a discussion** in which students share their ideas about the three main parts of the Constitution and why each part is important. Remind students to use text evidence from the selection to support their ideas.
- **Read aloud** the Plan section and have students use ideas from the discussion in their notes.

 CONOCIMIENTOS Y DESTREZAS ESENCIALES DE TEXAS **3.1E** develop social communication; **3.7B** write responses that demonstrate understanding; **3.7C** use text evidence; **3.7E** interact with sources; **3.7F** respond using vocabulary; **3.11B(i)** develop drafts by organizing with purposeful structure; **3.11B(ii)** develop drafts by developing an engaging idea; **3.12B** compose informational texts

242 Módulo 3

ESCRIBIR

Ahora escribe tu entrada de enciclopedia resumiendo las tres partes principales de la Constitución.

✓	**Asegúrate de que tu entrada de enciclopedia**

☐ comienza con una oración temática.

☐ contiene datos y detalles importantes del texto para apoyar la oración temática.

☐ usa palabras y frases para conectar ideas.

☐ tiene una oración de cierre que concluye el párrafo.

Las respuestas variarán, pero debe ser una entrada de enciclopedia informativa sobre la Constitución de los EE. UU. que nombre y resuma el preámbulo, los artículos y las enmiendas. La entrada de enciclopedia también debe incluir los elementos de la lista de comprobación.

Escribir sobre la lectura

- **Repase con los estudiantes** las instrucciones y la lista de comprobación de la sección Escribir.

- **Anime a los estudiantes** a usar datos y detalles de sus notas sobre cada una de las tres ramas del gobierno, así como una organización lógica, mientras escriben sus párrafos.

TEKS 3.7B, 3.7C, 3.7E, 3.11B(i), 3.11B(ii), 3.12B

Write About Reading

- **Review with students** the directions and checklist in the Write section.
- **Encourage students** to use facts and details from their notes about each of the three branches of government as well as logical organization as they write their paragraphs.

VER PARA COMPRENDER

Presentar el video

- **Lea en voz alta** y comente la información del género.

- **Use** Mostrar y motivar: **Desarrollar el contexto 3.6** a fin de desarrollar el contexto para comprender el video.

- **Centre la atención** en el Vocabulario crítico. Pida a los estudiantes que escuchen estas palabras mientras miran el video.

SUGERENCIA PARA NOTAS: Pida a los estudiantes que usen el recuadro para anotar lo que quieren aprender mientras ven el video.

TEKS 3.6A

DOK 2

 VER PARA COMPRENDER

Establecer un propósito

- **Pida a los estudiantes** que miren la fotografía de esta página y que piensen en cuál será el tema de este video.

- **Guíe a los estudiantes** para que establezcan un propósito para ver el video.

TEKS 3.6A

DOK 2

Prepárate para ver un video

ESTUDIO DEL GÉNERO Los **videos informativos** presentan datos e información sobre un tema con elementos visuales y audio.

- Un narrador explica el tema mientras las imágenes en pantalla van cambiando para apoyar la narración.

- En los videos se utilizan personas y lugares reales.

- Los videos informativos pueden incluir palabras específicas de un tema de estudios sociales.

- Los productores de videos pueden incluir efectos de sonido o música de fondo para hacer que el video resulte más interesante para los espectadores.

ESTABLECER UN PROPÓSITO **Piensa en** el título y el género de este video. ¿Qué crees que vas a aprender? Escribe tus ideas abajo.

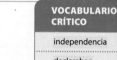

VOCABULARIO CRÍTICO

independencia

declaraban

presentaron

dotados

**Desarrollar el contexto:
El cumpleaños de los Estados Unidos**

244

VIEW FOR UNDERSTANDING
Introduce the Video
- **Read aloud** and discuss the genre information.
- **Use Mostrar y motivar: Desarrollar el contexto 3.6** to build background for accessing the video.
- **Call attention** to the Critical Vocabulary. Tell students to listen to these words as they watch the video.

ANNOTATION TIP: Have students use the box to note what they want to learn as they watch the video.

VIEW FOR UNDERSTANDING
Set a Purpose
- **Have students** look at the photograph on this page and think about what the topic of this video will be.
- **Guide students** to set a purpose for viewing.

Por qué celebramos el 4 de Julio

245

📖 **VER PARA COMPRENDER**

Volver a contar/Resumir

Resuman la sección del video sobre la escritura de la Declaración de Independencia. *(El Congreso Continental encomendó a Thomas Jefferson y otros cuatro hombres la escritura de la Declaración de Independencia).*

Si los estudiantes tienen dificultades para resumir, use este modelo:

💬 **PENSAR EN VOZ ALTA** *Mientras veo un video, puedo pausarlo ocasionalmente para resumir. Eso me ayuda a comprender lo que estoy viendo. La sección sobre la Declaración de Independencia va desde 1:05 hasta 2:00. Puedo resumirla de esta forma: el Congreso encomendó a Thomas Jefferson y otros cuatro hombres la elaboración del documento. Declaró por qué las colonias querían ser independientes. Jefferson escribió la mayor parte. Al principio, el Congreso lo debatió. Finalmente, el 4 de julio de 1776, se adoptó oficialmente la Declaración de Independencia.*

TEKS 3.6G, 3.7D

DOK 2

VIEW FOR UNDERSTANDING

Retell/Summarize

Summarize the section of the video about the writing of the Declaration of Independence. *(The Continental Congress appointed Thomas Jefferson and four other men to write a declaration of independence.)*

If students have difficulty summarizing, use this model:

THINK ALOUD *As I watch a video, I can pause it from time to time to summarize. That helps me understand what I'm watching. The section about the Declaration of Independence goes from 1:05 to 2:00. I can summarize it this way: Congress appointed Thomas Jefferson and four other men to write a document. It declared why the colonies wanted to be independent. Jefferson wrote most of it. At first, Congress debated about it. Finally, on July 4, 1776, the Declaration of Independence was officially adopted.*

¿Qué otro nombre recibe el 4 de Julio? *(Día de la Independencia)*

¿Por qué lucharon las trece colonias americanas en la guerra de la Independencia? *(Querían ser independientes del gobierno británico).*

¿Qué ocurrió el 4 de julio de 1776? *(Se adoptó oficialmente la Declaración de Independencia).*

¿Qué son "la vida, la libertad y la búsqueda de la felicidad"? *(Son los derechos enumerados en la Declaración de Independencia).*

SUGERENCIA PARA NOTAS: Pida a los estudiantes que escriban una oración que resuma por qué el 4 de Julio es un día festivo en la actualidad.

TEKS 3.1A

DOK 2

🔍 **VISUALIZACIÓN EN DETALLE GUIADA**

Técnicas de medios

Pida a los estudiantes que miren el video de nuevo para analizar las técnicas de medios.

¿Qué imágenes muestran el orgullo de nuestra nación? *(la bandera, las imágenes de los primeros estadounidenses que lucharon en la guerra de la Independencia)*

¿Cómo contribuyen las técnicas de sonido a mostrar ese sentimiento de orgullo o patriotismo? *(La música está compuesta por canciones patrióticas que suelen escucharse el 4 de Julio).*

¿Cómo les ayudan las pinturas que recrean escenas de la época de la guerra de la Independencia a comprender la información? *(Muestran los acontecimientos de los que habla el narrador).*

TEKS 3.1A

DOK 3

Mientras miras *Por qué celebramos el 4 de Julio*, presta atención a los acontecimientos que llevaron a los Estados Unidos a convertirse en un país independiente. Observa las imágenes que se usan para mostrar los acontecimientos que sucedieron en el pasado. ¿Cómo se relacionan las imágenes con lo que dice el narrador para ayudarte a comprender estos acontecimientos importantes? ¿Qué relación hay entre los acontecimientos del video y las celebraciones del 4 de Julio que tenemos hoy en día? Toma notas en el espacio de abajo.

El 4 de Julio es el cumpleaños de los Estados Unidos.

Presta atención a las palabras del Vocabulario crítico *independencia, declaraban, presentaron* y *dotados*. Busca pistas para descubrir el significado de cada palabra.

independencia Si eres libre de poner tus propias reglas y elegir por ti mismo, tienes independencia.

declaraban Si unas personas declaraban algo, se sentían seguras o decididas de hacerlo y expresarlo formalmente.

presentaron Si unas personas presentaron una cosa, la mostraron ante alguien.

dotados Si los seres humanos son dotados de algo, se les ha dado u otorgado ciertas cosas o cualidades.

246

VIEW FOR UNDERSTANDING

What is another name for the Fourth of July? *(Independence Day)*

Why did the thirteen American colonies fight the Revolutionary War? *(They wanted to be free from British rule.)*

What happened on July 4, 1776? *(The Declaration of Independence was officially adopted.)*

What are "life, liberty, and the pursuit of happiness"? *(They are rights named in the Declaration of Independence.)*

ANNOTATION TIP: Have students write a sentence that summarizes why July 4 is a holiday today. *(July 4 is America's birthday.)*

TARGETED CLOSE VIEW

Media Techniques

Have students watch the video again to analyze the media techniques.

What images show pride in our country? *(the flag, images of the first Americans who fought the Revolutionary War)*

 CONOCIMIENTOS Y DESTREZAS ESENCIALES DE TEXAS 3.1A listen actively/ask relevant questions; **3.1C** speak coherently; **3.1D** work collaboratively; **3.1E** develop social communication

Responder al texto

Conversación colaborativa

Trabaja en grupo y comenta las preguntas de abajo. Busca detalles y ejemplos en *Por qué celebramos el 4 de Julio* para apoyar tus ideas. Toma notas para responder las preguntas y úsalas cuando hables. Durante la conversación, escucha activamente prestando atención a los hablantes.

1 ¿Cuál fue el motivo por el cual se escribió la Declaración de Independencia?

2 ¿Cuáles son algunas de las ideas presentadas en la Declaración de Independencia?

3 ¿Por qué el 4 de Julio se conoce también como el cumpleaños de los Estados Unidos?

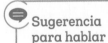

Sugerencia para escuchar

Escucha para asegurarte de que el hablante no se desvía del tema. Si la conversación avanza en la dirección incorrecta, haz preguntas para retomar el tema.

Sugerencia para hablar

Cuando sea tu turno de hablar, asegúrate de que las ideas que compartes están relacionadas con el tema que se está tratando.

247

Escribir sobre el video

- **Lea en voz alta** el tema para desarrollar con los estudiantes.

- **Inicie un debate** en el que los estudiantes compartan lo que aprendieron sobre la festividad del 4 de Julio en el video. Recuerde a los estudiantes que deben usar evidencias del video.

- **Luego lea en voz alta** la sección Planificar. Pida a los estudiantes que usen ideas del debate en sus notas para hacer una lista con las ideas más importantes del video en el orden en el que aparecen.

TEKS 3.1E, 3.7B, 3.7E, 3.7F, 3.11A

Escribir un resumen

TEMA PARA DESARROLLAR

En *Por qué celebramos el 4 de Julio*, aprendiste sobre la historia de este día festivo en los Estados Unidos. La información se presenta en videoclips, imágenes estáticas y un guión que lee un narrador.

Imagina que tu escuela va a crear una guía del video para los estudiantes. Tu tarea consiste en hablarles a los demás estudiantes sobre el video *Por qué celebramos el 4 de Julio*. Escribe un resumen del video que cuente a los espectadores lo que aprenderán sobre el 4 de Julio. No olvides usar algunas de las palabras del Vocabulario crítico en tu escritura.

PLANIFICAR

Haz una lista de los elementos más importantes del video. Escribe tu lista en el orden en el que aparecen los elementos o enuméralos en el orden correcto.

> Las respuestas variarán, pero los estudiantes deben tomar notas sobre los elementos más importantes del video. En la lista, los elementos deben aparecer en el mismo orden en el que se muestran en el video, pero si los estudiantes los ordenan incorrectamente, pueden enumerarlos para indicar el orden correcto en el que escribirán sobre estos elementos.

248

Write About Viewing

- **Read aloud** the prompt with students.

- **Lead a discussion** in which students share what they learned about the Fourth of July holiday from the video. Remind students to use text evidence from the video.

- **Then read aloud** the Plan section. Have students use ideas from the discussion in their notes to list the most important ideas from the video in the order in which they appeared.

CONOCIMIENTOS Y DESTREZAS ESENCIALES DE TEXAS **3.1E** develop social communication; **3.7B** write responses that demonstrate understanding; **3.7D** retell/paraphrase texts; **3.7E** interact with sources; **3.7F** respond using vocabulary; **3.11A** plan first draft; **3.11B(i)** develop drafts by organizing with purposeful structure; **3.11B(ii)** develop drafts by developing an engaging idea; **3.12B** compose informational texts

Ahora escribe tu resumen del video para explicarles a los espectadores lo que van a aprender.

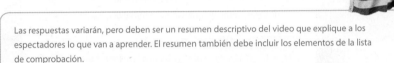

✓

Asegúrate de que tu resumen
☐ comienza con una introducción del tema.
☐ incluye datos y no tu opinión.
☐ menciona algunos elementos importantes del video en el orden correcto.
☐ termina con un enunciado de cierre.

Las respuestas variarán, pero deben ser un resumen descriptivo del video que explique a los espectadores lo que van a aprender. El resumen también debe incluir los elementos de la lista de comprobación.

Escribir sobre el video

- **Repase con los estudiantes** las instrucciones y la lista de comprobación de la sección Escribir.

- **Anime a los estudiantes** a diferenciar entre datos del video y sus propias opiniones, y pídales que eviten incluir sus opiniones en los resúmenes. Indique también que las palabras de secuencia, como *primero* y *último*, así como las fechas, les ayudarán a mantener los acontecimientos en orden cronológico.

TEKS 3.7B, 3.7D, 3.7F, 3.11B(i), 3.11B(ii), 3.12B

249

Write About Viewing
- **Review with students** the directions and checklist in the Write section.
- **Encourage students** to differentiate between facts from the video and their own opinions and have them be careful to avoid including their opinions in their summaries. Also, point out that time order words such as *first* and *last* as well as dates will help them keep events in chronological order.

LEER PARA COMPRENDER

Presentar el texto

- **Lea en voz alta** y comente la información sobre el género. Señale estos ejemplos de características de la narración de no ficción en la selección:

  » acontecimientos que sucedieron en la vida real (página 252)

  » personas que existieron de verdad (página 252)

  » elementos visuales que ayudan a los lectores a imaginar el ambiente y el período de tiempo (página 253)

  » acontecimientos presentados en orden cronológico como en un cuento (página 254)

  » palabras específicas del tema, como *milicia* y *caballería* (página 252)

- **Use Mostrar y motivar:** <u>Conocer a la autora y a la ilustradora 3.8</u> para aprender más sobre la autora y la ilustradora.

- **Pida a los estudiantes** que busquen las palabras del Vocabulario crítico mientras leen y que piensen en el significado de las palabras.

SUGERENCIA PARA NOTAS: Pida a los estudiantes que usen el recuadro para anotar lo que quieren aprender sobre la bandera de los Estados Unidos.

TEKS 3.6A, 3.6E, 3.7E, 3.9D(iii), 3.10D, 3.10E

DOK 2

Mis notas

Observa y anota
Una y otra vez

Prepárate para leer

ESTUDIO DEL GÉNERO La **narración de no ficción** ofrece información basada en hechos reales a través de un cuento o historia verdadera.

- La narración de no ficción incluye personas y acontecimientos reales, y los presenta en orden cronológico.
- La narración de no ficción puede incluir palabras específicas sobre un tema.
- La narración de no ficción puede incluir elementos visuales, como ilustraciones, mapas y diagramas.

ESTABLECER UN PROPÓSITO **Piensa en** el título y el género de este texto. ¿Qué sabes sobre la bandera de los Estados Unidos? ¿Qué quieres aprender? Escribe tus ideas abajo.

Conoce a la autora y a la ilustradora:
Susan Campbell Bartoletti y Claire A. Nivola

VOCABULARIO CRÍTICO

anchas

arenosos

izada

250

READ FOR UNDERSTANDING

Introduce the Text

- **Read aloud** and discuss the genre information. Point out these examples of features of narrative nonfiction in the selection:

  » events that happened in real life (page 252)

  » people who really lived (page 252)

  » visuals that help readers imagine the setting and time period (page 253)

  » events presented in chronological order like in a story (page 254)

  » words specific to the topic such as *milicia* and *caballería* (page 252)

- **Use Mostrar y motivar: Conocer a la autora y a la ilustradora 3.8** to learn more about the author and illustrator.

- **Tell students** to look for the Critical Vocabulary as they read, and think about the meaning of the words.

ANNOTATION TIP: Have students use the box to note what they want to learn about the American flag.

CONOCIMIENTOS Y DESTREZAS ESENCIALES DE TEXAS **3.6A** establish purpose for reading; **3.6E** make connections; **3.7E** interact with sources; **3.9D(ii)** recognize features in informational text; **3.9D(iii)** recognize organizational patterns in informational text; **3.10D** describe author's use of imagery/language; **3.10E** identify/understand literary devices

La creadora de banderas

POR

SUSAN CAMPBELL
BARTOLETTI

ILUSTRADO POR

CLAIRE A. NIVOLA

Mis notas

251

📖 **LEER PARA COMPRENDER**

Establecer un propósito

- **Pida a los estudiantes** que miren las ilustraciones de las primeras páginas de *La creadora de banderas* para comprender que esta selección está ambientada en el pasado.

- **Guíe a los estudiantes** para que establezcan un propósito para la lectura. Pregúnteles quién creen que es la creadora de banderas que sale en el título y qué hará en la selección. Comente también lo que saben sobre la bandera estadounidense y qué les gustaría aprender de ella en esta selección.

TEKS 3.6A, 3.9D(ii)

DOK 2

READ FOR UNDERSTANDING

Set a Purpose

- **Have students** look at the illustrations in the first few pages of *La creadora de banderas* to understand that this selection is set in the past.
- **Guide students** to set a purpose for reading. Ask who they think the flag maker in the title is, and what he or she will do in the selection. Also discuss what they know about the American flag and what they might learn about it from this selection.

★

1   Era el año 1812 y los Estados Unidos estaban en guerra con Gran Bretaña. Un país en guerra necesitaba muchas banderas.

2   En Baltimore, una niña de 12 años llamada Caroline Pickersgill y su madre, Mary, cosían banderas.

3   Caroline y su madre cosían banderas para que la milicia y la caballería pudieran dirigir a sus hombres durante las batallas en tierra.

4   Cosían banderas para que los barcos de la armada pudieran comunicarse entre ellos durante las batallas en el mar.

5   Cosían banderas para los buques corsarios que atacaban los barcos británicos.

6   Pero, a pesar de todas las banderas que hacían y de todas las batallas que los estadounidenses peleaban, no lograban derrotar a los británicos.

★

252

READ FOR UNDERSTANDING

When and where is this selection set? *(in 1812 in Baltimore, during a war between the United States and Britain)*

How did navy ships communicate with each other during battle in 1812? *(with flags)*

How did the time period affect how ships communicated with each other? *(In 1812 there were no radios, phones, or computers, so ships had to use other methods of communication.)*

 CONOCIMIENTOS Y DESTREZAS ESENCIALES DE TEXAS   3.6E make connections; **3.6F** make inferences/use evidence; **3.8D** explain influence of setting on plot; **3.10C** explain use of print/graphic features

READ FOR UNDERSTANDING

What details in the illustration help readers understand that this selection is set long ago?

(old-fashioned clothing; sewing by hand; quill pen and inkbottle on desk)

LEER PARA COMPRENDER

Volver a contar

DEMOSTRAR CÓMO VOLVER A CONTAR UN CUENTO

💬 **PENSAR EN VOZ ALTA** *Cuando estoy leyendo una selección que es narración de no ficción, puedo volver a contarla con mis propias palabras como ayuda para comprenderla mejor. Para volver a contar lo que he leído hasta el momento en La creadora de banderas, pienso sobre quién trata la selección, dónde está ambientada, cuál es el problema y los acontecimientos que ocurren. La creadora de banderas trata sobre una niña llamada Caroline. Tiene lugar en Baltimore en 1812 durante una guerra. El principal problema parece ser que los estadounidenses no pueden derrotar a los británicos. Un día, les piden a Caroline y a su mamá que hagan una bandera estadounidense gigante para un fuerte.*

TEKS 3.6G, 3.7D

DOK 2

7   Un día de verano, Caroline y su madre recibieron la visita de tres militares en su taller de banderas. Los oficiales pidieron una bandera estadounidense para el fuerte McHenry, la fortaleza que protegía las aguas cercanas a Baltimore.

8   Uno de los oficiales dijo: "La bandera deberá ser muy grande para que los británicos puedan verla desde lejos".

254

READ FOR UNDERSTANDING
Retell
MODEL RETELLING

THINK ALOUD *When I'm reading a selection that's narrative nonfiction, I can retell it in my own words to help me understand it better. To retell what I have read so far in La creadora de banderas, I think about whom the selection is about, where it is set, what the problem is, and the events that happen. La creadora de banderas is about a girl named Caroline. It takes place in Baltimore in 1812 during a war. The main problem seems to be that the Americans cannot defeat the British. One day, Caroline and her mother are asked to make a huge American flag for a fort.*

 CONOCIMIENTOS Y DESTREZAS ESENCIALES DE TEXAS **3.6E** make connections; **3.6F** make inferences/use evidence; **3.6G** evaluate details; **3.7C** use text evidence; **3.7D** retell/paraphrase texts; **3.7E** interact with sources; **3.7G** discuss text ideas; **3.10A** explain author's purpose/message

9   Emocionadas, Caroline y su madre se pusieron a trabajar de inmediato. De una tela de lana, <u>cortaron</u> trozos para las <u>anchas</u> franjas rojas y blancas.

10   <u>Cortaron</u> un gran pedazo de tela azul oscuro.

11   <u>Recortaron</u> estrellas de algodón blanco.

---

anchas   Las cosas que son anchas tienen gran amplitud.

255

Observa y anota

Una y otra vez

- **Comente con los estudiantes** que los autores a menudo usan las mismas palabras y frases una y otra vez en una selección. Al repetir palabras y frases, un autor puede ayudar a atraer la atención del lector sobre detalles importantes de los personajes o los acontecimientos. Cuando los lectores observan palabras y frases que se repiten una y otra vez, deben preguntarse por qué ha hecho esto el autor.

- **Pida a los estudiantes** que anoten las palabras que se repiten en la página 255 y que expliquen qué está tratando de hacer la autora al incluir estas palabras. *(La palabra* cortaron *se usa una y otra vez; quizás la autora esté tratando de demostrar lo mucho que se están esforzando Caroline y su mamá para hacer la bandera).*

SUGERENCIA PARA NOTAS: Pida a los estudiantes que subrayen las palabras que se repiten en los párrafos 9 a 11 y en otros lugares de la selección. Luego pídales que anoten por qué repite la autora esas palabras.

- **Pida a los estudiantes** que reflexionen sobre la pregunta principal, *¿Por qué la autora repite esta frase una y otra vez?*, y que añadan ideas a sus notas.

TEKS 3.6E, 3.6F, 3.7C, 3.7E, 3.7G, 3.10A

DOK 3

NOTICE & NOTE

Again and Again

- **Discuss with students** how authors often purposely use the same words and phrases again and again throughout a selection. By repeating words and phrases, an author can help draw a reader's attention to important details about characters or events. When readers notice words and phrases that come up again and again, they should ask themselves why the author has done this.

- **Have students** note the words that are repeated on page 255 and explain what they think the author is trying to do by including these words. *(The word* cortaron *is used again and again; maybe the author is trying to show how hard Caroline and her mother are working to make a flag.)*

ANNOTATION TIP: Have students underline the repeated words in paragraphs 9–11 and elsewhere in the selection. Then have them note why the author repeats these words.

- **Have students** reflect on the Anchor Question: *Why might the author bring this up again and again?* and add to their notes.

¿Cómo les ayuda la ilustración a comprender lo grande que es la bandera? *(Hay cuatro personas cosiendo solo una parte de un borde de la bandera, por tanto, es mucho más grande que cuatro personas).*

TEKS 3.10C

DOK 2

256

READ FOR UNDERSTANDING

How does the illustration help you understand how big the flag is? *(There are four people sewing just one part of one edge of the flag, so it is much bigger than four people.)*

 CONOCIMIENTOS Y DESTREZAS ESENCIALES DE TEXAS   3.6F make inferences/use evidence; **3.6G** evaluate details; **3.7E** interact with sources; **3.10C** explain use of print/ graphic features

coser a mano
velas
Una de las
ayudantes es una
esclava.

12 Día tras día cosieron puntada tras puntada, franja roja tras franja blanca, estrella tras estrella.

13 La abuela y los primos de Caroline les ayudaron.

14 También les ayudó una mujer que era esclava de su mamá.

15 Y la sirvienta.

16 Noche tras noche, trabajaron a la luz de las velas hasta la madrugada.

17 La tela de lana picaba.

18 La aguja pinchaba.

19 A Caroline le dolían los dedos y sentía los ojos arenosos e irritados.

20 Pero cosieron, pulgada a pulgada, hasta que la bandera se expandió más allá de sus regazos y se extendió en pliegues sobre el piso.

---

arenosos Cuando sientes los ojos arenosos, los sientes como si tuvieran polvo o arena.

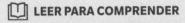

LEER PARA COMPRENDER

¿Qué detalles del texto ayudan al lector a comprender en qué período de tiempo se ambienta esta selección? *(Cosían a mano y tenían que trabajar a la luz de las velas, lo cual significa que probablemente tuviera lugar antes del invento de la electricidad; la mamá de Caroline tiene una esclava, lo que significa que está ambientado antes de que se terminara la esclavitud en los Estados Unidos).*

SUGERENCIA PARA NOTAS: Pida a los estudiantes que escriban notas con los detalles que ayudan a describir el ambiente.

¿Por qué creen que Caroline y las demás trabajaron hasta la madrugada? *(Coser una bandera tan grande como esta lleva mucho tiempo; están ansiosas por terminar el trabajo rápidamente y dispuestas a trabajar durante muchas horas).*

TEKS 3.6F, 3.6G, 3.7E

DOK 2

READ FOR UNDERSTANDING

What details in the text contribute to a reader's understanding of the time period in which this selection is set? *(They sew by hand and have to work by candlelight, which might mean it takes place before the invention of electricity; Caroline's mother has a slave, which means it is set before slavery was ended in the United States.)*

ANNOTATION TIP: Have students write notes of the details that help describe the setting. *(sew by hand; candles; One of the helpers is a slave.)*

Why do you think Caroline and the others work long past bedtime? *(Sewing a flag as large as this one takes a very long time; they are eager to finish the job quickly and willing to work long hours.)*

LEER PARA COMPRENDER

¿Qué problema encuentran Caroline y su mamá al hacer la bandera y cómo lo solucionan? *(La bandera es demasiado grande para el taller de costura, así que la movieron a un edificio más grande).*

SUGERENCIA PARA NOTAS: Pida a los estudiantes que subrayen el texto que dice cuál es el problema y que resalten la solución.

¿Cómo les ayuda la ilustración a comprender el problema y la solución? *(La ilustración muestra lo grande que es la bandera. Ocupa una sala grande en el granero. El granero tiene espacio suficiente para la bandera, así que es una buena solución).*

TEKS 3.6G, 3.7E, 3.8C, 3.8D, 3.10C

DOK 2

21 Ya la bandera no cabía en el taller de costura y la llevaron a un granero.

22 Extendieron la bandera sobre el suelo del granero.

23 Y siguieron cosiendo.

258

READ FOR UNDERSTANDING

What problem with making the flag do Caroline and her mother encounter, and how do they solve it? *(The flag is too big to fit in their sewing room at home, so they move it to a larger building.)*

ANNOTATION TIP: Have students underline the text that tells what the problem is, and highlight the solution.

How does the illustration help you understand the problem and solution? *(The illustration shows just how huge the flag is. It takes up a whole big room in the malt house. The malt house has plenty of room for the flag, so it is a good solution.)*

 CONOCIMIENTOS Y DESTREZAS ESENCIALES DE TEXAS **3.6G** evaluate details; **3.7E** interact with sources; **3.8C** analyze plot elements; **3.8D** explain influence of setting on plot; **3.9D(iii)** recognize organizational patterns in informational text; **3.10B** explain use of text structure; **3.10C** explain use of print/graphic features

24 **Finalmente,** después de seis largas semanas, cosieron la última estrella de la bandera.

25 Cortaron y anudaron los últimos hilos.

26 Desde el vuelo hasta la vaina, era la bandera más grande que Caroline había visto.

259

LECTURA EN DETALLE GUIADA

Estructura del texto

Pida a los estudiantes que vuelvan a leer los párrafos 21 a 26 para analizar la estructura del texto.

¿Cuál es la estructura del texto en esta parte de la selección? ¿Cómo lo saben? *(secuencia; la autora muestra lo que ocurre primero, después y finalmente).*

SUGERENCIA PARA NOTAS: Pida a los estudiantes que resalten las palabras y frases que indican secuencia.

¿Por qué conocer la estructura del texto les ayuda a concentrarse en lo que está ocurriendo? *(Pensar en la secuencia me ayuda a seguir los pasos que se necesitan para coser una bandera tan grande).*

TEKS 3.7E, 3.9D(iii), 3.10B

DOK 2

TARGETED CLOSE READ

Text Structure

Have students reread paragraphs 21–26 to analyze the text structure.

What is the text structure of this part of the selection? How do you know? *(Sequence; the author shows what happens first, next, and finally.)*

ANNOTATION TIP: Have students highlight the words and phrases that signal sequence.

How does knowing the text structure help you focus on what is happening? *(Thinking about the sequence helps you follow the steps in making such an enormous flag.)*

LEER PARA COMPRENDER

¿Cómo se usa la bandera estadounidense en el video "Por qué celebramos el 4 de Julio" para crear un sentimiento de orgullo en el espectador? *(La bandera se mostró ondeando con el viento. Había otras fotografías que mostraban la bandera. Creó un sentimiento de patriotismo y orgullo en el país).*

¿En qué se parece esto a lo que siente Caroline? *(Caroline se siente orgullosa porque ella ayudó a crear la bandera. Pero también parece orgullosa de defender la bandera estadounidense frente a los británicos. El 4 de Julio celebra la victoria de Estados Unidos frente a los británicos).*

TEKS 3.6E, 3.6F, 3.6G, 3.7A, 3.7C, 3.7G   DOK 4

LECTURA EN DETALLE GUIADA

Palabras del área temática

Pida a los estudiantes que vuelvan a leer los párrafos 27 y 28 para determinar el significado de una palabra del área temática.

¿Qué creen que son las *murallas*? *(Las murallas son montículos de tierra o muros levantados alrededor de un fuerte para protegerlo de posibles ataques).*

¿Qué pistas del texto te ayudan a descubrir el significado? *(El texto dice que la bandera está en el fuerte McHenry y está levantada por encima de las murallas. Eso significa que las murallas son parte del fuerte).*

¿Cómo les ayuda también la ilustración a descubrir el significado? *(La ilustración muestra el fuerte a lo lejos con la bandera ondeando en lo alto. El fuerte está rodeado de muros, aunque no se alcanzan a ver bien).*

TEKS 3.3B   DOK 2

27   La bandera se envió al fuerte McHenry y los soldados la levantaron por encima de las murallas.

28   Todos los días, Caroline miraba su bandera ondear sobre el fuerte. Parecía diminuta desde la distancia, pero la hacía sentirse orgullosa.

260

READ FOR UNDERSTANDING

How did the video "Por qué celebramos el 4 de Julio" use the American flag to create a feeling of pride in the viewer? *(The flag was shown waving in the wind. There were other photographs showing the flag. It created a feeling of patriotism and pride in the country.)*

How is that similar to what Caroline feels? *(Caroline feels proud because she helped to make the flag. But she also seems proud to support the American fight against the British. The Fourth of July celebrates America's victory over the British.)*

TARGETED CLOSE READ

Content-Area Words

Have students reread paragraphs 27–28 to determine the meaning of a content-area word.

What do you think *ramparts* are? *(Ramparts are walls around a fort that protect it from attack.)*

What clues in the text help you figure out the meaning? *(The text says that the flag is at Fort McHenry and is flying high above the ramparts. That means that ramparts must be part of the fort.)*

How does the illustration also help you with the meaning? *(It shows the fort in the distance, with the flag flying over it. The fort has walls around it, though they are a little hard to see.)*

 CONOCIMIENTOS Y DESTREZAS ESENCIALES DE TEXAS 3.3B use context to determine meaning; **3.6E** make connections; **3.6F** make inferences/use evidence; **3.6G** evaluate details; **3.7A** describe personal connections to sources; **3.7C** use text evidence; **3.7G** discuss text ideas; **3.9D(i)** recognize central idea in informational text; **3.10A** explain author's purpose/message

260 Módulo 3

📖 LEER PARA COMPRENDER

¿Por qué creen que el año se describe como un año complicado? *(A pesar de pelear batallas, los estadounidenses no lograban derrotar a los británicos).*

TEKS 3.6F, 3.9D(i), 3.10A

DOK 2

29 Al año siguiente, el taller de banderas tuvo mucho más trabajo.

30 Caroline y su madre cosieron más banderas.

31 Los estadounidenses pelearon más batallas.

32 Pero no lograban derrotar a los británicos de una vez para siempre.

33 Y así transcurrió un año muy complicado.

261

READ FOR UNDERSTANDING
Why do you think the year is described as being a difficult one? *(Despite all the battles, the Americans cannot defeat the British.)*

LEER PARA COMPRENDER

¿Cómo les ayuda la ilustración a comprender los acontecimientos que se describen en el texto de la página 263? *(Hay una persona montando a caballo y atravesando la ciudad mientras ondea el brazo; hay personas que llevan rifles en las calles; parece que las personas se están preparando para una batalla).*

TEKS 3.10C

DOK 2

262

READ FOR UNDERSTANDING

How does the illustration help you understand the events that are described in the text on page 263?
(There's a person on horseback riding through town waving an arm; there are people carrying rifles in the streets; it looks like people are getting ready for a battle.)

 CONOCIMIENTOS Y DESTREZAS ESENCIALES DE TEXAS 3.3B use context to determine meaning; **3.6F** make inferences/use evidence; **3.7E** interact with sources; **3.9D(i)** recognize central idea in informational text; **3.10A** explain author's purpose/message; **3.10C** explain use of print/graphic features

tropas—soldados

armas—pistolas

mosquetes—rifles

derrotar—vencer

34   Una mañana de agosto, muy temprano, se escuchó el resonar de un caballo por las calles de Baltimore: "¡Barcos británicos!", gritaba el jinete. "¡En la bahía de Chesapeake!"

35   Caroline sabía que los barcos británicos solo podían significar una cosa: una invasión.

36   Por todo Baltimore repicaron las campanas de las iglesias, llamando a las tropas a las armas.

37   Hombres y jóvenes formaron filas en la plaza cargando al hombro grandes mosquetes.

38   Un tambor repiqueteó. Una corneta resonó. Un comandante gritó: "¡De frente, marchen!".

39   La milicia inició la marcha para derrotar a los británicos.

40   Durante todo el día, Caroline trató de dedicarse a su trabajo.

41   Cosió.

42   Barrió.

43   Observó su bandera y esperó noticias.

44   Barrió y cosió y siguió esperando.

45   Al día siguiente, Caroline escuchó un estruendo lejano, como el de un trueno.

46   Un cañón.

47   Oró por los hombres.

48   Más tarde, las noticias más terribles corrieron de nuevo por las calles. Los estadounidenses habían luchado y perdido. Las tropas británicas se dirigían hacia Washington para derrocar la ciudad.

263

 LEER PARA COMPRENDER

¿Por qué creen que las tropas británicas se dirigen hacia Washington después de la invasión? *(Washington es una ciudad importante; es la capital de los Estados Unidos).*

TEKS 3.6F, 3.9D(i), 3.10A

DOK 2

🔍 **LECTURA EN DETALLE GUIADA**

Palabras del área temática

Pida a los estudiantes que vuelvan a leer los párrafos 34 y 35 para pensar en el significado de la palabra *invasión*.

¿Qué creen que es una *invasión*? ¿Cómo lo saben? *(Una invasión es un ataque de un grupo de soldados que avanzan sobre un área. Los británicos son el enemigo y acaban de llegar al puerto en sus barcos).*

¿Qué otras palabras de esta página están relacionadas con la lucha contra una invasión enemiga? *(Los estudiantes deben identificar y definir las palabras* tropas, armas, mosquetes, derrotar *y* cañón*).*

SUGERENCIA PARA NOTAS: Pida a los estudiantes que hagan una lista con las palabras de la página 263 relacionadas con luchar contra el enemigo y que escriban breves definiciones de las palabras que no conocen.

TEKS 3.3B, 3.7E

DOK 2

READ FOR UNDERSTANDING

Why do you think the British troops head to Washington after they invade? *(Washington is an important city; it is the capital of the United States.)*

TARGETED CLOSE READ

Content-Area Words

Have students reread paragraphs 34–35 to think about the meaning of the word *invasión*.

What do you think an *invasión* is? How can you tell? *(An invasión is an attack by soldiers coming into an area. The British are the enemy, and they have just sailed into the harbor.)*

What other words on this page have to do with fighting against an invading enemy? *(Students might identify and define the words* tropas, armas, mosquetes, derrotar *and* cañón*).*

ANNOTATION TIP: Have students list words on page 263 related to fighting the enemy and write brief definitions for the words they don't know. *(troops—soldiers; weapons—guns; muskets—rifles; defeat—beat)*

LEER PARA COMPRENDER

¿Qué detalles del texto y la ilustración de la página 264 les ayudan a comprender la proximidad entre las ciudades de Baltimore y Washington? *(Deben estar cerca porque los habitantes de Baltimore pueden ver Washington quemándose desde sus tejados).*

¿Cómo habrían de sentirse los habitantes de Baltimore por el suceso ocurrido en Washington? *(asustados, porque Washington está cerca de ellos; si se está quemando, probablemente signifique que los británicos están venciendo. Podrían venir a Baltimore a continuación).*

TEKS 3.6F, 3.6G, 3.10C

DOK 2

49   Aquella noche, hombres, mujeres y niños se subieron a los tejados para observar el cielo de Washington. Brillaba con un espeluznante color anaranjado. ¡Los británicos estaban quemando la capital!

50   Caroline miró en la oscuridad al otro lado del puerto, en dirección al fuerte McHenry. No vio la bandera, pero estaba convencida de que seguía allí.

264

READ FOR UNDERSTANDING

What details in the text and illustration on page 264 help you understand how close the cities of Baltimore and Washington are to one another? *(They must be very close, because people in Baltimore can see Washington burning from their rooftops.)*

How might this event in Washington make the people in Baltimore feel? *(scared, because Washington is near them; if it is burning, it probably means the British are winning. They could be coming to Baltimore next.)*

 CONOCIMIENTOS Y DESTREZAS ESENCIALES DE TEXAS **3.6F** make inferences/use evidence; **3.6G** evaluate details; **3.7D** retell/paraphrase texts; **3.10C** explain use of print/ graphic features

51   Baltimore se preparó para defenderse.

52   Los hombres cavaron zanjas y trincheras alrededor de la ciudad. Los picos y las palas picaban y raspaban. La tierra volaba.

53   Las mujeres y los niños llevaban galletas y té a los voluntarios.

54   En el canal cerca del fuerte McHenry, los hombres hundieron barcos pequeños y barcazas para bloquear el puerto.

55   Las mujeres y los niños hicieron vendas con tiras que rasgaron de las ropas.

56   Los hombres enfilaron los barcos cañoneros en dirección a los barcos británicos.

 LEER PARA COMPRENDER

Volver a contar

¿Qué ocurre cuando tiene lugar la invasión británica? Usen sus propias palabras para volver a contar el texto de las páginas 263 a 265.

Si los estudiantes tienen dificultades para volver a contar el cuento, utilice este modelo:

💬 **PENSAR EN VOZ ALTA** *Para volver a contar esta parte de la selección, pienso en los personajes, los acontecimientos y el problema de estas páginas. Los personajes son Caroline y los demás habitantes de Baltimore. Tienen un gran problema cuando los barcos británicos llegan a la bahía de Chesapeake. Después, ven cómo los británicos queman Washington D. C. Deben estar preocupados por si los británicos invaden Baltimore después, puesto que están empezando a preparar la ciudad para defenderse.*

TEKS 3.6G, 3.7D

DOK 2

265

READ FOR UNDERSTANDING

Retell

What happens when the British invasion occurs? Use your own words to retell pages 263–265.

If students have difficulty retelling, use this model:

THINK ALOUD *To retell this part of the selection, I think about the characters, events, and problem on these pages. The characters are Caroline and the other people in Baltimore. A big problem occurs when British ships sail into Chesapeake Bay. Next, the people watch as the British set fire to Washington D.C. They must be worried that the British will invade Baltimore next, because they start getting the city ready to defend itself.*

57 Una vez más, Baltimore esperó.
58 Un día.
59 Una semana.
60 Dos semanas.
61 La ciudad contenía la respiración.
62 Fueron a la iglesia.
63 Fueron a trabajar.
64 Mientras esperaban el ataque de los británicos.

266

LEER PARA COMPRENDER

¿Qué creen que significa la oración _"La ciudad contenía la respiración"._ en el párrafo 61? *(La gente de la ciudad estaba tan asustada y nerviosa que casi no podía ni respirar).*

¿Puede una ciudad realmente "contener la respiración"? *(no)*

¿Por qué incluyó la autora esta imagen para describir Baltimore en este momento? *(para demostrar lo nerviosa que está la gente de la ciudad porque saben que está a punto de comenzar una gran batalla)*

TEKS 3.6E, 3.6F, 3.7G, 3.10D

DOK 3

READ FOR UNDERSTANDING

What do you think is meant by the sentence _"La ciudad contenía la respiración."_ in paragraph 61? *(The people in the city are so scared and nervous that they can hardly breathe.)*

Can a city really "hold its breath"? *(no)*

Why did the author include this image to describe Baltimore at this time? *(to show just how anxious people in the city are because they know a big battle is about to start)*

 CONOCIMIENTOS Y DESTREZAS ESENCIALES DE TEXAS **3.6E** make connections; **3.6F** make inferences/use evidence; **3.7G** discuss text ideas; **3.10D** describe author's use of imagery/language

65 Una mañana de agosto, muy temprano, un fuerte estruendo sacudió el taller de banderas.

66 Caroline corrió a la ventana.

67 ¡Los barcos británicos bombardeaban el fuerte McHenry!

68 El fuerte McHenry contraatacaba.

69 Durante horas, las bombas estallaron con <u>más fuerza que los truenos</u>.

70 Durante horas, los cohetes chirriaron y centellearon <u>más intensos que los rayos</u>.

71 El taller retembló y se sacudió. Las calles se cubrieron de humo.

72 El olor a pólvora quemada inundó el aire.

73 Los barcos británicos estaban cada vez más cerca.

267

📖 LEER PARA COMPRENDER

¿Cómo creen que se siente Caroline cuando ve a los barcos británicos bombardeando el fuerte McHenry? *(Aterrorizada, porque eso significa que los británicos están muy cerca; preocupada, porque ayudó a construir la bandera para el fuerte McHenry).*

¿Con qué compara la autora el sonido de la bombas estallando y los cohetes chirriando? *(truenos y rayos)*

SUGERENCIA PARA NOTAS: Pida a los estudiantes que subrayen las palabras que la autora usa para comparar las bombas y los cohetes.

¿Por qué creen que hace la autora estas comparaciones? *(Para ayudar a los lectores a establecer una conexión entre algo con lo que quizás no estén familiarizados y algo que probablemente han visto y escuchado antes).*

TEKS 3.6E, 3.6F, 3.7G, 3.10D

DOK 3

READ FOR UNDERSTANDING

How do you think Caroline feels when she sees British ships bombing Fort McHenry? *(Terrified, because that means the British are very close; concerned, because she helped make the flag for Fort McHenry.)*

To what does the author compare the sound of bombs bursting and rockets flashing? *(thunder and lightning)*

ANNOTATION TIP: Have students underline the words that the author compares the bombs and rockets to.

Why do you think the author makes these comparisons? *(To help readers make a connection between something they might not be familiar with to something they have probably seen and heard before.)*

Observa **y** anota

Una y otra vez

- **Recuerde a los estudiantes** que un autor puede repetir palabras, frases o ideas durante una selección para señalar información importante sobre los personajes o los eventos.

- **Pida a los estudiantes** que anoten las menciones de tiempo que se repiten en los párrafos 80 a 83 de la página 268. *("A medianoche", "un minuto", "diez minutos", "una hora")*. Pregunte cómo ayuda esta repetición a comprender a Caroline en esta escena. *(Demuestra la cuidadosa atención que está prestando Caroline a cada minuto que pasa una vez que acaba el bombardeo y lo nerviosa que está).*

- **Pida a los estudiantes** que comparen las menciones de tiempo repetidas en la página 268 con las menciones de días y semanas de la página 266 y lo que muestra la repetición sobre los personajes o los acontecimientos. *(Demuestra el tiempo que espera la gente de Baltimore y lo preocupados que están).*

SUGERENCIA PARA NOTAS: Pida a los estudiantes que resalten las menciones de días y semanas repetidas en la página 266.

- **Pida a los estudiantes** que reflexionen sobre la pregunta principal, *¿Por qué la autora repite esto una y otra vez?*, y que añadan ideas a sus notas.

TEKS 3.6E, 3.6F, 3.7C, 3.7E, 3.7G, 3.10A

DOK 3

74   Llegó la tarde.
75   Una tormenta oscureció el cielo.
76   Llovía.
77   Rayos, truenos, cañones y cohetes se volvieron todo uno.
78   Los barcos, el fuerte y el cielo retumbaban y centelleaban a la par.
79   Cada vez que se iluminaba el cielo, Caroline veía que su bandera seguía allí.
80   A medianoche, los bombardeos cesaron.
81   Por un minuto.
82   Por diez minutos.
83   Pasó una hora y todo estaba tranquilo.

268

NOTICE & NOTE

Again and Again

- **Remind students** that an author might repeat words, phrases, or ideas throughout a selection to signal important information about characters or events.

- **Have students** note the repeated mentions of time in paragraphs 80–83 on page 268. *("A medianoche," "un minuto," "diez minutos," "una hora")* Ask what this repetition adds to their understanding of Caroline in this scene. *(It shows how carefully Caroline is paying attention to every minute that passes once the bombing stops and how anxious she is.)*

- **Have students** compare the repeated mentions of time on page 268 with the mentions of days and weeks on page 266 and what the repetition shows about the characters or events. *(It shows how long the people of Baltimore wait and how worried they are.)*

ANNOTATION TIP: Have students highlight the repeated mentions of days and weeks on page 266.

- **Have students** reflect on the Anchor Question: *Why might the author bring this up again and again?* and add to their notes.

CONOCIMIENTOS Y DESTREZAS ESENCIALES DE TEXAS **3.6E** make connections; **3.6F** make inferences/use evidence; **3.7C** use text evidence; **3.7E** interact with sources; **3.7G** discuss text ideas; **3.9D(i)** recognize central idea in informational text; **3.10A** explain author's purpose/message

268 Módulo 3

Mis notas

84   Caroline ansiaba que llegara la luz de la mañana.

85   Ahora, solo podía esperar.

86   Y ser valiente.

87   Trató de no dormirse.

88   Pero no lo consiguió.

89   Caroline se despertó al amanecer. Ya no llovía. Todo era gris: el cielo, el agua y la tierra. No podía ver el fuerte.

90   Una brisa entró por la ventana. Lentamente, el cielo se despejó.

LEER PARA COMPRENDER

¿Por qué creen que Caroline ansiaba que llegara la luz de la mañana? *(En la oscuridad sin el centelleo de los cohetes iluminando el cielo no era capaz de ver si su bandera todavía estaba izada en el fuerte).*

TEKS 3.6F, 3.9D(i), 3.10A

DOK 2

269

READ FOR UNDERSTANDING

Why do you think Caroline longs for morning light to come? *(In the darkness without the flashing of rockets lighting up the sky, she cannot see if her flag is still flying from the fort.)*

LEER PARA COMPRENDER

Volver a contar

Recuerde a los estudiantes que cuando leen textos de ficción o narraciones de no ficción, pueden comprobar si comprenden lo que leen volviendo a contar las distintas partes con sus propias palabras. Pida a los estudiantes que vuelvan a contar lo que ocurre cuando finalmente los británicos atacan el fuerte McHenry. *(Una mañana de septiembre, los barcos británicos finalmente atacan el fuerte McHenry. Caroline y los habitantes de Baltimore observan, escuchan y esperan. Por la noche, se oye un trueno. Caroline ve que la bandera todavía está izada cuando centellea el rayo. La mañana siguiente, Caroline se despierta y descubre que la bandera todavía sigue allí. Los británicos se fueron, pero la bandera todavía sigue allí).*

TEKS 3.6G, 3.7D

DOK 2

 LEER PARA COMPRENDER

Concluir

Vuelva a comentar el propósito que los estudiantes establecieron antes de leer *La creadora de banderas*. Pida a los estudiantes que expliquen lo que han aprendido de esta selección y que citen evidencias del texto.

TEKS 3.6A, 3.9D(ii)

DOK 2

91   Allí, izada sobre las murallas, Caroline vio una gastada bandera colgando del asta en el húmedo aire de la mañana…

92   Una bandera de tela de lana con franjas anchas y estrellas brillantes.

93   Con agujas que pinchaban.

94   Y dedos que dolían.

95   Una bandera cosida con orgullo, valentía y esperanza.

★   ★   ★

izada   Si una bandera está izada, está atada con cuerdas y colgada en lo alto de un poste o mástil.

270

READ FOR UNDERSTANDING

Retell

Remind students that when reading fiction or narrative nonfiction, they can check their understanding of what they are reading by retelling parts of it in their own words. Ask students to retell what happens when the British finally attack Fort McHenry. *(On a morning in September, British ships attack Fort McHenry. Caroline and the people of Baltimore watch, listen, and wait. By nighttime, a thunderstorm breaks out. Caroline can see her flag still flying when the lightning flashes. The next morning, Caroline wakes up to find the flag is still there. The British are gone, but the flag is still there.)*

READ FOR UNDERSTANDING

Wrap-Up

Revisit the purpose students set before they read *La creadora de banderas*. Have students explain what they learned about the American flag from this selection and to cite evidence from the text.

 CONOCIMIENTOS Y DESTREZAS ESENCIALES DE TEXAS **3.1A** listen actively/ask relevant questions; **3.6A** establish purpose for reading; **3.6F** make inferences/use evidence; **3.6G** evaluate details; **3.7A** describe personal connections to sources; **3.7B** write responses that demonstrate understanding; **3.7C** use text evidence; **3.7D** retell/paraphrase texts; **3.7E** interact with sources; **3.7F** respond using vocabulary; **3.7G** discuss text ideas; **3.9D(i)** recognize central idea in informational text;

Conversación colaborativa

Vuelve a leer lo que escribiste en la página 250. Dile a un compañero dos cosas que aprendiste del texto. Luego trabaja en grupo y comenta las preguntas de abajo. Usa datos y detalles de *La creadora de banderas* para explicar tus respuestas. Toma notas para responder las preguntas y úsalas cuando hables. Relaciona tus ideas con las de los demás integrantes de tu grupo.

1 Repasa las páginas 252 a 257. ¿Qué te ayudan a comprender las ilustraciones sobre el trabajo de crear banderas?

2 Vuelve a leer las páginas 260 a 262. ¿Qué detalles de la preparación para el ataque británico son sorprendentes? ¿Por qué?

3 ¿Qué detalles demuestran lo que siente Caroline por la bandera durante los acontecimientos principales de la selección?

Sugerencia para escuchar

Escucha las ideas y los detalles que comparte cada hablante. Piensa cómo pueden agregarse tus ideas o relacionarse con lo que ellos dicen.

Sugerencia para hablar

Usa palabras de enlace, como *otro detalle* o *también*, para conectar tus ideas con lo que dicen los demás.

271

Conversación académica

Use la rutina de **CONVERSACIÓN COLABORATIVA**. Pida a los estudiantes que tomen notas para responder las preguntas. Luego pídales que trabajen en grupos y que apliquen las Sugerencias para escuchar y hablar mientras comentan sus respuestas.

Respuestas de ejemplo:

1. *La creación de la bandera comienza como un proyecto de dos personas, pero se necesitan cada vez más personas para terminarlo. Para hacer una bandera estadounidense, se agregan bandas rojas y blancas alternas, una de cada vez. Coser la bandera a mano parece que lleva mucho tiempo.* DOK 2

2. *Respuesta de ejemplo: El texto dice que los hombres y jóvenes cargaban grandes mosquetes; no sabía que los jóvenes también formaban parte de las tropas. El texto también dice que las mujeres y los niños ayudaban llevando comida a los voluntarios y haciendo vendas. Me sorprendió descubrir que todos en la ciudad formaban parte de la batalla.* DOK 3

3. *El texto de la página 255 dice que Caroline estaba emocionada por empezar a hacer la bandera. Después de terminarla, la miraba desde el otro lado del puerto todos los días; esto demuestra lo orgullosa que estaba de su trabajo. Durante el bombardeo del fuerte McHenry, Caroline siguió buscando la bandera; esto demuestra que estaba asustada y preocupada.* DOK 3

TEKS 3.1A, 3.6F, 3.6G, 3.7A, 3.7B, 3.7C, 3.7D, 3.7E, 3.7F, 3.7G, 3.9D(i)

Academic Discussion

Use the **COLLABORATIVE DISCUSSION** routine. Have students write notes to answer the questions. Then have groups apply the Listening and Speaking Tips as they discuss their responses.

Sample responses:

1. *Making the flag starts out as a two-person project but more and more people are needed to finish it. To make an American flag, you add alternating red and white stripes one at a time. Sewing the flag by hand looks like it takes a long time.*

2. *Sample response: The text says men and boys picked up long muskets; I didn't know boys were part of the militiamen. The text also says that women and children helped by bringing food to the volunteers and making bandages. I was surprised to learn that everyone in the town were part of the battle.*

3. *The text on page 255 says Caroline was excited to get started making the flag. After the flag was completed, she looked for it across the harbor every day; this shows how proud she was of her work. During the bombing of Fort McHenry, Caroline kept looking for the flag; this shows how scared and worried she was.*

Escribir sobre la lectura

- **Lea en voz alta** el tema para desarrollar con los estudiantes.
- **Inicie un debate** en el que los estudiantes compartan sus ideas sobre qué detalles y acontecimientos incluiría Caroline en su autobiografía. Recuerde a los estudiantes que deben usar evidencias del texto de la selección.
- **Luego lea en voz alta** la sección Planificar. Pida a los estudiantes que usen ideas y detalles del debate en sus notas para hacer una lista con las palabras y frases del cuento que dan pistas para saber cómo se siente Caroline.

TEKS 3.1E, 3.7B, 3.7C, 3.7E, 3.7F, 3.11A

Escribir una autobiografía

TEMA PARA DESARROLLAR

En *La creadora de banderas*, leíste la historia real de Caroline Pickersgill. Ella y otros trabajaron durante semanas para crear la enorme bandera del tamaño de una casa que un día inspiraría al escritor de nuestro himno nacional *The Star-Spangled Banner* ("La bandera tachonada de estrellas").

Imagina que eres Caroline Pickersgill y que te han pedido que escribas tu autobiografía. Vuelve a escribir la historia que se cuenta en *La creadora de banderas* desde el punto de vista de Caroline. Recuerda que una autobiografía la escribe la persona sobre la que trata el relato, por lo que debes usar pronombres como *yo*, *mí* y *nosotros* para contar la historia de Caroline. Usa datos y detalles del texto como ayuda para describir cómo pudo haberse sentido Caroline aquella mañana. No olvides usar algunas de las palabras del Vocabulario crítico en tu escritura.

PLANIFICAR

Haz una lista de las palabras y frases del texto que nos dan pistas sobre los sentimientos de Caroline a lo largo del cuento. Usa estas frases en tu escritura para que te ayuden a hablar como si fueras Caroline.

Las respuestas variarán, pero los estudiantes deben hacer una lista de palabras y frases del cuento que transmitan las emociones de Caroline, especialmente las de la última página del texto. Por ejemplo, los estudiantes pueden escribir "orgullo", "valentía" o "esperanza".

272

Write About Reading

- **Read aloud** the prompt with students.
- **Lead a discussion** in which students share their ideas about what details and events Caroline would include in her autobiography. Remind students to use text evidence from the selection.
- **Then read aloud** the Plan section. Have students use ideas and details from the discussion in their notes to list words and phrases from the story that give clues to Caroline's feelings.

 CONOCIMIENTOS Y DESTREZAS ESENCIALES DE TEXAS **3.1E** develop social communication; **3.7B** write responses that demonstrate understanding; **3.7C** use text evidence; **3.7D** retell/paraphrase texts; **3.7E** interact with sources; **3.7F** respond using vocabulary; **3.11A** plan first draft; **3.11B(i)** develop drafts by organizing with purposeful structure; **3.11B(ii)** develop drafts by developing an engaging idea; **3.11D(vii)** edit drafts using pronouns; **3.12B** compose informational texts

ESCRIBIR

Ahora escribe tu autobiografía sobre Caroline Pickersgill.

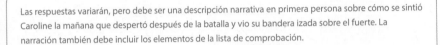

✓	**Asegúrate de que tu autobiografía**
☐	presenta un narrador en primera persona.
☐	describe los acontecimientos en un orden lógico usando palabras que indican el orden de los acontecimientos.
☐	describe cómo se sintió Caroline la mañana después de la batalla.
☐	cuenta cómo terminó el cuento.

Las respuestas variarán, pero debe ser una descripción narrativa en primera persona sobre cómo se sintió Caroline la mañana que despertó después de la batalla y vio su bandera izada sobre el fuerte. La narración también debe incluir los elementos de la lista de comprobación.

Escribir sobre la lectura

- **Repase con los estudiantes** las instrucciones y la lista de comprobación de la sección Escribir.

- **Anime a los estudiantes** a asegurarse de que han escrito sus autobiografías desde el punto de vista de la primera persona y a incluir detalles del texto para demostrar cómo se siente Caroline con respecto a los acontecimientos de su vida.

TEKS 3.7B, 3.7C, 3.7D, 3.7E, 3.7F, 3.11B(i), 3.11B(ii), 3.11D(vii), 3.12B

Write About Reading

- **Review with students** the directions and checklist in the Write section.
- **Encourage students** to make sure they have written their autobiographies in the first-person point of view and to use details from the text to show how Caroline feels about the events in her life.

LEER PARA COMPRENDER

Presentar el texto

- **Lea en voz alta** y comente la información sobre el género. Señale estos ejemplos de características de la narración de no ficción en la selección:

  » pies de foto que dan datos sobre los elementos visuales (página 277)

  » elementos visuales como ilustraciones y diagramas que apoyan el texto (página 279)

  » encabezados y subtítulos que identifican la idea principal de cada sección (página 281)

  » una barra lateral que da información adicional sobre el tema (página 288)

- **Use** Mostrar y motivar: **Conocer a la autora y a la ilustradora 3.11** para aprender más sobre la autora y la ilustradora.

- **Pida a los estudiantes** que busquen las palabras del Vocabulario crítico mientras leen y que piensen en el significado de las palabras.

SUGERENCIA PARA NOTAS: Pida a los estudiantes que usen el recuadro para anotar lo que quieren aprender sobre la estatua de la Libertad.

TEKS 3.6A, 3.9D(ii)

DOK 2

Observa y anota · 3 preguntas importantes

Prepárate para leer

ESTUDIO DEL GÉNERO La **narración de no ficción** ofrece información basada en hechos reales a través de un cuento o historia verdadera.

- La narración de no ficción puede incluir encabezados y subtítulos para indicar las secciones del texto.
- La narración de no ficción puede incluir elementos visuales y características del texto. Los autores también pueden incluir barras laterales para presentar ideas relacionadas con el tema.
- La narración de no ficción incluye palabras que son específicas del tema.

ESTABLECER UN PROPÓSITO **Piensa en** el título y el género de este texto. ¿Qué sabes sobre la estatua de la Libertad? ¿Qué quieres aprender? Escribe tus ideas abajo.

Conoce a la autora y a la ilustradora:
Martha E. H. Rustad y Holli Conger

VOCABULARIO CRÍTICO

- ferri
- monumento
- inspiró
- antorcha
- escultor

274

READ FOR UNDERSTANDING

Introduce the Text

- **Read aloud** and discuss the genre information. Point out these examples of features of narrative nonfiction in the selection:

  » captions that give facts about visuals (page 277)

  » visuals such as illustrations and diagrams that support the text (page 279)

  » headings and subheadings that identify the central idea of each section (page 281)

  » a sidebar that gives additional information about the topic (page 288)

- **Use** Mostrar y motivar: **Conocer a la autora y a la ilustradora 3.11** to learn more about the author and illustrator.

- **Tell students** to look for the Critical Vocabulary as they read, and think about the meaning of the words.

ANNOTATION TIP: Have students use the box to note what they want to learn about the Statue of Liberty.

¿Por qué es verde la **estatua de la Libertad?**

por Martha E.H. Rustad

ilustrado por Holli Conger

📖 **LEER PARA COMPRENDER**

Establecer un propósito

- **Pida a los estudiantes** que miren las primeras páginas de *¿Por qué es verde la estatua de la Libertad?* y pregúnteles quiénes creen que son las personas de las ilustraciones. *(estudiantes, una maestra, una guía de un parque)*

- **Guíe a los estudiantes** para que establezcan un propósito para la lectura. Pregunte si alguien puede contestar la pregunta del título. Luego comente lo que creen que van a aprender los estudiantes sobre la estatua de la Libertad en esta selección.

TEKS 3.6A, 3.9D(ii)

DOK 2

275

READ FOR UNDERSTANDING

Set a Purpose

- **Have students** look at the first few pages of *¿Por qué es verde la estatua de la Libertad?* and ask who they think the people in the illustrations are. *(students, a teacher, a park ranger)*

- **Guide students** to set a purpose for reading. Ask if anyone can answer the question posed in the title. Then discuss what students think they might learn about the Statue of Liberty from this selection.

LEER PARA COMPRENDER

¿Qué datos ofrece la adivinanza de la maestra Bolt acerca de la estatua de la Libertad? *(Es verde; es tan alta como un edificio de veintidós plantas).*

¿Por qué creen que la maestra Bolt presenta la excursión proponiendo una adivinanza a la clase? *(quizás para que la excursión sea más emocionante; para ver lo que los estudiantes ya saben sobre la estatua de la Libertad)*

TEKS 3.6E, 3.6F, 3.6G, 3.7C

DOK 2

Una visita a la estatua de la Libertad

1 Nuestra clase se va de excursión.

2 La maestra Bolt nos pide que adivinemos adónde vamos.

3 —¿Qué es verde y tan alto como un edificio de veintidós plantas? —pregunta la maestra.

4 —¡Un dinosaurio! —grita Elijah.

5 —¡Un rascacielos verde! —dice Elizabeth.

276

READ FOR UNDERSTANDING

What facts does Mrs. Bolt's riddle give about the Statue of Liberty? *(It's green; it's as tall as a 22-story building.)*

Why do you think Mrs. Bolt introduces the upcoming field trip by asking the class a riddle? *(maybe to build excitement for the field trip; to see what students already know about the Statue of Liberty)*

 CONOCIMIENTOS Y DESTREZAS ESENCIALES DE TEXAS **3.3B** use context to determine meaning; **3.3D** identify/use/explain meaning of antonyms/synonyms/idioms/homophones/ homographs; **3.6E** make connections; **3.6F** make inferences/use evidence; **3.6G** evaluate details; **3.7C** use text evidence

6 —Vamos a visitar la estatua de la Libertad
—dice la maestra Bolt.

7 —¿Qué quiere decir libertad? —pregunta
Kiara.

8 —Libertad quiere decir "independencia"
—responde la maestra Bolt.

Mis notas

verde
luce como una
señora
tiene una antorcha
lleva corona

Estatua de la Libertad

La estatua de la Libertad se encuentra en el puerto de Nueva York. Hay réplicas más pequeñas de la estatua en otras ciudades del mundo, desde París, Francia hasta Buenos Aires, Argentina incluyendo a Fargo, en Dakota del Norte.

277

 LEER PARA COMPRENDER

¿Qué información pueden aprender sobre la estatua de la Libertad en la ilustración de la página 277? *(La estatua es verde; luce como una señora; sostiene una antorcha en la mano derecha; lleva algo parecido a una corona).*

SUGERENCIA PARA NOTAS: Pida a los estudiantes que escriban un resumen de los detalles de la estatua de la Libertad.

¿Qué palabra del párrafo 8 es sinónimo de "libertad"? *(independencia)*

¿Cómo les ayuda esto a comprender el significado del nombre de la estatua de la Libertad? *(Dice que la estatua recibe este nombre por la libertad o independencia).*

TEKS 3.3B, 3.3D, 3.10C

DOK 2

READ FOR UNDERSTANDING

What information can you learn about the Statue of Liberty from the illustration on page 277? *(The statue is green; it looks like a lady; it holds a torch in its right hand; it wears something that looks like a crown.)*

ANNOTATION TIP: Have students write brief details about the Statue of Liberty. *(green; looks like lady; holds torch; wears crown)*

What word in paragraph 8 gives a synonym for the word "liberty"? *(independence)*

How does that help you understand the meaning of the Statue of Liberty's name? *(It tells that the statue is named for freedom or independence.)*

Un símbolo representa un objeto, una idea u otra cosa. La estatua de la Libertad representa la libertad.

LECTURA EN DETALLE GUIADA

Propósito de la autora

Pida a los estudiantes que vuelvan a leer la página 278 para analizar las razones por las que la autora muestra las interacciones entre la guía y los visitantes.

¿Cuál es el propósito de la autora al escribir esta selección? *(ofrecer información sobre la estatua de la Libertad)*

¿Por qué creen que la autora incluye las palabras de la guía Alisha? *(La autora quiere informar y las palabras de la guía ofrecen información sobre la estatua).*

SUGERENCIA PARA NOTAS: Pida a los estudiantes que resalten los datos que ofrece la guía Alisha sobre la estatua de la Libertad.

¿Por qué conocer el propósito de la autora les ayuda a comprender el mensaje de este texto? *(La autora quiere informar. Esto significa que hay datos e ideas esenciales en esta selección).*

TEKS 3.7C, 3.10A

DOK 3

9   Tomamos un ferri hacia Liberty Island. Allí nos encontramos con la guía Alisha que nos espera junto al asta de la bandera. Ella les habla a los visitantes sobre la historia del monumento.

10   —La estatua de la Libertad fue un regalo de Francia a los Estados Unidos como un símbolo de la amistad —nos explica—. Los trabajadores franceses tardaron nueve años en construirla.

11   —¿Un regalo? —pregunta Ali—. ¿Cómo se puede envolver un regalo tan grande?

12   La guía Alisha nos dice que los trabajadores tuvieron que separar la estatua en partes y colocar las partes en 214 cajas. Un barco transportó las cajas hasta Nueva York en 1885.

13   Caminamos hasta el frente de la estatua de la Libertad. La estatua descansa sobre una base gigante. La guía Alisha dice que se llama pedestal.

> **ferri**   Un ferri es un barco que lleva personas o vehículos a través de un río o canal.
> **monumento**   Un monumento es una estatua o edificio grande que honra a una persona o suceso importante de la historia.

278

TARGETED CLOSE READ

Author's Purpose

Have students reread page 278 to analyze the author's reasons for showing the interaction between the ranger and visitors.

What is the author's purpose for writing this selection? *(to provide information about the Statue of Liberty)*

Why do you think the author includes the words the ranger Alisha says? *(The author wants to inform, and the ranger's words give information about the statue.)*

ANNOTATION TIP: Have students highlight facts that Ranger Alisha provides about the Statue of Liberty.

How does knowing the author's purpose help you understand the message of this text? *(The author wants to inform. That means there are facts and big ideas in this selection.)*

 CONOCIMIENTOS Y DESTREZAS ESENCIALES DE TEXAS **3.6E** make connections; **3.7C** use text evidence; **3.9D(ii)** recognize features in informational text; **3.10A** explain author's purpose/message; **3.10B** explain use of text structure; **3.10C** explain use of print/graphic features

El pedestal mide 154 pies (47 metros) de altura. La estatua mide 151 pies (46 metros) de altura. Juntos suman 305 pies (93 metros) de altura. ¡Eso es igual que la longitud de tres campos de fútbol americano!

Mis notas

279

READ FOR UNDERSTANDING

How is the way information is presented in this selection similar to the way information is presented in *La Constitución de los EE. UU.?* *(both selections have facts; both present information in captions; both have subheadings)*

14   Aprendemos que la base la construyeron obreros estadounidenses.

15   —Una autora llamada Emma Lazarus escribió un poema sobre la estatua de la Libertad —nos dice la guía Alisha—. El poema inspiró a miles de estadounidenses, que donaron dinero para construir el pedestal.

16   Después, los obreros unieron todas las partes de la estatua sobre la base. La estatua de la Libertad se abrió para los visitantes en 1886.

inspiró   Una idea o acción que inspiró a una persona, la animó a hacer algo.

280

 LEER PARA COMPRENDER

Preguntar y contestar
DEMOSTRAR CÓMO PREGUNTAR Y CONTESTAR

💬 **PENSAR EN VOZ ALTA** *Cuando leo, puedo hacer y contestar preguntas para varias razones: si quiero hacer una predicción, si quiero clarificar algo que no está claro o si quiero pensar con más detalle en la información. Leí que los obreros estadounidenses construyeron la base y esto me confunde un poco. Me hago preguntas como "¿Para qué era la base?" y "El texto dice que los trabajadores franceses construyeron la estatua de la Libertad. ¿Por qué no construyeron ellos también la base?". Si sigo leyendo, veo que la estatua se colocó sobre la base, así que imagino que la base es sobre lo que se apoya la estatua. Quizás era demasiado pesada para que los franceses la hicieran y la enviaran hasta Estados Unidos, así que tuvieron que construirla acá los obreros estadounidenses.*

TEKS 3.6B

DOK 2

READ FOR UNDERSTANDING
Ask and Answer
MODEL ASK AND ANSWER

THINK ALOUD *When I'm reading, I can ask and answer questions for a number of reasons: if I want to make a prediction, if I want to clarify something that's unclear, or if I want to think more deeply about the information. I read that American workers built the base, which confuses me a little. So I ask myself questions such as "What was the base for?" and "The text said French workers built the Statue of Liberty. Why didn't they build the base too?" When I read further, I read that the statue was put on the base, so I guess a base is something a statue stands on. Maybe it was too heavy for the French to make and ship to America, so American workers had to build it here.*

 CONOCIMIENTOS Y DESTREZAS ESENCIALES DE TEXAS **3.6B** generate questions about text; **3.6E** make connections; **3.6G** evaluate details; **3.6I** monitor comprehension/ make adjustments; **3.7A** describe personal connections to sources; **3.7C** use text evidence; **3.7E** interact with sources

Dentro del pedestal

17 Luego entramos al pedestal. Por dentro es como un museo.

18 —¡Oh, no! —dice Elia—. ¿Se cayó la antorcha?

19 La guía Alisha nos explica que la antorcha que estamos viendo es la original. Unos obreros colocaron una nueva.

antorcha Una antorcha es un palo largo con una llama en un extremo que puede utilizarse para alumbrar o para prender un fuego.

281

Observa y anota

3 preguntas importantes

- **Comente con los estudiantes** cómo los lectores pueden hacerse preguntas importantes cuando están leyendo selecciones de no ficción para que les ayuden a analizar el texto.

- **Indique** que, por una parte, los textos pueden contener datos e información que sorprenden a los lectores y, por otra, el autor puede pensar que los lectores ya saben algunas cosas sobre el tema.

- **Pida a los estudiantes** que expliquen por qué las preguntas importantes ¿Qué me sorprendió? y ¿Qué creyó la autora que ya sabía? son útiles al leer las páginas 280 y 281. (*Respuesta de ejemplo: Me sorprendí al saber que la estatua tenía antes una antorcha diferente. La autora cree que ya sé lo que significa donar y lo que es un museo*).

SUGERENCIA PARA NOTAS: Pida a los estudiantes que escriban notas para contestar estas preguntas mientras continúan leyendo.

TEKS 3.6B, 3.6E, 3.6G, 3.6I, 3.7A, 3.7C, 3.7E

DOK 2

NOTICE & NOTE

3 Big Questions

- **Discuss with students** how readers can ask themselves Big Questions when they are reading nonfiction selections to help them analyze the text.

- **Point out** that on the one hand, texts can contain facts and information that surprise readers, or, on the other hand, the author might think that readers will already know certain things about the topic.

- **Have students** explain why the Big Questions *What surprised me?* and *What did the author think I already knew?* are useful when reading pages 280–281. (*Sample response: I was surprised to learn that the statue used to have a different torch. The author thinks I already know what to donate means and what a museum is.*)

ANNOTATION TIP: Have students write notes to answer these questions as they continue reading.

En la noche, la llama puede verse desde el mar a 12 millas (19 kilómetros) de distancia.

La capa verde se llama pátina. Se forma cuando el cobre se mezcla con el agua y se convierte en un mineral llamado malaquita.

282

LEER PARA COMPRENDER

¿Qué información sobre la llama de la estatua de la Libertad ofrece el pie de foto? (*Puede verse desde 12 millas o 19 kilómetros de distancia*).

¿La llama se enciende con fuego o con otra cosa? ¿Cómo lo saben? Citen evidencias del texto para apoyar su respuesta. (*Es probable que no sea fuego real; el texto de la página 283 dice que la llama está cubierta de oro de verdad y que las luces se reflejan en la superficie brillante. Por eso puede verse la llama de la antorcha de noche*).

TEKS 3.6E, 3.6F, 3.7C, 3.9D(ii), 3.10C

DOK 2

READ FOR UNDERSTANDING

What information about the Statue of Liberty's flame does the caption give? (*It can be seen from 12 miles or 19 kilometers away.*)

Is the flame lit by fire or by something else? How do you know? Give evidence from the text to support your answer. (*It's probably not real fire; the text on page 283 says the flame is covered with real gold, and lights reflect off the shiny gold surface. That is how the torch's flame can be seen at night.*)

CONOCIMIENTOS Y DESTREZAS ESENCIALES DE TEXAS 3.6B generate questions about text; **3.6E** make connections; **3.6F** make inferences/use evidence; **3.7C** use text evidence; **3.9D(ii)** recognize features in informational text; **3.10C** explain use of print/graphic features

20 También nos explica que la llama nueva está cubierta de oro de verdad. Las luces se reflejan en la superficie brillante.

21 Miramos una copia de la cara de la estatua.

22 ¡La nariz es más alta que nosotros!

23 —La estatua de la Libertad es de cobre, como la moneda de un centavo —nos dice la guía Alisha.

24 —Pero las monedas de un centavo son marrones —dice María—. Y la estatua es verde.

25 —¡Así es! —dice la guía Alisha—. La estatua era de color marrón cobrizo cuando era nueva. La lluvia, el viento y el sol fueron cambiando su color hasta convertirla en verde.

283

LEER PARA COMPRENDER

Preguntar y contestar

¿De qué color era la estatua de la Libertad cuando se construyó? (marrón cobrizo) ¿De qué color es hoy? (verde) ¿Cómo y por qué cambió de color? (Cuando el cobre se mezcla con el agua, cambia a color verde).

DEMOSTRAR CÓMO PREGUNTAR Y CONTESTAR

Si los estudiantes tienen dificultades para hacer y contestar preguntas sobre el texto, use este modelo:

PENSAR EN VOZ ALTA *Cuando leo que la estatua de la Libertad está hecha de cobre, como un centavo, estoy confuso porque sé que las monedas de un centavo son marrones. ¿Por qué la estatua de la Libertad ya no es marrón? Sigo leyendo y el texto dice que la estatua era marrón cuando se construyó. Luego leo que la lluvia, el viento y el sol cambiaron el color del cobre. Ese es el motivo por el que la estatua de la Libertad es verde ahora.*

TEKS 3.6B

DOK 2

READ FOR UNDERSTANDING

Ask and Answer

What color was the Statue of Liberty when it was first built? (coppery brown) **What color is it today?** (green) **How and why did it change colors?** (When copper mixes with water, it changes to a green color.)

MODEL ASK AND ANSWER

If students have difficulty asking and answering questions about the text, use this model:

THINK ALOUD *When I first read that the Statue of Liberty is made of copper, like a penny, I'm confused because I know that pennies are brown. Why isn't the Statue of Liberty brown anymore? I continue reading, and the text says the statue used to be brown when it was first built. Then I read that rain, wind, and sun changed the color of the copper. So that's why the Statue of Liberty is green now!*

LECTURA EN DETALLE GUIADA

Elementos literarios

Pida a los estudiantes que vuelvan a leer la página 284 para hablar sobre los detalles del ambiente.

¿Cómo cambia el ambiente en este momento de la excursión? *(La clase sale del pedestal y comienza a subir las escaleras que están en el interior de la estatua).*

SUGERENCIA PARA NOTAS: Pida a los estudiantes que subrayen los detalles que describen el ambiente.

¿Qué detalles del texto ayudan a los lectores a imaginar el ambiente? *(Subir 156 escalones cansa las piernas. La estructura de acero se parece a los huesos del cuerpo humano).*

¿En qué se parece y en qué se diferencia este ambiente del primer ambiente del cuento? *(El primer ambiente era el salón de clases de la maestra Bolt en el interior de una escuela. El nuevo ambiente es en el interior de la estatua, pero en Liberty Island. En los dos lugares, los estudiantes están aprendiendo).*

TEKS 3.8B, 3.8C, 3.8D

DOK 2

La gran subida

26 ¡Ha llegado el momento de subir! <u>Subimos 156 escalones hasta la parte superior del pedestal.</u>

27 —¡Tengo las piernas cansadas! —dice Tony.

28 Miramos hacia arriba por el <u>interior de la estatua.</u>

29 —Pueden ver la estructura de acero —señala la guía Alisha—. La estructura son los huesos de la señora Libertad. La mantiene de pie.

30 ¡Ahora vamos afuera!

El **escultor** Frédéric-Auguste Bartholdi diseñó la estatua. Un señor llamado Gustave Eiffel construyó la estructura. Este señor es famoso porque construyó la torre Eiffel de París.

escultor Un escultor es un artista que utiliza piedra, madera o metal para hacer una obra de arte.

284

TARGETED CLOSE READ

Literary Elements

Have students reread page 284 to tell about details of the setting.

What is different about the setting at this point in the field trip? *(The class leaves the pedestal to climb the stairs inside the statue.)*

ANNOTATION TIP: Have students underline details that show the setting.

What details in the text help readers picture the setting? *(Climbing 156 steps tires the legs. The steel frame is like the bones of a body.)*

How is this setting different from and similar to the first setting of the story? *(The first setting was Mrs. Bolt's classroom, which is indoors and at a school. The new setting is inside the statue, but it is on Liberty Island. At both places, the students are learning.)*

 CONOCIMIENTOS Y DESTREZAS ESENCIALES DE TEXAS **3.6G** evaluate details; **3.8B** explain relationships among characters; **3.8C** analyze plot elements; **3.8D** explain influence of setting on plot; **3.9D(i)** recognize central idea in informational text; **3.9D(iii)** recognize organizational patterns in informational text

El nombre completo de la estatua es "La Libertad iluminando el mundo". También la llaman señora Libertad.

31 —Puedo ver la ciudad de Nueva York —grita Michael.

32 La guía Alisha señala hacia Ellis Island. A esa isla llegaban los barcos que traían a los inmigrantes que llegaban a los Estados Unidos. En el camino, estos nuevos estadounidenses pasaban junto a la estatua.

33 —Era una de las primeras cosas que veían. Parecía que les daba la bienvenida a su nuevo hogar —nos dice la guía.

285

Observa **y** anota

3 preguntas importantes

- **Comente con los estudiantes** que los textos informativos a menudo pueden incluir información que cambia lo que el lector pensaba antes sobre un tema. Recuérdeles que hacerse preguntas importantes sobre el texto es una buena ayuda para centrarse en lo que están aprendiendo de él.

- **Pida a los estudiantes** que piensen en el texto de la página 286 y que se hagan la pregunta importante *¿Qué puso en duda, cambió o confirmó lo que ya sabía?* (*Respuesta de ejemplo: que millones de personas visitan la estatua de la Libertad cada año; que los visitantes no pueden subir a la corona sin un boleto especial; que hay 377 escalones hasta la corona*)

SUGERENCIA PARA NOTAS: Pida a los estudiantes que anoten una respuesta a cada una de las 3 preguntas importantes al final del texto cuando hayan terminado de leer.

TEKS 3.6B, 3.6E, 3.6G, 3.6I, 3.7A, 3.7C, 3.7E

DOK 2

 LEER PARA COMPRENDER

¿Qué tienen en común la estatua de la Libertad y las celebraciones del 4 de Julio? (*Las dos conmemoran el cumpleaños de los Estados Unidos: el 4 de julio de 1776*).

TEKS 3.6E, 3.7G

DOK 4

Alrededor de 3.5 millones de personas visitan la estatua de la Libertad anualmente.

34 —¿Podemos subir hasta la corona? —pregunta Markus.

35 —Esta vez no —dice la maestra Bolt—. Para visitar la corona se necesitan unos boletos especiales.

36 —Mi prima subió hasta la corona —dice Andrea—. Dijo que estaba tan alta como las nubes.

37 La guía Alisha dice que hay que subir 377 escalones en espiral. ¡Y después bajar!

38 Bajamos las escaleras. Nuestra excursión ya casi llega a su fin.

286

NOTICE & NOTE

3 Big Questions

- **Discuss with students** how informational text can often include information that changes what a reader previously thought about a topic. Remind them that asking themselves Big Questions about the text is a good way to help them focus on what they are learning from it.

- **Have students** think about the text on page 286 and ask themselves the Big Question *What challenged, changed, or confirmed what I already knew?* (*Sample response: that millions of people visit the Statue of Liberty each year; that visitors can't go up to the crown without a special ticket; that there are 377 steps up to the crown*)

ANNOTATION TIP: Have students write down an answer to each of the 3 Big Questions at the end of the text when they are finished reading.

READ FOR UNDERSTANDING

What do the Statue of Liberty and Fourth of July celebrations have in common? (*Both honor America's Birthday—July 4, 1776.*)

 CONOCIMIENTOS Y DESTREZAS ESENCIALES DE TEXAS **3.6B** generate questions about text; **3.6E** make connections; **3.6F** make inferences/use evidence; **3.6G** evaluate details; **3.6I** monitor comprehension/make adjustments; **3.7A** describe personal connections to sources; **3.7C** use text evidence; **3.7E** interact with sources; **3.7G** discuss text ideas

39 —¿Qué le decimos a la guía Alisha? —pregunta la maestra Bolt.

40 —¡Gracias, guía Alisha! —gritamos todos.

41 Y mientras nos alejamos en el barco, la maestra dice:

—La estatua de la Libertad es un símbolo de libertad. ¿Qué es la libertad para ustedes?

42 —Ir al parque sin mi hermano —dice Sarah.

43 —Comer todos los helados que quiera —dice Tim.

44 De vuelta a casa, paramos a comprar helado. Agarramos los conos como si fueran la antorcha de la señora Libertad.

La estatua de la Libertad tiene un letrero que dice: July IV MDCCLXXVI. Esto es lo mismo que 4 de julio de 1776, la fecha de la independencia de los Estados Unidos.

📖 LEER PARA COMPRENDER

¿Qué pregunta hace la maestra Bolt a los estudiantes al final de la excursión? *("¿Qué es la libertad para ustedes?")*

¿Por qué creen que hace esta pregunta en particular?
(Quiere que los estudiantes piensen en lo que han aprendido en la excursión y lo que significa para ellos).

TEKS 3.6E, 3.6F

DOK 3

📖 LEER PARA COMPRENDER

Preguntar y contestar

Recuerde a los estudiantes que parar y hacerse preguntas cuando están leyendo una selección es una buena ayuda para comprender las cosas que no están claras. Después de hacerse preguntas, pueden seguir leyendo para ver si encuentran las respuestas. Pida a los estudiantes que hagan preguntas sobre el letrero que sujeta la estatua de la Libertad con su mano izquierda. *(Respuestas de ejemplo: ¿Qué dice el letrero?, ¿Por qué hay una fecha específica en el letrero?)*

TEKS 3.6B

DOK 2

287

READ FOR UNDERSTANDING

What question does Mrs. Bolt ask students at the end of their field trip? *("¿Qué es la libertad para ustedes?")*

Why do you think she asks this particular question?
(She wants students to think about what they have learned on their field trip and what it means to them.)

READ FOR UNDERSTANDING

Ask and Answer

Remind students that stopping and asking themselves questions when reading a selection is a good way to help them understand anything that isn't clear. After they ask questions, they can read on to see if they find the answers. Have students ask questions about the tablet the Statue of Liberty holds in its left hand. *(Sample responses: What does it say on the tablet?, Why is that particular date on the tablet?)*

 LEER PARA COMPRENDER

¿Qué tipo de característica del texto hay en esta página? (una barra lateral)

¿Por qué razón cambia el propósito del autor al incluir esta información? (para que los lectores vean cómo se formó la pátina en la estatua de la Libertad con un experimento práctico seguro)

¿Qué pregunta ayuda a contestar esta barra lateral? (¿Por qué es verde la estatua de la Libertad?)

¿Por qué es importante esta pregunta en esta selección? (Es el título).

TEKS 3.9D(ii), 3.10A, 3.10C

DOK 3

 LEER PARA COMPRENDER

Concluir

Vuelva a comentar el propósito que los estudiantes establecieron antes de leer *¿Por qué es verde la estatua de la Libertad?*. Pida a los estudiantes que expliquen qué aprendieron sobre la estatua de la Libertad en esta selección y que citen evidencias del texto.

TEKS 3.6A, 3.9D(ii)

DOK 2

Cómo hacer que las monedas se vuelvan verdes

45 La estatua de la Libertad está hecha de cobre. Cuando era nueva, tenía el mismo color que las monedas de un centavo. El clima hizo que sobre ella se formara una capa verde. Puedes cambiar el color de las monedas de un centavo para que sean iguales al color de la estatua de la Libertad.

46 **Necesitas:**
recipiente de vidrio o plástico
1/2 taza de vinagre
2 cucharaditas de sal
una cuchara de plástico o madera
varias monedas de un centavo
servilletas de papel

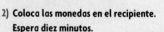

47 **1)** Mezcla el vinagre y la sal en un recipiente con la cuchara.

2) Coloca las monedas en el recipiente. Espera diez minutos.

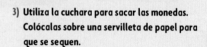

3) Utiliza la cuchara para sacar las monedas. Colócalas sobre una servilleta de papel para que se sequen.

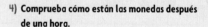

4) Comprueba cómo están las monedas después de una hora.

48 La capa verde que se forma en las monedas se llama pátina.

288

READ FOR UNDERSTANDING

What kind of text features is this page? (a sidebar)

What is different about the author's purpose for including this information? (to give readers a way to see how the Statue of Liberty got her patina with a safe how-to experiment)

What question does this sidebar help answer? (Why is the Statue of Liberty green?)

Why is that question important for this selection? (It is the title.)

READ FOR UNDERSTANDING

Wrap-Up
Revisit the purpose students set before they read *¿Por qué es verde la estatua de la Libertad?* Have students explain what they learned about the Statue of Liberty from this selection and to cite evidence from the text.

 CONOCIMIENTOS Y DESTREZAS ESENCIALES DE TEXAS **3.1A** listen actively/ask relevant questions; **3.6A** establish purpose for reading; **3.6E** make connections; **3.6F** make inferences/use evidence; **3.6G** evaluate details; **3.7A** describe personal connections to sources; **3.7B** write responses that demonstrate understanding; **3.7C** use text evidence;

Conversación colaborativa

Vuelve a leer lo que escribiste en la página 274. Dile a un compañero dos cosas que aprendiste del texto. Luego trabaja en grupo y comenta las preguntas de abajo. Usa datos y detalles de *¿Por qué es verde la estatua de la Libertad?* Toma notas para responder las preguntas y úsalas cuando hables. Durante la conversación, prepárate para hacerles preguntas a los integrantes de tu grupo que te ayuden a comprender sus ideas.

1 Repasa las páginas 278 y 279. ¿En qué se parece la estatua de la Libertad a un regalo que pudieras recibir? ¿En qué se diferencia?

2 Vuelve a leer las páginas 282 y 283. ¿Qué detalles ayudan a explicar por qué se puede ver desde lejos la estatua de la Libertad?

3 ¿Qué detalles del texto explican por qué la estatua de la Libertad es un símbolo importante para nuestro país?

Sugerencia para escuchar

Mira a la persona que está hablando y escúchala atentamente. Decide si estás de acuerdo, en desacuerdo o si necesitas saber algo más para comprender sus ideas.

Sugerencia para hablar

Si deseas obtener más información, haz preguntas como *¿Puedes ayudarme a entender por qué has dicho…?*

289

Conversación académica

Use la rutina de **CONVERSACIÓN COLABORATIVA**. Pida a los estudiantes que tomen notas para responder las preguntas. Luego pídales que trabajen en grupos y que apliquen las Sugerencias para escuchar y hablar mientras comentan sus respuestas.

Respuestas de ejemplo:

1. *La estatua de la Libertad fue un regalo de Francia a los Estados Unidos. Por tanto, es como un regalo que una persona da a otra. Se envió a Estados Unidos en cajas; a veces los regalos se envían a lugares lejanos. La estatua de la Libertad es tan alta como un edificio de veintidós plantas; generalmente la gente no hace regalos tan grandes. Además se regaló a una nación entera, no a una sola persona.* DOK 3

2. *El texto dice que la llama puede verse desde 12 millas o 19 kilómetros de distancia. También dice que la estatua y su pedestal tienen la longitud de tres campos de fútbol. Algo así de alto puede verse desde muy lejos.* DOK 2

3. *La estatua de la Libertad era una de las primeras cosas que veían los nuevos estadounidenses cuando llegaban a Ellis Island. Millones de personas visitan la estatua cada año. El letrero de la estatua tiene la fecha de la independencia de los Estados Unidos: 4 de julio de 1776.* DOK 3

TEKS 3.1A, 3.6E, 3.6F, 3.6G, 3.7A, 3.7B, 3.7C, 3.7E, 3.7F, 3.7G, 3.9D(i)

Academic Discussion

Use the **COLLABORATIVE DISCUSSION** routine. Have students write notes to answer the questions. Then have groups apply the Listening and Speaking Tips as they discuss their responses.

Sample responses:

1. *The Statue of Liberty was given to the United States by the country of France. So, it is like a gift a person might give another person. It was shipped to the United States in boxes; sometimes gifts are mailed or shipped somewhere far away. The Statue of Liberty is as tall as a 22-story building; usually people don't give such big gifts! It was also given to a whole country, not just one person.*

2. *The text says the flame can be seen from as far away as 12 miles or 19 kilometers. It also says that the statue and its pedestal are as long as three football fields. Something that tall can usually be seen from very far away.*

3. *The Statue of Liberty was one of the first things new Americans saw when they arrived at Ellis Island. Millions of people visit the statue each year. The tablet the statue holds has the date of American independence on it: July 4, 1776.*

(continued) **3.7E** interact with sources; **3.7F** respond using vocabulary; **3.7G** discuss text ideas; **3.9D(i)** recognize central idea in informational text; **3.9D(ii)** recognize features in informational text; **3.10A** explain author's purpose/message; **3.10C** explain use of print/graphic features

¡Que suene la libertad! **289**

Escribir sobre la lectura

- **Lea en voz alta** el tema para desarrollar con los estudiantes.

- **Inicie un debate** en el que los estudiantes compartan sus ideas sobre lo que experimentaron y aprendieron los estudiantes de la maestra Bolt en su excursión. Pídales que usen evidencias del texto para apoyar sus ideas y para comentar por qué creen que los estudiantes de la maestra Bolt deben hacer o no otra excursión para subir a la corona, basándose en lo que hicieron en el primer viaje.

- **Lea en voz alta** la sección Planificar. Pida a los estudiantes que usen ideas del debate en sus notas para escribir las ideas principales y los detalles de apoyo del texto que pueden usar como razones en sus cartas.

TEKS 3.1E, 3.7B, 3.7C, 3.7F, 3.11A, 3.12C, 3.12D

Citar evidencia del texto

Escribir una carta de opinión

TEMA PARA DESARROLLAR

En *¿Por qué es verde la estatua de la Libertad?*, la clase de la maestra Bolt va de excursión a la estatua de la Libertad. Los estudiantes exploran la estatua con una guía, pero no les permiten subir a la corona porque se necesitan unos boletos especiales.

Imagina que eres uno de los estudiantes de la maestra Bolt. Escribe una carta a tu maestra para explicarle si crees que la clase debería o no hacer otra excursión y subir hasta la corona. Después de plantear tu opinión, asegúrate de explicar por qué es esa tu opinión. Usa datos y detalles del texto para apoyar tu opinión. No olvides usar algunas de las palabras del Vocabulario crítico en tu escritura.

PLANIFICAR

Toma notas sobre la idea principal y los detalles importantes de la visita a la estatua de la Libertad. Subraya los detalles que puedes usar como razones para apoyar tu opinión.

> Las respuestas variarán, pero los estudiantes deben tomar notas sobre los detalles del texto que pueden influir en la decisión del estudiante de visitar la corona de la estatua de la Libertad. Por ejemplo, los estudiantes pueden anotar que hay que "subir 377 escalones en espiral" y después bajar.

290

Write About Reading

- **Read aloud** the prompt with students.

- **Lead a discussion** in which students share their ideas about what Mrs. Bolt's students experienced and learned on their field trip. Tell students to use evidence from the text to support their ideas and to discuss why the students would want to go on another trip to go up in the crown, based on what they did in their first trip.

- **Then read aloud** the Plan section. Have students use ideas from the discussion in their notes to write the central ideas and supporting details from the text that they can turn into reasons in their letters.

 CONOCIMIENTOS Y DESTREZAS ESENCIALES DE TEXAS **3.1E** develop social communication; **3.7B** write responses that demonstrate understanding; **3.7C** use text evidence; **3.7F** respond using vocabulary; **3.11A** plan first draft; **3.11B(i)** develop drafts by organizing with purposeful structure; **3.11B(ii)** develop drafts by developing an engaging idea; **3.12C** compose argumentative texts; **3.12D** compose correspondence

Ahora escribe tu carta de opinión a tu maestra explicando por qué crees que la clase debería o no hacer otra excursión a la estatua de la Libertad.

Asegúrate de que tu carta
☐ plantea tu opinión.
☐ indica las razones que apoyan tu opinión.
☐ usa palabras de enlace como *porque*, *por tanto* y *puesto que* para conectar opiniones y razones.
☐ tiene una sección de cierre.

Las respuestas variarán, pero debe ser una carta amistosa que plantee una opinión clara sobre si la clase debería visitar la corona de la estatua de la Libertad. La carta también debe incluir todos los elementos de la lista de comprobación.

Escribir sobre la lectura

- **Repase con los estudiantes** las instrucciones y la lista de comprobación de la sección Escribir.

- **Anime a los estudiantes** a asegurarse de que han expresado su opinión con claridad al principio de la carta y que han usado palabras de enlace para conectar las razones de su opinión.

TEKS 3.7B, 3.7C, 3.7F, 3.11B(i), 3.11B(ii), 3.12C, 3.12D

Write About Reading
- **Review with students** the directions and checklist in the Write section.
- **Encourage students** to make sure their opinion is clearly stated at the beginning of their letter and that they used linking words to connect their reasons to their opinion.

Volver a pensar en la pregunta esencial

- **Lea en voz alta** la pregunta esencial.

- **Recuerde a los estudiantes** que en este módulo, los cuentos y videos sobre ideales y valores importantes para los Estados Unidos pueden ayudarles a responder la pregunta.

TEKS 3.1A, 3.6E, 3.7A

Escribir un artículo informativo

- **Guíe a los estudiantes** para que piensen en lo que aprendieron sobre los lugares, documentos y símbolos que son importantes para los Estados Unidos antes de elegir uno para escribir sobre él.

- **Repase las características** de un artículo informativo usando la lista de comprobación. Pida a los estudiantes que usen la lista de comprobación mientras hacen el borrador, revisan y editan sus artículos.

TEKS 3.7C, 3.12B

DOK 2

 Pregunta esencial

¿Cómo los lugares, documentos y símbolos históricos representan a nuestra nación?

Escribir un artículo informativo

TEMA PARA DESARROLLAR Piensa en lo que aprendiste sobre nuestra nación en este módulo.

Imagina que formas parte de un equipo que va a hacer una exposición para dar información acerca de los Estados Unidos. Escribe un artículo sobre un lugar, documento o símbolo para la exposición. Usa evidencias de los textos y el video para explicar por qué la exposición representa a nuestra nación.

Voy a escribir sobre _____.

✓ Asegúrate de que tu artículo informativo
☐ presenta el tema.
☐ incluye datos, definiciones y detalles de los textos y el video.
☐ agrupa las ideas relacionadas.
☐ usa palabras de enlace, como *otro* y *pero*.
☐ tiene una conclusión o enunciado de cierre claro.

292

Revisit the Essential Question
- **Read aloud** the Essential Question.
- **Remind students** that in this module the texts and videos about ideals and values important to the United States can help them answer the question.

Write an Informative Article
- **Guide students** to think about what they learned about places, documents, and symbols that are important to the United States before they choose one to write about.
- **Review the features** of an informative article using the checklist. Tell students to use the checklist as they draft, revise, and edit their articles.

 CONOCIMIENTOS Y DESTREZAS ESENCIALES DE TEXAS **3.1A** listen actively/ask relevant questions ; **3.6E** make connections; **3.7A** describe personal connections to sources; **3.7C** use text evidence; **3.11A** plan first draft; **3.12B** compose informational texts

Después de elegir el tema, decide qué información sobre el mismo quieres incluir. Repasa tus notas, los textos y el video para obtener ideas.

Usa la tabla de abajo para planificar tu artículo. Escribe una oración con la idea principal que plantee el punto clave que quieres explicar. Luego usa evidencias de los textos y el video para dar más información sobre la idea principal. Usa las palabras del Vocabulario crítico siempre que sea posible.

Mi tema: _____

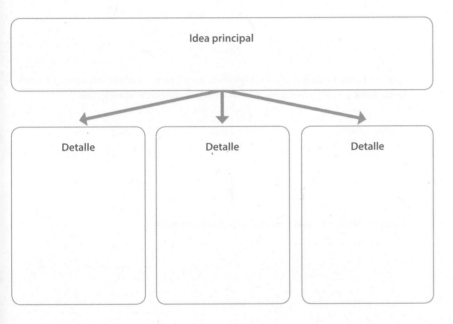

293

Planificar

- **Según sea necesario, guíe a los estudiantes** para que piensen en la idea principal de su artículo.

- **Anímelos** a usar datos, definiciones y evidencias de los textos y el video de este módulo como detalles de apoyo.

- **Anime a los estudiantes** a incluir las Palabras de la idea esencial y el Vocabulario crítico en sus artículos, según corresponda.

TEKS 3.7C, 3.11A, 3.12B

DOK 2

Plan

- **As needed, guide students** to think of the central idea for their article.

- **Encourage them** to use facts, definitions, and evidence from the texts and video in this module as supporting details.

- **Encourage students** to include Big Idea Words and Critical Vocabulary in their articles, as appropriate.

Hacer un borrador

- **Lea en voz alta** las instrucciones, haciendo referencia a la lista de comprobación mientras lo hace.

- **Sugiera** a los estudiantes que, si tienen problemas para elaborar una introducción, escriban varias oraciones que planteen la idea más importante sobre el tema que quieran compartir con los lectores y que luego las combinen en una oración temática bien definida.

- **Pida a los estudiantes** que usen sus redes como referencia para elaborar su idea principal y las oraciones de apoyo.

TEKS 3.7C, 3.11B(i), 3.11B(ii), 3.12B,
3.13C, 3.13E

DOK 3

HACER UN BORRADOR .... Escribe tu artículo.

Usa la información que escribiste en el organizador gráfico de la página 293 para hacer un borrador de tu artículo informativo.

Presenta el tema con un enunciado claro sobre tu idea principal. Atrae la atención de los lectores de forma que quieran saber más.

Escribe un **párrafo central** para cada detalle de apoyo. Incluye datos, definiciones y ejemplos de los textos y el video para explicar cómo los detalles apoyan la idea principal.

Termina resumiendo la idea principal y los detalles de apoyo.

294

Draft

- **Read aloud** the directions, referring back to the checklist as you do so.

- **Suggest** that students write a few sentences that state the most important idea about their topic that they want to share with readers and then to combine these into one solid topic sentence, if they are having trouble generating an introduction.

- **Have students** refer to their webs to construct their central idea and supporting sentences.

CONOCIMIENTOS Y DESTREZAS ESENCIALES DE TEXAS 3.7C use text evidence; **3.11B(i)** develop drafts by organizing with purposeful structure; **3.11B(ii)** develop drafts by developing an engaging idea; **3.11C** revise drafts; **3.11D(viii)** edit drafts using coordinating conjunctions; **3.11D(ix)** edit drafts using capitalization; **3.11E** publish written work; **3.12B** compose informational texts; **3.13C** identify/gather relevant information; **3.13E** demonstrate understanding of information; **3.13H** use appropriate delivery to present results

Los pasos de revisión y edición te dan la oportunidad de observar detenidamente tu escritura y hacer cambios. Trabaja con un compañero y determina si has explicado tus ideas con claridad a los lectores. Usa estas preguntas como ayuda para evaluar y mejorar tu artículo informativo.

PROPÓSITO/ ENFOQUE	ORGANIZACIÓN	EVIDENCIA	LENGUAJE/ VOCABULARIO	CONVENCIONES
☐ ¿Sabrán los lectores cuál es mi tema desde el principio?	☐ ¿Comienzo con una idea principal clara?	☐ ¿Apoyé mis ideas con evidencias de los textos?	☐ ¿Usé palabras de enlace para conectar las ideas?	☐ ¿Usé letra mayúscula al principio de las oraciones?
☐ ¿Me he mantenido en el tema?	☐ ¿He incluido una conclusión fuerte?	☐ ¿Necesito agregar más evidencias?	☐ ¿Usé palabras relacionadas con el tema?	☐ ¿Usé sangría al principio de cada párrafo?
				☐ ¿Usé los tiempos verbales correctamente?

PRESENTAR ·· Comparte tu trabajo.

Crear la versión final Elabora la versión final de tu artículo. Puedes incluir fotografías o ilustraciones que muestren tu tema. Considera estas opciones para compartir tu trabajo.

1 Junta tu artículo con los de tus compañeros para crear una exposición sobre los Estados Unidos para la biblioteca de la escuela.

2 Lee tu artículo ante la clase. Invita a tus compañeros a comentar y hacer preguntas.

3 Publica tu artículo en el sitio web de la escuela o la clase. Pide a los lectores que comparen sus preguntas y comentarios.

295

Revisar y editar

- **Guíe a los estudiantes** para que usen la lista de comprobación mientras trabajan con sus compañeros para mejorar sus artículos.

- **Recuerde a los estudiantes** que deben repasar los textos y el video del módulo para asegurarse de que sus ideas principales se apoyan en datos, definiciones y detalles.

TEKS 3.7C, 3.11C, 3.11D(viii), 3.11D(ix), 3.12B

DOK 3

Presentar

- **Los estudiantes pueden copiar** sus borradores revisados con su mejor caligrafía. Consulte las páginas R2 a R7 que se encuentran al final de la Guía del maestro para ver modelos de caligrafía.

- **Los estudiantes pueden usar** una computadora para ingresar sus borradores revisados. Consulte las Páginas imprimibles: Mecanografía 3.1, 3.2 y 3.3 de los Centros de lectoescritura para ver las lecciones sobre el uso del teclado.

TEKS 3.11E, 3.12B, 3.13E, 3.13H

DOK 3

Revise and Edit

- **Guide students** to use the checklist as they work with partners to improve their articles.

- **Remind students** to check the texts and video in the module to be sure their central ideas are well supported with facts, definitions, and details.

Present

- **Students can copy** their revised drafts using their best handwriting. See pages R2–R7 in the back of the **Guía del maestro** for handwriting models.

- **Students can use** a computer to input their revised drafts. See Literacy Centers **Páginas imprimibles: Mecanografía 3.1, 3.2, and 3.3** for keyboarding lessons.

Presentar el tema

- **Lea en voz alta** el título del módulo: *Cuentos en escena*.

- **Diga a los estudiantes** que en este módulo van a leer dramas, que también se llaman obras de teatro, y a ver videos sobre el teatro, el lugar donde se interpretan estas obras.

- **Pida a los estudiantes** que expliquen qué es una obra de teatro y cómo interpretan los actores las palabras escritas en una página. Comente en qué se diferencia interpretar una obra de teatro de leer un cuento en voz alta.

- **Pida a los estudiantes** que comenten qué es el escenario y qué ocurre cuando los actores interpretan una obra de teatro en el escenario. *(Respuestas posibles: El escenario es el lugar donde los actores actúan. En una obra de teatro, los actores interpretan un cuento en el escenario).*

TEKS 3.1A, 3.1E, 3.6E

Comentar la cita

- **Lea en voz alta** la cita de Federico García Lorca.

- **Inicie un debate** en el que los estudiantes comenten qué quiere decir que el teatro es la poesía que se levanta del libro y se hace humana. Explique el significado de la cita, según sea necesario: *Los actores le dan vida a los cuentos e historias escritos en un libro cuando los representan en escena. Con la interpretación, los actores convierten estos cuentos e historias en una poesía hermosa.*

- **Pida a los estudiantes** que nombren ejemplos de obras de teatro que hayan visto o en las que hayan participado. *(Acepte las respuestas razonables).*

TEKS 3.1A, 3.1E, 3.6E, 3.7A

Cuentos en escena

"El teatro es la poesía que se levanta del libro y se hace humana".

— Federico García Lorca

296

Introduce the Topic

- **Read aloud** the module title, *Cuentos en escena*.

- **Tell students** that in this module they will be reading dramas that are also called plays and viewing a video about the theater, the place where plays are performed.

- **Have students** explain what a play is and how actors act out written words on a page. Discuss how acting out a play is different from reading a story aloud.

- **Ask students** to discuss what a stage is and what happens when actors perform a drama on stage. *(Possible responses: A stage is a place where actors perform. In a drama, or play, actors act out a story on a stage.)*

Discuss the Quotation

- **Read aloud** the quotation by Federico García Lorca.

- **Lead a discussion** in which students discuss what it means to say that theater is the poetry that rises from the book and becomes human. Explain the meaning of the quote, as needed: *The actors bring the stories written in a book to life when they represent them on stage. Actors turned these stories into beautiful poetry in a performance.*

- **Ask students** to give examples of plays they have seen or performed in. *(Accept reasonable responses.)*

CONOCIMIENTOS Y DESTREZAS ESENCIALES DE TEXAS **3.1A** listen actively/ask relevant questions; **3.1E** develop social communication; **3.6E** make connections; **3.7A** describe personal connections to sources; **3.7F** respond using vocabulary

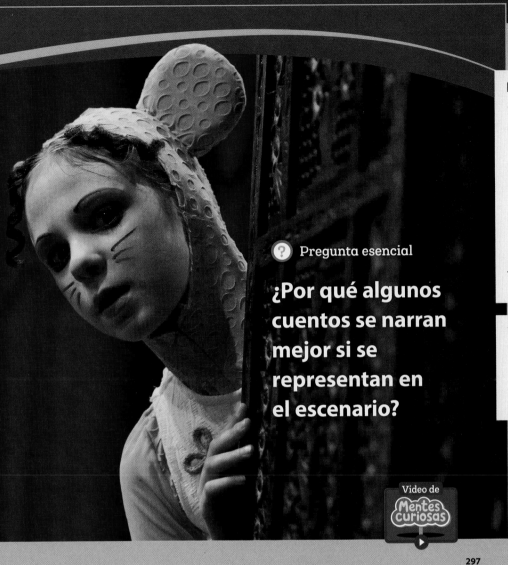

? **Pregunta esencial**

¿Por qué algunos cuentos se narran mejor si se representan en el escenario?

Video de
Mentes curiosas
▶

297

Presentar la pregunta esencial

- **Lea en voz alta** la pregunta esencial.

- **Diga a los estudiantes** que en este módulo leerán obras de teatro y verán un video, lo cual los ayudará a responder la pregunta esencial.

- **Asegúrese** de que los estudiantes comprenden que los cuentos pueden contarse de diferentes formas. Comente en qué se diferencia leer un cuento de escuchar a un narrador contarlo o de ver a los actores representarlo en una obra de teatro.

TEKS 3.1A, 3.1E, 3.6E, 3.7A, 3.7F

Ver y responder a un video

- Use la rutina de **VISUALIZACIÓN ACTIVA** con el Video de Mentes curiosas: *Audiciones.*

TEKS 3.1A, 3.6E, 3.7A

Introduce the Essential Question
- **Read aloud** the Essential Question.
- **Tell** students that throughout this module, they will read dramas and watch a video that will help them answer the Essential Question.
- **Make sure** students understand that stories can be told in different ways. Discuss how reading a story is different from hearing a storyteller tell a story or from watching actors perform a story as a play.

View and Respond to a Video
- Use the **ACTIVE VIEWING** routine with the **Video de Mentes curiosas:** *Audiciones.*

Palabras de la idea esencial

Use la rutina de **VOCABULARIO** y las Tarjetas de vocabulario para presentar las Palabras de la idea esencial *audición, ensayar, habilidad* y *actor*. Puede mostrar la Tarjeta de vocabulario correspondiente a cada palabra mientras la comenta.

1. **Diga** la Palabra de la idea esencial.
2. **Explique** el significado.
3. **Comente** la oración de contexto.

TEKS 3.3B, 3.7F

Red de vocabulario

Guíe a los estudiantes para que piensen cómo se relaciona cada palabra con la interpretación de una obra de teatro, mientras deciden qué añadir a la Red de vocabulario. Recuerde a los estudiantes que regresen a esta página después de cada selección para añadir más palabras.

TEKS 3.3B, 3.3C, 3.7F

Palabras de la idea esencial

Palabras acerca de obras de teatro

Las palabras de la tabla de abajo te ayudarán a hablar y escribir sobre las selecciones de este módulo. ¿Cuáles de las palabras acerca de obras de teatro ya has visto antes? ¿Cuáles son nuevas para ti?

Completa la Red de vocabulario de la página 299. Escribe sinónimos, antónimos y palabras y frases relacionadas para cada palabra.

Después de leer cada selección del módulo, vuelve a la Red de vocabulario y añade más palabras. Si es necesario, dibuja más recuadros.

PALABRA	SIGNIFICADO	ORACIÓN DE CONTEXTO
audición (sustantivo)	Cuando los actores o músicos van a una audición, hacen una actuación para demostrar lo que pueden hacer.	Tengo una audición para el papel principal en nuestra obra de teatro de la escuela.
ensayar (verbo)	Para ensayar una obra de teatro, una canción o un baile, practicas muchas veces para prepararte.	El maestro de teatro ayudó a los estudiantes a ensayar sus papeles antes del estreno de la obra.
habilidad (sustantivo)	Si tienes la habilidad de hacer algo, lo puedes hacer porque sabes cómo hacerlo.	Tengo la habilidad de representar muchos personajes diferentes.
actor (sustantivo)	Un actor es una persona que interpreta un papel en obras de teatro, películas u otras actuaciones.	Mi sueño es ser actor y actuar en obras de teatro, películas y musicales.

298

Big Idea Words

Use the **VOCABULARY** routine and the **Tarjetas de vocabulario** to introduce the Big Idea Words *audición, ensayar, habilidad,* and *actor.* You may wish to display the corresponding **Tarjeta de vocabulario** for each word as you discuss it.

1. **Say** the Big Idea Word.
2. **Explain** the meaning.
3. **Discuss** the context sentence.

Vocabulary Network

Guide students to think about how each word relates to performing a play as they decide what to add to the Vocabulary Network. Remind students to come back to this page after each selection to add more words.

 CONOCIMIENTOS Y DESTREZAS ESENCIALES DE TEXAS **3.3B** use context to determine meaning; **3.3C** identify meaning/use words with affixes; **3.7F** respond using vocabulary

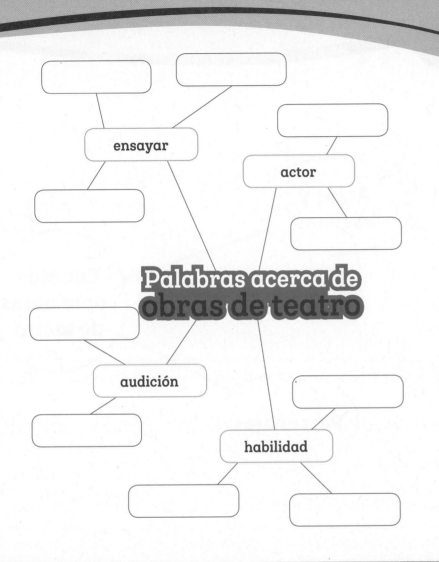

Palabras acerca de obras de teatro

ensayar

actor

audición

habilidad

299

Dual Language Settings

Soporte lingüístico adicional

Enseñar los cognados Recuerde a los estudiantes que pueden buscar y escuchar cognados: palabras que son parecidas en inglés y en español. Reconocer los cognados puede ayudar a los estudiantes a comprender palabras nuevas.

Español	Inglés
audición	audition
habilidad	ability
actor	actor

TEKS 3.3B, 3.7F

Mapa de conocimientos

- **Pida a los estudiantes** que añadan información al mapa de conocimientos después de leer la lectura breve, *¡Eso es entretenimiento!,* y al final de cada semana. Recuérdeles que repasen los textos para añadir detalles al mapa.

- **Al final del módulo, pida a los estudiantes** que trabajen en parejas o grupos pequeños para comparar y contrastar la información que añadieron a sus mapas de conocimientos.

TEKS 3.6B, 3.6E, 3.6H, 3.7A, 3.7G

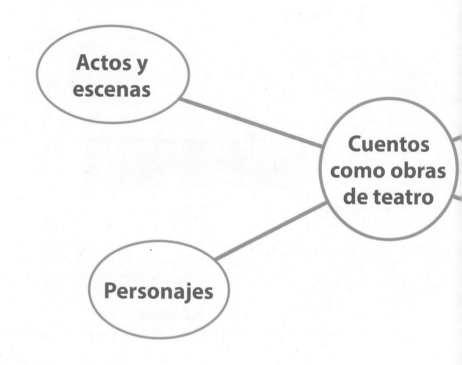

Mapa de conocimientos

Actos y escenas

Cuentos como obras de teatro

Personajes

300

Knowledge Map

- **Have students** add information to the knowledge map after reading the Short Read, *¡Eso es entretenimiento!,* and at the end of each week. Remind students to review the texts to add details to the map.

- **At the end of the module, have students** work in pairs or small groups to compare and contrast the information they added to their knowledge maps.

 CONOCIMIENTOS Y DESTREZAS ESENCIALES DE TEXAS **3.6B** generate questions about text; **3.6E** make connections; **3.6H** synthesize information; **3.7A** describe personal connections to sources; **3.7G** discuss text ideas

300 Módulo 4

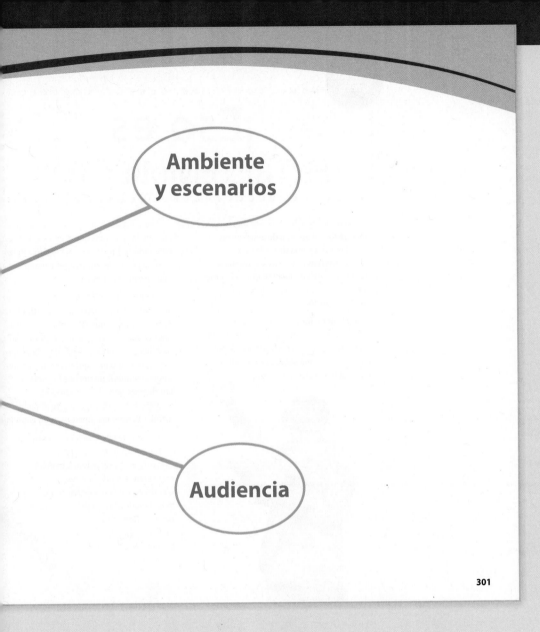

Ambiente y escenarios

Audiencia

301

Presentar el texto

- **Lea en voz alta** el título. Explique a los estudiantes que este texto es una reseña de una producción de la obra de teatro *Peter Pan* que contiene la opinión del autor. Comente cómo se diferencian las opiniones de los datos. *(Los datos pueden probarse. Una opinión es una creencia personal y no se puede probar).*

- **Guíe a los estudiantes** para que establezcan un propósito para la lectura.

- **Señale** las Palabras de la idea esencial que están resaltadas y pida a los estudiantes que lean el texto.

TEKS 3.6A, 3.6E, 3.10C

DOK 2

 LEER PARA COMPRENDER

Ideas principales y secundarias

- **¿Quién es la audiencia del autor?** *(los aficionados al teatro)* **¿Cómo lo saben?** *(El autor dice "Todos los que hayan visto una buena obra de teatro" al comienzo).*

- **¿Cuál es la afirmación principal del autor en el párrafo 1?** *(El teatro es una de las formas de entretenimiento más emocionantes.)* **¿Es un dato o una opinión? ¿Por qué?** *(opinión; porque es la creencia que tiene el autor y no se puede probar)*

SUGERENCIA PARA NOTAS: Pida a los estudiantes que escriban si comparten el punto de vista del autor.

- **¿Sobre qué habla el autor en los párrafos 2 a 4?** *(las tareas necesarias para crear una obra de teatro)* **¿Son datos u opiniones? ¿Cómo lo saben?** *(Son datos. Todos se pueden probar.)*

TEKS 3.6G, 3.9E(i), 3.9E(ii), 3.9E(iii)

DOK 3

Mis notas

Lectura breve

¡Eso es ENTRETENIMIENTO!

1   Todos los que hayan visto una buena obra de teatro estarán de acuerdo en que el teatro es una de las formas de entretenimiento más emocionantes. No hay mayor satisfacción que ver cómo actores capacitados dan vida a una historia en el escenario.

2   En la audición, cada actor debe esforzarse por ganarse el papel de uno de los personajes. Luego, los actores deben ensayar. Les toma semanas aprenderse el papel que les toca interpretar.

Respuesta de ejemplo: No estoy de acuerdo porque creo que los videos en línea son la forma de entretenimiento más emocionante.

302

3   Leen el guión y practican sus diálogos, que son las palabras que dicen en el escenario. También siguen las direcciones de escena, que les dicen cómo actuar y moverse en el escenario.

4   Mientras, los tramoyistas construyen los decorados del escenario para mostrar los diferentes ambientes de la obra de teatro. Los decorados incluyen accesorios como mobiliario o fondos pintados. Cada acto o escena es como un capítulo de un cuento y puede requerir un decorado diferente. Los diseñadores de vestuario son responsables de la ropa que vestirán los actores. El director supervisa todo el trabajo.

5   La obra de teatro *Peter Pan* es una de las mejores puestas en escena. Con un guión excepcional, papeles emocionantes y decorados coloridos, ¡esta obra de teatro lo tiene todo! Fue escrita por J. M. Barrie y se interpretó por primera vez en 1904.

READ FOR UNDERSTANDING

Introduce the Text

- **Read aloud** the title. Tell students that this text is a play review that gives the writer's opinion about a production of the play *Peter Pan*. Discuss with students how opinions are different from facts. *(Facts can be proven, while an opinion is a personal belief and cannot be proven.)*

- **Guide students** set a purpose for reading.

- **Point out** the highlighted Big Idea Words. Have students read the text.

READ FOR UNDERSTANDING

Ideas and Support

- **Who is the author's audience?** *(people who are interested in seeing plays)* **How do you know?** *(The author says "Todos los que hayan visto una buena obra de teatro at the beginning".)*

- **What is the author's main claim in paragraph 1?** *(Theater is one of the most exciting forms of entertainment.)* **Is that a fact or an opinion? Why?** *(opinion; because it is a belief that the author has and it can't be proven)*

ANNOTATION TIP: Have students write a note stating whether they share the author's point of view. *(Sample response: I do not agree, because I think online videos are the most exciting form of entertainment.)*

- **What does the author discuss in paragraphs 2–4?** *(the different tasks involved in creating a production of a play)* **Are these facts or opinions? How can you tell?** *(They are facts. You can look up all these facts about theater jobs.)*

 CONOCIMIENTOS Y DESTREZAS ESENCIALES DE TEXAS **3.6A** establish purpose for reading; **3.6E** make connections; **3.6G** evaluate details; **3.9E(i)** identify claim in argumentative text; **3.9E(ii)** distinguish fact/opinion in argumentative text; **3.9E(iii)** identify audience in argumentative text; **3.10C** explain use of print/graphic features

5 Hoy en día sigue siendo muy popular. Barrie combina fantasía y realidad para contar un cuento irresistible. El protagonista es un niño que nunca crece. ¡Y puede volar! Peter vive aventuras en el país de Nunca Jamás, donde también viven sirenas, hadas y otros personajes fantásticos. Peter

también conoce niños comunes, pero a diferencia de Peter, estos niños sí crecen.

7 La obra de teatro permite que los escenógrafos creen fondos impresionantes. Hay un barco altísimo para el capitán Garfio, el pirata de Nunca Jamás. La casa de Peter parece como un cuento de hadas hecho realidad. Los diseñadores de vestuario de *Peter Pan* crean trajes de pirata que meten miedo. También elaboran vestidos de hadas brillantes. Tanto Peter como Campanilla, un hada que es la mejor amiga de Peter, "vuelan" por el escenario. ¿Cómo lo hacen? Con cables y un arnés. ¡El público queda maravillado!

8 *Peter Pan* también les ofrece papeles fantásticos a los actores. El papel protagonista de Peter Pan requiere un actor que pueda mostrar diferentes emociones. ¡No puede tenerle miedo a las alturas! El capitán Garfio debe ser gracioso y malvado a la vez. Wendy, una niña que se hace amiga de Peter, debe ser agradable y simpática.

9 Además, *Peter Pan* necesita un director talentoso. El director debe encargarse de que los cambios de decorado se ejecuten bien. El director también debe tener la habilidad para asesorar a los actores y hacer que brillen en el escenario.

10 Si juntas todos estos elementos, disfrutarás de una emocionante tarde en el teatro. ¡No existe mejor entretenimiento que el que nos ofrece *Peter Pan!*

303

📖 LEER PARA COMPRENDER

Ideas principales y secundarias

- **¿Cuál es la afirmación principal del autor en el párrafo 5?** *(El autor afirma que* Peter Pan *es una de las mejores puestas en escena).*

- **¿Qué detalles da el autor para apoyar su afirmación?** *(El autor dice que la obra de teatro tiene un guion excepcional, papeles emocionantes y decorados coloridos).*

SUGERENCIA PARA NOTAS: Pida a los estudiantes que resalten los datos sobre la obra de teatro en los párrafos 5 y 6 que el autor incluye para apoyar su afirmación.

TEKS 3.6G, 3.9E(i), 3.9E(ii)

DOK 3

📖 LEER PARA COMPRENDER

Ideas principales y secundarias

- **¿Qué quiere el autor que sepan los lectores sobre** *Peter Pan* **al final de esta reseña?** *(*Peter Pan *es una obra de teatro fantástica para ir a ver).*

SUGERENCIA PARA NOTAS: Pida a los estudiantes que subrayen una palabra en el último párrafo que sea una pista de que el autor está manifestando una opinión.

TEKS 3.6G, 3.9E(i), 3.9E(ii)

DOK 3

READ FOR UNDERSTANDING

Ideas and Support

- **What is the author's main claim in paragraph 5?** *(The author claims that Peter Pan is theater at its best.)*

- **What details does the author give to back up this claim?** *(The author says that the play has a great script, exciting roles, and colorful stage sets.)*

ANNOTATION TIP: Have students highlight the facts about the play in paragraphs 5 and 6 that the author includes to support the claim.

READ FOR UNDERSTANDING

Ideas and Support

- **What does the author want readers to know about** *Peter Pan* **by the end of this review?** *(Peter Pan is a wonderful play to see.)*

ANNOTATION TIP: Have students underline a word in the last paragraph that is a clue that the author is stating an opinion.

LEER PARA COMPRENDER

Presentar el texto

- **Lea en voz alta** y comente la información sobre el género. Señale las siguientes características de la selección para comentar los elementos del género de obras de teatro y cuentos fantásticos:

  » Eche un vistazo a las páginas 306 y 307 y comente las notas de ambientación, la lista de personajes y el formato de diálogo de una obra de teatro. Explique que el diálogo contiene las palabras que dirían los actores de la obra de teatro en su actuación.

  » Eche un vistazo a las ilustraciones para observar el ambiente del lejano Oeste y que el personaje principal, Pecos Bill, es un personaje de un cuento fantástico más grande que una persona de verdad. Explique que esto es una versión para obra de teatro de un cuento fantástico y que, en un cuento fantástico, el autor exagera las habilidades y la personalidad de los personajes.

- **Use** Mostrar y motivar: <u>Desarrollar el contexto 4.2</u> a fin de desarrollar el contexto para comprender el texto.

- **Pida a los estudiantes** que busquen las palabras del Vocabulario crítico mientras leen y que piensen en el significado de las palabras.

SUGERENCIA PARA NOTAS: Pida a los estudiantes que usen el recuadro para anotar lo que saben sobre los cuentos fantásticos y lo que esperan aprender de la lectura de una obra de teatro sobre Pecos Bill.

TEKS 3.6A, 3.9A 3.9B

DOK 2

Observa y anota
Contrastes y contradicciones

Prepárate para leer

ESTUDIO DEL GÉNERO Un **drama** u **obra de teatro** es un cuento o historia que puede ser representada para una audiencia.

- Los autores de las obras de teatro cuentan la historia a través de la trama.
- Las obras de teatro comienzan con la lista de los personajes.
- Los autores de las obras de teatro suelen contar la historia en orden cronológico, que es el orden en el que ocurrieron los acontecimientos.
- Las obras de teatro se componen de líneas de diálogo.

ESTABLECER UN PROPÓSITO **Piensa en** el título y el género de este texto. Esta obra de teatro está basada en un cuento fantástico sobre Pecos Bill. ¿Qué sabes sobre los cuentos fantásticos? ¿Qué te gustaría aprender? Escribe tu respuesta abajo.

Desarrollar el contexto:
Características de los cuentos fantásticos

VOCABULARIO CRÍTICO
auténtico
saga
enrolló
domar
remolinó

READ FOR UNDERSTANDING

Introduce the Text

- **Read aloud** and discuss the genre information. Point out the following features from the selection to discuss both the elements of a play and the tall tale genre:

  » Preview pages 306–307 and discuss staging notes, cast of characters list, and the dialogue format of a play. Explain that the dialogue contains the words that actors in the play will speak when they perform.

  » Preview the illustrations to note the Wild West setting and that the main character, Pecos Bill, is a bigger than life tall tale character. Explain that this is a play version of a tall tale, and that in a tall tale, the author exaggerates the characters' abilities and personality.

- **Use Mostrar y motivar: Desarrollar el contexto 4.2** to build background for accessing the text.

- **Tell students** to look for the Critical Vocabulary as they read, and think about the words' meanings.

ANNOTATION TIP: Have students use the box to note what they know about tall tales and what they hope to learn by reading a play about Pecos Bill.

★ **CONOCIMIENTOS Y DESTREZAS ESENCIALES DE TEXAS** **3.6A** establish purpose for reading; **3.9A** demonstrate knowledge of literature characteristics; **3.9B** explain rhyme scheme/sound devices in poetry

La SAGA de PECOS BILL

escrito por **Anthony D. Fredericks**
ilustrado por **Cory Godbey**

305

📖 **LEER PARA COMPRENDER**

Establecer un propósito

- **Pida a los estudiantes** que miren las primeras páginas de *La saga de Pecos Bill* para observar la lista de personajes y algunas de las imágenes.

- **Guíe a los estudiantes** para que establezcan un propósito para la lectura. Pídales que predigan algunas cosas que podrían ocurrir en un cuento fantástico sobre un personaje del lejano Oeste.

TEKS 3.6A

DOK 2

READ FOR UNDERSTANDING

Set a Purpose

- **Have students** look at the first few pages of *La saga de Pecos Bill* to note the list of characters and some of the images.
- **Guide students** to set a purpose for reading. Ask them to predict some things that might happen in a tall tale about a character from the Wild West.

Observa **y** anota

Contrastes y contradicciones

- **Explique a los estudiantes** que los personajes de una obra de teatro en ocasiones actúan de forma inesperada. Pueden actuar de forma diferente a lo que los lectores esperan. Explique que cuando los lectores ven ejemplos de este comportamiento, deben hacerse preguntas sobre lo que esto dice del personaje.

- **Pida a los estudiantes** que expliquen por qué deben usar esta estrategia para comprender cómo consigue Pecos Bill su oso de peluche cuando era un bebé. *(Como la mayoría de los niños pequeños, Pecos Bill quiere un oso de peluche. A diferencia de todos los demás niños pequeños, Bill caza un oso pardo de verdad y lo toma como oso de peluche).*

SUGERENCIA PARA NOTAS: Pida a los estudiantes que escriban una oración en sus notas que describa qué les dice este comportamiento sobre Pecos Bill.

- **Pida a los estudiantes** que reflexionen sobre la pregunta principal *¿Por qué el personaje actúa de esta forma?* y que añadan ideas a sus notas.

TEKS 3.6G, 3.7C, 3.8B, 3.8C, 3.9A

DOK 3

 Mis notas

Respuesta de ejemplo: Pecos Bill es muy fuerte y aventurero para ser un bebé.

306

AMBIENTACIÓN. Los cuatro narradores deben estar sentados en banquetas o sillas altas. Cada uno debe tener su guion en un atril. Los demás personajes (algunos de ellos solo tendrán unas líneas) pueden estar de pie o caminando por el escenario.

PERSONAJES

Narrador 1	Pecos Bill	Vaquero 1
Narrador 2	Puma	Vaquero 2
Narrador 3	Ma	
Narrador 4	Pa	

NARRADOR 1. Como todos saben, Texas es un estado muy grande. En realidad, es el estado más grande de todos. Como es un estado tan grande, tiene héroes grandes. Y el héroe más grande de todos fue Pecos Bill, el rey de los vaqueros.

NARRADOR 2. Pecos Bill no nació en Texas. No señor. Nació en algún lugar al este del país en una familia grande de 15 o 20 niños. Pecos Bill tenía tantos hermanos que sus padres no se sabían los nombres de todos sus hijos.

NARRADOR 3. Pues según cuenta la historia, Bill, como todos los niños, quería un oso de peluche. Pero sus padres eran tan pobres que no podían comprarle un peluche a Bill. Y por esa razón, Bill decidió salir a buscarlo él mismo. Un día se bajó de la cuna y se fue al bosque. En el bosque, Bill encontró un oso pardo auténtico, lo cargó y se lo llevó a su casa. Para entonces parecía que Bill iba a ser un poco diferente a los demás.

auténtico Si algo es auténtico, es real y exactamente lo que parece ser.

NOTICE & NOTE

Contrasts and Contradictions

- **Explain to students** that characters in drama sometimes act in unexpected ways. They may act in a way that is different from how readers might expect. Explain that when readers see examples of this behavior, they should ask themselves what this tells them about the character.

- **Have students** explain why this strategy might be used to understand how the baby Pecos Bill gets a teddy bear. *(Like most young children, Pecos Bill wants a teddy bear. Unlike any young child, Bill catches a real grizzly bear for his teddy bear.)*

ANNOTATION TIP: Have students write a sentence in their notes that describes what this behavior tells them about Pecos Bill. *(Sample response: Pecos Bill is unusually strong and adventurous for a baby.)*

- **Have students** reflect on the Anchor Question *Why would the character act this way?* and add to their notes.

 CONOCIMIENTOS Y DESTREZAS ESENCIALES DE TEXAS 3.6C make/correct/confirm predictions; **3.6G** evaluate details; **3.7C** use text evidence; **3.8B** explain relationships among characters; **3.8C** analyze plot elements; **3.9A** demonstrate knowledge of literature characteristics; **3.9C** discuss elements of drama

6. **NARRADOR 4.** Nuestra saga comienza un día en que los padres de Bill escuchan rumores sobre tierras nuevas en el lejano Oeste. Decían que había muchísima tierra... como para familias grandes de 15 o 20 hijos.

7. **PA.** Oye, Ma, he escuchado que hay muchísimos terrenos en el Oeste para familias grandes con muchos hijos.

8. **MA.** ¿Quieres decir familias como la nuestra, con tantos niños que no nos sabemos sus nombres?

9. **PA.** ¡Sí!

10. **MA.** ¿Y qué esperamos para ponernos en camino hacia el Oeste y construirnos una casa gigante para todos nuestros hijos?

11. **PA.** ¡Me parece una gran idea!

12. **NARRADOR 1.** Y así fue como Pa y Ma agarraron a todos sus hijos y a todos los animales y los subieron a la diligencia y se pusieron en marcha hacia el lejano Oeste.

13. **NARRADOR 2.** Pero la diligencia dio un salto cuando cruzaba la frontera entre Arkansas y Texas y Bill se cayó del coche y fue a parar a la orilla del camino.

saga Una saga es un relato largo y detallado de sucesos heroicos.

Mis notas

Respuesta de ejemplo: Los padres de Bill escuchan rumores sobre tierras nuevas en el Oeste. Se mudan al oeste en una diligencia, pero Bill se cae.

307

🔍 LECTURA EN DETALLE GUIADA

Elementos de la obra de teatro

Pida a los estudiantes que vuelvan a leer las páginas 306 y 307 para analizar los elementos de la obra de teatro.

¿En qué parte del texto aparecen nombrados todos los personajes de la obra de teatro? *(en la lista de personajes de la página 306)*

En la línea 3, ¿cuáles son las primeras tres palabras diálogo y quién las dice? *(Las primeras tres palabras son "Como todos saben". Las dice el Narrador 1).*

¿Dónde tiene lugar el cuento? ¿Cómo lo saben? *(primero en el Este y después en el Oeste; los narradores dicen cuál es el ambiente)*

SUGERENCIA PARA NOTAS: Mientras los estudiantes leen, pídales que escriban notas sobre cómo los acontecimientos de una parte de la obra de teatro dan lugar a los acontecimientos de la otra parte.

TEKS 3.9C

DOK 2

📖 LEER PARA COMPRENDER

¿Qué hace el actor que interpreta a Pecos Bill mientras el Narrador 2 habla en la línea 13? *(Finge caerse de una diligencia).*

¿Qué podría hacer un bebé como Pecos Bill, capaz de cazar un oso pardo, cuando se cae de la diligencia? *(Respuesta posible: Correr para alcanzar a su familia).*

TEKS 3.6C, 3.7C, 3.9C

DOK 3

TARGETED CLOSE READ

Elements of Drama

Have students reread pages 306–307 to analyze the elements of drama.

What feature lists all the characters in the play? *(the list titled personajes on page 306)*

In line 3, what are the first three words of dialogue and who is speaking them? *(The first three words are "Como todos saben." Narrador 1 speaks them.)*

Where does the story take place? How do you know? *(at first in the East, then in the West; the narrators tell what the setting is)*

ANNOTATION TIP: As students read, have them note how the events in one part of the play lead to the events in another part. *(Sample response: Bill's parents hear about new land in the West. They move to the West in a wagon, but Bill falls out.)*

READ FOR UNDERSTANDING

What does the actor playing Pecos Bill do when Narrador 2 is talking in line 13? *(He or she acts out falling off a wagon.)*

What might a baby like Pecos Bill, who can catch a grizzly bear, do when he falls out of a wagon? *(Possible response: Run to catch up with the family.)*

14 **NARRADOR 3.** Como había tantos niños y animales en la diligencia, nadie notó la ausencia de Bill hasta después de una semana. Ya era tarde para regresar a buscarlo. Los padres de Bill pensaron que, si un bebé podía atrapar a un oso pardo, sin lugar a dudas, podría sobrevivir en las tierras silvestres de Texas.

15 **NARRADOR 4.** Y sucedió que Bill se las arregló de maravilla. Después de caer del coche, gateó hasta una cueva de coyotes y allí se quedó dormido. La mamá coyote le tomó cariño a Bill y comenzó a criarlo como un hijo. Bill aprendió todo sobre la vida de un coyote. Aprendió a aullarle a la luna, a cazar conejos y a pelear con los demás coyotes de la madriguera. En muy poco tiempo, Bill era otro coyote.

16 **NARRADOR 1.** Un día, Bill estaba tomando agua del río Pecos junto con los demás coyotes, cuando un vaquero lo vio.

17 **VAQUERO 1.** ¡Caramba! Tomas agua como si fueras un coyote.

18 **PECOS BILL.** Eso es lo que soy, un coyote. ¿Nunca habías visto un coyote?

19 **VAQUERO 1.** Claro que sí. Pero tú no pareces un coyote. Pareces más un humano que un coyote.

20 **PECOS BILL.** Pues soy un coyote. Tengo pulgas como los coyotes, ¿las ves?

21 **VAQUERO 1.** Eso no quiere decir que eres un coyote. ¿Dónde está tu cola? Todos los coyotes tienen cola.

22 **NARRADOR 2.** Entonces, Bill se miró buscando la cola. En aquel momento, por primera vez en su vida, se dio cuenta de que no tenía cola.

308

 LEER PARA COMPRENDER

Visualizar
DEMOSTRAR CÓMO VISUALIZAR

💬 **PENSAR EN VOZ ALTA** *En la línea 15, el Narrador 4 describe cómo encuentra Bill su nuevo hogar con los coyotes. Puedo imaginar a los actores que interpretan a Bill y a los coyotes. Veo a Bill vestido como un niño pequeño, arrodillado y aullando a la luna. Puedo imaginar el sonido de un aullido: ¡auuuu! También puedo imaginar a Bill corriendo detrás de un conejo. Bill podría correr a cuatro patas como un coyote.*

TEKS 3.6D

DOK 3

 LEER PARA COMPRENDER

¿Los narradores hablan con un lenguaje formal o informal? *(informal)*

¿Cómo describirían la forma de hablar de los narradores? *(Hablan como alguien que cuenta un cuento de un vaquero, usando palabras y frases del lejano Oeste).*

TEKS 3.9C

DOK 2

READ FOR UNDERSTANDING
Visualize
MODEL VISUALIZING

THINK ALOUD *In line 15 Narrador 4 is describing how Bill finds a new home with the coyotes. I can create pictures of the actors playing Bill and the coyotes in my mind. I see Bill dressed like a little boy, kneeling and howling at the moon. I can imagine the sound of the howling—Ah Wooo! I also picture Bill running after a rabbit. Bill might be running on all fours like a coyote.*

READ FOR UNDERSTANDING

Do the narrators speak with formal or informal language? *(informal)*

How would you describe the way the narrators talk? *(They talk like someone telling a cowboy story, using words and phrases from the Old West.)*

 CONOCIMIENTOS Y DESTREZAS ESENCIALES DE TEXAS **3.6D** create mental images; **3.6E** make connections; **3.7C** use text evidence; **3.8B** explain relationships among characters; **3.9C** discuss elements of drama

23 **PECOS BILL.** No tengo cola como mis hermanos. Pero si no soy un coyote, ¿entonces qué soy?

24 **VAQUERO 1.** Eres un humano.

25 **NARRADOR 3.** Pecos Bill empezó a gruñir como le había enseñado mamá coyote. Pero, en lo más profundo de su corazón, supo que no era un coyote. Por eso pensó que debía irse con el vaquero y comenzar a comportarse como los humanos.

26 **NARRADOR 4.** Bill comenzó a caminar junto al vaquero. No habían ido muy lejos cuando, de repente, un puma saltó de una colina sobre la espalda de Bill. Sin pensarlo, Bill se levantó y echó el puma al suelo tan rápido como puedan imaginarse.

27 **PECOS BILL.** ¿Te rindes, bestia?

28 **PUMA.** Sí, me rindo.

29 **PECOS BILL.** Pues ahora que tus días de caza han terminado y, como debo comportarme más como un humano y menos como un coyote, vas a ser mi caballo.

309

📖 LEER PARA COMPRENDER

¿Por qué sorprenden las acciones de Bill al vaquero? *(Bill actúa como un coyote y cree que es un coyote).*

¿Qué le dice el vaquero a Bill que sorprende a Bill? *(Le dice a Bill que no es un coyote. Es un humano).*

¿Cómo cambiaría la información sobre los vaqueros en esta obra de teatro si se tratara de un texto informativo? *(La obra de teatro habla sobre vaqueros de fantasía que actúan como vaqueros reales. Un texto informativo daría datos sobre vaqueros de verdad).*

SUGERENCIA PARA NOTAS: Pida a los estudiantes que subrayen el texto que habla sobre los cambios en el comportamiento de Bill después de conocer al vaquero.

TEKS 3.6E, 3.7C, 3.8B

DOK 2

READ FOR UNDERSTANDING

How do Bill's actions surprise the cowboy? *(Bill acts like a coyote and thinks he's a coyote.)*

What does the cowboy tell Bill that surprises Bill? *(He tells Bill that he is not a coyote. He is human.)*

How might the information about cowboys in this play be different if it was in an informational text? *(The play tells about make believe cowboys who act like real cowboys. An informational text would tell facts about real cowboys.)*

ANNOTATION TIP: Have students underline the text that tells how Bill's behavior changes after he meets the cowboy.

LECTURA EN DETALLE GUIADA

Lenguaje figurado

Pida a los estudiantes que vuelvan a leer la descripción de Pecos Bill y la serpiente en las líneas 34 a 36 para analizar el lenguaje figurado.

¿Cómo ayudan las palabras repetidas en la línea 36 a crear la imagen de un lazo que da vueltas en el aire? *(Describen cómo cambia la serpiente al hacerla girar y girar).*

¿Qué detalles hacen que esta escena sea un buen ejemplo de hipérbole o exageración? *(Una persona de verdad no podría montar un puma como si fuera un caballo ni darle vueltas a una serpiente hasta convertirla en una cuerda de 30 pies).*

¿En qué se diferencia el lenguaje del Narrador 3 en la línea 36 del lenguaje de la nota de ambientación de la página 306? *(El narrador usa un lenguaje informal. Es divertido y similar a la manera de hablar de los personajes de los cuentos de vaqueros. La nota de ambientación es formal. Proporciona información sobre la obra de teatro).*

TEKS 3.10D. 3.10G

DOK 3

Mis notas

30 **PUMA.** ¿Un caballo?

31 **PECOS BILL.** Sí, un caballo.

32 **PUMA.** ¿Me vas a poner una montura?

33 **PECOS BILL.** No, solo te voy a montar como se monta un caballo. Pongámonos en marcha.

34 **NARRADOR 1.** Bill se subió a lomos del puma y continuó su camino acompañado del vaquero.

35 **NARRADOR 2.** No habían avanzado ni 10 millas cuando una serpiente de cascabel de 10 pies de largo se abalanzó sobre ellos desde un cactus.

36 **NARRADOR 3.** Bill saltó del lomo del puma y agarró a la serpiente por la cola. Y empezó a darle vueltas y vueltas en el aire. Y mientras la serpiente giraba y giraba, se volvía más y más fina, y más y más larga. Cuando Bill acabó, la serpiente de cascabel de 10 pies medía 30 pies.

310

TARGETED CLOSE READ

Figurative Language

Have students reread the description of Pecos Bill and the snake in lines 34–36 to analyze the figurative language.

How do repeated words in line 36 help create the image of a twirling rope? *(They describe how the snake changes by spinning it round and round.)*

What details make this scene a good example of hyperbole, or exaggeration? *(A real person couldn't ride a mountain lion like a horse or twirl a snake into a 30-foot rope.)*

How is the language of Narrador 3 in line 36 different from the language in the staging note on page 306? *(The Narrador uses informal language. It is fun and like people talk in cowboy stories. The staging note is formal. It just provides information.)*

 CONOCIMIENTOS Y DESTREZAS ESENCIALES DE TEXAS **3.6D** create mental images; **3.6F** make inferences/use evidence; **3.7C** use text evidence; **3.8B** explain relationships among characters; **3.10D** describe author's use of imagery/language; **3.10G** identify/explain use of hyperbole

37 **NARRADOR 4.** Bill enrolló la serpiente de 30 pies como se enrolla una cuerda y se la colgó del hombro. Desde ese día, los vaqueros siempre llevan con ellos un lazo, del mismo modo que Pecos Bill llevaba una serpiente de 30 pies con él a todas partes.

38 **NARRADOR 1.** Después de aquel suceso, Bill y el vaquero cabalgaron hasta que llegaron a un rancho a la orilla del río Pecos. <u>Los demás vaqueros no sabían qué pensar de Bill, el hombre que montaba un puma y llevaba una serpiente enrollada en el hombro. Pero notaron que era un buen hombre y creyeron que también sería un buen vaquero.</u>

39 **PECOS BILL.** Saludos, amigos. Soy nuevo en estas tierras. Me gustaría aprender a ser vaquero para ayudarlos.

40 **VAQUERO 2.** Bueno, amigo, te puedes quedar todo el tiempo que quieras. Siempre buscamos ayuda, ya que tenemos que ocuparnos de todo el estado de Texas y hay mucho ganado que no podemos perder de vista.

41 **PECOS BILL.** Gracias. ¿Qué quieren que haga ahora?

42 **VAQUERO 2.** Bueno, no creo que haya nada en que puedas ayudarnos ahora. Estamos pasando por la sequía más grande que ha habido en Texas. Hace muchísimos meses que no tenemos agua.

> **enrolló** Una cosa que se enrolló, se puso en forma de rollo, o en forma de círculo o anillo.

311

📖 **LEER PARA COMPRENDER**

Visualizar

¿Cómo visualizan lo que ocurre cuando Bill usa la serpiente como una cuerda? *(Los estudiantes deben usar sus sentidos para visualizar la acción de la escena).*

Si los estudiantes tienen dificultades para visualizar, use este modelo:

💬 **PENSAR EN VOZ ALTA** *Veo al actor que interpreta a Bill dando vueltas y vueltas a una serpiente de mentira. Puedo escuchar el efecto de sonido del siseo de la serpiente. También se oye el silbido del aire mientras Bill la gira. También es probable que Bill esté dando voces: ¡yija!*

TEKS 3.6D

DOK 3

📖 **LEER PARA COMPRENDER**

¿Qué piensan los vaqueros de Bill? ¿Cómo lo saben? *(No sabían qué hacer con él. Creen que es un buen hombre).*

SUGERENCIA PARA NOTAS: Pida a los estudiantes que subrayen el texto que describe cómo reaccionan los vaqueros ante Bill.

TEKS 3.6F, 3.7C, 3.8B

DOK 2

READ FOR UNDERSTANDING
Visualize
How can you visualize what happens when Bill uses the snake like a rope? *(Students should use their senses to visualize the action in the scene.)*

If students have difficulty visualizing, use this model:

THINK ALOUD *I see the actor playing Bill spinning a fake snake around and around. I can hear snake hissing sound effects. It makes a whirring sound in the air as Bill spins it. Bill is probably hollering, too. Yee-ha!*

READ FOR UNDERSTANDING
What do the cowboys think of Bill? How do you know? *(They didn't know what to make of him. They think he is a good man.)*

ANNOTATION TIP: Have students underline the text that shows how the cowboys react to Bill.

Observa  anota

Contrastes y contradicciones

- **Recuerde a los estudiantes** que los personajes de una obra de teatro a veces actúan de forma inesperada y que los estudiantes deben preguntarse por qué es importante este comportamiento para comprender un cuento fantástico.

- **Pida a los estudiantes** que expliquen qué harían la mayoría de las personas si vieran un tornado y por qué la reacción de Bill es contradictoria a eso, pero va acorde con su personaje. (*La mayoría de las personas escaparían de un tornado, pero Pecos Bill es un personaje de un cuento fantástico que hace lo imposible y monta un tornado*).

SUGERENCIA PARA NOTAS: Pida a los estudiantes que hagan una lista de las formas de actuar del tornado que son contradictorias a las formas de actuar de un tornado de verdad.

- **Pida a los estudiantes** que reflexionen sobre la pregunta principal *¿Por qué los personajes actúan de esta forma?* y que añadan ideas a sus notas.

TEKS 3.6G, 3.7C, 3.8B, 3.8C, 3.9A

DOK 3

 LEER PARA COMPRENDER

¿Por qué esta hipérbole o exageración ayuda a que un cuento como *La saga de Pecos Bill* sea más entretenido?
(*La exageración permite que Bill haga cosas emocionantes, como montar un tornado y domar a un puma*).

TEKS 3.10G

DOK 3

Mis notas

El tornado actúa como un caballo que lleva montado un vaquero.

Se rinde y deja de luchar contra Bill.

43 **PECOS BILL.** Creo que los puedo ayudar.

44 **NARRADOR 2.** Y diciendo eso, Bill le dio vueltas a su lazo de serpiente de cascabel una y otra vez y enlazó toda el agua del río Grande. Y desde ese día, se acabaron las sequías.

45 **NARRADOR 3.** Parecía que no había nada que Bill no pudiera hacer. Como aquella vez que hubo un tornado, el más grande y mezquino de la historia de Texas. Bill pensó que la única forma de domar al tornado era montándose en él hasta que se mareara de tantas vueltas y desapareciera.

46 **NARRADOR 4.** Bill esperó hasta que el tornado cruzó la frontera con Oklahoma y disminuyó un poco la velocidad en su paso por Texas. Entonces Bill saltó y se subió a lomos de aquel tornado.

47 **NARRADOR 1.** Al tornado no le gustó ni un poquito que hubiera alguien en sus espaldas. Cambió de color verde a marrón y luego a negro y comenzó a brincar como si tuviera cien gatos salvajes en su interior. El tornado se agitó y remolinó una y otra vez y otra vez, tratando de librarse de Bill.

48 **PECOS BILL.** ¡Sooo! ¡Aguanta! Soy el vaquero más fuerte y diestro de estas tierras y te voy a domar. No conseguirás librarte de mí.
No, señor.

> **domar** Domar a un animal salvaje es amansarlo y enseñarle a hacer lo que quieres.
> **remolinó** Si una cosa remolinó, hizo remolinos, o sea, giró rápidamente.

312

NOTICE & NOTE

Contrasts and Contradictions

- **Remind students** that characters in drama sometimes act in unexpected ways, and students should ask themselves why this behavior is important for understanding a tall tale.

- **Have students** explain what most people would do if they saw a tornado and why Bill's reaction is contradictory to that, but is in keeping with his character. (*Most people would get away from a tornado, but Pecos Bill is a tall tale character who does the impossible and rides the tornado.*)

ANNOTATION TIP: Have students list ways that the tornado acts that are contradictions to how a real tornado might act. (*The tornado acts like a horse that is being ridden by a cowboy. It gives up fighting Bill.*)

- **Have students** reflect on the Anchor Question: *Why would the characters act this way?* and add to their notes.

READ FOR UNDERSTANDING

How does hyperbole, or exaggeration, help make a tale like *La saga de Pecos Bill* more entertaining?
(*Exaggeration lets Bill do exciting things, like riding a tornado and taming a mountain lion.*)

 CONOCIMIENTOS Y DESTREZAS ESENCIALES DE TEXAS **3.6G** evaluate details; **3.7C** use text evidence; **3.8B** explain relationships among characters; **3.8C** analyze plot elements; **3.9A** demonstrate knowledge of literature characteristics; **3.10B** explain use of text structure; **3.10D** describe author's use of imagery/language; **3.10G** identify/explain use of hyperbole

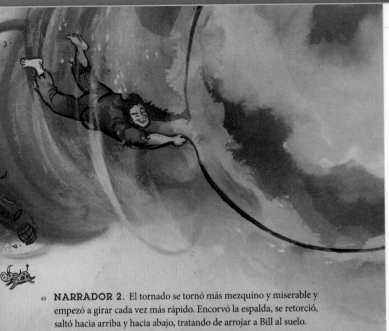

49   **NARRADOR 2.** El tornado se tornó más mezquino y miserable y empezó a girar cada vez más rápido. Encorvó la espalda, se retorció, saltó hacia arriba y hacia abajo, tratando de arrojar a Bill al suelo. Con cada vuelta y cada giro, se volvía más violento.

50   **NARRADOR 3.** Llegó a ser tanta su ira que hizo nudos con los ríos y vació los lagos. Bill y el tornado atravesaron Texas de una punta a la otra; el tornado giraba y Bill se aferraba a él como si en ello le fuera la vida. Pero por mucho que lo intentó, el tornado no consiguió librarse de Bill. ¡De ninguna manera! Bill montó ese tornado como si fuera el toro más bravo del rodeo. Le clavó las espuelas y se agarró muy fuerte del torbellino.

51   **NARRADOR 4.** Cuando el tornado se dio cuenta de que no conseguiría librarse de Bill, puso rumbo a California y comenzó a deshacerse, provocando un diluvio. Llovió tanto, que el Gran Cañón del Colorado se inundó. El tornado quedó reducido a nada y cuando alcanzaron el océano Pacífico, ya no era más que una brisa ridícula.

313

🔍 LECTURA EN DETALLE GUIADA

Elementos literarios

Pida a los estudiantes que vuelvan a leer las páginas 312 y 313 para analizar los elementos literarios.

¿Qué gran conflicto debe resolver Pecos Bill en esta escena? *(Tiene que domar al tornado).*

¿A qué otros acontecimientos conducen las acciones de Bill cuando se enfrenta al tornado? *(El tornado trata de librarse de Bill. Hace nudos con los ríos y vacía los lagos. El tornado inunda el Gran Cañón. Bill doma al tornado).*

¿De qué manera la solución al conflicto de esta obra de teatro cumple con el propósito del autor? *(El tornado se rinde, abandona Texas y da origen al Valle de la Muerte en California. Esto cumple con el propósito del autor de mostrar lo valiente que era Pecos Bill, así como de usar el cuento fantástico para explicar la formación del Valle de la Muerte).*

TEKS 3.8C, 3.10B

DOK 2

📖 LEER PARA COMPRENDER

¿Con qué tipo de animal compara el tornado el Narrador 3? *(con el toro más bravo de un rodeo)*

TEKS 3.10D

DOK 2

TARGETED CLOSE READ

Literary Elements

Have students reread pages 312 and 313 to analyze the literary elements.

What big conflict does Pecos Bill have to deal with in this scene? *(He has to tame the tornado.)*

How do Bill's actions with the tornado lead to other events? *(The tornado tries to throw Bill off. The tornado ties up rivers and empties lakes. The tornado washes out the Grand Canyon. Bill tames the tornado.)*

How does the resolution to this conflict fit with the playwright's purpose in this play? *(The tornado gives up, leaves Texas, and creates California Death Valley. This fits with the author's purpose to show how amazing Pecos Bill was, and to explain in a tall tale how the Death Valley was created.)*

READ FOR UNDERSTANDING

What type of animal does Narrador 3 compare the tornado to? *(the meanest bull at a rodeo)*

LEER PARA COMPRENDER

Visualizar

Recuerde a los estudiantes que mientras leen, es importante usar los sentidos para visualizar los detalles del texto. Pida a los estudiantes que visualicen los acontecimientos que dieron origen al Valle de la Muerte de California y cómo es Texas hoy en día.

SUGERENCIA PARA NOTAS: Pida a los estudiantes que escriban una oración que describa una imagen usando uno de sus sentidos.

TEKS 3.6D

DOK 3

LEER PARA COMPRENDER

Concluir

Vuelva a comentar el propósito que los estudiantes establecieron antes de leer el texto. Pida a los estudiantes que expliquen cómo les ayudó la obra de teatro a comprender lo que es un cuento fantástico.

TEKS 3.6A

DOK 2

Respuesta de ejemplo: Escucho un choque muy fuerte cuando Pecos Bill golpea el suelo y da origen al Valle de la Muerte.

52 **NARRADOR 1**. Bill, al caer, golpeó el suelo con tanta fuerza, que la tierra se hundió por debajo del nivel del mar. Desde entonces, los habitantes de la zona llaman a esa parte de California el Valle de la Muerte.

53 **PECOS BILL**. ¡Así se hace! ¡Para que esos tornados aprendan!

54 **NARRADOR 2**. Cuando Bill volvió a Texas, comenzó a limpiar el desastre que el tornado y él habían dejado.

55 **NARRADOR 3**. Texas estaba cubierta de bosques cuando Bill se subió al tornado. Pero ahora, toda la tierra había sido arrasada y no quedaba ni un árbol en pie debido a la fuerza intensa de la batalla campal que Bill y el tornado habían luchado.

56 **NARRADOR 4**. Si visitas Texas hoy, verás grandes campos abiertos por todo el estado, gracias a la batalla campal entre el vaquero más valiente que existió y un tornado mezquino y violento. Pecos Bill fue el mejor vaquero de todos los tiempos… el más temible, el más fuerte y el más valiente de la historia.

314

READ FOR UNDERSTANDING
Visualize
Remind students that as they read, it is important to use their senses to visualize the details in the text. Have students visualize the events that lead to the creation of the California Death Valley and how Texas looks today.

ANNOTATION TIP: Have students write a sentence that describes an image using one of their senses. *(Sample response: I hear a huge crashing sound when Pecos Bill hits the ground and creates Death Valley.)*

READ FOR UNDERSTANDING
Wrap-Up
Revisit the purpose students set before they read the text. Have students explain how the play helped them understand what a tall tale is.

 CONOCIMIENTOS Y DESTREZAS ESENCIALES DE TEXAS **3.1A** listen actively/ask relevant questions; **3.1C** speak coherently; **3.1E** develop social communication; **3.6A** establish purpose for reading; **3.6D** create mental images; **3.6E** make connections; **3.6F** make inferences/use evidence; **3.7C** use text evidence; **3.7D** retell/paraphrase texts; **3.8C** analyze plot elements; **3.9A** demonstrate knowledge of literature characteristics; **3.10D** describe author's use of imagery/language;

Conversación colaborativa

Vuelve a leer lo que escribiste en la página 304. Dile a un compañero lo que aprendiste sobre los cuentos fantásticos. Luego trabaja en grupo y comenta las preguntas de abajo. Busca detalles y ejemplos en *La saga de Pecos Bill* para explicar tus respuestas. Toma notas para responder las preguntas y úsalas cuando hables.

1 Repasa las páginas 306 y 307. ¿Qué detalles comparten los narradores para demostrar que Pecos Bill era "un poco diferente a los demás"?

2 Vuelve a leer las páginas 312 y 313. ¿Qué palabras y frases hacen que el tornado parezca un ser vivo?

3 ¿Qué hizo Pecos Bill que podría hacer una persona real? ¿Qué cosas hizo que no podría hacer una persona real?

 Sugerencia para escuchar

Escucha atentamente cuando hablen los demás. Demuestra que estás prestando atención mirando hacia la persona que habla.

Sugerencia para hablar

Habla con claridad y de forma que todos puedan escucharte. Asegúrate de que no te desvías del tema que se está tratando en el grupo.

Conversación académica

Use la rutina de **CONVERSACIÓN COLABORATIVA**. Pida a los estudiantes que tomen notas para responder las preguntas. Luego pídales que trabajen en grupos y que apliquen las Sugerencias para escuchar y hablar mientras comentan sus respuestas.

Respuestas posibles:

1. *Bill caza un oso pardo y lo convierte en su oso de peluche.* DOK 2

2. *Encorvó la espalda. Se retorció. Saltó hacia arriba y hacia abajo. Se volvía más violento.* DOK 2

3. *Caminó y habló y trabajó como un vaquero, como una persona real. Tenía un oso pardo de oso de peluche, montó un puma, usó una serpiente como cuerda y montó un tornado. Nadie podría hacer esas cosas.* DOK 3

TEKS 3.1A, 3.1C, 3.1E, 3.6E, 3.6F, 3.7C, 3.7D, 3.8C, 3.9A, 3.10D, 3.10F

315

Academic Discussion

Use the **COLLABORATIVE DISCUSSION** routine. Have students write notes to answer the questions. Then have groups apply the Listening and Speaking Tips as they discuss their responses.

Possible responses:

1. *Bill catches a real grizzly bear to be his teddy bear.*

2. *It humped its back. It threw itself all about. It jumped up and down. It got meaner.*

3. *He walked and talked and worked as a cowboy, like a real person. He had a grizzly bear as a teddy bear, rode a mountain lion, used a snake as a rope, and rode a tornado. No one could do that.*

Escribir sobre la lectura

- **Lea en voz alta** el tema para desarrollar con los estudiantes.

- **Inicie un debate** en el que los estudiantes compartan sus ideas sobre la obra de teatro y los acontecimientos en la vida de Pecos Bill que se detallan en la misma. Recuerde a los estudiantes que deben usar evidencias del texto de la selección.

- **Luego lea en voz alta** la sección Planificar. Pida a los estudiantes que usen ideas del debate en sus líneas de tiempo sobre los acontecimientos de la vida de Pecos Bill.

TEKS 3.1E, 3.7B, 3.7C, 3.7D, 3.7F,
3.11A, 3.11B(i), 3.11B(ii), 3.12A

Escribir una ficción breve

TEMA PARA DESARROLLAR

Desde domar a un puma hasta montar un tornado, cada escena de *La saga de Pecos Bill* parece más increíble que la anterior. ¡Qué increíbles las aventuras que vive Pecos Bill en esta obra de teatro!

Escribir un cuento entero en un formato reducido se conoce como ficción breve. Convierte la obra de teatro que acabas de leer en una ficción breve resumiendo los acontecimientos en uno o dos párrafos. Trata de no omitir ninguna escena y recuerda mantener el orden de la secuencia de los acontecimientos. No olvides usar algunas de las palabras del Vocabulario crítico en tu escritura.

PLANIFICAR

Haz una línea de tiempo que resuma los acontecimientos de la obra de teatro. El primer acontecimiento debe mostrarse a la izquierda de la línea de tiempo y el último, a la derecha.

Las respuestas variarán, pero los estudiantes deben crear una línea de tiempo que muestre todos los puntos principales de la trama de *La saga de Pecos Bill* en el orden en el que aparecen en la obra de teatro.

Write About Reading

- **Read aloud** the prompt with students.

- **Lead a discussion** in which students share their ideas about the play and the events about Pecos Bill's life that the play told about. Remind students to use text evidence from the selection.

- **Then read aloud** the Plan section. Have students use ideas from the discussion in their timelines of events in Pecos Bill's life.

 CONOCIMIENTOS Y DESTREZAS ESENCIALES DE TEXAS 3.1E develop social communication; **3.7B** write responses that demonstrate understanding; **3.7C** use text evidence; **3.7D** retell/paraphrase texts; **3.7F** respond using vocabulary; **3.11A** plan first draft; **3.11B(i)** develop drafts by organizing with purposeful structure; **3.11B(ii)** develop drafts by developing an engaging idea; **3.12A** compose literary texts

Ahora escribe tu ficción breve que resuma los acontecimientos de la obra de teatro en uno o dos párrafos.

✓

Asegúrate de que tu ficción breve
☐ vuelve a contar todas las escenas de la obra de teatro.
☐ mantiene la misma secuencia de acontecimientos.
☐ usa diversos tipos de oraciones para que el cuento sea interesante.
☐ usa palabras como *luego, después* y *finalmente* para la transición entre acontecimientos.

Las respuestas variarán, pero deben incluir todos los puntos principales de la trama de la obra de teatro en el orden correcto y los elementos de la lista de comprobación.

Escribir sobre la lectura

- **Repase con los estudiantes** las instrucciones y la lista de comprobación de la sección Escribir.

- **Anime a los estudiantes** a usar varios tipos de oraciones, así como palabras que indican secuencia, para ayudar a los lectores a seguir los acontecimientos en orden cronológico.

TEKS 3.7B, 3.7C, 3.7D, 3.7F, 3.11B(i), 3.11B(ii), 3.12A

317

Write About Reading

- **Review with students** the directions and checklist in the Write section.
- **Encourage students** to vary the types of sentences they use and to use time-order signal words to help readers follow the events in chronological order.

VER PARA COMPRENDER

Presentar el video

- **Lea en voz alta** y comente la información del género.

- **Use** Mostrar y motivar: **Desarrollar el contexto 4.6** a fin de desarrollar el contexto para comprender el video.

- **Centre la atención** en el Vocabulario crítico. Pida a los estudiantes que escuchen estas palabras mientras miran el video.

SUGERENCIA PARA NOTAS: Pida a los estudiantes que usen el recuadro para anotar lo que quieren aprender mientras ven el video.

TEKS 3.6A

DOK 2

 VER PARA COMPRENDER

Establecer un propósito

- **Pida a los estudiantes** que miren la fotografía de esta página y que piensen en cuál será el tema de este video.

- **Guíe a los estudiantes** para que establezcan un propósito para ver el video.

TEKS 3.6A

DOK 2

Prepárate para ver un video

ESTUDIO DEL GÉNERO ▸ Los **videos informativos** presentan datos e información sobre un tema con elementos visuales y audio.

- Un narrador explica lo que ocurre en pantalla.

- Los videos informativos pueden incluir palabras específicas de un tema, como el teatro.

- Los videos informativos pueden incluir elementos visuales y de sonido, como fotografías, efectos de sonido y música de fondo.

ESTABLECER UN PROPÓSITO ▸ **Mientas miras el video,** usa lo que has aprendido sobre las obras de teatro para que puedas comprender el video. ¿En qué se diferencia el escenario del teatro del escenario de tu escuela? ¿Por qué ayuda el escenario a que una obra de teatro parezca real? Escribe tus respuestas abajo.

**Desarrollar el contexto:
Oficios del teatro**

VOCABULARIO CRÍTICO

actuación

Barroco

telón

poleas

318

VIEW FOR UNDERSTANDING

Introduce the Video

- **Read aloud** and discuss the genre information.

- **Use Mostrar y motivar: Desarrollar el contexto 4.6** to build background for accessing the video.

- **Call attention** to the Critical Vocabulary. Tell students to listen to these words as they watch the video.

ANNOTATION TIP: Have students use the box to note what they want to learn as they watch the video.

VIEW FOR UNDERSTANDING

Set a Purpose

- **Have students** look at the photograph on this page and think about what the topic of this video will be.

- **Guide students** to set a purpose for viewing.

EL TEATRO

 Mis notas

319

📖 **VER PARA COMPRENDER**

Volver a contar/Resumir

Pida a los estudiantes que resuman la sección del video sobre los teatros de América Latina. *(El teatro es muy importante en América Latina. En muchos países latinoamericanos, como Argentina, México, Cuba y Brasil, hay muchos teatros prestigiosos).*

Si los estudiantes tienen dificultad para resumir, use este modelo:

💬 **PENSAR EN VOZ ALTA** *Mientras veo un video, puedo pausarlo ocasionalmente para resumir la información. Eso me ayuda a comprender lo que estoy viendo. Este video trata sobre el teatro. En América Latina el teatro es muy importante. El Teatro Colón está entre los cinco teatros principales del planeta. El Palacio de Bellas Artes tiene una imponente fachada de mármol blanco. El Gran Teatro de la Habana tiene capacidad para 1500 espectadores. El Teatro Municipal de Río de Janeiro tiene elementos del Barroco, el Renacimiento y el art nouveau. Seguiré viendo el video para aprender más sobre el teatro.*

TEKS 3.6G, 3.7D

DOK 2

VIEW FOR UNDERSTANDING
Retell/Summarize

Have students summarize the section of the video about the theater in Latin America. *(Theater is very important in Latin America. There are many prestigious theaters in many Latin American countries, such as Argentina, Mexico, Cuba and Brazil.)*

If students have difficulty summarizing, use this model:

THINK ALOUD *As I watch a video, I can pause it from time to time to summarize. That helps me understand what I'm watching. This video is about theater. Theater is very important in Latin America. The Teatro Colón is among the top five theaters on the planet. The Palacio de Bellas Artes has an imposing white marble facade. The Gran Teatro de la Habana has a capacity for 1500 spectators. The Teatro Municipal de Río de Janeiro has elements of the Baroque, the Renaissance and the art nouveau. I'll click Play now to learn more about the theater.*

¿Cuáles son las tres áreas principales del teatro y qué hacen las personas en cada una? *(el vestíbulo: es donde las personas se reúnen antes de pasar a la sala; la sala: es donde están las butacas y los balcones, y donde las personas se sientan para ver el espectáculo; el escenario: es donde los actores representan la obra)*

¿Qué función tiene el telón? *(Separa el escenario de la sala y se abre y se cierra al comenzar y terminar la función).*

¿Qué hacen las poleas, cuerdas y palancas? *(Cambian las escenas durante la función).*

SUGERENCIA PARA NOTAS: Pida a los estudiantes que escriban en sus notas las tres áreas principales del teatro en orden de aparición y qué se puede ver en cada una.

TEKS 3.1A

DOK 2

 VISUALIZACIÓN EN DETALLE GUIADA

Técnicas de medios

Pida a los estudiantes que vean el video de nuevo para analizar las técnicas de medios.

¿Por qué el video comienza con una fotografía de un teatro antiguo griego? *(Respuestas posibles: porque el teatro nació en Grecia; para mostrar cómo era un teatro antiguo griego)*

¿Qué técnicas de sonido pueden notar? *(En el video hay música de fondo y efectos de sonido).*

¿Por qué los productores usaron estas técnicas? *(para que el video sea entretenido y ofrecer información)*

TEKS 3.1A

DOK 3

Mientras miras *El teatro*, presta atención a los elementos visuales y de sonido que se usan para describir el teatro. ¿Cómo ayudan los elementos visuales y de sonido a describir el teatro? ¿Te ayudan a comprender mejor el tema? ¿Por qué? Toma notas en el espacio de abajo.

Presta atención a las palabras del Vocabulario crítico *actuación*, *Barroco*, *telón* y *poleas*. Busca pistas para descubrir el significado de cada palabra. Toma notas en el espacio de abajo sobre cómo se usaron.

actuación Cantar, bailar o actuar ante un público son formas de actuación.
Barroco El período Barroco sucedió hace mucho tiempo. Los edificios de esa época eran muy elegantes y tenían muchas decoraciones.
telón En un escenario, el telón es una cortina que separa el escenario de la sala.
poleas Las poleas son ruedas con una cuerda alrededor del borde, que las personas pueden usar para levantar objetos pesados.

320

VIEW FOR UNDERSTANDING

What are the three main areas of the theater building and what do people do in each? *(the lobby: where people gather before entering the house; the house: contains the seats and balconies where people sit to watch the show; the stage: where actors and actresses perform)*

What does the front curtain do? *(It separates the stage from the house, and opens and closes during performance.)*

What do the pulleys, ropes and levers do? *(They make the scenes change during the show.)*

ANNOTATION TIP: Have students write in their notes the three main areas of the theater building in order of appearance and what can be seen in each one. *(lobby: people gathered; house: seats and balconies; stage: actors and actresses)*

TARGETED CLOSE VIEW
Media Techniques

Have students watch the video again to analyze the media techniques.

Why does the opening show a photo of an ancient Greek theater? *(Possible responses: the theater has its origins in Greece; to show how an ancient Greek theater looked like)*

What sound techniques did you notice? *(The video uses music and sound effects.)*

Why do video makers use these techniques? *(to make the video entertaining and to provide information)*

 CONOCIMIENTOS Y DESTREZAS ESENCIALES DE TEXAS **3.1A** listen actively/ask relevant questions ; **3.1C** speak coherently; **3.1D** work collaboratively; **3.1E** develop social communication

Conversación colaborativa

Trabaja en grupo y comenta las preguntas de abajo. Busca ejemplos en *El teatro* para apoyar tus ideas. Toma notas para responder las preguntas. Establece contacto visual con los demás integrantes de tu grupo durante la conversación.

1 ¿Qué relación tiene el significado de la antigua palabra griega *théatron* con lo que significa el teatro en la actualidad?

2 ¿Por qué crees que América Latina es sede de algunos de los teatros más famosos y prestigiosos del mundo?

3 ¿Qué tipo de trabajo realizan el escenógrafo, el iluminador y el tramoyista?

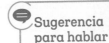
Sugerencia para escuchar

Escucha atentamente a los demás integrantes de tu grupo. ¿Coinciden sus ideas con las tuyas o cambia tu manera de pensar lo que ellos dicen?

Sugerencia para hablar

Mira a los demás integrantes de tu grupo mientras hablas. Comprueba si comprenden lo que dices. ¿Necesitas hablar con más claridad o explicar algo más sobre una idea?

321

Conversación académica

Use la rutina de **CONVERSACIÓN COLABORATIVA**. Pida a los estudiantes que tomen notas para responder las preguntas. Luego pídales que trabajen en grupos y que apliquen las Sugerencias para escuchar y hablar mientras comentan sus respuestas.

Respuestas posibles:

1. *La antigua palabra griega* théatron *significa "lugar para contemplar". En la actualidad, el teatro es el lugar adonde vamos a ver y a disfrutar de representaciones teatrales.* DOK 2

2. *El teatro es muy importante en América Latina. A los latinoamericanos les gusta mucho el teatro y van con mucha frecuencia a ver puestas en escena.* DOK 2

3. *El escenógrafo es responsable de los elementos de decoración en el escenario. El iluminador se encarga de las luces y los reflectores. El tramoyista hace funcionar las tramoyas para cambiar las escenas.* DOK 3

TEKS 3.1A, 3.1C, 3.1D, 3.1E

Academic Discussion
Use the **COLLABORATIVE DISCUSSION** routine. Have students write notes to answer the questions. Then have groups apply the Listening and Speaking Tips as they discuss their responses.

Possible responses:

1. *The ancient Greek word* théatron *means "place to contemplate". Today, the theater is the place where we go to see and enjoy theatrical performances.*

2. *Theater is very important in Latin America. Latin Americans love theater and they go often to see theatrical performances.*

3. *The set designer is responsible for the decoration on the stage. The lighting designer is responsible for the lights and spotlights. The stagehand works pulleys and levers to change the scenes on the stage.*

Escribir sobre el video

- **Lea en voz alta** el tema para desarrollar con los estudiantes.

- **Inicie un debate** en el que los estudiantes compartan lo que aprendieron sobre los teatros más importantes de América Latina y el teatro en general en el video y cómo pueden ofrecerles esta información a las personas que piensan visitar el Palacio de Bellas Artes en la ciudad de México. Recuerde a los estudiantes que deben usar evidencias del video.

- **Luego lea en voz alta** la sección Planificar. Pida a los estudiantes que usen ideas del debate en sus notas.

TEKS 3.1E, 3.7C, 3.7E, 3.7F, 3.11A, 3.12B

Citar evidencia del texto

Escribir una guía de viaje

TEMA PARA DESARROLLAR

En *El teatro*, tuviste la oportunidad de conocer algunos de los teatros más prestigiosos de América Latina.

Una forma de conocer un poco los lugares que pensamos visitar es mediante la lectura de guías de viaje. Las guías de viaje ofrecen datos y detalles sobre un lugar para ayudar a los visitantes a elegir dónde quieren ir y qué quieren ver. Imagina que vas a ayudar a escribir sobre la ciudad de México. Escribe un párrafo que hable sobre el teatro y el Palacio de Bellas Artes para incluirlo en la guía de viaje de la ciudad.

PLANIFICAR

Escribe una idea principal sobre el teatro que aprendiste en el video. Luego, haz una lista con algunos detalles que apoyen la idea principal.

> Las respuestas variarán, pero los estudiantes deben escribir un enunciado general sobre el teatro y dos o más detalles de apoyo del video.

322

Write About Viewing

- **Read aloud** the prompt with students.
- **Lead a discussion** in which students share what they learned about the most important theaters in Latin America and the theater in general in the video and how they would share this information for people who are visiting the Palacio de Bellas Artes in Mexico City. Remind students to use text evidence from the video.
- **Then read aloud** the Plan section. Have students use ideas from the discussion in their notes.

 CONOCIMIENTOS Y DESTREZAS ESENCIALES DE TEXAS 3.1E develop social communication; **3.7B** write responses that demonstrate understanding; **3.7C** use text evidence; **3.7E** interact with sources; **3.7F** respond using vocabulary; **3.11A** plan first draft; **3.11B(i)** develop drafts by organizing with purposeful structure; **3.11B(ii)** develop drafts by developing an engaging idea; **3.12B** compose informational texts

Ahora escribe tu guía de viaje sobre el teatro.

Asegúrate de que tu guía de viaje
☐ identifica una idea principal del video.
☐ incluye detalles de apoyo del video.
☐ está escrita en forma de párrafo.
☐ tiene un enunciado de cierre.

Las respuestas variarán, pero deben ser un resumen del material del video relacionado con el teatro y deben incluir los elementos de la lista de comprobación.

Escribir sobre el video

- **Repase con los estudiantes** las instrucciones y la lista de comprobación de la sección Escribir.
- **Anime a los estudiantes** a usar datos y detalles del video sobre el teatro y un lenguaje que provoque el deseo en los lectores de visitar el teatro.

TEKS 3.7B, 3.7C, 3.7E, 3.11B(i), 3.11B(ii), 3.12B

323

Write About Viewing

- **Review with students** the directions and checklist in the Write section.
- **Encourage students** to use facts and details about the theater from the video as well as engaging language that makes the theater sound like a place readers would want to go.

Observa y anota
Palabras sabias

 LEER PARA COMPRENDER

Presentar el texto

- **Lea en voz alta** y comente la información sobre el género. Señale que los estudiantes ya leyeron una versión en obra de teatro de un cuento fantástico, *La saga de Pecos Bill*, y hable sobre los elementos de la obra de teatro que recuerdan. Luego comente y dirija la atención de los estudiantes hacia los siguientes ejemplos de la página 326:
  - » reparto
  - » encabezados de actos y escenas
  - » direcciones de escena entre paréntesis
  - » líneas de diálogo
- **Use** Mostrar y motivar: <u>Desarrollar el contexto 4.6</u> a fin de desarrollar el contexto para comprender el texto.
- **Pida a los estudiantes** que busquen las palabras del Vocabulario crítico mientras leen y que piensen en el significado de las palabras.

SUGERENCIA PARA NOTAS: Pida a los estudiantes que usen el recuadro para anotar lo que saben sobre los cuentos clásicos y lo que esperan aprender mientras leen.

TEKS 3.6A, 3.6B, 3.6E, 3.9A, 3.9C

DOK 2

Prepárate para leer

ESTUDIO DEL GÉNERO Un **drama** u **obra de teatro** es un cuento o historia que puede ser representada para una audiencia.

- Las obras de teatro comienzan con el reparto, o la lista de los personajes.
- Las obras de teatro incluyen direcciones de escena y actos o escenas.
- Las obras de teatro se componen de líneas de diálogos. Los autores usan lenguaje informal para hacer que la conversación parezca real.
- Algunas obras de teatro incluyen un mensaje o una lección.

ESTABLECER UN PROPÓSITO **Piensa en** el título y el género de este texto. Esta obra de teatro se basa en un cuento clásico italiano. ¿Qué sabes sobre los cuentos clásicos? ¿Qué te gustaría aprender? Escribe tu respuesta abajo.

Desarrollar el contexto:
Cuentos clásicos con anillos mágicos

VOCABULARIO CRÍTICO

eminente

pobretón

imponente

embaucarme

superior

compasivo

324

READ FOR UNDERSTANDING

Introduce the Text

- **Read aloud** and discuss the genre information. Point out that students have already read a play version of a tall tale, *La saga de Pecos Bill*, and discuss the elements of drama that they recall from that play. Then direct students' attention to and discuss the following examples on page 326:
  - » cast of characters
  - » act and scene headings
  - » stage directions in italics inside parentheses
  - » lines of dialogue
- **Use Mostrar y motivar: Desarrollar el contexto 4.6** to build background for accessing the text.
- **Tell students** to look for the Critical Vocabulary as they read, and think about the words' meanings.

ANNOTATION TIP: Have students use the box to note what they know about classic tales and what they might hope to learn as they read.

 CONOCIMIENTOS Y DESTREZAS ESENCIALES DE TEXAS **3.6A** establish purpose for reading; **3.6B** generate questions about text; **3.6E** make connections; **3.9A** demonstrate knowledge of literature characteristics; **3.9C** discuss elements of drama

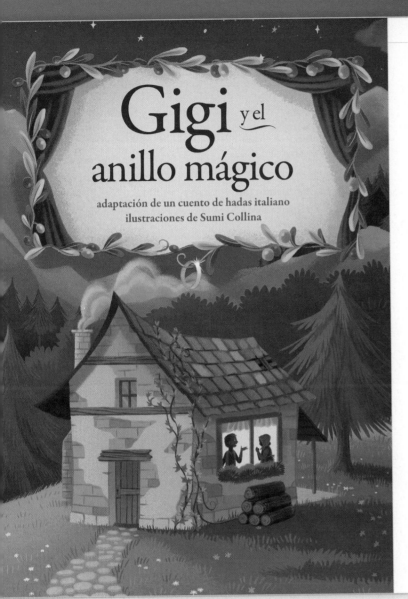

Gigi y el
anillo mágico

adaptación de un cuento de hadas italiano
ilustraciones de Sumi Collina

 LEER PARA COMPRENDER

Establecer un propósito

- **Pida a los estudiantes** que miren las primeras páginas de la obra de teatro y que comenten el reparto, las ilustraciones y la estructura de dos actos y cuatro escenas.

- **Guíe a los estudiantes** para que establezcan un propósito para la lectura. Pídales que predigan algunas cosas que podrían ocurrir en un cuento clásico sobre un niño que sale a ver el mundo.

TEKS 3.6A

DOK 2

325

READ FOR UNDERSTANDING

Set a Purpose

- **Have students** look at the first few pages of the play and discuss the list of characters, the illustrations, and the two-act, four-scene structure.

- **Guide students** to set a purpose for reading. Ask them to predict some things that might happen in a classic tale about a boy who goes out to see the world.

LEER PARA COMPRENDER

¿Cómo está organizado el texto de la obra de teatro?
(Está organizado en actos y escenas).

¿Qué les dice el Narrador sobre los personajes y la ambientación? *(Que Gigi era un niño que vivía con su mamá en una casita en Italia. Un día, Gigi se marchó a viajar por el mundo).*

¿Qué personaje del Reparto es probable que sea un personaje principal? ¿Por qué? *(Gigi; porque su nombre aparece en el título de la obra de teatro, entonces el cuento trata principalmente sobre él)*

SUGERENCIA PARA NOTAS: Pida a los estudiantes que resalten los nombres de los personajes que aparecen en la Escena 1 mientras leen para demostrar que comprenden el Reparto.

TEKS 3.7C, 3.8B, 3.8D, 3.9C

DOK 2

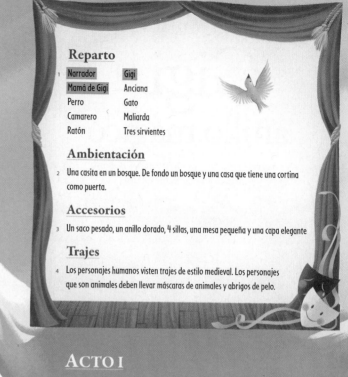

⬥ Mis notas

Reparto

1 Narrador	Gigi
Mamá de Gigi	Anciana
Perro	Gato
Camarero	Maliarda
Ratón	Tres sirvientes

Ambientación

2 Una casita en un bosque. De fondo un bosque y una casa que tiene una cortina como puerta.

Accesorios

3 Un saco pesado, un anillo dorado, 4 sillas, una mesa pequeña y una capa elegante

Trajes

4 Los personajes humanos visten trajes de estilo medieval. Los personajes que son animales deben llevar máscaras de animales y abrigos de pelo.

ACTO I

ESCENA 1

5 (Fondo de bosque. Hay una silla en la parte delantera derecha del escenario. Se encienden las luces totalmente. El NARRADOR entra por la izquierda y se sienta en la silla).

6 NARRADOR. Había una vez en Italia un niño llamado Gigi.

7 (GIGI entra por la izquierda y camina hasta el centro del escenario).

8 NARRADOR. Gigi vivía en una casita con su mamá. Pero un día decidió marcharse y viajar por el mundo.

9 (Fuera del escenario) MAMÁ DE GIGI. ¡Gigi! ¿Adónde vas?

326

READ FOR UNDERSTANDING

How is it the text of the play organized? *(It is organized in acts and scenes.)*

What does the Narrator tell you about the characters and setting? *(That Gigi was a boy who lived with his mother in a little house in Italy. One day, Gigi went out to see the world.)*

Which character in the Cast of Characters is probably a major character? Why? *(Gigi; because his name is in the title of the play, so the story is mostly about him)*

ANNOTATION TIP: Have students highlight the names of the characters who appear in Scene 1 as they read to demonstrate their understanding of the Cast of Characters.

 CONOCIMIENTOS Y DESTREZAS ESENCIALES DE TEXAS **3.6G** evaluate details; **3.7C** use text evidence; **3.7D** retell/paraphrase texts; **3.8B** explain relationships among characters; **3.8D** explain influence of setting on plot; **3.9C** discuss elements of drama

326 Módulo 4

10 (La MAMÁ DE GIGI entra por la izquierda).

11 **MAMÁ DE GIGI.** ¡Gigi! ¿Por qué me abandonas?

12 **GIGI.** Mamá, quiero ver el mundo y vivir aventuras, reunir una fortuna y todas esas cosas.

13 **MAMÁ DE GIGI.** Gigi, me rompes el corazón.

14 **GIGI.** ¡No te preocupes, mamá! No es que vaya a quedarme atrapado en la cima de una montaña. ¡Eso sería absurdo! Antes de que te des cuenta, estaré de vuelta con ropas elegantes y un saco lleno de oro, y podremos vivir felices para siempre.

15 **MAMÁ DE GIGI.** Oh, Gigi. El oro y las ropas elegantes no te harán feliz si no tienes un buen corazón. ¿Recuerdas lo que te dije?

16 **GIGI.** ¿No corras con las tijeras en la mano?

17 **MAMÁ DE GIGI.** ¡No, bobo! Te dije que solo recibes de las personas lo mismo que les das.

18 **GIGI.** Claro, mamá. Lo recordaré siempre. ¡Adiós!

19 **MAMÁ DE GIGI.** ¡Hasta la vista, hijo mío!

20 (La MAMÁ DE GIGI sale por la izquierda. GIGI camina en círculos alrededor del escenario en el sentido de las agujas del reloj, terminando en el centro del escenario. Las luces se apagan).

327

LEER PARA COMPRENDER

Volver a contar

DEMOSTRAR CÓMO VOLVER A CONTAR UN CUENTO

PENSAR EN VOZ ALTA *Cuando leo una obra de teatro, puedo volver a contar los acontecimientos de cada escena como ayuda para comprender lo que ocurre. En la Escena 1, el Narrador presenta a Gigi. Gigi es un niño de Italia. Se va de casa para viajar por el mundo. Le dice a su mamá que volverá cuando sea rico y que vivirán felices para siempre. Luego se despide.*

TEKS 3.6G, 3.7D

DOK 3

READ FOR UNDERSTANDING
Retell
MODEL RETELLING

THINK ALOUD *When I read a play, I can retell the events in each scene to help me understand what is happening. In Scene 1, the Narrator introduces Gigi. Gigi is a boy in Italy. He leaves his home to see the world. He tells his mother he will return when he is rich and they will live happily ever after. Then he says goodbye.*

LECTURA EN DETALLE GUIADA

Mensaje

Pida a los estudiantes que vuelvan a leer la página 328 para identificar y analizar un mensaje importante en la obra de teatro.

¿Qué lección le enseña la Anciana a Gigi acerca de la vida? *(Si eres amable con los demás, recibirás amabilidad a cambio).*

¿Qué detalles del texto sirven de pistas para identificar este mensaje? *(Gigi es amable y servicial con la Anciana. Entonces, la Anciana es amable y servicial con él).*

¿En qué se diferencia este mensaje del tema de la obra de teatro? *(El tema es las aventuras de Gigi. El mensaje es la lección que Gigi y los lectores aprenden).*

TEKS 3.6G, 3.7C, 3.8A, 3.10A

DOK 3

 LEER PARA COMPRENDER

Volver a contar

Pida a los estudiantes que vuelvan a contar los acontecimientos del Acto I. *(Gigi se va de casa, se hace amigo de Gato y Perro y ayuda a la Anciana. Ella le da un anillo especial y una advertencia).*

Si los estudiantes tienen dificultades para volver a contar el cuento, use este modelo:

PENSAR EN VOZ ALTA *Voy a volver a contar los acontecimientos más importantes del Acto 1 para asegurarme de que comprendo el cuento. Gigi quiere viajar por el mundo. Deja a su mamá. En el camino, se junta con Perro y Gato. Ayudan a la Anciana, que le da a Gigi un anillo mágico, pero le advierte que no debe contárselo a nadie.*

TEKS 3.6G, 3.7D

DOK 3

 Mis notas

ESCENA 2

21 (Se encienden las luces. El NARRADOR entra por la izquierda y se sienta en la silla. GIGI está parado en el centro del escenario y luego camina en círculos alrededor del escenario).

22 NARRADOR. Gigi se marcha para vivir aventuras, reunir una fortuna y todas esas cosas. Después de muchas horas, se encuentra con una mujer mientras va por la carretera.

23 (La ANCIANA, el PERRO y el GATO entran por la derecha. La ANCIANA lleva un saco grande sobre el hombro).

24 GIGI. ¡Hola! Soy Gigi. Permítame que le ayude con ese saco.

25 (GIGI agarra el saco).

26 ANCIANA. Muchas gracias, joven. Mi espalda estaba a punto de romperse.

27 (GIGI, la ANCIANA, el GATO y el PERRO caminan lentamente hacia la parte delantera izquierda. GIGI deja el saco).

28 ANCIANA. Tu amabilidad merece amabilidad a cambio. Por favor, toma mi gato y mi perro. Si les muestras lealtad, serán tus amigos más fieles.

29 GIGI. ¡Vaya! Muchas, gracias. Hola, Gato.

30 GATO. ¡Miau!

31 GIGI. Hola, Perro.

32 PERRO. ¡Guau!

328

TARGETED CLOSE READ
Theme

Have students reread page 328 to identify and analyze an important theme of the play.

What lesson, or theme, about life does Gigi learn from Anciana? *(If you give something good, you will get something good in return.)*

What details in the text are clues to this theme? *(Gigi is kind and helpful to Anciana. So she is kind and helpful to him.)*

How is this theme different from the topic of the play? *(The topic is Gigi's adventure. The theme is a lesson Gigi and the readers learn.)*

READ FOR UNDERSTANDING
Retell

Have students retell the events in Act I. *(Gigi leaves home, makes friends with Gato and Perro, and helps Anciana. She gives him a special ring and a warning.)*

If student have difficulty retelling, use this model:

THINK ALOUD *I will retell just the most important events in Act 1 to make sure I understand the story. Gigi wants to see the world. He leaves his mother. On his way, Perro and Gato join him. They help Anciana who gives Gigi a magic ring, but she warns him not to tell anyone about the ring.*

 CONOCIMIENTOS Y DESTREZAS ESENCIALES DE TEXAS 3.6E make connections; **3.6F** make inferences/use evidence; **3.6G** evaluate details; **3.7C** use text evidence; **3.7D** retell/paraphrase texts; **3.8A** infer theme/distinguish from topic; **3.8B** explain relationships among characters; **3.9A** demonstrate knowledge of literature characteristics;

33 ANCIANA. Toma también este anillo.

34 (La ANCIANA entrega un anillo de oro a GIGI).

35 GIGI. ¡Es hermoso!

36 ANCIANA. No es un simple anillo hermoso. Si alguna vez necesitas algo, póntelo, pide un deseo y dale vueltas alrededor del dedo.

37 GIGI. ¿Entonces qué pasará?

38 ANCIANA. ¡Ya lo verás! Te daré otro consejo antes de irme: no le cuentes nunca a nadie lo del anillo. Si lo haces, solo te traerá problemas.

39 (La ANCIANA sale por la izquierda).

40 GIGI. ¡Qué anciana más agradable! Extraña, pero agradable. Bueno, chicos. ¡Vámonos!

41 GATO. ¡Miau!

42 PERRO. ¡Guau!

43 (GIGI, el PERRO y el GATO salen por la derecha. Las luces se apagan).

ACTO II
ESCENA 3

44 (Se encienden las luces. En el fondo un bosque. El NARRADOR está sentado en la silla en la parte delantera derecha).

45 NARRADOR. Gigi y sus nuevos amigos caminaron durante todo el día. Cuando llegó la noche, todavía seguían en medio del bosque.

46 (GIGI, el PERRO y el GATO entran por la izquierda con aspecto cansado).

47 GIGI. ¡Vaya! Pues sí que hay árboles en Italia. Necesito descansar y comer algo.

48 GATO. (sentándose y frotándose las patas) ¡Miiiiiau!

49 PERRO. (tirándose al suelo) ¡Guaaaaaaaaaau!

50 GIGI. Me pregunto si este anillo funcionará de verdad.

51 (GIGI saca el anillo del bolsillo y se lo pone).

52 GIGI. Bien. Deseo un plato enorme de macarrones con queso.

53 GATO. Pide también un atún gigante para mí.

54 GIGI. ¡Claro! (Lo mira dos veces). ¡Sabes hablar!

55 GATO. ¿Qué pasa? ¿No habías visto nunca un gato que habla?

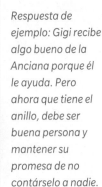

Respuesta de ejemplo: Gigi recibe algo bueno de la Anciana porque él le ayuda. Pero ahora que tiene el anillo, debe ser buena persona y mantener su promesa de no contárselo a nadie.

Observa **y** anota

Palabras sabias

- **Explique a los estudiantes** que a menudo en los cuentos clásicos, un personaje sabio puede dar un consejo importante al personaje principal. Cuando los lectores se encuentren momentos como este, deben detenerse y pensar por qué es importante este consejo para la trama.

- **Pida a los estudiantes** que expliquen qué consejos y advertencias ha recibido Gigi hasta el momento. *(La Mamá de Gigi le dice que el oro y las ropas elegantes no lo harán feliz si no tiene un buen corazón. Dice que solo recibes de las personas lo mismo que les das. La Anciana le advierte que no debe contarle nunca a nadie lo del anillo de los deseos. Si lo hace, le traerá problemas.)*

SUGERENCIA PARA NOTAS: Pida a los estudiantes que escriban notas para conectar la advertencia de la Anciana y el consejo de la Mamá de Gigi.

- **Pida a los estudiantes** que reflexionen sobre la pregunta principal *¿Cuál es la lección acerca de la vida y cómo podría afectar la vida del personaje?* y que añadan ideas a sus notas.

TEKS 3.6E, 3.6F, 3.6G, 3.8A, 3.8B, 3.9A

DOK 3

329

NOTICE & NOTE
Words of the Wiser

- **Explain to students** that often in classic tales, a wiser character might give important advice to the main character. When readers come across moments like this, they should stop and think about how this advice might be important to the plot.

- **Have students** explain what advice and warnings Gigi has received so far. (*Mamá de Gigi tells him gold and fine clothes won't make him happy if he doesn't have a good heart. She says you only get from people what you give to people. Anciana warns him not to tell anyone about the special wishing ring or trouble will follow.*)

ANNOTATION TIP: Have students write notes that connect Anciana's warning to Mamá de Gigi's advice. (*Gigi gets something good from Anciana because he gives her help. But now that he has the ring, he needs to be a good person and keep his promise not to tell anyone about it.*)

- **Have students** reflect on the Anchor Question *What's the life lesson and how might it affect the life of the character?* and add to their notes. (*Sample response: Gigi gets something good from Anciana because he gives her help. But now that he has the ring, he needs to be a good person and keep his promise not to tell anyone about it.*)

56 **GIGI.** No, la verdad es que no. ¿Por qué no has dicho nada hasta ahora?

57 **PERRO.** (levantándose) Tampoco preguntaste.

58 **GIGI.** ¿Tú también sabes hablar?

59 **PERRO.** Tienes un anillo que concede deseos. ¿Por qué te sorprende tanto que los animales hablen?

60 **GIGI.** ¡Vaya! Parece que estuviera en una especie de cuento de hadas.

61 **GATO.** Algo así.

62 **PERRO.** Por cierto, yo quiero un hueso delicioso y jugoso.

63 **GIGI.** ¡De acuerdo! Deseo un plato enorme de macarrones con queso, un atún gigante y un hueso delicioso y jugoso.

64 (GIGI da vueltas al anillo en el dedo. Suena el efecto de una flauta de émbolo. Entran un CAMARERO y tres SIRVIENTES por la izquierda, y colocan una mesa y tres sillas en el centro del escenario. GIGI, el GATO y el PERRO se sientan. El CAMARERO y los tres SIRVIENTES salen por la izquierda. Vuelven a entrar y colocan tres platos delante de GIGI, el GATO y el PERRO, y salen por la izquierda. GIGI, el GATO y el PERRO fingen que comen de los platos).

65 **GIGI.** ¡Qué rico está esto!

66 **GATO.** ¡Delicioso!

67 **PERRO.** ¡Sabroso!

68 **NARRADOR.** Mientras los tres amigos comían hasta hartarse, Maliarda, la hija de un noble eminente, caminaba por el bosque.

> **eminente** Una persona eminente es famosa e importante.

330

READ FOR UNDERSTANDING

What surprises Gigi about Gato and Perro? (They can talk.)

How is this moment similar to the moment in *La saga de Pecos Bill* when Pecos Bill meets cowboy? (Cowboy is surprised that Bill thinks he's a coyote. Bill is surprised to learn he is a human boy. Bill joins cowboy just as Gato and Perro join Gigi.)

How do you know what happens when Gigi wishes on his ring? (The stage directions tell that the Camarero and three Sirvientes appear with a table and food.)

ANNOTATION TIP: Have students underline the dialogue that shows how Gigi, Gato, and Perro feel about the meal.

 CONOCIMIENTOS Y DESTREZAS ESENCIALES DE TEXAS 3.6E make connections; **3.7C** use text evidence; **3.8B** explain relationships among characters; **3.8C** analyze plot elements; **3.9C** discuss elements of drama

69 (MALIARDA entra por la izquierda. Camina hacia la parte delantera izquierda).

70 **NARRADOR.** Todo el mundo estaba de acuerdo en que Maliarda era la muchacha más hermosa de Italia.

71 **GIGI.** ¡Vaya! Es la muchacha más hermosa de Italia.

72 (GIGI mira asombrado a MALIARDA).

73 **GATO.** ¿Gigi?

74 (PERRO agita la pata frente al rostro de GIGI).

75 **GATO.** (gritando) ¡Gigi!

76 **GIGI.** ¡Es tan hermosa! ¿Pero a quién intento engañar? Una muchacha como ella nunca se fijaría en un chico pobretón como yo... ¡Un momento! Tengo el anillo mágico. Pediré ropas hermosas y una gran casa con sirvientes. ¡Le diré que soy de la nobleza! Seguro que así querrá hablar conmigo.

77 **GATO.** ¿Estás seguro de que es una buena idea?

78 **PERRO.** No está bien mentir a los demás, Gigi.

79 **GIGI.** ¡No pasa nada! Deseo un traje elegante adecuado para la nobleza y una gran mansión con sirvientes.

80 (GIGI da vueltas al anillo en el dedo. Suena el efecto de una flauta de émbolo. El CAMARERO y dos SIRVIENTES entran por la derecha con una hermosa capa y el fondo de la casa. El CAMARERO coloca la capa sobre los hombros de GIGI. Los SIRVIENTES colocan el fondo en la parte trasera central del escenario. El CAMARERO y los SIRVIENTES salen por la derecha).

81 **GIGI.** ¡Eso está mejor! (A Maliarda) ¡Mi *lady*!

82 (GIGI hace una gran reverencia).

83 **MALIARDA.** ¡Oh! Buenos días, señor. ¿Nos conocemos?

84 **GIGI.** No, mi *lady*. Soy... (dudando) lord Gigi.

85 **MALIARDA.** Es un placer conocerlo, mi lord. (Al público) Si él es lord, yo soy la Reina de Inglaterra. (A GIGI) ¿Es esa su imponente casa, mi lord?

86 **GIGI.** ¡Claro que sí! ¿A que es impresionante?

> **pobretón** Alguien que es pobretón, es muy pobre.
> **imponente** Cuando algo es imponente, es asombroso o muy grande.

331

READ FOR UNDERSTANDING

Who is the new character in this part of Scene 3?
(Maliarda, the daughter of a rich lord)

Why is she important? *(Gigi likes her.)*

What does her arrival make Gigi do? *(He tries to hide that he is a peasant. So he uses the ring to wish for fine clothes, a mansion, and servants.)*

LEER PARA COMPRENDER

¿Cómo le dice Maliarda al público lo que realmente piensa sin que se entere Gigi? *(Le habla al público en lugar de hablarle a Gigi).*

¿Cómo saben que Maliarda le habla al público? *(Las direcciones de escena de la línea 87 dicen "Al público").*

SUGERENCIA PARA NOTAS: Pida a los estudiantes que subrayen el texto que muestra que Maliarda sabe que Gigi miente.

TEKS 3.8B, 3.8C, 3.9C

DOK 2

87　**MALIARDA.** Sí, es increíble. (Al público) ¿Cómo puede conseguir una casa como esta un pobretón como él? ¡Debo descubrir su secreto!

88　**GIGI.** ¿Cómo se llama, mi *lady*?

89　**MALIARDA.** Soy Maliarda.

90　**GIGI.** ¡Maliarda! ¡Qué nombre más hermoso!

91　**MALIARDA.** Es demasiado amable, mi lord. (Al público) ¿Este pobretón cree que puede embaucarme? A este juego pueden jugar dos, ¡y yo soy superior a él! (A GIGI) Mi lord, ¿cómo consiguió tal fortuna?

92　**GIGI.** Bueno... es un secreto.

93　**MALIARDA.** ¡Me encantan los secretos! Seguro es que es un secreto muy emocionante.

94　**GIGI.** ¡Así es!

95　**MALIARDA.** ¡Cuéntemelo!

96　**GATO.** Acabas de conocer a esta chica, Gigi.

97　**PERRO.** Sí, no confíes en ella.

98　**MALIARDA.** (sorprendida) ¡Qué groseros! Lord Gigi, ¿va a dejar que sus animales me insulten así? ¡Destiérrelos!

---

embaucarme　Si alguien trata de embaucarme, me dice mentiras creyendo que puede hacerme creer algo que no es verdad.

superior　Alguien que es superior, es mejor y tiene más cualidades que otras personas.

332

READ FOR UNDERSTANDING

How does Maliarda let the audience know what she is really thinking without letting Gigi know? *(She speaks to the audience instead of Gigi.)*

How do you know that Maliarda is talking to the audience? *(The stage directions in line 87 say "Al público.")*

ANNOTATION TIP: Have students underline the text that shows Maliarda knows Gigi is lying.

 CONOCIMIENTOS Y DESTREZAS ESENCIALES DE TEXAS　**3.6E** make connections; **3.6F** make inferences/use evidence; **3.6G** evaluate details; **3.8A** infer theme/distinguish from topic; **3.8B** explain relationships among characters; **3.8C** analyze plot elements; **3.9A** demonstrate knowledge of literature characteristics; **3.9C** discuss elements of drama

99   GIGI. Lo lamento si la han ofendido, mi *lady*, pero son mis amigos. No los voy a desterrar.

100 MALIARDA. Como guste, lord Gigi. Pero cuénteme su secreto. Prometo que no se lo diré a nadie. ¿Por favor?

101 (MALIARDA pestañea mientras mira a GIGI).

102 GIGI. ¡Muy bien, de acuerdo! Este anillo hace que los deseos se hagan realidad.

103 MALIARDA. ¡Increíble! ¿Y cómo funciona?

104 GIGI. Te lo pones en el dedo así.

105 (GIGI pone el anillo en el dedo de MALIARDA).

106 PERRO. No, Gigi, no...

107 GIGI. Luego, pides un deseo y le das vueltas alrededor del dedo.

108 MALIARDA. Ya veo.

109 (MALIARDA camina hacia la parte delantera central).

110 MALIARDA. Muy bien, "lord" Gigi. Pues deseo que usted y sus amigos groseros se vayan a la cima de la montaña más alta de Italia.

333

Observa **y** anota

Palabras sabias

- **Recuerde a los estudiantes** que en los cuentos clásicos, a menudo una persona sabia da consejos al personaje principal. Indique que no seguir este consejo puede enseñar una lección importante al personaje principal.

- **Pida a los estudiantes** que expliquen por qué Gigi no sigue el consejo de los personajes sabios en este momento. (*La Mamá de Gigi le dijo que el oro y las ropas elegantes no lo harían feliz si no tenía un buen corazón. Gigi está mintiendo a Maliarda. Eso no es bueno. Tampoco sigue la advertencia de la Anciana*).

SUGERENCIA PARA NOTAS: Pida a los estudiantes que subrayen el texto que describe el problema al que está a punto de enfrentarse Gigi por no haber seguido las palabras de los sabios.

- **Pida a los estudiantes** que reflexionen sobre la pregunta principal *¿Cuál es la lección acerca de la vida y cómo podría afectar la vida del personaje?* y que añadan ideas a sus notas.

TEKS 3.6E, 3.6F, 3.6G, 3.8A, 3.8B, 3.9A

DOK 3

NOTICE & NOTE

Words of the Wiser

- **Remind students** that in classic tales, a wiser person often gives advice to the main character. Point out that not following this advice can teach the main characters an important lesson.

- **Ask students** to explain how Gigi is not following the advice of wiser characters here. (*Mamá de Gigi told him that gold and fine clothes won't make him happy if he doesn't have a good heart. Gigi is lying to Maliarda. That isn't very good. He also isn't following Anciana's warning.*)

ANNOTATION TIP: Have students underline the text that shows the trouble Gigi is about to face because he didn't follow words of the wiser.

- **Have students** reflect on the Anchor Question *What's the life lesson and how might it affect the life of the character?* and add to their notes.

¿Por qué el ambiente de la Escena 4 crea un problema para los amigos? *(Están atrapados y helándose en la cima de la montaña más alta de Italia).*

¿Cómo les ayuda la ilustración a comprender este problema? *(Muestra a los amigos en la cima de la montaña. Están tiritando).*

SUGERENCIA PARA NOTAS: Pida a los estudiantes que subrayen el texto que describe lo que pueden hacer Perro y Gato que Gigi no puede.

TEKS 3.7C, 3.8B, 3.8C, 3.8D

DOK 2

 ## LECTURA EN DETALLE GUIADA

Elementos de la obra de teatro

Pida a los estudiantes que vuelvan a leer la Escena 3 para identificar y analizar los elementos de la obra de teatro.

¿Cuál de todos los personajes relata la historia? *(el Narrador)*

¿Cómo saben que el ambiente cambia en esta escena? *(Las direcciones de escena de la página 331 indican que el ambiente mágicamente se convierte en una mansión).*

¿Por qué los acontecimientos de la Escena 2 en los que participó la Anciana le causaron un problema a Gigi? *(En la Escena 2, la Anciana le entrega el anillo a Gigi y le advierte que nunca le cuente a nadie del anillo. En la Escena 3, Gigi no toma en cuenta la advertencia. Maliarda usa el anillo para enviarlo a él y a sus amigos a la cima de la montaña).*

TEKS 3.9C

DOK 2

111   **GIGI.** ¿Cómo?

112   **PERRO, GATO.** (juntos) ¡No!

113   (MALIARDA da vueltas al anillo. Suena el efecto de una flauta de émbolo. Se apagan las luces. GIGI, el PERRO y el GATO salen por la derecha. Se encienden las luces de nuevo).

114   **MALIARDA.** Estúpido Gigi, gracias por tu estupendo anillo y tu magnífica mansión. (Al público) Si creen que tengo sangre fría, créanme, no lo es tanto como el frío que están pasando ahora mismo Gigi y sus amigos.

115   (MALIARDA sale por la izquierda, riéndose. Las luces se apagan).

ESCENA 4

116   (Un foco apunta al NARRADOR en la silla que hay en la parte delantera derecha del escenario. Un foco apunta a GIGI, al GATO y al PERRO en el centro del escenario. Están acurrucados. Suenan los efectos de sonido de un viento fuerte).

117   **NARRADOR.** Gigi y sus amigos tienen problemas. Por culpa de Maliarda, están en la cima de la montaña más alta de Italia. Sopla un viento helado por los cuatro costados.

118   **GIGI.** (tiritando) ¡Q-q-qué f-f-frío!

119   **PERRO.** No siento el hocico.

120   **GATO.** ¡Tenemos que salir de aquí!

121   **GIGI.** No veo ningún camino para bajar. ¡Estamos atrapados!

122   **GATO.** No hay ningún camino para bajar con dos pies, pero yo tengo cuatro patas. ¡Un gato siempre cae de patas!

123   **PERRO.** Gigi, has sido un buen amigo. Recuperaremos el anillo que tiene Maliarda.

334

READ FOR UNDERSTANDING

How does the setting in Scene 4 create a problem for the friends? *(They are trapped and freezing on top of the highest mountain in Italy.)*

How does the illustration help you understand this problem? *(It shows the friends high up on the mountaintop. They are shivering.)*

ANNOTATION TIP: Have students underline the text that shows what Gato and Perro can do that Gigi cannot do.

TARGETED CLOSE READ

Elements of Drama

Have students reread Scene 3 to identify and analyze elements of drama.

Which character has been telling the story? *(Narrador)*

How do you know when the setting changes in this scene? *(The stage directions on page 331 tell how the setting magically changes to a mansion.)*

How did the events in Scene 2 with Anciana lead to a problem for Gigi? *(In Scene 2, Anciana gives Gigi the ring and warns him never to tell anyone about the ring. In Scene 3 he does not follow the warning. Maliarda uses the ring to send him and his friends to the mountaintop.)*

 CONOCIMIENTOS Y DESTREZAS ESENCIALES DE TEXAS   **3.7C** use text evidence; **3.8B** explain relationships among characters; **3.8C** analyze plot elements; **3.8D** explain influence of setting on plot; **3.9C** discuss elements of drama

124 (El GATO y el PERRO se mueven hacia la parte delantera izquierda, seguidos por el foco. GIGI sale por la derecha. Se detiene el efecto del sonido del viento).

125 NARRADOR. Los amigos leales de Gigi bajaron la montaña. Llegaron a la casa de Maliarda en medio de la noche.

126 (Las luces se encienden totalmente, dejando ver el fondo de la casa en la parte trasera central del escenario).

127 PERRO. No veo ninguna luz. Maliarda debe estar durmiendo.

128 (El GATO camina hasta la puerta y finge abrirla).

129 GATO. ¡Está cerrada! ¿Y ahora qué?

130 PERRO. ¡Tengo una idea! Puedo cavar un hoyo por debajo de la puerta.

131 (El PERRO se coloca a cuatro patas frente a la cortina que hace de puerta y finge cavar. El RATÓN entra por la izquierda y se mueve hacia la parte delantera izquierda, observando al GATO y al PERRO).

132 GATO. Vas a necesitar un hoyo muy grande.

133 PERRO. ¿Tienes alguna idea mejor?

134 GATO. Espera. ¿Qué es eso?

135 (El GATO ve al RATÓN).

136 RATÓN. ¡Iiiiiii!

137 (El GATO persigue al RATÓN por la parte delantera del escenario, de izquierda a derecha. El GATO agarra al RATÓN por la oreja).

138 RATÓN. ¡Au! ¡Por favor, no me hagas daño!

139 GATO. ¡Cállate o te convierto en mi desayuno!

140 RATÓN. (en voz baja) ¡Iiiiiii!

141 PERRO. No es momento de comer.

142 GATO. Esto no es comida, amigo. Es la forma de recuperar el anillo. (Al RATÓN) Escúchame con atención. Vas a ayudarnos. Si lo haces, te dejaremos libre. Si no, ¡tortitas de ratón para desayunar! ¿Comprendes?

143 RATÓN. (asintiendo) ¡Sí!

335

READ FOR UNDERSTANDING

What problem are Perro and Gato trying to solve?
(*They want to get inside Maliarda's house.*)

What is Perro's solution? (*to dig a hole under the door*)

What "better idea" does the Gato come up with to resolve the problem? (*Gato catches Ratón and tells Ratón to do what he says.*)

ANNOTATION TIP: Have students underline what will happen to Ratón if he doesn't do what Gato says.

Gato y Perro
ayudan a Gigi a
recuperar el anillo.
Ratón ayuda a Gato
y Perro.

144 **GATO.** Cuélate por debajo de esta puerta. Dentro, hay una muchacha. Encuéntrala. Hay un anillo de oro en el dedo de la muchacha. Tienes que sacárselo y traérnoslo.

145 **RATÓN.** ¿Y después me dejan libre?

146 **PERRO.** (parándose) Sí, ratoncito. Te dejaremos libre.

147 **RATÓN.** Muy bien. Les ayudaré.

148 (El GATO suelta al RATÓN. El RATÓN se arrastra por debajo de la cortina que hace de puerta y por detrás del fondo de la casa).

149 **PERRO.** Bien pensado, Gato.

150 **GATO.** Gracias, Perro.

151 (El RATÓN regresa arrastrándose por debajo de la cortina).

152 **GATO.** ¿Lo tienes?

153 **RATÓN.** ¿Tenía que buscar un anillo?

154 **PERRO.** ¡Sí!

155 **RATÓN.** ¿Un anillo de oro?

156 **GATO.** ¡Sí!

157 **RATÓN.** ¿En el dedo de una muchacha?

158 **GATO, PERRO.** (juntos) ¡Sí!

159 **RATÓN.** No encontré ningún anillo dorado en el dedo de la muchacha.

160 **PERRO.** ¡Oh, no!

161 **GATO.** ¡Pobre Gigi! ¿Cómo vamos a rescatarlo ahora?

336

 LEER PARA COMPRENDER

¿En qué se parece la forma en que Gato y Perro pueden ayudar a Gigi a la forma en que Ratón ayuda a Gato y Perro? *(En las dos situaciones un personaje o varios personajes pueden hacer algo que otro no puede hacer. Gigi no podía bajar la montaña, pero Gato y Perro sí. Gato y Perro no podían entrar en casa de Maliarda, pero Ratón sí).*

SUGERENCIA PARA NOTAS: Pida a los estudiantes que escriban notas sobre cómo los personajes secundarios ayudan a los personajes principales en la Escena 4.

TEKS 3.7C, 3.8B, 3.8C

DOK 2

READ FOR UNDERSTANDING

How is the way that Gato and Perro are able to help Gigi similar to the way Ratón helps Gato and Perro? *(In both situations, a character or characters can do something that another can't do. Gigi couldn't climb down the mountain, but Gato and Perro could. Gato and Ratón can't sneak into Maliarda's house, but Ratón can.)*

ANNOTATION TIP: Have students note how minor characters help major characters in Scene 4. *(Gato and Perro help Gigi get the ring. Ratón helps Gato and Perro.)*

 CONOCIMIENTOS Y DESTREZAS ESENCIALES DE TEXAS **3.6G** evaluate details; **3.7C** use text evidence; **3.7D** retell/paraphrase texts; **3.8B** explain relationships among characters; **3.8C** analyze plot elements; **3.9C** discuss elements of drama

162 (El RATÓN muestra un anillo).

163 RATÓN. Encontré un anillo de oro en una cadena que la muchacha llevaba al cuello, pero imagino que no es el anillo que buscan.

164 GATO. ¡Ese es el anillo que queremos!

165 RATÓN. ¡Vaya, qué suerte! Aquí lo tienen.

166 (El RATÓN entrega el anillo al GATO).

167 PERRO. Oh, ratoncito bobo, muchas gracias.

168 RATÓN. De nada, supongo. Me voy entonces.

169 GATO. Adiós, Ratón. ¡Nos volveremos a ver!

170 RATÓN. No si puedo evitarlo.

171 (El RATÓN sale por la derecha).

172 PERRO. ¡Rápido, usa el anillo para salvar a Gigi!

173 (El GATO se pone el anillo).

174 GATO. Deseo que Gigi esté aquí ahora mismo.

175 (El GATO da vueltas al anillo. Suena el efecto de una flauta de émbolo. GIGI entra por la izquierda).

176 GIGI. ¡Me han salvado! Muchas gracias, amigos. ¡Si hubiera estado más tiempo en aquella montaña, me hubiera convertido en *gelato*!

177 (GIGI, el GATO y el PERRO chocan los cinco).

178 PERRO. Me alegro de verte, Gigi.

179 GATO. Yo también. ¿Pero dónde está Maliarda?

337

Mis notas

LECTURA EN DETALLE GUIADA

Elementos de la obra de teatro

Pida a los estudiantes que vuelvan a leer las páginas 292 a 295 para analizar los elementos de la obra de teatro.

¿Cómo saben que Gigi está a salvo? (*Las direcciones de escena indican que Gato se pone el anillo. Gato pide un deseo. Luego las direcciones de escena indican que entra Gigi*).

¿Qué efecto de sonido indica la entrada de Gigi? (*Suena el efecto de una flauta de émbolo*).

¿Por qué los acontecimientos al final de la Escena 4 resuelven el problema causado en la Escena 3? (*En la Escena 3, Gigi se mete en problemas porque le miente a Maliarda y le entrega el anillo. Gigi es enviado a la montaña. En la Escena 4, Gato y Perro recuperan el anillo y rescatan a Gigi de la montaña*).

TEKS 3.9C

DOK 2

LEER PARA COMPRENDER

Volver a contar

Recuerde a los estudiantes que, mientras leen, es importante que vuelvan a contar cada sección con sus propias palabras. Pídales que vuelvan a contar cómo Gato y Perro ayudaron a Gigi en la Escena 4.

TEKS 3.6G, 3.7D

DOK 3

TARGETED CLOSE READ

Elements of Drama

Have students reread pages 292–295 to analyze the elements of drama.

How do you know that Gigi is saved? (*The stage directions say that Gato puts on the ring. Gato makes a wish. Then the stage directions say that Gigi enters.*)

What sound effect signals Gigi's entrance? (*Play slide-whistle sound effect.*)

How do the events at the end of Scene 4 resolve the problem caused in Scene 3? (*In Scene 3, Gigi gets into trouble because he lies to Maliarda and gives her the ring. He ends up on the mountain. In Scene 4, Gato and Perro get the ring back and get Gigi down from the mountain.*)

READ FOR UNDERSTANDING

Retell

Remind students that as they read, it is important to retell each section in their own words. Have students retell how Gato and Perro help Gigi in Scene 4.

Mis notas

LECTURA EN DETALLE GUIADA

Mensaje

Pida a los estudiantes que vuelvan a leer la página 338 para identificar y analizar un mensaje importante en la obra de teatro.

¿Qué lección aprende Gigi acerca de la vida? (*Siempre recibes de las personas lo mismo que les das*).

SUGERENCIA PARA NOTAS Pida a los estudiantes que subrayen el texto que describe lo que aprendió Gigi.

TEKS 3.6G, 3.7C, 3.10A

DOK 3

 LEER PARA COMPRENDER

Concluir

Vuelva a comentar el propósito que los estudiantes establecieron antes de leer el texto. Pida a los estudiantes que expliquen qué aprendió Gigi sobre cómo usar el anillo mágico. (*Hay que tener cuidado porque puede traer tanto cosas malas como buenas si no se tiene cuidado*).

TEKS 3.6A, 3.8A

DOK 2

---

180 GIGI. Debería probar de su propia medicina. Denme el anillo.

181 (El GATO entrega a GIGI el anillo de oro. GIGI se lo pone en el dedo).

182 GIGI. Deseo que Maliarda se vaya a la cima de la montaña más alta de Italia.

183 (GIGI da vueltas al anillo. Suena el efecto de una flauta de émbolo).

184 MALIARDA. (desde fuera del escenario) ¡Oh, nooooo!

185 PERRO. Gigi, sé que es una persona terrible, pero sería cruel dejar a Maliarda en la cumbre de aquella montaña.

186 GIGI. Tienes razón. Voy a ser compasivo. Deseo que Maliarda esté en la mitad de la montaña más alta de Italia.

187 (GIGI da vueltas al anillo. Suena el efecto de una flauta de émbolo).

188 MALIARDA. (desde fuera del escenario) ¡Otra vez no!

189 GIGI. Mamá tenía razón. Siempre recibes de las personas lo mismo que les das. Yo fui amable con la anciana y ella fue amable conmigo. Yo fui fiel a mis amigos y ellos me fueron fieles a mí. Pero cuando le mentí a Maliarda, ella también me mintió.

190 GATO. Bueno, espero que hayas aprendido la lección, Gigi.

191 GIGI. ¡Claro que sí!

192 NARRADOR. Gigi trajo a su mamá a vivir con él en su nueva mansión.

193 (La MAMÁ DE GIGI entra por la izquierda y abraza a GIGI).

194 NARRADOR. Y vivieron felices para siempre.

195 (Se apagan las luces).

FIN

> **compasivo** Alguien que es compasivo, es bueno y perdona a los demás.

338

TARGETED CLOSE READ
Theme
Have students reread page 338 to identify and analyze an important theme of the play.

What lesson, or theme, about life does Gigi learn? (*If you give something good, you will get something good in return.*)

ANNOTATION TIP Have students underline the text that shows what Gigi learned.

READ FOR UNDERSTANDING
Wrap-Up
Revisit the purpose students set before they read the text. Have students explain what Gigi has learned about using a wishing ring. (*You have to be careful, because it can bring bad as well as good if you are not careful.*)

 CONOCIMIENTOS Y DESTREZAS ESENCIALES DE TEXAS **3.1A** listen actively/ask relevant questions; **3.1D** work collaboratively; **3.1E** develop social communication; **3.6A** establish purpose for reading; **3.6E** make connections; **3.6F** make inferences/use evidence; **3.6G** evaluate details; **3.7C** use text evidence; **3.7D** retell/paraphrase texts; **3.8A** infer theme/distinguish from topic; **3.8C** analyze plot elements; **3.9A** demonstrate knowledge of literature characteristics;

Conversación colaborativa

Vuelve a leer lo que escribiste en la página 324. Comenta tu respuesta con un compañero. Luego trabaja en grupo y comenta las preguntas de abajo. Busca detalles y ejemplos en *Gigi y el anillo mágico* para explicar tus respuestas. Toma notas para responder las preguntas y úsalas cuando hables. Piensa en formas de agregar detalles nuevos a lo que dicen los demás.

1. Vuelve a leer las páginas 328 y 329. ¿Qué te dicen las palabras y las acciones de Gigi sobre él?

2. Vuelve a leer las páginas 329 a 331. ¿Qué partes de esta escena no podrían ocurrir en la vida real?

3. Repasa las páginas 334 a 337. ¿Qué personaje fue más importante para salvar a Gigi: el Gato, el Perro o el Ratón? ¿Por qué?

Sugerencia para escuchar

Escucha los ejemplos que usa cada hablante. Prepárate para explicar si esos ejemplos apoyan o no tus propias respuestas.

Sugerencia para hablar

Haz preguntas si no comprendes lo que dice el hablante. Indica una palabra o frase exacta que no te haya quedado clara.

Conversación académica

Use la rutina de **CONVERSACIÓN COLABORATIVA**. Pida a los estudiantes que tomen notas para responder las preguntas. Luego pídales que trabajen en grupos y que apliquen las Sugerencias para escuchar y hablar mientras comentan sus respuestas.

Respuestas posibles:

1. *Es aventurero. Valora el dinero y las ropas elegantes. También respeta a su mamá.* DOK 2

2. *Un gato y un perro no pueden hablar. Un anillo no puede hacer que aparezcan las cosas que deseas.* DOK 2

3. *Respuestas de ejemplo: Ratón, porque fue el que le quitó el anillo a Maliarda. Gato, porque inventa el plan y obliga a Ratón a recuperar el anillo.* DOK 2

TEKS 3.1A, 3.1D, 3.1E, 3.6E, 3.6F, 3.7C, 3.7D, 3.8C, 3.9A, 3.10D, 3.10F

339

Academic Discussion

Use the **COLLABORATIVE DISCUSSION** routine. Have students write notes to answer the questions. Then have groups apply the Listening and Speaking Tips as they discuss their responses.

Possible responses:

1. *He is adventurous. He values money and fine clothes. He also respects his mother.*

2. *A cat and dog could not talk. A ring could not make the things you wish for appear.*

3. *Sample responses: Ratón, because he was the one who could get the ring from Maliarda. Gato, because he comes up with the plan and forces Ratón to get the ring.*

Escribir sobre la lectura

- **Lea en voz alta** el tema para desarrollar con los estudiantes.

- **Inicie un debate** en el que los estudiantes compartan sus ideas sobre los acontecimientos de la escena 3 de la obra de teatro y sobre cómo se responderían las preguntas quién, qué, cuándo, dónde, por qué y cómo sobre estas partes de la obra de teatro. Pida a los estudiantes que usen las evidencias del texto para imaginar que son reporteros que están investigando este episodio.

- **Luego lea en voz alta** la sección Planificar. Pida a los estudiantes que usen ideas del debate en sus notas.

TEKS 3.1E, 3.6B, 3.7B, 3.7C, 3.7D, 3.7F, 3.11A, 3.11B(i), 3.11B(ii), 3.12B

Escribir un reportaje noticiero

TEMA PARA DESARROLLAR

Gigi se mete en problemas en la escena 3 de *Gigi y el anillo mágico*. La escena describe lo que tratan de hacer sus amigos más fieles, Gato y Perro, para salvarlo.

Imagina que eres reportero del periódico del pueblo de Gigi. Tu tarea consiste en escribir un reportaje noticiero sobre lo que le ocurre a Gigi. Un reportaje noticiero consistente da información que dice quién, qué, cuándo, dónde, por qué y cómo. Usa los detalles de la obra de teatro para responder a estas preguntas mientras escribes tu reportaje. No olvides usar algunas de las palabras del Vocabulario crítico en tu escritura.

PLANIFICAR

Usa la información de la sección Reparto para tomar notas sobre *quiénes* son los personajes más importantes. Usa la información de la sección Ambientación para indicar *dónde* tiene lugar el cuento. Enumera todos los lugares a los que viaja Gigi.

> Las respuestas variarán, pero los estudiantes deben incluir al menos Gigi, Gato, Perro y Maliarda debajo de *Quién*. La información sobre *Dónde* puede incluir Italia, una casita en el bosque y una montaña muy alta.

Write About Reading

- **Read aloud** the prompt with students.

- **Lead a discussion** in which students share their ideas about the events in Scene 3 of the play and the who, what, when, where, why, and how questions about this part of the play they will answer. Tell students to use text evidence to imagine they are reporters investigating this episode.

- Then read aloud the Plan section. Have students use ideas from the discussion in their notes.

CONOCIMIENTOS Y DESTREZAS ESENCIALES DE TEXAS **3.1E** develop social communication; **3.6B** generate questions about text; **3.7B** write responses that demonstrate understanding; **3.7C** use text evidence; **3.7D** retell/paraphrase texts; **3.7F** respond using vocabulary; **3.11A** plan first draft; **3.11B(i)** develop drafts by organizing with purposeful structure; **3.11B(ii)** develop drafts by developing an engaging idea; **3.12B** compose informational texts

Ahora escribe tu reportaje noticiero sobre lo que le ocurre a Gigi.

✓

Asegúrate de que tu reportaje noticiero

☐ comienza con una oración temática clara.

☐ incluye datos y detalles de la obra de teatro.

☐ dice *quién, qué, cuándo, dónde, por qué* y *cómo.*

☐ usa oraciones completas.

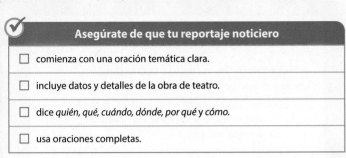

Las respuestas variarán, pero deben describir los personajes y las ambientaciones principales de la obra de teatro, además de una explicación de lo que ocurre. La explicación debe incluir *cómo* y *por qué* ocurrieron los acontecimientos, así como los elementos de la lista de comprobación.

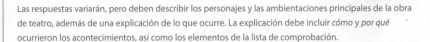

Escribir sobre la lectura

• **Repase con los estudiantes** las instrucciones y la lista de comprobación de la sección Escribir.

• **Anime a los estudiantes** a asegurarse de que comienzan su reportaje con una oración temática clara que atrae la atención de los lectores e invítelos a responder preguntas sobre la escena que incluyeron en sus notas.

TEKS 3.6B, 3.7B, 3.7C, 3.7D, 3.7F, 3.11A, 3.11B(i), 3.11B(ii), 3.12B

341

Write About Reading

• **Review with students** the directions and checklist in the Write section.

• **Encourage students** to make sure they begin with a clear topic sentence that draws readers in to their article and to answer the questions about the scene that they included in their notes.

LEER PARA COMPRENDER

Presentar el texto

- **Lea en voz alta** y comente la información sobre el género. Recuerde a los estudiantes que ya leyeron dos obras de teatro que son versiones de cuentos tradicionales. Indique que un mito es otra forma de cuento tradicional. Eche un vistazo a la lista de personajes, a los encabezados de las escenas, al diálogo y a las direcciones de escena para observar las semejanzas y las diferencias entre el formato de esta obra de teatro y *La saga de Pecos Bill* y *Gigi y el anillo mágico*.

- **Use** Mostrar y motivar: **Desarrollar el contexto 4.11** a fin de desarrollar el contexto para comprender el texto.

- **Pida a los estudiantes** que busquen las palabras del Vocabulario crítico mientras leen y que piensen en el significado de las palabras.

SUGERENCIA PARA NOTAS: Pida a los estudiantes que usen el recuadro para anotar lo que saben sobre los mitos y cualquier pregunta que les gustaría responder sobre los mitos mientras leen.

TEKS 3.6A, 3.6B, 3.6E, 3.9A, 3.9C

DOK 2

Observa y anota
Contrastes y contradicciones

Prepárate para leer

ESTUDIO DEL GÉNERO Un **drama** u **obra de teatro** es un cuento o historia que puede ser representada para una audiencia.

- Los autores de las obras de teatro cuentan la historia a través de la trama, que son los acontecimientos principales del cuento.
- Las obras de teatro comienzan con el reparto, o la lista de los personajes.
- Las obras de teatro incluyen direcciones de escena.
- Los autores de las obras de teatro pueden organizar la historia en actos o escenas.
- Algunas obras de teatro incluyen un mensaje o una lección que aprende el personaje principal.

ESTABLECER UN PROPÓSITO **Piensa en** el título y el género de este texto. Esta obra de teatro se basa en un mito indígena. ¿Qué sabes sobre los mitos? ¿Qué te gustaría aprender? Escribe tu respuesta abajo.

VOCABULARIO CRÍTICO

vorazmente

vacilación

carga

inadvertido

soñolientos

tranquilizando

Desarrollar el contexto:
Características de los mitos

342

READ FOR UNDERSTANDING

Introduce the Text

- **Read aloud** and discuss the genre information. Remind students that they have already read two plays that are versions of traditional tales. Point out that a myth is another form of traditional tale. Preview the characters list, scene headings, dialogue, and stage directions to note similarities and differences between the format of this play and *La saga de Pecos Bill* and *Gigi y el anillo mágico*.

- **Use Mostrar y motivar: Desarrollar el contexto 4.11** to build background for accessing the text.

- **Tell students** to look for the Critical Vocabulary as they read, and think about the words' meanings.

ANNOTATION TIP: Have students use the box to note what they know about myths and note any questions they would like answered about myths as they read.

 CONOCIMIENTOS Y DESTREZAS ESENCIALES DE TEXAS **3.6A** establish purpose for reading; **3.6B** generate questions about text; **3.6E** make connections; **3.9A** demonstrate knowledge of literature characteristics; **3.9C** discuss elements of drama

Dos oseznos

adaptación de Robert D. San Souci
illustraciones de Helen Dardik

Establecer un propósito

- **Pida a los estudiantes** que miren las primeras páginas de *Dos oseznos* para relacionar los nombres de los personajes en la lista con algunas de las ilustraciones y para obtener una idea de la secuencia de acontecimientos.

- **Guíe a los estudiantes** para que establezcan un propósito para la lectura. Pídales que predigan qué tipo de lecciones sobre la vida pueden enseñar los mitos indígenas tradicionales.

TEKS 3.6A

DOK 2

343

READ FOR UNDERSTANDING

Set a Purpose

- **Have students** look at the first few pages of *Dos oseznos* to match the character names in the list of characters to some of the illustrations and to get a sense of the sequence of events.

- **Guide students** to set a purpose for reading. Ask them to predict what kind of lessons about life traditional Native American myths might teach.

LEER PARA COMPRENDER

¿En qué se parece y en qué se diferencia el narrador en este cuento de los narradores en *La saga de Pecos Bill* y *Gigi y el anillo mágico*? *(En la obra de teatro sobre Pecos Bill, había cuatro personajes que se llamaban Narrador 1, 2, 3 y 4. En la obra de teatro de Gigi, había solo un narrador. En esta obra de teatro, también hay solo un narrador).*

¿Cómo establece el narrador el ambiente? *(Diciendo a la audiencia que el cuento es de los miwok de California, que contaban cuentos ambientados en un valle en tiempos remotos. Luego, el narrador dice que el cuento comienza junto a un río).*

TEKS 3.6E, 3.7C, 3.8B, 3.8C, 3.9C

DOK 4

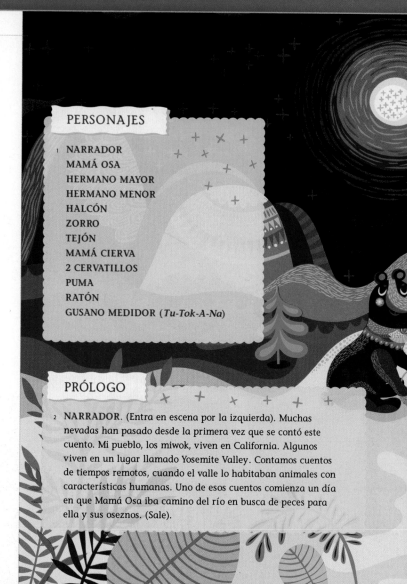

PERSONAJES

1 NARRADOR
MAMÁ OSA
HERMANO MAYOR
HERMANO MENOR
HALCÓN
ZORRO
TEJÓN
MAMÁ CIERVA
2 CERVATILLOS
PUMA
RATÓN
GUSANO MEDIDOR (*Tu-Tok-A-Na*)

PRÓLOGO

2 **NARRADOR.** (Entra en escena por la izquierda). Muchas nevadas han pasado desde la primera vez que se contó este cuento. Mi pueblo, los miwok, viven en California. Algunos viven en un lugar llamado Yosemite Valley. Contamos cuentos de tiempos remotos, cuando el valle lo habitaban animales con características humanas. Uno de esos cuentos comienza un día en que Mamá Osa iba camino del río en busca de peces para ella y sus oseznos. (Sale).

344

READ FOR UNDERSTANDING

How is the narrator of this story similar to and different from the narrators in *La saga de Pecos Bill* and in *Gigi y el anillo mágico*? *(In the play about Pecos Bill, there were four characters called Narrador 1, 2, 3, and 4. In the Gigi play, there was just one narrator. In this play, there is also just one narrator.)*

How does narrator establish the setting? *(By telling the audience that the story is one the Miwok of California, who told stories set in a valley long ago. Then the narrator says the story begins by a river.)*

CONOCIMIENTOS Y DESTREZAS ESENCIALES DE TEXAS **3.6C** make/correct/confirm predictions; **3.6E** make connections; **3.6F** make inferences/use evidence; **3.7C** use text evidence; **3.8B** explain relationships among characters; **3.8C** analyze plot elements; **3.9C** discuss elements of drama

ESCENA 1

³ AMBIENTE. Un bosque y una montaña a la izquierda del escenario; cielo salpicado de nubes a la derecha. Una tela azul o una cartulina pintada se extiende al frente del escenario, representando un río.

⁴ (MAMÁ OSA entra por la izquierda con una canasta para los pescados y se detiene a orillas del río. Sus oseznos, HERMANO MENOR y HERMANO MAYOR, entran y comienzan a jugar en el "agua").

⁵ HERMANO MAYOR. (Riendo y salpicando a su hermano) No tengas miedo de un poquito de agua, Hermano Menor.

⁶ HERMANO MENOR. (Salpicando también) No tengo miedo, Hermano Mayor.

⁷ MAMÁ OSA. (Regañándolos) ¡Niños! No espanten a los peces o nos quedaremos sin comida. ¡Salgan del agua ahora mismo! (Los OSEZNOS obedecen, no sin antes salpicarse un par de veces más). Quiero que recojan bayas, pero quédense cerca, no vayan río abajo. Allí ocurren cosas extrañas.

345

LECTURA EN DETALLE GUIADA

Elementos de la obra de teatro

Pida a los estudiantes que vuelvan a leer las páginas 344 y 345 para analizar la estructura y los elementos de la obra de teatro.

¿Qué contiene la lista rotulada Personajes? *(todos los personajes que participan en la obra de teatro)*

¿En qué se parece y en qué se diferencia la organización de esta obra de teatro a la de *La saga de Pecos Bill* y *Gigi y el anillo mágico*? *(Esta obra de teatro tiene un prólogo y escenas, pero no tiene actos. La obra de teatro de Pecos Bill es una escena larga sin interrupciones. La obra sobre Gigi está dividida en actos y escenas. Todas están escritas en orden secuencial).*

¿Cómo se relaciona el Prólogo con la Escena 1? *(El Prólogo indica quiénes son los personajes y cuál es el ambiente de la Escena 1).*

TEKS 3.6E, 3.9C

DOK 2

LEER PARA COMPRENDER

¿Por qué Mamá Osa advierte a sus hijos de que no vayan río abajo? *(Dice que allí ocurren cosas extrañas).*

¿Creen que Hermano Mayor y Hermano Menor prestarán atención a su advertencia? *(Respuesta de ejemplo: No, porque son cachorros pequeños).*

TEKS 3.6C, 3.6F, 3.7C, 3.8B, 3.9C

DOK 3

TARGETED CLOSE READ

Elements of Drama

Have students reread pages 344–345 to analyze the play's structure and elements of drama.

What does the list labeled Personajes tell? *(all of the characters in the play)*

How is the organization of this play similar to and different from *La saga de Pecos Bill* and *Gigi y el anillo mágico*? *(This play has a prologue and scenes, but no acts. The Pecos Bill play is one long scene without breaks.*

The play about Gigi is broken into both Acts and Scenes. They are all in time order sequence.)

How does the Prologue connect to Scene 1? *(The Prologue tells who the characters are and what the setting is in Scene 1.)*

READ FOR UNDERSTANDING

Why does Mamá Osa warn her sons not to go downriver? *(She says strange things happen there.)*

Do you think Hermano Mayor and Hermano Menor will pay attention to her warning? *(Sample response: No, because they are young cubs.)*

Verificar y clarificar

DEMOSTRAR CÓMO VERIFICAR Y CLARIFICAR

💬 **PENSAR EN VOZ ALTA** *No tengo claro por qué Hermano Menor está preocupado. Escribí una nota diciendo que él cree que deberían llevar las bayas a Mamá Osa. Vuelvo a leer y veo que Hermano Mayor quiere ir río abajo. Pero había escrito una nota indicando que Mamá Osa les dijo que no fueran allí. Sé que los hermanos menores a veces siguen a los mayores, incluso aunque no quieran. Hermano Menor está preocupado porque Hermano Mayor quiere ir río abajo. Por eso también tiene un momento de vacilación.*

TEKS 3.6I, 3.10D

DOK 2

---

8 (MAMÁ OSA se traslada a la izquierda del escenario; los OSEZNOS, a la derecha, mientras juegan y se empujan uno al otro. Aparece un arbusto de bayas).

9 HERMANO MAYOR. Mira estas bayas. (Las toma y se las come vorazmente). Son muy dulces. ¡Pruébalas!

10 HERMANO MENOR. Deberíamos llevárselas a Mamá. (Cuando el HERMANO MAYOR no le hace caso, el pequeño comienza también a comer bayas. De pronto, comienza a frotarse el estómago). ¡Comí demasiadas bayas!

11 HERMANO MAYOR. Más tarde le llevaremos algunas. ¡Uf! Yo también me harté. (Señalando) Veamos qué hay río abajo.

12 HERMANO MENOR. (Preocupado) No deberíamos ir allá.

13 HERMANO MAYOR. (Burlándose, se pone en marcha). Yo solo veo el río y árboles y rocas. ¿A qué le vamos a temer?

14 (Luego de un momento de vacilación, HERMANO MENOR lo sigue).

15 HERMANO MENOR. (Frotándose los ojos) Estoy cansado. El calor del sol y el estómago lleno me han dado sueño.

16 HERMANO MAYOR. (Bostezando) Una siesta nos vendría bien.

vorazmente Cuando comes algo vorazmente, comes más de lo que necesitas.

vacilación Una vacilación es una pausa que muestra inseguridad o indecisión para hacer algo.

✎ Mis notas

346

READ FOR UNDERSTANDING

Monitor and Clarify
MODEL MONITORING AND CLARIFYING

THINK ALOUD *I'm not sure I understand why Hermano Menor is worried. I made a note that he thinks they should take berries back to Mamá Osa. I reread and see that Hermano Mayor wants to go downriver. But I had made a note that Mamá Osa told them not to go there. I know that younger brothers sometimes follow older brothers even when they don't want to. Hermano Menor is worried because Hermano Mayor wants to go downriver. That is why he has a moment's hesitation, too.*

 CONOCIMIENTOS Y DESTREZAS ESENCIALES DE TEXAS **3.6G** evaluate details; **3.6I** monitor comprehension/make adjustments; **3.7C** use text evidence; **3.8B** explain relationships among characters; **3.8C** analyze plot elements; **3.9A** demonstrate knowledge of literature characteristics; **3.9C** discuss elements of drama; **3.10D** describe author's use of imagery/language

346 Módulo 4

17 (Una plataforma elevada, decorada semejando una roca, se desliza a escena).

18 HERMANO MENOR. (Señalando) ¿Ves esa roca plana grande? Parece tibiecita. Descansemos allí. (Los OSEZNOS se acuestan uno al lado del otro, se estiran y se duermen).

19 NARRADOR. (Entra en escena por la izquierda). Los oseznos se quedaron dormidos sobre la roca. Pero la roca era la semilla de una montaña. Mientras ellos dormían, la roca fue creciendo cada vez más grande y más alta. (Girando la mano con un movimiento ascendente, sugiere el crecimiento de la montaña). Los elevó tanto, que solo Halcón, que pasaba volando, pudo verlos. (Hace una pausa).

20 (HALCÓN entra en escena por la derecha, batiendo sus brazos como alas. "Vuela" sobre la roca, ve a los OSEZNOS dormidos y se va "volando" del escenario por donde mismo entró).

21 NARRADOR. (Continúa). Mientras tanto, Mamá Osa se preguntaba qué habría sido de sus cachorros. (Sale del escenario por la izquierda).

Observa anota

Contrastes y contradicciones

- **Recuerde a los estudiantes** que los personajes de los cuentos a veces actúan de formas inesperadas. Pueden hacer cosas que no harían en casos normales o pueden actuar de una forma que otras personas no harían. Cuando los lectores observan este tipo de comportamiento, deberían detenerse y pensar qué les podría decir esto sobre el personaje.

- **Pida a los estudiantes** que expliquen qué harían la mayoría de las personas si estuvieran en un lugar en el que suelen ocurrir cosas extrañas. (*Actuarían con mucho cuidado*).

SUGERENCIA PARA NOTAS: Pida a los estudiantes que subrayen el texto que cuenta qué hacen los oseznos que es contradictorio a lo que deberían hacer.

- **Pida a los estudiantes** que reflexionen sobre la pregunta principal *¿Por qué el personaje actúa de esta forma?* y que añadan ideas a sus notas.

TEKS 3.6G, 3.7C, 3.8B, 3.8C, 3.9A

DOK 3

LEER PARA COMPRENDER

¿A qué lado del escenario miraría la audiencia para ver a Halcón cuando entra? (*La audiencia miraría al lado izquierdo del escenario*).

¿Cómo lo saben? (*Porque las direcciones de escena dicen que Halcón entra en escena por la derecha. La derecha de la escena es el lado derecho del escenario para los actores, y el contrario para la audiencia*).

TEKS 3.9C

DOK 2

347

NOTICE & NOTE
Contrasts and Contradictions

- **Remind students** that characters in stories sometimes act in unexpected ways. They may do things that they might not ordinarily do, or they may act in a way that other people would not act. When readers notice this type of behavior, they should stop and think what it might tell them about the character.

- **Have students** explain what most people would do if they were in a place where strange things often happened. (*They would act very cautiously.*)

ANNOTATION TIP: Have students underline the text that tells what the bear cubs do that is contradictory to what they should.

- **Have students** reflect on the Anchor Question: *Why would the character act this way?* and add to their notes.

READ FOR UNDERSTANDING

Which side of the stage would the audience look at to see Halcón when he enters? (*The audience would look to the left side of the stage.*)

How do you know this? (*Because the stage direction says that Halcón enters stage right. Stage right is the actors' right side of the stage, which is the opposite of the audience's.*)

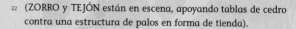
LECTURA EN DETALLE GUIADA

Elementos literarios

Pida a los estudiantes que vuelvan a leer las páginas 346 a 348 para analizar los elementos de la trama.

¿Qué ocurre con el ambiente cuando los oseznos se quedan dormidos? *(Una roca pequeña se convierte en una montaña y eleva a los oseznos en el aire).*

¿Qué hicieron los oseznos en la Escena 1 que causa el cambio en el ambiente de la Escena 2? *(Desobedecen a Mamá Osa y van al lugar donde ocurren cosas extrañas).*

¿Qué conflicto o problema le causa esto a Mamá Osa? *(Sus oseznos están en la cima de una montaña y no consigue encontrarlos).*

TEKS 3.8C, 3.10B

DOK 2

ESCENA 2

22 (ZORRO y TEJÓN están en escena, apoyando tablas de cedro contra una estructura de palos en forma de tienda).

23 MAMÁ OSA. (Entra en escena por la izquierda, llamando). ¡Hermano Mayor! ¡Hermano Menor!

24 (MAMÁ OSA ve a ZORRO y TEJÓN). ¡Zorro! ¡Tejón! ¿Han visto a mis oseznos?

25 ZORRO. No. He estado ayudando a Tejón a construir una casa nueva.

26 TEJÓN. No los hemos visto. Te ayudaremos a buscarlos.

27 (ZORRO, TEJÓN y MAMÁ OSA buscan hacia la derecha. MAMÁ CIERVA y los CERVATILLOS entran por la izquierda del escenario y se sientan. Están moliendo bellotas. ZORRO, TEJÓN y MAMÁ OSA regresan a escena por la izquierda y ven a MAMÁ CIERVA y sus dos CERVATILLOS).

28 MAMÁ OSA. Mamá Cierva, mis pequeños han desaparecido. ¿Los has visto?

29 MAMÁ CIERVA. No han pasado por aquí, al menos en el rato en que mis niños y yo hemos estado moliendo bellotas. Pero los ayudaremos a buscarlos.

348

TARGETED CLOSE READ

Literary Elements

Have students reread 346–348 to analyze the plot elements.

What happens to the setting when the bear cubs fall asleep? *(A small stone turns into a mountain and lifts the cubs into the air.)*

What did the cubs do in Scene 1 that helps cause the change in setting in Scene 2? *(They disobey Mamá Osa and go to the place where strange things happen.)*

What conflict, or problem, does this cause for Mamá Osa? *(Her cubs are on top of a mountain, and she cannot find them.)*

CONOCIMIENTOS Y DESTREZAS ESENCIALES DE TEXAS **3.6E** make connections; **3.6F** make inferences/use evidence; **3.6I** monitor comprehension/make adjustments; **3.7C** use text evidence; **3.8B** explain relationships among characters; **3.8C** analyze plot elements; **3.10B** explain use of text structure; **3.10D** describe author's use of imagery/language

30   (MAMÁ CIERVA y los CERVATILLOS se levantan y se unen a los demás, moviéndose primero hacia la derecha del escenario y luego hacia la izquierda. Se encuentran con PUMA, que lleva una carga de leña).

31   MAMÁ OSA. Puma, estamos buscando a mis oseznos.

32   PUMA. (Pone su carga en el suelo). Los ayudaré a buscarlos.

33   (TODOS se mueven hacia la derecha del escenario, mientras que RATÓN entra por la izquierda y se sienta. RATÓN está tejiendo una canasta. El grupo que está a la derecha del escenario se mueve hacia la izquierda y se encuentra con RATÓN).

34   MAMÁ OSA. Ratón, ¿has visto a mis oseznos? Los hemos buscado por todas partes. Hemos buscado en troncos huecos y en cuevas, en el campo de bayas y en el árbol de la miel.

35   RATÓN. (Levantándose) No, pero los ayudaré a buscarlos. Quizás fueron río abajo.

36   MAMÁ OSA. Les advertí que no fueran en esa dirección.

37   MAMÁ CIERVA. (Dando palmaditas sobre el hombro de MAMÁ OSA y mirando de reojo a sus CERVATILLOS) A veces, nuestros pequeños no escuchan muy bien. Estoy de acuerdo en que deberíamos buscar río abajo.

38   (Los ANIMALES del escenario se mueven lentamente hacia la "montaña").

> **carga**   Una carga es algo pesado de llevar.

349

 LEER PARA COMPRENDER

Verificar y clarificar

Pida a los estudiantes que usen la estrategia de verificar y clarificar para determinar los significados de las palabras *base* y *cima* en la línea 40.

Si el estudiante tiene dificultades para verificar y clarificar, use este modelo:

> 💬 **PENSAR EN VOZ ALTA**   *No estoy seguro del significado de las palabras* base *y* cima. *Entonces, uso las palabras que las rodean como ayuda. Veo que "TODOS levantan lentamente la cabeza". Creo que están mirando desde la parte de abajo de la montaña hacia arriba. Si sustituyo* base *por parte de abajo y* cima *por parte de arriba, tiene sentido. Recorren con la vista la montaña desde la parte de abajo hasta la parte de arriba. Si todavía no estoy seguro, puedo comprobarlo en un diccionario.*

TEKS 3.6I, 3.10D

DOK 2

 LEER PARA COMPRENDER

Presentar el texto

¿Por qué Halcón podría ser capaz de encontrar a los oseznos cuando los demás no pueden? *(Halcón tiene buenas vistas. Halcón puede volar sobre la montaña).*

TEKS 3.6E, 3.6F, 3.7C, 3.8B

DOK 2

READ FOR UNDERSTANDING
Monitor and Clarify
Have students use the monitor and clarify strategy to determine the meanings of the words *base* **and** *cima* **in line 40.**

If student have difficulty monitoring and clarifying, use this model:

THINK ALOUD   *I'm not sure of the meanings of the words* base *and* cima. *So I use the surrounding words to help me. I see that "TODOS levantan lentamente la cabeza." I think they are looking from the bottom of the mountain to the top. If I replace* base *with bottom and* cima *with top, it makes sense. They scan the mountain from bottom to top. If I'm still not sure, I can check in a dictionary.*

READ FOR UNDERSTANDING
Why might Halcón be able to find the cubs when the others cannot? *(Halcón have good vision. Halcón can fly above the mountain.)*

39 **ZORRO.** (Se detiene y señala con el dedo). Miren. Hay una montaña donde antes solo había una roca.

40 (TODOS levantan lentamente la cabeza, recorriendo con la vista la montaña desde la base hasta la cima. En ese momento, entra HALCÓN como antes, batiendo sus alas).

41 **MAMÁ OSA.** Veo a Halcón. (Con las manos alrededor del hocico para que su voz llegue más lejos grita "hacia arriba"). ¡Halcón!, ¿has visto a mis oseznos?

42 **HALCÓN.** (Gritando "hacia abajo") Están dormidos sobre esta nueva montaña extraña.

43 **MAMÁ OSA.** (Gritando "hacia arriba") Por favor, vuela hacia donde están, despiértalos y ayúdalos a bajar.

44 (HALCÓN, con pantomimas, simula que vuela hacia los OSEZNOS y que el viento de la montaña lo empuja hacia atrás. Luego de varios intentos les habla a los de "abajo").

45 **HALCÓN.** (Gritando "hacia abajo") El viento no me deja llegar hasta ellos. Alguien tendrá que escalar la montaña y rescatarlos.

46 **NARRADOR.** (Entra en escena por la izquierda). Uno a uno, los animales trataron de alcanzar a los oseznos. (Los ANIMALES, con pantomimas, simulan que suben mientras el NARRADOR habla). Mamá Osa lo intentó varias veces, pero siempre caía rodando hacia atrás. Ratón saltó de roca en roca, pero no tardó en asustarse y saltando se regresó. Tejón llegó un poco más alto. Mamá Cierva avanzó un poco más que Tejón. Zorro fue el que más alto escaló. Pero ninguno pudo llegar a la cima. Ni siquiera Puma lo logró.

350

LEER PARA COMPRENDER

¿Por qué Halcón no puede rescatar a los oseznos? (*El viento sopla demasiado fuerte como para que Halcón pueda volar*).

¿Qué parece hacer que Mamá Osa pierda toda esperanza de encontrar a sus oseznos? (*cuando los demás animales fracasan, incluso Puma*)

¿Qué evidencias del texto les ayudan a saberlo? (*Las direcciones de escena de la línea 47 dicen que comienza a sollozar*).

SUGERENCIA PARA NOTAS: Pida a los estudiantes que subrayen las evidencias del texto que demuestran que Mamá Osa está muy triste.

TEKS 3.6F, 3.7C, 3.8B

DOK 2

READ FOR UNDERSTANDING

Why can't Halcón rescue the cubs? (*The wind is blowing too hard for Halcón to fly.*)

What seems to make Mamá Osa give up all hope of finding her cubs? (*when all the other animals fail, even Puma*)

What text evidence helps you know this? (*The stage direction in line 47 says she starts to weep.*)

ANNOTATION TIP: Have students underline the text evidence that shows Mamá Osa is very sad.

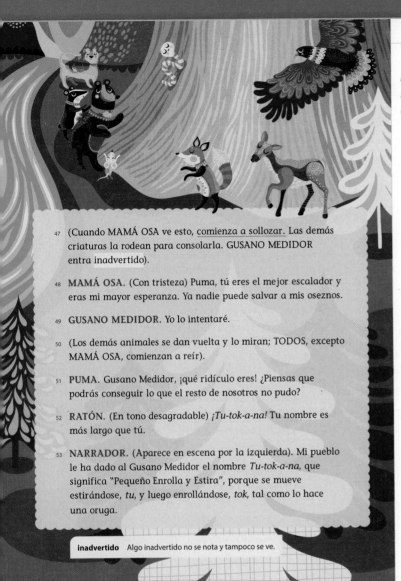

Mamá Osa no se
ríe. Dice que
agradece su ayuda.

47 (Cuando MAMÁ OSA ve esto, comienza a sollozar. Las demás criaturas la rodean para consolarla. GUSANO MEDIDOR entra inadvertido).

48 MAMÁ OSA. (Con tristeza) Puma, tú eres el mejor escalador y eras mi mayor esperanza. Ya nadie puede salvar a mis oseznos.

49 GUSANO MEDIDOR. Yo lo intentaré.

50 (Los demás animales se dan vuelta y lo miran; TODOS, excepto MAMÁ OSA, comienzan a reír).

51 PUMA. Gusano Medidor, ¡qué ridículo eres! ¿Piensas que podrás conseguir lo que el resto de nosotros no pudo?

52 RATÓN. (En tono desagradable) ¡Tu-tok-a-na! Tu nombre es más largo que tú.

53 NARRADOR. (Aparece en escena por la izquierda). Mi pueblo le ha dado al Gusano Medidor el nombre *Tu-tok-a-na*, que significa "Pequeño Enrolla y Estira", porque se mueve estirándose, *tu*, y luego enrollándose, *tok*, tal como lo hace una oruga.

inadvertido Algo inadvertido no se nota y tampoco se ve.

351

📖 LEER PARA COMPRENDER

¿Qué piensan la mayor parte de los animales de Gusano Medidor? *(Creen que es ridículo y que no puede salvar a los oseznos).*

¿Cómo saben que piensan esto? *(Lo miran y se ríen de él. Puma le dice que es ridículo. Ratón le dice con tono desagradable que su nombre es más largo que él).*

¿Qué piensa Mamá Osa de Gusano Medidor? *(Lo respeta y cree que podría ayudar).*

SUGERENCIA PARA NOTAS: Pida a los estudiantes que anoten pistas del texto que demuestran lo que piensa Mamá Osa de Gusano Medidor.

TEKS 3.6F, 3.7C, 3.8B

DOK 2

READ FOR UNDERSTANDING

How do most of the animals feel about Gusano Medidor? *(They think he is foolish and can't save the cubs.)*

How do you know they feel this way? *(They stare and laugh at him. Puma calls him foolish. Ratón meanly says he is shorter than his name.)*

How does Mamá Osa feel about Gusano Medidor? *(She respects him and thinks he might be able to help.)*

ANNOTATION TIP: Have students note clues in the text that show how Mamá Osa feels about Gusano Medidor. *(Mamá Osa does not laugh. She says she welcomes his help.)*

54 MAMÁ OSA. (Secándose los ojos) Agradezco tu ayuda.

55 (GUSANO MEDIDOR comienza a subir, exclamando continuamente: "*¡Tu-tok!*". Los demás animales se quedan sentados mirando hacia la montaña, observando a GUSANO que se estira y se enrolla en movimiento ascendente).

56 GUSANO MEDIDOR. (En voz muy alta) *¡Tu-tok! ¡Tu-tok!*

ESCENA 3

57 NARRADOR. Al cabo de un rato, Gusano Medidor había llegado incluso más alto que Puma. Subió tan alto, que los animales de abajo no podían verlo ni oírlo. Por momentos sentía miedo, cuando se daba cuenta de lo alto que estaba y del trecho que le faltaba. <u>Pero pensaba en la pobre Mamá Osa, tan preocupada al pie de la montaña. Pensaba en el peligro que corrían los oseznos allá arriba.</u> Entonces se armaba de coraje otra vez y seguía subiendo, exclamando continuamente:

58 GUSANO MEDIDOR. *¡Tu-tok! ¡Tu-tok! ¡Tu-tok!*

59 (NARRADOR sale, mientras que GUSANO MEDIDOR finalmente llega a la cima de la montaña. Se inclina sobre los dos OSEZNOS dormidos y grita):

60 GUSANO MEDIDOR. ¡Despierten!

61 (Los OSEZNOS soñolientos se estiran y bostezan tratando de despertar).

soñolientos   Una persona que está soñolienta, está medio dormida y no puede pensar con claridad.

352

¿Sobre qué creen que hablará la Escena 3? (*La Escena 3 contará si Gusano Medidor es o no capaz de resolver el problema de la Escena 2 y bajar a los oseznos de la montaña*).

¿Qué deberían hacer los actores que están en el escenario mientras el Narrador dice el diálogo de la línea 57? (*Gusano Medidor está estirándose y enrollándose en movimiento ascendente mientras grita "¡Tu-tok! ¡Tu-tok!". Los demás animales lo están observando*).

SUGERENCIA PARA NOTAS: Pida a los estudiantes que subrayen las evidencias del texto que describen lo que hace Gusano Medidor para armarse de coraje.

TEKS 3.6C, 3.6D, 3.9C

DOK 2

READ FOR UNDERSTANDING

What will Scene 3 probably tell about? (*Scene 3 will tell whether or not Gusano Medidor is able to solve the problem from Scene 2 and get the cubs down from the mountain.*)

What might the actors on stage be doing while the Narrador speaks the dialogue in line 57? (*Gusano Medidor is stretching and curling in a climbing motion while calling "Tu-tok! Tu-tok!" The other animals are watching him.*)

ANNOTATION TIP: Have students underline the text evidence that shows what Gusano Medidor does to find his courage.

 CONOCIMIENTOS Y DESTREZAS ESENCIALES DE TEXAS **3.6C** make/correct/confirm predictions; **3.6D** create mental images; **3.6G** evaluate details; **3.7C** use text evidence; **3.8B** explain relationships among characters; **3.8C** analyze plot elements; **3.9A** demonstrate knowledge of literature characteristics; **3.9C** discuss elements of drama

Mis notas

353

Observa y anota

Contrastes y contradicciones

- **Recuerde a los estudiantes** que los personajes a veces actúan de forma inesperada.

- **Pida a los estudiantes** que expliquen por qué deben usar la estrategia de contrastes y contradicciones en las páginas 352 y 353. (*El diminuto Gusano Medidor puede hacer cosas que son inesperadas para alguien tan pequeño y débil. Además, Hermano Mayor ya no es tan valiente como antes*).

SUGERENCIA PARA NOTAS: Pida a los estudiantes que subrayen el texto que demuestra que los dos oseznos ahora tienen miedo.

- **Pida a los estudiantes** que reflexionen sobre la pregunta principal *¿Por qué los personajes actúan de esta forma?* y que añadan ideas a sus notas.

TEKS 3.6G, 3.7C, 3.8B, 3.8C, 3.9A

DOK 3

NOTICE & NOTE

Contrasts and Contradictions

- **Remind students** that characters sometimes act in unexpected ways.

- **Have students** explain why they might use the contrasts and contradictions strategy on pages 352–353. (*The tiny Gusano Medidor can do things that are unexpected for someone so small and weak. Also, Hermano Mayor is no longer so brave as he was before.*)

ANNOTATION TIP: Have students underline the text that shows that both cubs are scared now.

- **Have students** reflect on the Anchor Question: *Why would the characters act this way?* and add to their notes.

LEER PARA COMPRENDER

Verificar y clarificar

Recuerde a los estudiantes que deben seguir verificando si comprenden las palabras y los detalles del cuento. Señale que, al final de la obra de teatro, deben mirar las notas que tomaron para clarificar cualquier pregunta que tengan pendiente. Pida a los estudiantes que repasen sus notas y que agreguen cualquier pregunta adicional que deseen contestar.

TEKS 3.6I, 3.10D

DOK 2

62   **HERMANO MAYOR.** (Gatea y se asoma por el costado de la "roca"). ¡Hermano Menor! Ha ocurrido algo terrible. Mira a qué altura estamos.

63   **HERMANO MENOR.** (También gatea y mira hacia abajo). Estamos atrapados aquí. Jamás regresaremos con nuestra mamá. (<u>Los OSEZNOS comienzan a llorar.</u> Se han olvidado de GUSANO MEDIDOR).

64   **GUSANO MEDIDOR.** (Consolando a los OSEZNOS) No tengan miedo. He venido a ayudarlos a bajar la montaña. Síganme y hagan lo que yo les diga. Iremos por el mismo camino seguro que me trajo hasta aquí.

65   **HERMANO MAYOR.** Tengo miedo de caerme.

66   **HERMANO MENOR.** Yo también tengo miedo.

67   **GUSANO MEDIDOR.** (Dulcemente) No creo que los hijos de Mamá Osa estén tan asustados, pues ella es la criatura más valiente del valle.

354

READ FOR UNDERSTANDING

Monitor and Clarify

Remind students to keep monitoring their understanding of words and story details. Point out that by the end of the play, they should look at any notes they made to clarify any remaining questions they might have. Have students go back through their notes or add any additional questions they might want to answer.

 CONOCIMIENTOS Y DESTREZAS ESENCIALES DE TEXAS **3.6E** make connections; **3.6F** make inferences/use evidence; **3.6I** monitor comprehension/make adjustments; **3.7C** use text evidence; **3.8B** explain relationships among characters; **3.8C** analyze plot elements; **3.10B** explain use of text structure; **3.10D** describe author's use of imagery/language

68 **HERMANO MAYOR.** (Resoplando y golpeándose el pecho con las garras) Somos osos pardos. Somos valientes.

69 **HERMANO MENOR.** (Lo imita). Te seguiremos.

70 (Con pantomimas, simulan recorrer un camino seguro uno detrás de otro: GUSANO MEDIDOR al frente, HERMANO MAYOR en medio y HERMANO MENOR detrás. Abajo, ZORRO de pronto ve algo, se para y observa detenidamente).

71 **ZORRO.** (Entusiasmado, señalando un punto a mitad de la montaña) Mamá Osa, ¡mira! Gusano Medidor viene guiando a tus oseznos montaña abajo.

72 (TODOS LOS ANIMALES miran hacia donde señala ZORRO).

73 **MAMÁ OSA.** (Alegre, pero temerosa) ¡Tengan cuidado, hijos míos!

74 **MAMÁ CIERVA.** (Tranquilizando a su amiga) Confía en Gusano Medidor. Él los ha traído a salvo hasta ahí. No te va a fallar ahora.

75 (Los ANIMALES siguen mirando. Lentamente van bajando la vista, siguiendo a los escaladores que bajan la montaña. Finalmente, OSEZNOS y GUSANO MEDIDOR dan un último salto de la "montaña" al "suelo". Los OSEZNOS corren hacia su mamá. MAMÁ OSA los recibe con un gran abrazo. Entonces, da un paso atrás y los regaña agitando un dedo).

tranquilizando Si estás tranquilizando a una persona, estás tratando de calmarla para que no se preocupe por algo.

355

LECTURA EN DETALLE GUIADA

Elementos literarios
Pida a los estudiantes que vuelvan a leer las páginas 353 a 355 para comprender la solución de la trama.

¿Quién logra finalmente solucionar el problema de Mamá Osa? (Gusano Medidor)

¿Por qué Gusano Medidor tiene éxito mientras que los otros animales fracasan? (No se rinde. Se arma de coraje y anima a los oseznos a armarse de coraje ellos también).

TEKS 3.8C, 3.10B

DOK 2

LEER PARA COMPRENDER

¿Por qué Mamá Osa da un paso atrás y regaña a los oseznos agitando un dedo si está tan contenta de que estén a salvo? (Está enfadada con ellos porque le desobedecieron).

TEKS 3.6E, 3.6F, 3.7C, 3.8B

DOK 2

TARGETED CLOSE READ
Literary Elements
Have students reread pages 353–355 to understand the plot's resolution.

Who is finally able to resolve Mamá Osa's problem? (Gusano Medidor)

How does Gusano Medidor succeed when the other animals fail? (He does not give up. He finds his courage, and helps the cubs find theirs.)

READ FOR UNDERSTANDING
Why does Mamá Osa push the cubs away and shake her finger at them if she is so happy they are safe? (She is angry with them for disobeying her.)

Cuentos en escena **355**

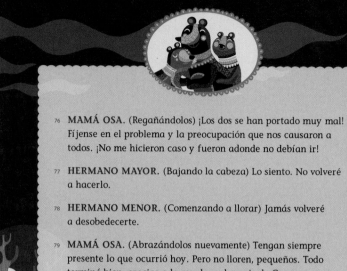

LECTURA EN DETALLE GUIADA

Mensaje

Pida a los estudiantes que vuelvan a leer las páginas 355 y 356 para identificar y analizar el mensaje.

¿Qué mensaje o lección sobre la vida enseña la obra de teatro a los lectores? *(No es necesario ser grande para poder ayudar).*

¿En qué se diferencia este mensaje del tema de la obra de teatro? *(El tema trata sobre dos oseznos que se pierden y luego los encuentran. El mensaje es la lección o enseñanza que aprenden los lectores al leer o ver la obra de teatro).*

¿En qué se parece la lección que aprenden los oseznos a la lección que Gigi aprende en *Gigi y el anillo mágico*? *(En ambos casos, los protagonistas se meten en problemas cuando no obedecen la advertencia de una persona de mayor edad y sabiduría).*

TEKS 3.6G, 3.7C, 3.10A

DOK 3

LEER PARA COMPRENDER

Concluir

Vuelva a comentar el propósito que los estudiantes establecieron antes de leer el texto. Pida a los estudiantes que expliquen cómo podría haber ayudado a los miwok la lección de este mito. *(Si comprendieran que las personas pequeñas podían hacer cosas grandes, todos podrían ayudar a hacer el trabajo. Si los niños obedecieran a sus papás, no correrían peligros).*

TEKS 3.6A, 3.8A

DOK 2

---

76 **MAMÁ OSA.** (Regañándolos) ¡Los dos se han portado muy mal! Fíjense en el problema y la preocupación que nos causaron a todos. ¡No me hicieron caso y fueron adonde no debían ir!

77 **HERMANO MAYOR.** (Bajando la cabeza) Lo siento. No volveré a hacerlo.

78 **HERMANO MENOR.** (Comenzando a llorar) Jamás volveré a desobedecerte.

79 **MAMÁ OSA.** (Abrazándolos nuevamente) Tengan siempre presente lo que ocurrió hoy. Pero no lloren, pequeños. Todo terminó bien, gracias a la ayuda y el coraje de Gusano Medidor.

80 (Los ANIMALES rodean a GUSANO MEDIDOR y lo felicitan).

81 **NARRADOR.** (Entra en escena por la izquierda). Así, todos los animales decidieron darle a la nueva montaña el nombre *Tu-tok-a-nu-la*, que significa "Roca Gusano Medidor", en honor al heroico gusano que consiguió lo que ningún otro animal pudo lograr: ¡salvar a los dos oseznos! La montaña llevó ese nombre durante muchos años, hasta que un nuevo grupo de pobladores la llamó El Capitán. Para nosotros, los miwok, la montaña sigue llamándose *Tu-tok-a-nu-la* hasta el día de hoy.

FIN

356

TARGETED CLOSE READ

Theme

Have students reread pages 355–356 to identify and analyze the theme.

What theme, or lesson about life, does the play give to readers? *(You don't have to be big to be able to help.)*

How is this different from the topic of the play? *(The topic is two bear cubs getting lost and found. The theme is the lesson readers learn from reading or watching the play.)*

How is a lesson the cubs learn similar to one that Gigi learns in *Gigi y el anillo mágico*? *(They both get into trouble when they don't follow the warning of someone older and wiser.)*

READ FOR UNDERSTANDING

Wrap-Up

Revisit the purpose students set before the read the text. Ask students to explain how the lesson in this myth might have helped the Miwok people? *(If they understood that small people could do big things, then everyone could help do work. If children obeyed their parents, they would not get into danger.)*

 CONOCIMIENTOS Y DESTREZAS ESENCIALES DE TEXAS 3.1A listen actively/ask relevant questions; **3.1D** work collaboratively; **3.1E** develop social communication; **3.6A** establish purpose for reading; **3.6E** make connections; **3.6F** make inferences/use evidence; **3.6G** evaluate details; **3.7C** use text evidence; **3.7D** retell/paraphrase texts; **3.8A** infer theme/distinguish from topic; **3.8C** analyze plot elements; **3.9A** demonstrate knowledge of literature characteristics;

Conversación colaborativa

Vuelve a leer lo que escribiste en la página 342. Comenta tu respuesta con un compañero. Luego trabaja en grupo y comenta las preguntas de abajo. Busca detalles y ejemplos en *Dos oseznos* para explicar tus respuestas. Toma notas para responder las preguntas y úsalas cuando hables. Piensa en formas de agregar información nueva a lo que dicen los demás en lugar de repetir sus respuestas.

1 Repasa las páginas 346 y 347. ¿Qué detalles de la obra de teatro te ayudan a saber en qué se parecen el Hermano Mayor y el Hermano Menor?

>
> **Sugerencia para escuchar**
>
> Escucha atentamente a los demás. Piensa cómo puedes conectar tus ideas con las suyas.

2 Vuelve a leer las páginas 350 y 351. ¿Por qué es una sorpresa cuando Gusano Medidor se ofrece para tratar de salvar a los oseznos?

> **Sugerencia para hablar**
>
> Asegúrate de que todos tus comentarios están relacionados con el tema que está tratando tu grupo.

3 ¿Qué demuestra la obra de teatro acerca de lo que los miwok pensaban de los animales?

357

Conversación académica

Use la rutina de **CONVERSACIÓN COLABORATIVA**. Pida a los estudiantes que tomen notas para responder las preguntas. Luego pídales que trabajen en grupos y que apliquen las Sugerencias para escuchar y hablar mientras comentan sus respuestas.

Respuestas posibles:

1. *Juegan en el agua, por lo tanto, sé que son juguetones. No obedecen a Mamá Osa, por lo tanto, sé que pueden ser desobedientes.* DOK 2

2. *Porque Gusano Medidor es mucho más pequeño y débil que los demás animales.* DOK 2

3. *El texto demuestra que los miwok pensaban que los animales debían resolver los problemas igual que lo hacen las personas.* DOK 2

TEKS 3.1A, 3.1D, 3.1E, 3.6E, 3.6F, 3.7C, 3.7D, 3.8C, 3.9A, 3.10D, 3.10F

Academic Discussion

Use the **COLLABORATIVE DISCUSSION** routine. Have students write notes to answer the questions. Then have groups apply the Listening and Speaking Tips as they discuss their responses.

Possible responses:

1. *They play in water, so I know they are playful. They do not obey Mamá Osa, so I know they can be disobedient.*

2. *Because Gusano Medidor is so much smaller and weaker than the other animals.*

3. *The text shows that the Miwok thought animals had to solve problems just like people do.*

(continued) **3.10A** explain author's purpose/message; **3.10D** describe author's use of imagery/language; **3.10F** discuss how language contributes to voice

Cuentos en escena **357**

Escribir un estudio del personaje

TEMA PARA DESARROLLAR

En *Dos oseznos*, muchos animales tratan de ayudar a Mamá Osa a salvar a sus oseznos, pero no lo consiguen. Finalmente, la criatura más pequeña e inesperada, el Gusano Medidor, encuentra la forma de salvar a Hermano Mayor y Hermano Menor.

¿Por qué crees que el Gusano Medidor lo logró cuando los demás animales fracasaron? Escribe un estudio del personaje de Gusano Medidor que responda a esta pregunta y explique lo que sabes sobre él basándote en la obra de teatro. Puedes hablar sobre su forma de moverse, el sonido que hace, sus puntos fuertes y débiles y la manera en que maneja los problemas. Asegúrate de comparar y contrastar a Gusano Medidor con los demás animales. No olvides usar algunas de las palabras del Vocabulario crítico en tu escritura.

PLANIFICAR

Haz una lista de los detalles que aprendiste sobre Gusano Medidor en la obra de teatro. Presta especial atención a lo que la obra de teatro revela sobre su personalidad y su forma de pensar.

> Las respuestas variarán, pero los estudiantes deben hacer una lista de las características físicas y emocionales de Gusano Medidor basándose en evidencias de la obra de teatro.

Escribir sobre la lectura

- **Lea en voz alta** el tema para desarrollar con los estudiantes.

- **Inicie un debate** en el que los estudiantes compartan sus ideas sobre Gusano Medidor. Pida a los estudiantes que usen las evidencias del texto de la selección para hacer una lista con los detalles de la obra de teatro sobre este personaje.

- **Luego lea en voz alta** la sección Planificar. Pida a los estudiantes que usen ideas del debate en sus notas y que presten especial atención a la personalidad de Gusano Medidor y cómo piensa mientras ayuda a los osos.

TEKS 3.1E, 3.7B, 3.7C, 3.7F

Write About Reading

- **Read aloud** the prompt with students.

- **Lead a discussion** in which students share their ideas about Gusano Medidor. Tell students to use text evidence from the selection to list details from the play about this character.

- **Then read aloud** the Plan section. Have students use ideas from the discussion in their notes and to pay particular attention to Gusano Medidor's personality and how he thinks as he's helping the bears.

CONOCIMIENTOS Y DESTREZAS ESENCIALES DE TEXAS **3.1E** develop social communication; **3.7B** write responses that demonstrate understanding; **3.7C** use text evidence; **3.7F** respond using vocabulary; **3.11B(i)** develop drafts by organizing with purposeful structure; **3.11B(ii)** develop drafts by developing an engaging idea; **3.12B** compose informational texts

Ahora escribe tu estudio del personaje de Gusano Medidor que explique por qué fue capaz de rescatar a los dos oseznos.

Asegúrate de que tu estudio del personaje

- ☐ tiene una introducción y una conclusión.

- ☐ describe cómo las acciones de Gusano Medidor contribuyen a los acontecimientos.

- ☐ compara y contrasta los personajes de la obra de teatro.

- ☐ apoya tus ideas con detalles de la obra de teatro.

Las respuestas variarán, pero deben explicar qué características permitieron que Gusano Medidor lograra rescatar a los dos oseznos. El estudio del personaje debe incluir los elementos de la lista de comprobación.

Escribir sobre la lectura

- **Repase con los estudiantes** las instrucciones y la lista de comprobación de la sección Escribir.

- **Anime a los estudiantes** a incluir una introducción y una conclusión claras sobre Gusano Medidor, así como detalles del texto para describir la personalidad, las creencias y las acciones del personaje.

TEKS 3.7B, 3.7F, 3.11B(i), 3.11B(ii), 3.12B

Write About Reading

- **Review with students** the directions and checklist in the Write section.

- **Encourage students** to include a clear introduction and conclusion about Gusano Medidor as well as details from the text to describe this character's personality, thoughts, and actions.

Volver a pensar en la pregunta esencial

- **Lea en voz alta** la pregunta esencial.

- **Recuerde a los estudiantes** que todos los cuentos de este módulo están escritos para ser representados por actores en un escenario y que pensar en los elementos del cuento de cada obra de teatro puede ayudarlos a contestar la pregunta.

TEKS 3.1A, 3.6E, 3.8B, 3.12A

Escribir un cuento

- **Guíe a los estudiantes** para que piensen en cómo los personajes del módulo tuvieron que superar un problema o conflicto y cómo ayudaron las palabras y acciones del personaje a encontrar una solución. Anime a los estudiantes a pensar en los personajes y los problemas de cada obra de teatro, así como en su propia experiencia, antes de elegir uno para escribir sobre él.

- **Repase las características** de un cuento usando la lista de comprobación. Pida a los estudiantes que usen la lista de comprobación mientras hacen el borrador, revisan y editan sus cuentos.

TEKS 3.6E, 3.7A, 3.7C, 3.8B, 3.8C, 3.11A, 3.12A

DOK 2

Tarea del rendimiento

(?) **Pregunta esencial**

¿Por qué algunos cuentos se narran mejor si se representan en el escenario?

Escribir un cuento

TEMA PARA DESARROLLAR Piensa en los problemas y desafíos que afrontaron los personajes de los cuentos de este módulo.

Imagina que el club de teatro de tu escuela está buscando cuentos que puedan interpretarse como obras de teatro. Escribe un cuento sobre un personaje que se enfrenta a un problema o a un gran desafío. Usa los textos y el video para obtener ideas sobre cómo el personaje es capaz de solucionarlo. ¡Es posible que tu cuento esté pronto sobre un escenario!

Voy a escribir un cuento sobre _____.

✓	Asegúrate de que tu cuento
☐	presenta al personaje principal o narrador.
☐	habla sobre los acontecimientos en un orden lógico.
☐	muestra lo que dicen y hacen los personajes cuando reaccionan a los acontecimientos.
☐	usa palabras y frases que señalan el orden de los acontecimientos.
☐	tiene un final que demuestra cómo se soluciona el problema o desafío.

360

Revisit the Essential Question
- **Read aloud** the Essential Question.
- **Remind students** that the stories in this module were all meant to be performed on a stage by actors and that thinking about the story elements in each play can help students answer the question.

Write a Story
- **Guide students** to think about how the characters in the module had to overcome a conflict, or problem, and how the character's words and actions helped them find a solution. Encourage students to think about the characters and problems in each play as well as their own experiences before picking one to write about.
- **Review the features** of a story using the checklist. Tell students to use the checklist as they draft, revise, and edit their stories.

CONOCIMIENTOS Y DESTREZAS ESENCIALES DE TEXAS **3.1A** listen actively/ask relevant questions; **3.6E** make connections; **3.7A** describe personal connections to sources; **3.7C** use text evidence; **3.8B** explain relationships among characters; **3.8C** analyze plot elements; **3.11A** plan first draft; **3.12A** compose literary texts

PLANIFICAR ······ Haz un mapa con tus ideas.

¿Tratará tu cuento sobre algo que puede pasar en la vida real o sobre un lugar y un tiempo inventados? Vuelve a mirar tus notas y repasa los textos y el video para obtener ideas.

Usa el mapa del cuento de abajo para planificar tu cuento. Elige un ambiente y los personajes. Piensa en el problema o desafío que afrontan los personajes y cómo reaccionan. Usa las palabras del Vocabulario crítico siempre que sea posible.

Mi tema: ______________________

Ambiente	Personajes
Problema	
Acontecimientos	
Solución	

361

Planificar

- **Según sea necesario, guíe a los estudiantes** para que piensen en ambientes y personajes realistas o fantásticos.
- **Anímelos** a usar la información de sus notas mientas completan sus mapas del cuento con los acontecimientos.
- **Anime a los estudiantes** a incluir las Palabras de la idea esencial y el Vocabulario crítico en sus cuentos, según corresponda.

TEKS 3.7C, 3.11A, 3.12A

DOK 2

Plan

- **As needed, guide students** to think of a realistic or fantasy setting and set of characters.
- **Encourage them** to use information from their notes as they fill out the events in their story maps.
- **Encourage students** to include Big Idea Words and Critical Vocabulary in their stories, as appropriate.

Hacer un borrador

- **Lea en voz alta** las instrucciones, haciendo referencia a la lista de comprobación mientras lo hace.

- **Sugiera** a los estudiantes que se aseguren de que han establecido claramente el narrador y el problema que debe superar el personaje principal o los personajes principales. Además, sugiérales que aclaren cómo las palabras y acciones de los personajes describen la solución de su problema.

- **Pida a los estudiantes** que usen sus mapas del cuento como referencia para escribir el desarrollo del cuento con acontecimientos en un orden claro y que escriban un final que muestre claramente cómo se soluciona el problema.

TEKS 3.7C, 3.11B(ii), 3.12A

DOK 3

HACER UN BORRADOR ·········· Escribe tu cuento.

Usa la información que escribiste en el organizador gráfico de la página 361 para hacer un borrador de tu cuento.

Habla sobre los personajes y su problema al **principio** de tu cuento.

Escribe los acontecimientos que ocurren en el **desarrollo** del cuento. Cuenta lo que dicen y hacen los personajes para afrontar el problema.

Escribe un **final** que cuente cómo los personajes solucionaron el problema.

362

Draft

- **Read aloud** the directions, referring back to the checklist as you do so.

- **Suggest** that students make sure that they have clearly established the narrator and the problem the main character or characters must overcome. Also suggest that they make it clear how the character's words and actions show how they solve their problem.

- **Have students** refer to their story maps to write the middle part of their story with events in a clear order and to write an ending that clearly shows how the problem is solved.

CONOCIMIENTOS Y DESTREZAS ESENCIALES DE TEXAS **3.7C** use text evidence; **3.11B(ii)** develop drafts by developing an engaging idea; **3.11C** revise drafts; **3.11D(xi)** edit drafts using correct spelling; **3.11E** publish written work; **3.12A** compose literary texts

.... Revisa tu borrador.

Busca formas de mejorar tu borrador. Trabaja con un compañero o un grupo pequeño y túrnense para leer los borradores y hacer comentarios. También puedes usar estas preguntas como ayuda para mejorar tu cuento.

PROPÓSITO/ENFOQUE	ORGANIZACIÓN	EVIDENCIA	LENGUAJE/VOCABULARIO	CONVENCIONES
☐ ¿Habla mi cuento sobre algún problema o desafío? ☐ ¿Tiene relación el final con los acontecimientos anteriores?	☐ ¿Hay un principio, un desarrollo y un final claros? ☐ ¿Se presentan los acontecimientos en orden lógico?	☐ ¿Usé ejemplos de los textos del módulo?	☐ ¿Usé palabras y frases que demuestran cuándo sucedieron los acontecimientos?	☐ ¿He escrito todas las palabras correctamente? ☐ ¿Usé la raya correctamente?

PRESENTAR .... Comparte tu trabajo.

Crear la versión final Elabora la versión final de tu cuento. Puedes incluir dibujos que muestren los acontecimientos principales. Considera estas opciones para compartir tu cuento.

1. Haz una cubierta para tu cuento. Agrega el cuento a la biblioteca de la clase o de la escuela para que puedan leerlo los demás.

2. Trabaja con un grupo pequeño para presentar tu cuento como teatro de los lectores.

3. Haz una grabación de audio de tu cuento. Invita a aquellos que lo escuchen a hacer comentarios o a compartir sus propios cuentos.

363

Revisar y editar

- **Guíe a los estudiantes** para que usen la lista de comprobación mientras trabajan con sus compañeros para mejorar sus cuentos.

- **Recuerde a los estudiantes** que deben asegurarse de que establecieron correctamente el ambiente, los personajes principales y el narrador, así como el problema que debe solucionarse. Indique que los estudiantes deben señalar las palabras que muestran el orden claro de los acontecimientos. Recuérdeles que también deben comprobar si marcaron correctamente las palabras que dicen los personajes.

TEKS 3.7C, 3.11B(ii), 3.11C, 3.11D(xi), 3.12A

DOK 3

Presentar

- **Los estudiantes pueden copiar** sus borradores revisados con su mejor caligrafía. Consulte las páginas R2 a R7 que se encuentran al final de la Guía del maestro para ver modelos de caligrafía.

- **Los estudiantes pueden usar** una computadora para ingresar sus borradores revisados. Consulte las Páginas imprimibles: **Mecanografía 4.1, 4.2 y 4.3** de los Centros de lectoescritura para ver las lecciones sobre el uso del teclado.

TEKS 3.11E, 3.12A

DOK 3

Revise and Edit
- **Guide students** to use the checklist as they work with partners to improve their stories.
- **Remind students** to check their notes to make sure they clearly established the setting, the main characters and narrator, and the problem that needs to be solved. Point out that students should add signal words to show a clear order of events. Remind them also to check that they correctly marked the words that the characters speak.

Present
- **Students can copy** their revised drafts using their best handwriting. See pages R2–R7 in the back of the **Guía del maestro** for handwriting models.
- **Students can use** a computer to input their revised drafts. See Literacy Centers **Páginas imprimibles: Mecanografía 4.1, 4.2, and 4.3** for keyboarding lessons.

Presentar el tema

- **Lea en voz alta** el título del módulo: *Trabajo en equipo.*

- **Diga a los estudiantes** que en este módulo leerán y verán selecciones sobre deportistas que trabajan juntos para lograr un objetivo.

- **Pida a los estudiantes** que compartan lo que saben sobre cómo los jugadores de diferentes deportes trabajan juntos para lograr un objetivo.

- **Luego pida a los estudiantes** que comenten lo que significa el *trabajo en equipo,* tanto en los deportes como en la vida. *(Respuesta posible: Significa que las personas trabajan o colaboran juntas para lograr un objetivo. Este objetivo es más fácil de lograr cuando las personas trabajan en equipo y no de manera individual).*

TEKS 3.1A, 3.1E, 3.6E

Comentar la cita

- **Lea en voz alta** la cita de Michael Jordan.

- **Inicie un debate** en el que los estudiantes comenten cómo el talento gana partidos. Luego comente cómo ayudan el trabajo en equipo y la inteligencia a ganar campeonatos. Explique el significado de la cita: *El talento te lleva hasta un punto. Para triunfar a mayor nivel, donde todos los equipos son talentosos, también se necesita trabajar en equipo.*

- **Pida a los estudiantes** que nombren ejemplos de trabajo en equipo en sus familias, escuelas o comunidades. *(Acepte las respuestas razonables.)*

TEKS 3.1A, 3.1E, 3.6E, 3.7A

Trabajo en equipo

"El talento gana partidos, pero el trabajo en equipo y la experiencia ganan campeonatos".

— Michael Jordan

364

Introduce the Topic

- **Read aloud** the module title, *Trabajo en equipo.*

- **Tell students** that in this module they will be reading and viewing selections about athletes who work together to achieve a goal.

- **Have students** share what they know about how players in different sports work together to achieve a goal.

- **Then ask students** to discuss what *teamwork* means, both in sports and in life. *(Possible response: It means that people work with others to reach a goal. Often this goal is easier to reach when people work together as a team than when people work individually.)*

Discuss the Quotation

- **Read aloud** the quotation by Michael Jordan.

- **Lead a discussion** in which students discuss how talent might win a game. Then discuss how teamwork and intelligence can help win championships. Explain the meaning of the quote, as needed: *Talent only takes you so far. To succeed at the top levels, where the top teams have talent, you also have to work together.*

- **Ask students** to name examples of teamwork in their family, school, or community. *(Accept reasonable responses.)*

 CONOCIMIENTOS Y DESTREZAS ESENCIALES DE TEXAS   3.1A listen actively/ask relevant questions; **3.1E** develop social communication; **3.6E** make connections; **3.7A** describe personal connections to sources; **3.7F** respond using vocabulary

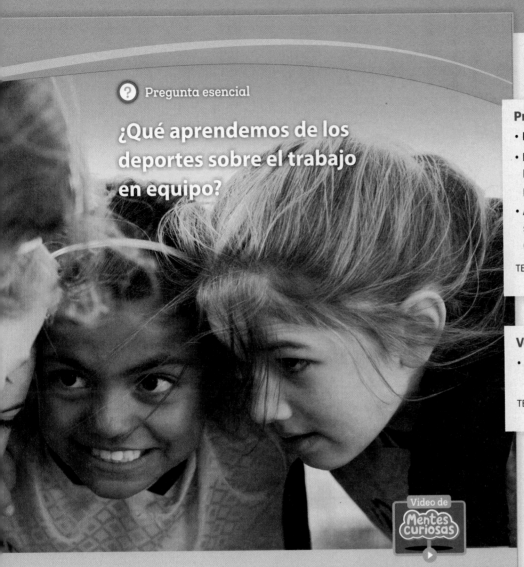

? Pregunta esencial

¿Qué aprendemos de los deportes sobre el trabajo en equipo?

Video de Mentes curiosas

365

Presentar la pregunta esencial

- **Lea en voz alta** la pregunta esencial.
- **Diga a los estudiantes** que a lo largo de este módulo leerán y verán selecciones que les ayudarán a responder la pregunta esencial.
- **Asegúrese** de que los estudiantes comprenden el significado del trabajo en equipo en este contexto. (*"trabajar juntos"*)

TEKS 3.1A, 3.1E, 3.6E, 3.7A, 3.7F

Ver y responder a un video

- Use la rutina de **VISUALIZACIÓN ACTIVA** con el Video de Mentes curiosas: *¿Cómo ganamos?*

TEKS 3.1A, 3.6E, 3.7A

Introduce the Essential Question

- **Read aloud** the Essential Question.
- **Tell students** that throughout this module, they will read stories and watch a video that will help them answer the Essential Question.
- **Make sure** students understand the meaning of teamwork in this context. (*"to work together"*)

View and Respond to a Video

- Use the **ACTIVE VIEWING** routine with the **Video de Mentes curiosas:** *¿Cómo ganamos?*

Palabras de la idea esencial

Use la rutina de **VOCABULARIO** y las Tarjetas de vocabulario para presentar las Palabras de la idea esencial *colaboración, simbiosis, determinación y unidad*. Puede mostrar la Tarjeta de vocabulario correspondiente a cada palabra mientras la comenta.

1. **Diga** la Palabra de la idea esencial.
2. **Explique** el significado.
3. **Comente** la oración de contexto.

TEKS 3.3B, 3.7F

Red de vocabulario

Guíe a los estudiantes para que piensen cómo se relaciona cada palabra con el trabajo en equipo mientras deciden qué añadir a la Red de vocabulario. Recuerde a los estudiantes que regresen a esta página después de cada selección para añadir más palabras.

TEKS 3.3B, 3.3C, 3.7F

Palabras acerca del trabajo en equipo

Las palabras de la tabla de abajo te ayudarán a hablar y escribir sobre las selecciones de este módulo. ¿Cuáles de las palabras acerca del trabajo en equipo ya has visto antes? ¿Cuáles son nuevas para ti?

Completa la Red de vocabulario de la página 367. Escribe sinónimos, antónimos y palabras y frases relacionadas para cada palabra.

Después de leer cada selección del módulo, vuelve a la Red de vocabulario y añade más palabras. Si es necesario, dibuja más recuadros.

PALABRA	SIGNIFICADO	ORACIÓN DE CONTEXTO
colaboración (sustantivo)	La colaboración es el trabajo que se hace junto con un grupo para cumplir una tarea.	La colaboración es importante para nuestro equipo de fútbol para poder hacer las jugadas que nos dice nuestro entrenador.
simbiosis (sustantivo)	La simbiosis ocurre cuando dos personas trabajan juntas de forma cercana y ambas se benefician de ello.	Cristina y yo tenemos una simbiosis en la cancha de vóleibol que nos ha ayudado a llegar a las finales del campeonato.
determinación (sustantivo)	Cuando intentas algo hasta que lo logras, muestras determinación.	El atleta demostró determinación para acabar la carrera.
unidad (sustantivo)	Unidad es cuando las personas se unen o juntan por una idea o causa común.	Juntamos nuestras manos en señal de unidad antes de empezar el partido.

366

Big Idea Words

Use the **VOCABULARY** routine and the **Tarjetas de vocabulario** to introduce the Big Idea Words *colaboración, simbiosis, determinación,* and *unidad*. You may wish to display the corresponding **Tarjeta de vocabulario** for each word as you discuss it.

1. **Say** the Big Idea Word.
2. **Explain** the meaning.
3. **Discuss** the context sentence.

Vocabulary Network

Guide students to think about how each word relates to teamwork as they decide what to add to the Vocabulary Network. Remind students to come back to this page after each selection to add more words.

CONOCIMIENTOS Y DESTREZAS ESENCIALES DE TEXAS **3.3B** use context to determine meaning; **3.3C** identify meaning/use words with affixes; **3.7F** respond using vocabulary

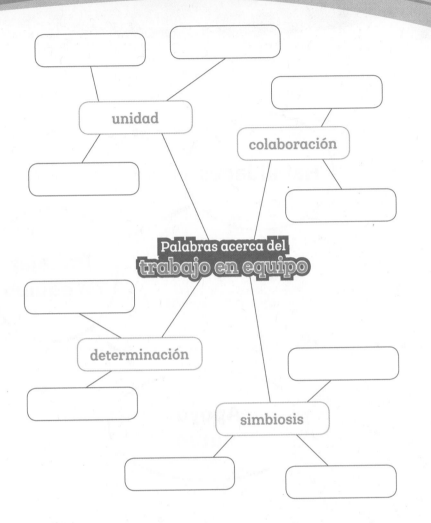

Palabras acerca del **trabajo en equipo**

unidad

colaboración

determinación

simbiosis

367

Mapa de conocimientos

- **Pida a los estudiantes** que añadan información al mapa de conocimientos después de leer la lectura breve, *¡Trabajo en equipo = Victoria!*, y al final de cada semana. Recuérdeles que repasen los textos y el video para añadir detalles al mapa.

- **Al final del módulo, pida a los estudiantes** que trabajen en parejas o grupos pequeños para comparar y contrastar la información que añadieron a sus mapas de conocimientos.

TEKS 3.6B, 3.6E, 3.6H, 3.7A, 3.7G

368

Knowledge Map

- **Have students** add information to the knowledge map after reading the Short Read, *¡Trabajo en equipo = Victoria!*, and at the end of each week. Remind students to review the texts and video to add details to the map.

- **At the end of the module, have students** work in pairs or small groups to compare and contrast the information they added to their knowledge maps.

 CONOCIMIENTOS Y DESTREZAS ESENCIALES DE TEXAS 3.6B generate questions about text; **3.6E** make connections; **3.6H** synthesize information; **3.7A** describe personal connections to sources; **3.7G** discuss text ideas

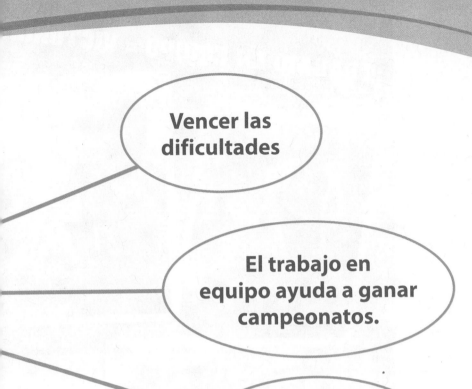

Vencer las dificultades

El trabajo en equipo ayuda a ganar campeonatos.

En equipo crece la confianza para vencer las dificultades.

Presentar el texto

- **Lea en voz alta** el título. Explique a los estudiantes que este es un ensayo fotográfico. Comente con ellos lo que saben sobre ensayos fotográficos. (*Contienen datos y fotografías sobre un tema*).

- **Guíe a los estudiantes** para que establezcan un propósito para la lectura.

- **Señale** las Palabras de la idea esencial que aparecen resaltadas.

- **Pida a los estudiantes** que lean el texto.

TEKS 3.6A, 3.6E

DOK 2

 LEER PARA COMPRENDER

Características del texto y elementos gráficos

- **¿Qué características del texto usa el autor en los párrafos 1, 3 y 5?** (*palabras en letra negrita*)

- **¿Por qué el autor usa la letra negrita?** (*para demostrar que estas palabras son palabras de vocabulario importantes*)

SUGERENCIA PARA NOTAS: Pida a los estudiantes que subrayen las palabras en letra negrita.

- **¿Qué elementos gráficos se usan en estas dos páginas?** (*fotografías*)

- **¿Cómo ayudan las fotografías a apoyar las ideas del texto?** (*Las fotografías muestran el equipo de baloncesto femenino de la Escuela Superior Thompson, que es sobre lo que trata el texto*).

TEKS 3.7C, 3.9D(ii), 3.10C

DOK 2

Mis notas

370

Lectura breve

¡TRABAJO EN EQUIPO = VICTORIA!

READ FOR UNDERSTANDING

Introduce the Text

- **Read aloud** the title. Tell students that this is a photographic essay. Discuss with students what they know about photo essays. (*They contain facts and photos about a topic.*)

- **Guide students** to set a purpose for reading.

- **Point out** the highlighted Big Idea Words.

- **Have students** read the text.

READ FOR UNDERSTANDING

Text and Graphic Features

- **What text features does the author use in paragraphs 1, 3, and 5?** (*words in bold print*)

- **Why does the author use the bold print?** (*to show that these words are important vocabulary words*)

ANNOTATION TIP: Have students underline the words in bold print.

- **What are the graphic features used on these two pages?** (*photographs*)

- **How do the photographs help support the ideas in the text?** (*The photos show the Thompson High School girls' basketball team, which is what the text is telling about.*)

 CONOCIMIENTOS Y DESTREZAS ESENCIALES DE TEXAS **3.6A** establish purpose for reading; **3.6E** make connections; **3.7C** use text evidence; **3.9D(ii)** recognize features in informational text; **3.10C** explain use of print/graphic features

Todo el mundo sabe que el trabajo en equipo es importante en el baloncesto, a pesar de que los aficionados muchas veces se centran solo en los jugadores que se destacan o sobresalen. Estos jugadores estrella son los que anotan todos los puntos. Los aficionados se paran y animan solo a sus jugadores preferidos. Pero el éxito de todo jugador depende de la **colaboración** del equipo.

Es posible que los aficionados se sorprendieran anoche. El equipo de baloncesto femenino de la Escuela Superior Thompson ganó el campeonato estatal, derrotando a las Marshland 65–47. Las Thompson Owls no tienen ninguna estrella, pero las Marshland Ravens sí. ¿Por qué ganaron las Thompson Owls? La clave fue el trabajo en equipo.

Sheila Ramírez anotó 30 puntos y se convirtió anoche en la mayor anotadora del equipo de las Owls. Pero Ramírez no solo es conocida por anotar muchos puntos. También pasa el balón con tanta frecuencia como lanza a canasta. Kate Na, de las Owls, robó el balón al equipo contrario en diez ocasiones, pasándoselo a Ramírez o a Haley Sears para que anotaran. Mostraron una **simbiosis** imparable. Todas las jugadoras ayudaron a las demás a dar lo mejor de sí mismas.

4 Nadie esperaba que las Owls opacaran a las contrincantes. Yasmin Vergera, jugadora de las Ravens, fue la que más puntos anotó en la liga en toda la temporada. Raramente perdió la oportunidad de anotar un tanto. Cheyenne Jamison es una defensa estupenda. Logró el récord de robos de balón en esta temporada. Suele lanzar el balón desde el otro extremo de la cancha, en lugar de pasarlo. Cuando encesta, el público se entusiasma.

5 Pero anoche no se destacaron las grandes estrellas ni los movimientos llamativos. "La **unidad** fue la gran estrella", dijo Malia Stephens, la entrenadora de las Owls. "Jugar en equipo y no individualmente, nos dio la victoria. Y la **determinación** también ayudó. ¡Nuestras jugadoras nunca se rinden!"

6 Las jugadoras de las Owls se quedaron atrás al principio. Aun así, no se rindieron. Se las ingeniaron para impedir que Yasmin Vergera siguiera marcando. ¡Tenían la defensa perfecta! También encontraron la forma de esquivar la defensa de las Ravens con un sólido juego de pases. Miren las estadísticas de las Owls y verán cómo fue el juego. No tienen estrellas, pero la unidad les ayudó a ganar.

Estadísticas de las Owls

Jugadora	Puntos	Rebotes	Robos
Sheila Ramírez	30	6	2
Haley Sears	15	3	0
Kate Na	8	4	10
Lin Littleton	6	1	3
Luisa Okeha	6	2	0
Rachel Healey	3	1	1
Shyla Burdock	2	1	1
Teanna O'Connor	2	1	0

371

LEER PARA COMPRENDER

Características del texto y elementos gráficos

• **¿Qué les muestran las fotografías sobre las Thompson Owls?** (*Muestran quiénes son las niñas del equipo y cómo juegan*).

• **¿Cómo apoyan las fotografías la idea de que trabajar juntas es una parte importante del éxito de las Owls?** (*Muestran a las jugadoras pasando la pelota y trabajando juntas para anotar. Las niñas están sonriendo. Eso demuestra que les gusta jugar al baloncesto y que trabajan en equipo*).

• **¿Qué muestra la tabla?** (*estadísticas de las Owls en el partido contra las Ravens*)

SUGERENCIA PARA NOTAS: Pida a los estudiantes que subrayen el título de la tabla.

• **¿Por qué el autor incluye la tabla?** (*para que los lectores vean los puntos, rebotes y robos de cada jugadora*)

• **¿Cómo apoya la tabla el texto del párrafo 3?** (*Muestra que Sheila anotó 30 puntos y que Kate hizo 10 robos*).

• **¿Qué información adicional sobre estas jugadoras hay en la tabla que no dice el texto?** (*Sheila también hizo 6 rebotes y 2 robos. Kate anotó 8 puntos e hizo 4 rebotes*).

SUGERENCIA PARA NOTAS: Pida a los estudiantes que subrayen el texto relacionado con la tabla en el párrafo 6.

TEKS 3.7C, 3.9D(ii), 3.10C

DOK 2

READ FOR UNDERSTANDING

Text and Graphic Features

• **What do the photographs show you about the Thompson Owls?** (*They show who the girls are on the team and how they play.*)

• **How do the photographs support the idea that working together is an important part of the Owls' success?** (*The photos show the Owl teammates passing the ball and working together to score. The girls are also smiling. That shows they love to play basketball and work as a team.*)

• **What does the chart show?** (*statistics for the Owls in the game against the Ravens*)

ANNOTATION TIP: Have students underline the title of the chart.

• **Why does the author include the chart?** (*so that readers can see how many points, rebounds, and steals each of the Owls players had*)

• **How does the chart support the text in paragraph 3?** (*It shows that Sheila scored 30 points, and that Kate had 10 steals.*)

• **What additional information about these players is in the chart that is not in the text?** (*Sheila also had 6 rebounds and 2 steals. Kate scored 8 points and had 4 rebounds.*)

ANNOTATION TIP: Have students underline the text in paragraph 6 that connects the text to the chart.

Mis notas

LEER PARA COMPRENDER

Presentar el texto

- **Lea en voz alta** y comente la información sobre el género. Eche un vistazo a las ilustraciones y señale los encabezados del capítulo para comentar los siguientes puntos:

  » Los personajes y ambientes del cuento son similares a los que los estudiantes conocen en la vida real, como el lugar donde practican deportes con sus amigos.

  » El cuento está organizado en capítulos y los acontecimientos de cada capítulo dan lugar a los acontecimientos del capítulo siguiente.

  » Los personajes hablan en un tono informal, igual que hablan los estudiantes con sus amigos.

- **Use** Mostrar y motivar: <u>Conocer al autor 5.2</u> para aprender más sobre el autor.

- **Pida a los estudiantes** que busquen las palabras del Vocabulario crítico mientras leen y que piensen en el significado de las palabras.

SUGERENCIA PARA NOTAS: Pida a los estudiantes que usen el recuadro para anotar lo que quieren aprender de la selección.

TEKS 3.6A, 3.9A

DOK 2

 Observa y anota
Contrastes y contradicciones

Prepárate para leer

ESTUDIO DEL GÉNERO La **ficción realista** cuenta un cuento sobre personajes y acontecimientos que se parecen a los de la vida real.

- Los autores de la ficción realista cuentan el cuento a través de la trama, o los acontecimientos principales.
- La ficción realista incluye personajes que actúan, piensan y hablan como personas reales.
- La ficción realista tiene diálogos y usa lenguaje informal para que la conversación parezca real.
- Algunos cuentos de ficción realista incluyen un mensaje o una lección.

ESTABLECER UN PROPÓSITO **Piensa en** las formas en las que el autor hace que los personajes y los acontecimientos parezcan reales. ¿De qué maneras puedes relacionarte con los personajes del cuento? Escribe tu respuesta abajo.

VOCABULARIO CRÍTICO

inquieto

técnicos

desvió

competencia

interceptó

ventaja

Conoce al autor:
Jake Maddox

372

READ FOR UNDERSTANDING

Introduce the Text

- **Read aloud** and discuss the genre information. Preview the illustrations and point to the chapter headings to discuss the following points:

  » The characters and settings of this story are similar to those that students might have experienced in real life, such as playing sports with friends.

  » The story is organized in chapters, and the events in each chapter lead to the events in the next chapter.

  » The characters talk with each other using informal language, just as students do when they're with their friends.

- **Use Mostrar y motivar: Conocer al autor 5.2** to learn more about the author.

- **Tell students** to look for the Critical Vocabulary as they read, and think about the words' meanings.

ANNOTATION TIP: Have students use the box to note what they want to learn from the selection.

Las competencias de
FÚTBOL

por **JAKE MADDOX**
ilustrado por **Matthew Shipley**

373

📖 **LEER PARA COMPRENDER**

Establecer un propósito

- **Pida a los estudiantes** que miren la introducción y las primeras páginas de *Las competencias de fútbol* para observar los encabezados de los capítulos y las ilustraciones.

- **Guíe a los estudiantes** para que establezcan un propósito para la lectura. Comente con ellos de qué formas podrían relacionarse con los personajes.

TEKS 3.6A

DOK 2

READ FOR UNDERSTANDING

Set a Purpose

- **Have students** look at the introduction and the first few pages of *Las competencias de fútbol* to note the chapter headings and illustrations.

- **Guide students** to set a purpose for reading. Discuss with them ways in which they might be able to relate to the characters.

Después de llevarle a su escuela el triunfo del primer campeonato estatal de fútbol frente al equipo los Cosmos, Peter y Berk tienen muchas ganas de que comience la próxima temporada. En las pruebas de primavera, los dos chicos practican intensamente sus habilidades. Peter es un delantero magnífico. Berk es el portero que aseguró la victoria del equipo en el campeonato estatal. Peter le cuenta a Berk que hay un estudiante nuevo en la escuela, que también se va a presentar a las pruebas para la posición de portero. Berk lo conoce, Ryan, un chico muy seguro. Berk está preocupado y un poco **inquieto** por las pruebas.

LAS PRUEBAS

2   Las diferencias entre Berk y Ryan no tardaron mucho en hacerse notar durante las pruebas.

3   En varios de los ejercicios, Berk demostró ser mejor en muchos de los aspectos técnicos del juego.

4   Sabía cuándo debía salir de la portería para enfrentar a un delantero o recuperar un balón perdido. Siempre estaba en el lugar preciso en el momento exacto.

5   Paraba todos los tiros a portería y controlaba los rebotes.

6   Ryan estuvo un poco más inseguro en la meta. En ocasiones innecesarias, salía de la portería para robarle el balón a un jugador cuando la mejor jugada era quedarse atrás. En otras estaba fuera de lugar.

> **inquieto**   Si alguien está inquieto, está preocupado porque algo malo podría pasar.
> **técnicos**   Los aspectos técnicos de un deporte son las habilidades y los conocimientos básicos que se necesitan para jugar.

374

LEER PARA COMPRENDER

Hacer y contestar preguntas
DEMOSTRAR CÓMO HACER Y CONTESTAR PREGUNTAS

PENSAR EN VOZ ALTA *Me voy a hacer preguntas y contestarlas para asegurarme de que comprendo lo que ocurre. Después de leer la primera página, sé que dos niños se presentan para portero de fútbol. Tienen diferentes estilos de juego. Puedo preguntarme "¿Cómo se diferencian los estilos?". Puedo contestar diciendo que Berk es un jugador con mejor técnica. Ryan es mejor atleta, pero un poco arriesgado. Escribiré notas con mis preguntas y las respuestas a medida que las encuentre.*

SUGERENCIA PARA NOTAS: Pida a los estudiantes que escriban notas con las preguntas y las respuestas que tengan a medida que lean el cuento.

TEKS 3.6B

DOK 2

READ FOR UNDERSTANDING
Ask and Answer Questions
MODEL ASKING AND ANSWERING QUESTIONS

THINK ALOUD *I will ask myself questions and answer them to make sure I understand what is going on. After reading the first page, I know that two boys are trying out for the position of soccer goalkeeper. They have different styles of play. I can ask myself, "How are the styles different?" I can answer by saying that Berk is a better technical player. Ryan is a better athlete but a little wild.*

I'll write notes with my questions and the answers as I find them.

ANNOTATION TIP: Have students write notes with the questions and answers they have as they read the story.

 CONOCIMIENTOS Y DESTREZAS ESENCIALES DE TEXAS 3.6B generate questions about text; **3.6C** make/correct/confirm predictions; **3.6F** make inferences/use evidence; **3.7C** use text evidence; **3.7G** discuss text ideas; **3.8B** explain relationships among characters

LEER PARA COMPRENDER

¿Por qué podría ser frustrante para Berk tener que competir por la posición de portero titular este año?
(*Era el portero el año pasado cuando el equipo ganó el campeonato estatal, por lo que podría creer que este puesto debería pertenecerle*).

¿Cuál de los jugadores creen que ganará la posición? ¿Por qué? Usen evidencias para apoyar su idea.
(*Respuestas posibles: Predigo que Ryan va a hacer una maniobra espectacular porque es un buen atleta y que ganará la posición. Predigo que Peter hará lo que dice, anotarle un gol a Ryan, y que Berk obtendrá la posición*).

TEKS 3.6C, 3.6F, 3.7C, 3.7G, 3.8B

DOK 2

7   Pero Ryan era mejor atleta que Berk. A veces disimulaba sus faltas con maniobras espectaculares que hacía para parar el balón.

8   En el penúltimo día de pruebas, el entrenador Davis dividió a los Titanes en dos equipos para ensayar un partido.

9   Los equipos estaban bastante igualados. Berk ocupaba una portería y Ryan ocupaba la otra. Peter estaba en el equipo de Berk.

10   Antes del partido, Peter corrió hacia Berk.

11   —No te preocupes, amigo —dijo—. Le marcaré un gol y la posición de portero será tuya.

12   Al principio, el partido iba como en los ejercicios. Berk estaba siempre en el lugar preciso.

13   Cuando le pateaban el balón, Berk ya lo estaba esperando, por lo que se le hacía fácil pararlo.

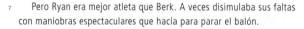

375

READ FOR UNDERSTANDING

Why might it be frustrating for Berk to have to compete for the starting goalkeeper position this year? (*He was the goalkeeper last year when the team won the state championship, so he might feel like the job should be his.*)

Which of the players do you think will win the position? Why? Use evidence to support your idea.
(*Possible responses: I predict Ryan will make a spectacular play because he is a good athlete, and he will get the position. I predict Peter will do what he says—score on Ryan—and Berk will get the position.*)

14 Ryan corría por todo el campo. En un momento del partido, salió al encuentro de un delantero que tenía la pelota en la esquina, dejando sola la portería. El delantero le pasó el balón a Peter.

15 Peter recibió el pase dentro del área. Controló el balón con el pie izquierdo y pateó con el derecho hacia la meta desprotegida. Pero Ryan era tan rápido que llegó a tiempo a la portería. Se lanzó hacia la derecha y desvió el lanzamiento de Peter hacia el poste derecho.

16 Otro delantero se apoderó del rebote en el lateral derecho de la portería.

17 De nuevo, Ryan le salió al encuentro y el delantero pateó el balón hacia el frente.

18 Esta vez, Peter trató de redirigir la pelota hacia el poste izquierdo, pero no apuntó bien y Ryan se abalanzó hacia atrás sobre el balón perdido.

19 A Berk se le cayó el alma a los pies. Sabía que de haberle tocado esa misma jugada, habría evitado todos esos tiros.

20 Habría parado el primer pase poniéndole fin a la jugada. Pero Ryan, con su estilo arriesgado, se había lucido con esas dos paradas espectaculares. Hasta el entrenador Davis aplaudía y gritaba.

21 Ninguno de los equipos anotó en el partido. El entrenador Davis llamó a Berk a la línea de banda.

22 —Berk —dijo—, tengo una idea.

23 ¿Una idea? Berk no sabía qué decir.

24 —¿Has pensado en jugar otra posición? —continuó el entrenador.

desvió Si una persona desvió algo que estaba en movimiento, lo hizo desplazarse en otra dirección.

376

LECTURA EN DETALLE GUIADA

Elementos literarios

Pida a los estudiantes que vuelvan a leer las páginas 374 a 376 para analizar cómo influyen los personajes y el ambiente en la trama.

¿Quiénes son los personajes principales y los personajes secundarios? ¿Por qué? (*Berk es el personaje principal, porque la mayor parte del cuento trata sobre él. Peter, Ryan y el entrenador son importantes, pero el cuento no trata sobre ellos*).

¿Cómo influirán en la trama las diferencias entre Berk y Ryan? (*Ambos personajes quieren ser porteros, pero tienen diferentes habilidades. Así que deben competir para ver quién ocupará esa posición*).

¿Cuál es el ambiente en estas páginas? (*el campo de fútbol*) **¿Por qué es importante este ambiente en un cuento sobre fútbol?** (*Toda la acción se desarrolla en el campo de fútbol o en sus alrededores. Es allí donde los personajes compiten*).

TEKS 3.8B, 3.8D

DOK 3

TARGETED CLOSE READ

Literary Elements

Have students reread pages 374–376 to analyze how the characters and setting influence the plot.

Who are the major and minor characters? Why? (*Berk is a major character, because the story is about him. Peter, Ryan, and the coach are important, but the story isn't about them.*)

How will the differences between the two characters influence the plot? (*Both characters want to be goalkeeper. But they have different skills. So they have to compete to see who will be goalkeeper.*)

What is the setting on these pages? (*the soccer field*) **Why is this setting important for a story about soccer?** (*All the action takes place on the field or near it. It is where the characters compete.*)

 CONOCIMIENTOS Y DESTREZAS ESENCIALES DE TEXAS **3.6F** make inferences/use evidence; **3.6G** evaluate details; **3.6H** synthesize information; **3.7C** use text evidence; **3.8B** explain relationships among characters; **3.8C** analyze plot elements; **3.8D** explain influence of setting on plot; **3.10B** explain use of text structure

*Respuestas de
ejemplo: dolido,
confundido,
decepcionado*

¿UNA POSICIÓN NUEVA?

25   Berk decidió ser honesto con su entrenador.

26   —Pues… no, entrenador —dijo—. Siempre he querido ser portero.

27   El entrenador Davis rodeó a Berk con el brazo.

28   —Bueno, te manejas bien con los pies y siempre estás en el lugar preciso en el momento exacto —le dijo—. Creo que serías un fantástico líbero.

29   El líbero juega justo frente al portero. Suele ser el compañero de equipo en el que más confía el portero.

30   El líbero ayuda a proteger al portero y despeja los balones perdidos frente a la portería.

377

📖 LEER PARA COMPRENDER

¿Sobre qué trata este capítulo? *(El entrenador le dice a Berk que jugará en una nueva posición).*

¿Cómo dieron lugar los acontecimientos del capítulo anterior a estos acontecimientos? *(En el último capítulo, Ryan y Berk compiten por la posición de portero. El entrenador aplaude y grita cuando Ryan hace una parada. El entrenador toma una decisión. En este capítulo, el entrenador explica su decisión a Berk).*

¿Qué detalle del texto demuestra que el entrenador Davis sabe que probablemente sea duro para Berk escuchar su decisión? *(El entrenador rodea a Berk con el brazo).*

SUGERENCIA PARA NOTAS: Pida a los estudiantes que escriban en sus notas palabras que describan cómo podría sentirse Berk ahora mismo.

TEKS 3.6F, 3.6G, 3.6H, 3.7C, 3.8B, 3.8C, 3.10B

DOK 3

READ FOR UNDERSTANDING

What is this chapter about? *(The coach's telling Berk he will play a new position.)*

How do the events in the previous chapter lead to these events? *(In the last chapter, Ryan and Berk compete for the goalkeeper position. The coach claps and yells when Ryan makes a save. The coach makes his decision. In this chapter, the coach explains his decision to Berk.)*

What detail in the text shows that Coach Davis knows that his decision might be difficult for Berk to hear? *(Coach puts his arm around Berk's shoulder.)*

ANNOTATION TIP: Have students write words that describe how Berk might feel right now in their notes. *(Sample responses: hurt, confused, disappointed)*

¿Debería estar contento Berk por jugar de líbero en lugar de portero? ¿Por qué? *(Respuesta de ejemplo: Creo que Berk debería estar contento porque el líbero es una posición muy importante. Además, el equipo necesita a alguien en esa posición y el entrenador eligió a Berk porque Berk se maneja bien con los pies y siempre está en el lugar preciso en el momento exacto).*

TEKS 3.6E, 3.6F, 3.7C

DOK 2

31   Berk sabía que era una posición muy importante. Además, la posición estaba vacante porque Michael Swenson, el líbero de la temporada pasada, se había mudado.

32   Aun así, a Berk no le interesaba.

33   —Prefiero ser portero —dijo.

34   —Lo sé —dijo el entrenador Davis—. Pero creo que me voy a quedar con Ryan en la portería.

35   Berk estaba desconcertado.

36   Hacía mucho tiempo que no lloraba por nada relacionado con el deporte, pero estaba a punto de hacerlo.

37   —Serás el portero suplente —continuó el entrenador Davis—. Además, jugarás todo el tiempo porque también serás el líbero.

38   Berk trató de murmurar algo que sonara como "de acuerdo", pero todavía trataba de controlar las lágrimas.

39   Los jugadores salieron del campo y Berk se adelantó al grupo.

40   Se cambió de ropa rápidamente y se fue a casa en su bicicleta.

41   Todavía quedaba otro día más de prácticas, pero Berk ya sabía qué lugar ocupaba.

42   El último día de las pruebas, ni siquiera llevó los guantes de portero al campo. Practicó todo el tiempo con los defensas.

43   Durante un descanso, Peter se le acercó a Berk.

44   —¿Qué haces? —preguntó Peter—. ¿Por qué no peleas por la posición de portero?

45   —Ayer, el entrenador me dijo —comenzó a decir Berk con los ojos fijos en el suelo sin poder mirar a su amigo— que voy a ser el líbero.

378

READ FOR UNDERSTANDING

Should Berk be happy to play sweeper instead of goalkeeper? Why or why not? *(Sample response: I think Berk should be happy because sweeper is a very important position. Also, the team needs someone in that position, and the coach selected Berk because Berk has great footwork and is always in the right place at the right time.)*

 CONOCIMIENTOS Y DESTREZAS ESENCIALES DE TEXAS 3.6E make connections; **3.6F** make inferences/use evidence; **3.6G** evaluate details; **3.7C** use text evidence; **3.8B** explain relationships among characters; **3.8C** analyze plot elements; **3.9A** demonstrate knowledge of literature characteristics

46   —Eso es un fastidio —dijo Peter—. Al menos estarás en el campo conmigo todo el tiempo.

47   Berk sonrió ligeramente. Entonces, Ryan se acercó a beber agua y se dirigió hacia los chicos. Berk se encogió de hombros esperando los alardes de Ryan.

48   —Berk —dijo Ryan—. Eres un buen portero. Lamento que las pruebas no salieran como querías.

49   Berk estaba convencido de que Ryan no era sincero.

50   —Claro, Ryan —dijo Berk—. Si tú lo dices.

51   —Fue una buena competencia —dijo Ryan y le extendió la mano a Berk—. ¿Sin rencores?

52   Berk estrechó la mano de Ryan durante un breve segundo.

53   —Sin rencores —dijo entre dientes. Y Ryan se fue corriendo.

> **competencia**   Cuando participas en una competencia, participas en un concurso o competición contra otra persona o equipo.

379

Mis notas ✎

Berk es cuidadoso. Ryan es agradable y le dice a Berk que lo lamenta. Los dos se estrechan la mano.

Observa y anota

Contrastes y contradicciones

- **Recuerde a los estudiantes** que, cuando un autor compara dos personajes, deben preguntarse por qué es importante la comparación y por qué es importante la diferencia.

- **Pida a los estudiantes** que expliquen las comparaciones entre Berk y Ryan, y por qué son importantes para el cuento. *(Los niños tienen diferentes estilos a la hora de jugar. Además, Berk es más tranquilo y se preocupa. Ryan parece más confiado. Hace que la competición sea más interesante).*

- **Pida a los estudiantes** que expliquen cómo actúa Ryan de forma contradictoria a lo que Berk espera. *(Berk espera que Ryan alardee, pero Ryan es agradable y le dice que lo lamenta a Berk).*

SUGERENCIA PARA NOTAS: Pida a los estudiantes que escriban notas para comparar cómo actúan Berk y Ryan el uno con el otro en la página 379.

- **Pida a los estudiantes** que reflexionen sobre la pregunta principal *¿Por qué los personajes se sienten y actúan de esta forma?* y que añadan ideas a sus notas.

TEKS 3.6G, 3.7C, 3.8B, 3.8C, 3.9A

DOK 3

NOTICE & NOTE

Contrasts and Contradictions

- **Remind students** that when an author compares two characters, they should ask themselves why this comparison is important and why the differences matter.

- **Have students** explain the comparisons between Berk and Ryan and why they are important to the story. *(The boys have different playing styles. Also, Berk is quieter and worries. Ryan seems more confident. It makes the competition more interesting.)*

- **Have students** explain how Ryan acts in a way that is contradictory to what Berk expects. *(Berk expects Ryan to gloat, but Ryan is nice and says he's sorry to Berk.)*

ANNOTATION TIP: Have students write notes comparing how Berk and Ryan act towards each other on page 379. *(Berk is cautious. Ryan is nice and says he's sorry for Berk. Both boys shake hands.)*

- **Have students** reflect on the Anchor Question: *Why would the characters feel and act this way?* and add to their notes.

LEER PARA COMPRENDER

Hacer y contestar preguntas

Pida a los estudiantes que hagan preguntas con quién, qué, cuándo, dónde o por qué relacionadas con el texto de este capítulo. *(Las respuestas variarán. Los estudiantes deberían usar la estrategia para hacer predicciones, clarificar cosas que parecen confusas o pensar más sobre el texto).*

Si los estudiantes tienen dificultades para hacer y contestar preguntas, use este modelo:

PENSAR EN VOZ ALTA *Tengo una pregunta con "qué" relacionada con el equipo. Berk y Ryan no parecen estar colaborando. Me pregunto "¿Qué ocurrirá con el equipo con Ryan en la portería?". En el párrafo 62, leo que Ryan deja la portería vacía. Pero Berk le grita a Ryan que regrese. Luego, el otro equipo anota. Esto no es bueno para el equipo de Berk. Predigo que Ryan no va a seguir siendo portero durante mucho tiempo.*

TEKS 3.6B

DOK 2

LEER PARA COMPRENDER

¿Cómo afectan a Ryan las acciones de Berk en el juego?
(Berk maneja bien su nueva posición. Como consecuencia, Ryan no tuvo mucho que hacer en la portería durante la mayor parte del juego).

TEKS 3.8B

DOK 2

QUE COMIENCE EL JUEGO

54 Después de unas semanas de entrenamiento, los Titanes ya estaban preparados para comenzar la temporada.

55 Tenían un calendario cargado: veinticuatro partidos de la liga y cuatro torneos semanales.

56 —Muy bien, chicos. Ya estamos listos para otra temporada fantástica —comenzó diciendo el entrenador Davis—. El año pasado ganamos el campeonato estatal. Algunas cosas han cambiado este año, pero creo que podemos volver a conseguirlo. Además, este año tenemos una oportunidad nueva. Quien gane el título estatal este año, será invitado a participar en las competencias nacionales.

57 Los jugadores estaban emocionados y deseosos por salir al terreno.

58 Al comienzo del juego, Berk se sintió un poco extraño. En la posición de líbero, estaría moviéndose constantemente por el campo y haciendo jugadas a las que no estaba acostumbrado.

59 Pero se manejaba bien en la posición y Ryan tenía poco que hacer en la portería.

60 Los Titanes tuvieron el control del juego durante la mayor parte del partido.

61 Peter anotó un gol a finales del primer tiempo y el equipo iba liderando 1 a 0 frente a los Huracanes, el equipo adversario.

62 A mitad del segundo tiempo, los Huracanes lanzaron el balón hacia la esquina izquierda del campo. Ryan le salió al ataque al delantero y dejó la portería vacía.

63 —¡Ryan! —gritó Berk—. ¡Regresa a la portería!

380

READ FOR UNDERSTANDING

Ask and Answer Questions
Have students ask Who, What, When, Where, or Why questions about the text in this chapter. *(Responses will vary. Students should use the strategy to make predictions, clarify things that seem unclear, or to think more deeply about the text.)*

If students have difficulty asking and answering questions, use this model:

THINK ALOUD *I have a What question about the team. Berk and Ryan don't seem to be working together. I wonder, "What will happen to the team with Ryan in goal?" In paragraph 62, I read that Ryan charges out of the net. But Berk yells to Ryan to get back. Then the other team scores. This isn't good for Berk's team. I predict Ryan will not be the goalkeeper for very long.*

READ FOR UNDERSTANDING

How do Berk's actions in the game affect Ryan? *(Berk handles his new position well. As a result, Ryan didn't have much work to do in net for most of the game.)*

64   Ya era tarde.

65   Un jugador de los Huracanes pateó el balón hacia el medio campo.

66   Berk no pudo llegar y el centrodelantero de los Huracanes pateó el balón hacia la portería. Ryan se lanzó, pero no logró atrapar el balón.

MUY POCA AYUDA

67   Los Huracanes y los Titanes terminaron el partido empatados 1 a 1.

68   El resto de la temporada de los Titanes fue muy parecida a aquel primer partido.

69   Ryan hizo algunas paradas fantásticas, pero sus malas decisiones le costaron varios goles a su equipo.

70   Los Titanes anotaban tantos goles como el año anterior, pero tenían muchos más en contra.

71   Después de aquel primer partido en que pareció que a Ryan no le había gustado el consejo de Berk, el líbero decidió no darle ninguno más. Hizo todo lo que pudo en su posición de líbero para proteger a Ryan, pero no le dio ningún tipo de ayuda sobre los aspectos técnicos de un portero.

📖 **LEER PARA COMPRENDER**

¿En qué se parece el equipo de Berk este año al equipo del año pasado? *(El equipo de este año anota tantos goles como el del año pasado, pero les anotan muchos más goles en contra).*

¿Cuál es la principal razón por la cual no le está yendo tan bien al equipo este año? *(las malas decisiones de Ryan en la portería)*

¿Cómo intenta solucionar esto Berk? ¿Ayuda? *(No. Berk ofrece consejo, pero a Ryan no le gusta y por eso Berk deja de intentar ayudar).*

TEKS 3.8B, 3.8C

DOK 2

READ FOR UNDERSTANDING

How does Berk's team this year compare to his team last year? *(The team this year scores as many goals as last year's team, but they allow more goals this year.)*

What is the main reason for why the team isn't doing as well this year? *(Ryan's poor fundamental play in goal)*

How does Berk try to fix this? Does it help? *(No. Berk offers Ryan advice. But Ryan doesn't like it, so Berk stops trying to help.)*

Observa **y** anota

Contrastes y contradicciones

- **Pregunte a los estudiantes** por qué podrían usar la estrategia de contrastes y contradicciones en la página 382.

- **Invite a los estudiantes** a explicar en qué se diferencia la reacción de Berk ante la decisión del entrenador Davis de lo que ellos y Berk esperan. *(Berk debería estar contento y emocionado porque quería ser el portero. En lugar de eso, se siente incómodo).*

SUGERENCIA PARA NOTAS: Pida a los estudiantes que subrayen el texto que demuestra que Berk se siente incómodo con la decisión del entrenador de volver a colocarlo en la portería.

- **Pida a los estudiantes** que reflexionen sobre la pregunta principal *¿Por qué el personaje se siente de esta forma?* y que añadan ideas a sus notas.

TEKS 3.6G, 3.7C, 3.8B, 3.8C, 3.9A

DOK 3

---

72   Los Titanes apenas llegaron a las eliminatorias.

73   Después del último partido de la temporada regular, el entrenador Davis llamó a Ryan en privado. Berk no pudo oír lo que decían.

74   Cuando terminaron de hablar, el entrenador Davis llamó a Berk.

75   Berk corrió hacia él.

76   —Berk, creo que necesitamos un cambio —dijo el entrenador Davis—. Me gustaría que volvieras a la portería para las eliminatorias.

77   Berk no sabía qué decir.

78   —¿Está seguro? —dijo Berk—. Ryan lleva todo el año jugando esa posición.

79   —No ha dado resultados —dijo el entrenador Davis—. Si queremos ir a las competencias nacionales, te necesitamos en la portería.

80   Era tremendo elogio y Berk lo sabía. <u>Aun así, se sintió incómodo.</u>

81   —Gracias, entrenador —logró decir.

82   Peter se acercó mientras el entrenador se alejaba.

83   —¡Escuché la buena noticia! —gritó—. ¡Es formidable!

84   —Sí, formidable —murmuró Berk—. <u>Entonces, ¿por qué no me siento mejor?</u>

85   Aquella noche en casa, Berk sacó los guantes de portero. Se los probó. Esta vez se sentían raros.

86   Berk se quedó mirando los guantes y, de repente, todo se le hizo más claro.

87   Aquella noche, Berk llamó a Peter y le preguntó si podían encontrarse en el campo de fútbol.

88   —Confía en mí —le dijo Berk a su amigo—. Tengo una idea.

382

NOTICE & NOTE

Contrasts and Contradictions

- **Ask students** why they might use the contrasts and contradictions strategy on page 382.

- **Invite students** to explain how Berk's reaction to Coach Davis's decision is different from what they and Berk expect. *(Berk should be happy and excited because he wanted to be the goalkeeper. Instead, he feels uneasy.)*

ANNOTATION TIP: Have students underline the text that shows Berk is uneasy about the coach's decision to put him back in goal.

- **Have students** reflect on the Anchor Question: *Why would the character feel this way?* and add to their notes.

 CONOCIMIENTOS Y DESTREZAS ESENCIALES DE TEXAS 3.6F make inferences/use evidence; **3.6G** evaluate details; **3.7C** use text evidence; **3.8B** explain relationships among characters; **3.8C** analyze plot elements; **3.9A** demonstrate knowledge of literature characteristics

Mis notas ✏

Respuesta de ejemplo: Berk le ofrecerá ayuda a Ryan para convertirse en un jugador que tome mejores decisiones.

ES HORA DE AYUDAR

89   Berk caminó hasta la casa de Ryan. Llamó a la puerta y esperó.

90   No sabía cómo iba a reaccionar Ryan cuando lo viera en su casa. Después de todo, no eran lo que se dice amigos.

91   Ryan vino hasta la puerta. Cuando vio a Berk, se detuvo por un momento. Abrió la puerta y salió.

92   —¿Has venido a regodearte? —preguntó Ryan.

93   —No he venido a eso —dijo Berk—. Tengo una idea.

94   Ryan no entendía.

383

LEER PARA COMPRENDER

 LEER PARA COMPRENDER

Hacer y contestar preguntas

Recuerde a los estudiantes que, mientras leen, es importante hacerse preguntas y averiguar la respuesta a esas preguntas. Pida a los estudiantes que se hagan preguntas sobre la relación entre Berk y Ryan.

SUGERENCIA PARA NOTAS: Pida a los estudiantes que continúen escribiendo preguntas y respuestas en sus notas.

TEKS 3.6B

DOK 2

 LEER PARA COMPRENDER

¿Cómo termina el autor este capítulo? *(diciendo que Berk y Ryan quieren compartir una idea con su entrenador)* **¿En qué se parece este final al final del capítulo anterior?** *(Ese capítulo también terminó con Berk diciendo que tenía una idea).*

¿Por qué termina el autor los capítulos de esta forma? *(Para que los lectores quieran seguir leyendo el siguiente capítulo para saber cuál es la idea o si funcionará).*

TEKS 3.8C, 3.10B

DOK 3

95 A Berk no le preocupaba lo que estaba a punto de decir.

96 Había decidido que la honestidad total era la única forma.

97 —Mira, tú haces mejores paradas que yo —dijo Berk—. Pero no eres mejor portero que yo.

98 —Entonces, sí has venido a regodearte —respondió Ryan.

99 —Escúchame —replicó Berk—. Si unimos nuestras habilidades tendremos un portero increíble. Eso es lo que debemos hacer.

100 —¿Cómo? —dijo Ryan—. ¿Qué estás diciendo? ¿Estás chiflado?

101 —Debemos combinar nuestras habilidades en un solo portero —dijo Berk—. Yo nunca podré hacer las paradas increíbles que tú haces, porque eres mejor atleta que yo. Pero tú puedes aprender a jugar como portero tan bien como yo.

102 Ryan comenzó a verlo claro:
—Entonces, ¿me vas a ayudar con las reglas básicas? —dijo.

103 —Eso es lo que voy a hacer —dijo Berk.

104 Durante aquel fin de semana, Berk y Peter le enseñaron a Ryan las reglas básicas.

105 No era fácil, pero Ryan comenzaba a entenderlo.

106 En el siguiente entrenamiento, Berk y Ryan se acercaron al entrenador Davis.

107 Le presentaron su idea y le dijeron al entrenador lo que ya habían hecho.

108 El entrenador Davis parecía complacido.

109 —No estoy seguro de los resultados —dijo—, pero me siento orgulloso de que trabajen juntos para resolver este problema. ¡Manos a la obra!

384

READ FOR UNDERSTANDING
Ask and Answer Questions
Remind students that as they read it is important to ask themselves questions and then figure out the answer to the questions. Have students ask and answer questions about the relationship between Berk and Ryan.

ANNOTATION TIP: Have students continue to write questions and answers in their notes.

READ FOR UNDERSTANDING
How does the author end this chapter? *(by telling that Berk and Ryan want to share an idea with their coach)* **How is this similar to how the last chapter ended?** *(That chapter also ended with Berk saying he had an idea.)*

Why does the author end these chapters like this? *(So that readers will want to read on into the next chapter to see what the idea is or how well the idea will work.)*

 CONOCIMIENTOS Y DESTREZAS ESENCIALES DE TEXAS **3.6B** generate questions about text; **3.6F** make inferences/use evidence; **3.8B** explain relationships among characters; **3.8C** analyze plot elements; **3.10B** explain use of text structure

Mis notas

¿Funcionó bien la idea de Berk? (*Al principio, no funciona muy bien. Pero después de unos cuantos partidos, Ryan deduce las cosas y juega mejor. Entonces, la idea funciona bien*).

SUGERENCIA PARA NOTAS: Pida a los estudiantes que subrayen el texto que demuestra cómo afecta la idea de Berk al equipo.

TEKS 3.6F, 3.8B

DOK 2

PLAN EN ACCIÓN

110   No fue fácil, pero el plan funcionó.

111   Berk gritaba "¡meta!" cuando Ryan debía quedarse quieto y "¡ahora!" cuando tenía que atacar.

112   Después de unos cuantos juegos, Berk ya no tuvo que gritar.

113   Ya Ryan sabía lo que tenía que hacer.

114   Ryan seguía haciendo paradas espectaculares.

115   <u>Los Titanes avanzaron fácilmente durante las eliminatorias de la liga y las primeras dos rondas del campeonato estatal.</u>

385

READ FOR UNDERSTANDING

How well does Berk's idea work out? (*At first, it doesn't go smoothly. But after a few games, Ryan figures things out, and he plays better. So, the idea works well.*)

ANNOTATION TIP: Have students underline the text that shows how Berk's idea affects the whole team.

LEER PARA COMPRENDER

Hacer y contestar preguntas

Recuerde a los estudiantes que, mientras leen, es importante que se hagan preguntas y luego busquen las respuestas a esas preguntas. Pida a los estudiantes que comprueben que las preguntas anteriores sobre los eventos hasta ahora se han respondido y que hagan las preguntas adicionales que puedan necesitar para repasar el texto y responderlas.

TEKS 3.6B

DOK 2

116 En el campeonato estatal, se enfrentaron de nuevo a los Cosmos, igual que el año anterior. Esta era su oportunidad de ir a las competencias nacionales por primera vez.

117 Al principio de la segunda mitad, Berk interceptó un pase en el borde del área de meta.

118 Mirando hacia delante, escuchó que Peter le gritaba "¡Pásamela!" mientras iba corriendo por la línea de banda. Berk pateó la pelota al otro lado del campo, justo delante de Peter.

119 Con la velocidad que lo caracterizaba, Peter esquivó la defensa y controló el pase.

120 Se acercó a la portería de los Cosmos y pateó con fuerza hacia la esquina superior.

> **interceptó** Si una persona interceptó algo, impidió que llegara al lugar donde se dirigía.

 LEER PARA COMPRENDER

¿Por qué el juego entre Peter y Berk es un buen ejemplo de trabajo en equipo? (*Peter y Berk trabajan bien juntos para hacer un lanzamiento hacia la otra portería. Primero, Berk hace su tarea. Intercepta un pase. Luego, Peter lo llama. Finalmente, Berk le pasa el balón a Peter y Peter hace su tarea. Esquiva la defensa del otro equipo y patea con fuerza la pelota hacia la portería del otro equipo*).

TEKS 3.6F, 3.7G, 3.8B

DOK 3

386

READ FOR UNDERSTANDING
Ask and Answer Questions
Remind students that as they read it is important to ask themselves questions and then figure out the answer to the questions. Have students check that their earlier questions about events up until now have been answered, and to ask any additional questions that they might need to look back at the text to answer.

READ FOR UNDERSTANDING
How is the play between Peter and Berk a good example of teamwork? (*Peter and Berk work well together to get a shot on the other goal. First, Berk does his job. He intercepts a pass. Then Peter calls to him. Finally, Berk passes the ball to Peter, and Peter does his job. He beats the other team's defense and booms a heavy shot toward the other team's goal.*)

 CONOCIMIENTOS Y DESTREZAS ESENCIALES DE TEXAS **3.6B** generate questions about text; **3.6F** make inferences/use evidence; **3.7G** discuss text ideas; **3.8B** explain relationships among characters; **3.10F** discuss how language contributes to voice

121   Cuando la pelota tocó la red, Berk y los demás Titanes empezaron a gritar.

122   ¡Iban ganando!

123   Ahora, solo debían mantener la ventaja que llevaban en el marcador. No era sencillo frente a los Cosmos.

124   En el último minuto, los Cosmos hicieron un último ataque rápido. Movieron el balón hacia la esquina y uno de los defensas de los Titanes se apresuró para tratar de robar el balón.

125   Berk se movió para cubrir a un jugador, pero con el triunfo en juego, más jugadores de los Cosmos llegaron a la zona.

126   Los defensas de los Titanes no pudieron cubrirlos a todos.

127   El jugador de los Cosmos pateó el balón hacia el frente de la portería.

128   Ryan se quedó paralizado. Berk sabía que estaba tratando de decidir si debía salir a interceptarla o quedarse en la portería.

129   Ryan permaneció en su posición. Vio como la pelota se dirigía hacia un jugador sin defensa que se encontraba cerca del área de meta.

130   Ryan se preparó para el lanzamiento. Se agachó y preparó las manos.

131   El balón salió disparado del pie del jugador y Ryan lo estaba esperando.

132   Su estirada espectacular le permitió alcanzar el balón. En lugar de tocarlo, Ryan lo atrapó. Lo agarró con fuerza al mismo tiempo que se agotaba el tiempo.

> **ventaja**   Una ventaja es una condición favorable o una mejor oportunidad que algo o alguien tiene.

🔍 LECTURA EN DETALLE GUIADA

Técnica del autor

Pida a los estudiantes que vuelvan a leer las páginas 386 y 387 para analizar la voz del autor y el estado de ánimo que refleja.

¿Con qué palabras describirían el estado de ánimo, o los sentimientos sugeridos, que refleja esta parte del cuento? *(emocionante, intrigante, vibrante)*

¿Cómo usa el autor el lenguaje literal, las palabras sensoriales y la longitud de las oraciones para describir la acción? ¿Cómo ayuda esto a crear el estado de ánimo? *(El autor usa palabras de acción y sensoriales, como pateó, esquivó y se quedó paralizado, y la frase en el último minuto. También usa oraciones cortas para describir la acción. Estas palabras y frase crean emoción y un ritmo acelerado).*

¿Qué revelan estas páginas sobre el tono del autor o sus sentimientos sobre el deporte del fútbol? *(Revelan que el autor piensa que el fútbol es un deporte divertido y apasionante).*

TEKS 3.10F

DOK 3

TARGETED CLOSE READ

Author's Craft

Have students reread pages 386–387 to analyze the author's voice and the mood that is conveyed.

What words could you use to describe the mood— the suggested feelings—in this part of the story? *(exciting, suspenseful, high-energy)*

How does the author use literal language, sensory words, and sentence length to describe the action? How does this help to create the mood? *(The author uses action and sensory words such as* booted, boomed, *and* froze, *and the phrase* in the final minute. *He also uses short sentences to describe the action. These create excitement and a fast pace.)*

What do these pages tell about the author's tone, or his feelings about the game of soccer? *(They tell that the author thinks that soccer is a fun and exciting game.)*

Mensaje

Pida a los estudiantes que vuelvan a leer la página 388 para identificar el mensaje y distinguirlo del tema del cuento.

¿Qué relación hay entre el título y el problema principal que se plantea en el cuento? (Las competencias de fútbol *trata sobre un concurso o competición entre dos personajes que quieren ser porteros*).

Piensen en lo que los personajes y los lectores aprenden. ¿Cómo expresarían el mensaje del cuento? (*Cuando las personas trabajan juntas por un objetivo, todos ganan*).

¿En qué se diferencia ese mensaje del tema del cuento? (*El tema es aquello de lo que trata el cuento. En este caso, es la competencia de fútbol entre Berk y Ryan. El mensaje es la lección que los personajes y los lectores aprenden sobre el tema*).

SUGERENCIA PARA NOTAS: Pida a los estudiantes que subrayen las palabras que sugieren el mensaje del cuento.

TEKS 3.8A, 3.10A

DOK 3

 Mis notas

133 ¡Los Titanes volvían a ser los campeones!

134 Peter y Berk corrieron hasta su portero. Ryan todavía sujetaba la pelota contra el pecho.

135 —¡Lo conseguiste! —gritó Berk—. ¡Lo conseguiste!

136 Ryan lo miró a los ojos:
—No —dijo—, lo conseguimos.

388

📖 LEER PARA COMPRENDER

Concluir

Vuelva a comentar el propósito que los estudiantes establecieron antes de leer el texto. Pida a los estudiantes que citen evidencias del texto para explicar qué aprendieron sobre el trabajo en equipo. Anímelos a explicar cómo se relacionan con los sentimientos y las acciones de Berk y Ryan durante el cuento.

TEKS 3.6E, 3.7C, 3.10A

DOK 3

TARGETED CLOSE READ

Theme

Have students reread page 388 to identify the theme and distinguish it from the topic of the story.

What does the title have to do with the main story problem? (*Las competencias de fútbol is about a kind of contest between two characters who both want to be soccer goalkeepers*.)

Think about what the characters and reader learn. How might you state the theme of the story? (*When people work together, everyone wins*.)

How is this different from the topic of the story? (*The topic is what the story is about. Here, it is the soccer shootout between Berk and Ryan. The theme is a lesson the characters and readers learn about the topic*.)

ANNOTATION TIP: Have students underline the words that suggest a theme of the story.

READ FOR UNDERSTANDING

Wrap-Up

Revisit the purpose students set before they read the text. Have students cite text evidence to explain what they learned about teamwork. Encourage them to explain how they related to Berk and Ryan's feelings and actions throughout the story.

 CONOCIMIENTOS Y DESTREZAS ESENCIALES DE TEXAS 3.1A listen actively/ask relevant questions; **3.1C** speak coherently; **3.1E** develop social communication; **3.6E** make connections; **3.6F** make inferences/use evidence; **3.7B** write responses that demonstrate understanding; **3.7C** use text evidence; **3.7D** retell/paraphrase texts;

Conversación colaborativa

Vuelve a leer lo que escribiste en la página 372. Comenta tu respuesta con un compañero. Luego trabaja en grupo y comenta las preguntas de abajo. Busca detalles y ejemplos en *Las competencias de fútbol* para explicar tus respuestas. Toma notas para responder las preguntas. Haz y contesta preguntas para compartir o descubrir más información sobre las ideas de los demás.

1. Vuelve a leer las páginas 374 y 375. ¿En qué se diferencia Ryan de Berk como portero?

2. Repasa las páginas 377 y 378. ¿Qué palabras y acciones muestran cómo se siente Berk en la posición de líbero del equipo?

3. ¿Cómo cambia la relación entre Berk y Ryan al final del cuento?

🎧 Sugerencia para escuchar

Escucha las razones que dan los hablantes al contestar las preguntas. ¿Qué preguntas podrías hacerles para ayudarles a explicar más sus ideas?

💬 Sugerencia para hablar

Piensa en las preguntas que hacen los hablantes. En tu respuesta, incluye detalles específicos de la lectura que te ayuden a explicar lo que piensas.

Conversación académica

Use la rutina de **CONVERSACIÓN COLABORATIVA**. Pida a los estudiantes que tomen notas para responder las preguntas. Luego pídales que trabajen en grupos y que apliquen las Sugerencias para escuchar y hablar mientras comentan sus respuestas.

Respuestas posibles:

1. *Ryan es mejor atleta, pero es atrevido y toma riesgos innecesarios. Berk toma mejores decisiones.* DOK 2

2. *Berk dice que preferiría ser portero que líbero, contiene las lágrimas, sale corriendo del campo y se va a casa en bicicleta. Estas palabras y acciones demuestran que no está contento con ser líbero.* DOK 2

3. *Al final, los dos se respetan más y trabajan juntos para ayudar al equipo a ganar. Son amigos.* DOK 3

TEKS 3.1A, 3.1C, 3.1E, 3.6F, 3.7B, 3.7C, 3.7D, 3.7G, 3.11A

389

Academic Discussion
Use the **COLLABORATIVE DISCUSSION** routine. Have students write notes to answer the questions. Then have groups apply the Listening and Speaking Tips as they discuss their responses.

Possible responses:

1. *Ryan is a better athlete, but he is wild and takes unnecessary chances. Berk is better with fundamentals.*

2. *Berk says he'd rather be keeper than sweeper, he fights back tears, he runs off the field quickly and bikes home. These words and actions all show he is unhappy about being sweeper.*

3. *By the end, they both respect each other more and work together to help the team win. They are friends.*

Escribir sobre la lectura

- **Lea en voz alta** el tema para desarrollar con los estudiantes.
- **Inicie un debate** en el que los estudiantes vuelvan a contar los acontecimientos que ocurrieron cuando los Titanes vencieron a los Cosmos en el campeonato estatal. Pida a los estudiantes que usen evidencias del texto para demostrar lo emocionante que fue el partido.
- **Luego lea en voz alta** la sección Planificar. Pida a los estudiantes que usen ideas del debate en sus notas.

TEKS 3.1A, 3.7B, 3.7D, 3.7F, 3.11A, 3.11B(i), 3.11B(ii), 3.12A

Escribir una columna deportiva

TEMA PARA DESARROLLAR

En *Las competencias de fútbol*, el autor cuenta la historia de una forma que ayuda a los lectores a sentir que son parte de la acción. Cuando los Titanes vencen a los Cosmos en el campeonato estatal, los lectores sienten la emoción como si formaran parte del equipo.

Imagina que escribes una columna deportiva para el sitio web de la escuela de los Titanes. Quieres escribir un resumen que capte la emoción del partido del campeonato estatal. Escribe un párrafo para describir los momentos más emocionantes. Usa un lenguaje que haga que los estudiantes sientan como que estaban presentes. No olvides usar algunas de las palabras del Vocabulario crítico en tu escritura.

PLANIFICAR

Haz una lista de las palabras y frases de *Las competencias de fútbol* que muestren entusiasmo o una gran emoción.

Las respuestas variarán, pero los estudiantes deben enumerar palabras y frases específicas que expresen emoción y, particularmente, entusiasmo. Entre los ejemplos se pueden incluir *gritó, pateó, apresuró, estirada espectacular* y *agarró*.

390

Write About Reading

- **Read aloud** the prompt with students.
- **Lead a discussion** in which students retell the events that happened when the Titans beat the Cosmos in the state championship. Tell students to use text evidence to show how exciting the game was.
- **Then read aloud** the Plan section. Have students use ideas from the discussion in their notes.

CONOCIMIENTOS Y DESTREZAS ESENCIALES DE TEXAS **3.1A** listen actively/ask relevant questions; **3.7B** write responses that demonstrate understanding; **3.7D** retell/paraphrase texts; **3.7F** respond using vocabulary; **3.11A** plan first draft; **3.11B(i)** develop drafts by organizing with purposeful structure; **3.11B(ii)** develop drafts by developing an engaging idea; **3.12A** compose literary texts

Ahora escribe tu columna deportiva para describir la emoción del partido del campeonato estatal.

✓ Asegúrate de que tu columna deportiva

☐ presenta la situación y a los futbolistas.

☐ usa palabras del cuento para mostrar entusiasmo.

☐ cuenta los acontecimientos en el orden en el que sucedieron.

☐ usa palabras como *primero* y *luego* para indicar el orden de los acontecimientos.

Las respuestas variarán, pero deben describir lo que hace que el fútbol sea un deporte emocionante y deben incluir los elementos de la lista de comprobación.

Escribir sobre la lectura

• **Repase con los estudiantes** las instrucciones y la lista de comprobación de la sección Escribir.

• **Anime a los estudiantes** a usar palabras de acción descriptivas para que el partido cobre vida para los lectores y a incluir palabras de transición para mostrar la secuencia de acontecimientos claramente en sus columnas.

TEKS 3.7B, 3.7D, 3.7F, 3.11B(i), 3.11B(ii), 3.12A

Write About Reading

• **Review with students** the directions and checklist in the Write section.

• **Encourage students** to use descriptive action words to make the game come alive for readers and to include transition words to show the sequence of events clearly in their columns.

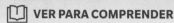

Presentar el video

- **Lea en voz alta** y comente la información del género.

- **Use** Mostrar y motivar: **Desarrollar el contexto 5.6** a fin de desarrollar el contexto para comprender el video.

- **Centre la atención** en el Vocabulario crítico. Pida a los estudiantes que escuchen estas palabras mientras miran el video.

SUGERENCIA PARA NOTAS: Pida a los estudiantes que usen el recuadro para anotar ideas sobre lo que creen que tratará este video.

TEKS 3.6A

DOK 2

 VER PARA COMPRENDER

Establecer un propósito

- **Pida a los estudiantes** que miren la fotografía de esta página y el título del video y que piensen en cuál será el tema de este video.

- **Guíe a los estudiantes** para que establezcan un propósito para ver el video.

TEKS 3.6A

DOK 2

(✎) Mis notas

Prepárate para ver un video

ESTUDIO DEL GÉNERO Los **videos informativos** presentan datos e información sobre un tema con elementos visuales y audio.

- Un narrador explica lo que ocurre en pantalla.
- Los videos informativos pueden incluir palabras específicas de un tema, como los deportes.
- Los videos informativos pueden incluir elementos visuales y de sonido, como fotografías, efectos de sonido y música de fondo.

ESTABLECER UN PROPÓSITO **Mientras miras el video,** usa lo que has aprendido sobre el voleibol para que puedas comprender el video. ¿En qué se diferencia el voleibol de otros deportes de equipo, como el fútbol? ¿Por qué ayudan las fotografías a comprender la narración del video? Escribe tus respuestas abajo.

VOCABULARIO CRÍTICO

fortaleza
....
final
....
capitana

Desarrollar el contexto: "Morenas del Caribe"

392

VIEW FOR UNDERSTANDING
Introduce the Video
- **Read aloud** and discuss the genre information.
- **Use Mostrar y motivar: Desarrollar el contexto 5.6** to build background for accessing the video.
- **Call attention** to the Critical Vocabulary. Tell students to listen to these words as they watch the video.

ANNOTATION TIP: Have students use the box to note what they expect this video will be about.

VIEW FOR UNDERSTANDING
Set a Purpose
- **Have students** look at the photograph and the title of the video and think about what the topic will be.
- **Guide students** to set a purpose for viewing.

Las espectaculares
MORENAS DEL CARIBE

▶

393

VER PARA COMPRENDER

Verificar y clarificar

Mientras miran el video, verifiquen su comprensión de la historia. Pueden pausar el video y regresar a las secciones que no entendieron para clarificar su comprensión.

Si los estudiantes tienen dificultad para verificar y clarificar, use este modelo:

💬 **PENSAR EN VOZ ALTA** *Mientras veo el video, me pregunto: "¿Comprendo lo que acabo de ver?". Si no lo entiendo, puedo pausar el video y volver a ver lo que no entendí. No estoy muy seguro de que entiendo lo que significa* debut. *Pauso el video y regreso al principio. Cuando vuelvo a ver esa parte, comprendo que las Morenas del Caribe jugaron en los Juegos Olímpicos de Múnich de 1972 y que la prensa y los aficionados se deslumbraron con su actuación. Creo que si se impresionaron al verlas jugar, nunca antes las habían visto jugar. Entonces, creo que* debut *significa la primera vez que este equipo jugó en las Olimpiadas.*

SUGERENCIA PARA NOTAS: Pida a los estudiantes que tomen notas de las secciones que encuentren confusas y que vuelvan atrás y revisen esas secciones para clarificar su comprensión.

TEKS 3.6I

DOK 2

VIEW FOR UNDERSTANDING
Monitor and Clarify
As you watch, monitor your understanding of the story. Pause and click back to any sections that might be unclear to clarify your understanding.

If students have difficulty monitoring and clarifying their understanding, use this model:

THINK ALOUD *As I watch, I ask "Do I understand what I just viewed?" If not, I can pause the video and go back. I'm not sure what* debut *means. I pause and click back to the beginning. When I replay, I learn that the Morenas del Caribe played in the 1972 Olympics in Munich, and that the press and fans were dazzled with their performance. I think that if the press and fans were impressed when they saw them played, they had never seen them played before. So,* debut *might mean the team's first time playing in the Olympics.*

ANNOTATION TIP: Have students make notes about any sections that they find confusing and to rewind and review the sections to clarify their understanding.

¿Cómo se juega el voleibol? *(Se juega entre dos equipos de seis jugadores cada uno, que se enfrentan sobre una cancha y tratan de pasar un balón por encima de una malla sin que toque el piso).*

¿Qué otros deportes se juegan con un balón? *(Respuestas posibles: fútbol, baloncesto, balonmano, waterpolo)*

¿Por qué creen que al equipo se le llamó las "Morenas del Caribe" en 1972? *(porque su actuación impresionó a todos y por el cuerpo esbelto de las jugadoras, el color oscuro de su piel y porque Cuba es una isla en el Mar Caribe)*

¿Qué cualidades son importantes en un equipo deportivo para ganar campeonatos? *(compañerismo, pasión deportiva, dedicación, trabajo en equipo)*

TEKS 3.1A

DOK 2

VISUALIZACIÓN EN DETALLE GUIADA

Técnicas de medios

Pida a los estudiantes que vean el video de nuevo para analizar las técnicas de medios.

¿Por qué el video incluye una fotografía del pasado de un grupo de mujeres jugando al voleibol? *(para mostrar las diferencias entre el juego de voleibol antes y hoy en día, como la ropa que las mujeres usaban)*

¿Qué técnicas de sonido pueden notar? *(En el video hay música de fondo y efectos de sonido).*

¿Por qué los productores usaron estas técnicas? *(para hacer que el video sea entretenido y ofrecer información)*

TEKS 3.1A

DOK 3

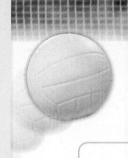

Mientras miras *Las espectaculares Morenas del Caribe*, presta atención a los elementos visuales y de sonido que se usan en el video. ¿Cómo ayudan los elementos visuales y de sonido a que el video resulte interesante? ¿Te ayudan estos elementos a comprender mejor la información? ¿Por qué? Toma notas en el espacio de abajo.

Presta atención a las palabras del Vocabulario crítico *fortaleza*, *final* y *capitana*. Busca pistas para descubrir el significado de cada palabra. Toma notas en el espacio de abajo sobre cómo se usaron.

fortaleza La fortaleza es la fuerza física que tiene una persona.
final En los deportes, la final es el último partido de una competencia en el que se demuestra qué equipo o jugador es el mejor.
capitana Si eres la capitana de un equipo, eres la líder del equipo.

394

VIEW FOR UNDERSTANDING

How is volleyball played? *(Volleyball is played by two teams of six players on a court divided by a net. The teams try to send the ball over the net without letting it hit the ground.)*

What other sports do you know that use a ball? *(Possible responses: soccer, basketball, handball, water polo)*

Why do you think the team was called "Morenas del Caribe" in 1972? *(because the team's performance impressed everyone and because of the players' slender* bodies, the dark color of their skin, and because Cuba is an island in the Caribbean Sea)*

What qualities are important for a sports team to win championships? *(Possible responses: fellowship, passion, dedication, teamwork)*

TARGETED CLOSE VIEW

Media Techniques

Have students watch the video again to analyze the media techniques.

Why does the video include a photo of a group of women playing volleyball in the past? *(to show the differences between the volleyball game in the past and today, like the clothes women used to wear)*

What sound techniques did you notice? *(The video uses music and sound effects.)*

Why do the video makers include these techniques? *(to make the video entertaining and to provide information)*

 CONOCIMIENTOS Y DESTREZAS ESENCIALES DE TEXAS **3.1A** listen actively/ask relevant questions; **3.1C** speak coherently; **3.1D** work collaboratively; **3.1E** develop social communication

Conversación colaborativa

Trabaja en grupo y comenta las preguntas de abajo. Busca ejemplos en *Las espectaculares Morenas del Caribe* para apoyar tus ideas. Toma notas para responder las preguntas. Muestra respeto hacia los demás integrantes del grupo: escucha atentamente y establece contacto visual con las personas que estén hablando.

1 ¿Quién inventó el voleibol y en qué año se inventó?

Sugerencia para escuchar

Vuélvete hacia la persona que habla mientras escuchas. Comprenderás mejor sus comentarios si puedes ver la expresión de su cara y los gestos que hace.

2 ¿Cuándo y dónde compitieron las Morenas del Caribe por primera vez en los Juegos Olímpicos? ¿Qué características físicas de las jugadoras llamaron la atención de la prensa y los aficionados?

Sugerencia para hablar

Habla alto y claro para que todos puedan escucharte. Mira hacia todas las personas para saber si comprenden lo que estás diciendo.

3 ¿Qué crees que ayudó al éxito de las Morenas del Caribe?

Conversación académica

Use la rutina de **CONVERSACIÓN COLABORATIVA**. Pida a los estudiantes que tomen notas para responder las preguntas. Luego pídales que trabajen en grupos y que apliquen las Sugerencias para escuchar y hablar mientras comentan sus respuestas.

Respuestas posibles:

1. *El voleibol lo inventó William G. Morgan en 1895 en Estados Unidos.* DOK 2

2. *Las Morenas del Caribe compitieron por primera vez en 1972, en los Juegos Olímpicos de Múnich, Alemania. Sus cuerpos esbeltos, su fortaleza física y el color oscuro de su piel llamaron la atención de la prensa y los aficionados.* DOK 2

3. *Sus cualidades deportivas, como el compañerismo, la pasión, la dedicación y el trabajo en equipo ayudaron al éxito de las Morenas del Caribe.* DOK 3

TEKS 3.1A, 3.1C, 3.1D, 3.1E

395

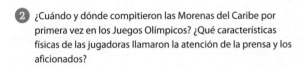

Academic Discussion

Use the **COLLABORATIVE DISCUSSION** routine. Have students write notes to answer the questions. Then have groups apply the Listening and Speaking Tips as they discuss their responses.

Possible responses:

1. *William G. Morgan invented volleyball in 1895, in the United States.*

2. *The Cuban team "Morenas del Caribe" played for the first time in 1972 at the Olympic Games in Munich, Germany. Their slender bodies, physical strength and the dark color of their skins impressed the press and the fans.*

3. *Their sports qualities, such as fellowship, passion, dedication and teamwork helped the success of the Morenas del Caribe.*

Escribir sobre el video

- **Lea en voz alta** el tema para desarrollar con los estudiantes.

- **Inicie un debate** en el que los estudiantes compartan sus ideas sobre la capitana del equipo Mireya Luis y por qué creen que fue la capitana en varias ocasiones. Diga a los estudiantes que usen evidencias del video para apoyar sus ideas.

- **Luego lea en voz alta** la sección Planificar. Pida a los estudiantes que usen ideas del debate para anotar las cualidades que Mireya Luis debió tener para dirigir a su equipo en varias ocasiones.

TEKS 3.1E, 3.7B, 3.7C, 3.7F, 3.11A, 3.12C

Citar evidencia del texto

Escribir un correo electrónico

TEMA PARA DESARROLLAR

En *Las espectaculares Morenas del Caribe*, aprendiste sobre la fabulosa carrera deportiva del equipo de voleibol femenino cubano durante las décadas de los setenta, ochenta y noventa, liderado en varias ocasiones por su capitana Mireya Luis.

¿Por qué crees que Mireya Luis fue la capitana del equipo en varias ocasiones? Escribe un correo electrónico a un compañero de clase para compartir tu opinión. Explícale por qué crees que Mireya Luis fue la capitana del equipo en muchas ocasiones. Incluye las cualidades que debió tener Mireya Luis para dirigir a su equipo. Asegúrate de apoyar tu opinión con razones. Trata de usar algunas palabras del Vocabulario crítico en tu correo electrónico.

PLANIFICAR

Anota las cualidades que debió tener Mireya Luis para dirigir a su equipo en varias ocasiones. Asegúrate de incluir evidencias del video en tu correo electrónico.

> Las respuestas variarán, pero los estudiantes deben anotar las cualidades de la capitana del equipo Mireya Luis y usar evidencias del video para apoyar su opinión.

396

Write About Viewing

- **Read aloud** the prompt with students.

- **Lead a discussion** in which students share their ideas about Mireya Luis, the team captain, and why they think she was the captain for several years. Remind students to use text evidence from the video to support their ideas.

- **Then read aloud** the Plan section. Have students use ideas from the discussion to make notes about the qualities Mireya Luis should have had to lead her team in several occasions.

 CONOCIMIENTOS Y DESTREZAS ESENCIALES DE TEXAS **3.1E** develop social communication; **3.7B** write responses that demonstrate understanding; **3.7C** use text evidence; **3.7F** respond using vocabulary; **3.11A** plan first draft; **3.11B(i)** develop drafts by organizing with purposeful structure; **3.11B(ii)** develop drafts by developing an engaging idea; **3.12C** compose argumentative texts

396 Módulo 5

Ahora escribe tu correo electrónico a tu compañero de clase para compartir tu opinión sobre la capitana Mireya Luis.

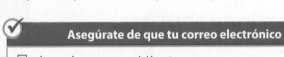

✓ **Asegúrate de que tu correo electrónico**

☐ plantea claramente tu opinión y tus razones.

☐ usa un tono amistoso.

☐ incluye acontecimientos y detalles del video.

☐ usa palabras de enlace, como *porque* y *entonces*, para relacionar las ideas.

Las respuestas variarán, pero deben ser un correo electrónico escrito en forma de carta amistosa y deben incluir los elementos de la lista de comprobación.

397

Escribir sobre el video

- **Repase con los estudiantes** las instrucciones y la lista de comprobación de la sección Escribir.
- **Anime a los estudiantes** a incluir un saludo y un cierre en sus correos electrónicos, a asegurarse de que usan la primera persona y a plantear sus opiniones claramente apoyándolas con detalles del video.

TEKS 3.7B, 3.7C, 3.7F, 3.11B(i), 3.11B(ii), 3.12C

Write About Viewing
- **Review with students** the directions and checklist in the Write section.
- **Encourage students** to include a greeting and closing in their emails, to make sure they use the first-person, and to clearly state their opinions and support them with details from the video.

Presentar el texto

- **Lea en voz alta** y comente la información sobre el género. Eche un vistazo a las ilustraciones y los encabezados del capítulo para comentar algunos de estos puntos.

  » El cuento trata sobre una niña que compite en carreras deportivas.

  » La niña tiene que resolver un problema y aprende una lección importante sobre el trabajo en equipo y la competencia.

  » El cuento tiene varios ambientes realistas que los estudiantes pueden encontrar familiares.

- **Use** Mostrar y motivar: <u>Desarrollar el contexto 5.8</u> a fin de desarrollar el contexto para comprender el texto.

- **Pida a los estudiantes** que busquen las palabras del Vocabulario crítico mientras leen y que piensen en el significado de las palabras.

SUGERENCIA PARA NOTAS: Pida a los estudiantes que usen el recuadro para anotar lo que saben sobre los encuentros en las pistas y lo que les gustaría aprender sobre ellos.

TEKS 3.6A, 3.9A

DOK 2

 Mis notas

Observa y anota
Contrastes y contradicciones

Prepárate para leer

ESTUDIO DEL GÉNERO La **ficción realista** cuenta un cuento sobre personajes y acontecimientos que se parecen a los de la vida real.

- Los autores de la ficción realista cuentan el cuento a través de la trama. La trama incluye un conflicto o problema y la solución.
- Los acontecimientos de la ficción realista se van desarrollando de manera sucesiva y consecuente.
- La ficción realista incluye personajes que actúan, piensan y hablan como personas reales.
- Algunos textos de ficción realista incluyen un mensaje o una lección que aprende el personaje principal.

ESTABLECER UN PROPÓSITO **Piensa en** el título y el género de este texto. Este texto trata sobre un encuentro en las pistas. ¿Qué sabes sobre las carreras de pista? ¿Qué te gustaría aprender? Escribe tus respuestas abajo.

VOCABULARIO CRÍTICO

encuentros

disgustada

concentré

decepcionada

personal

Desarrollar el contexto: Carreras de pista

398

READ FOR UNDERSTANDING

Introduce the Text

- **Read aloud** and discuss the genre information. Preview the illustrations and chapter headings to discuss some of these points.

  » The story is about a girl who competes in track events.

  » The girl has to solve a problem and learns an important lesson about teamwork and competition.

  » The story has a number of realistic settings that students might find familiar.

- **Use Mostrar y motivar: Desarrollar el contexto 5.8** to build background for accessing the text.

- **Tell students** to look for the Critical Vocabulary as they read, and think about the words' meanings.

ANNOTATION TIP: Have students use the box to note what they know about track meets and what they might want to learn about them.

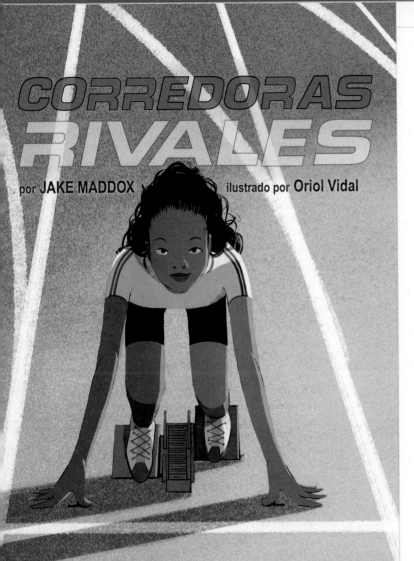

CORREDORAS RIVALES

por **JAKE MADDOX**   ilustrado por **Oriol Vidal**

 LEER PARA COMPRENDER

Establecer un propósito

- **Pida a los estudiantes** que miren las ilustraciones de las primeras páginas de *Corredoras rivales* para comprender que el cuento trata sobre dos corredoras que compiten en una pista.

- **Guíe a los estudiantes** para que establezcan un propósito para la lectura. Comente con ellos lo que creen que van a aprender sobre la competencia entre el personaje principal y otras corredoras.

TEKS 3.6A, 3.9A

DOK 2

399

READ FOR UNDERSTANDING

Set a Purpose

- **Have students** look at the illustrations in the first few pages of *Corredoras rivales* to understand that this story is about runners who race on a track.

- **Guide students** to set a purpose for reading. Discuss with them what they think they will learn about the competition between the main character and other runners.

LEER PARA COMPRENDER

Verificar y clarificar

DEMOSTRAR CÓMO VERIFICAR Y CLARIFICAR

LEER EN VOZ ALTA *A medida que leo, me pregunto "¿Comprendo lo que acabo de leer?". Si es así, sigo leyendo. Si no, clarifico las cosas. En el párrafo 5, Amy Reid habla sobre sus salidas en falso. ¿Qué es una salida en falso? Vuelvo a leer y veo que Amy practica el atletismo. Las carreras tienen una salida. Una salida en falso debe ser comenzar la carrera de forma incorrecta.*

SUGERENCIA PARA NOTAS: Pida a los estudiantes que escriban notas sobre cualquier sección del texto que los confunda a medida que leen.

TEKS 3.6I

DOK 2

 ## LA RECUPERACIÓN

1   Me llamo Amy Reid y era una de las dos mejores corredoras de mi distrito. Mi competencia mayor era Madison Palmer. Durante la última carrera de la temporada, en la que también participó Madison, me lastimé una rodilla y he estado fuera de las pistas toda esta temporada.

2   Por fin, mi médico me ha dado permiso para empezar a correr de nuevo, justo a tiempo para nuestros dos últimos encuentros en la pista. Estaba preocupada porque no estaba segura de que mi rodilla había sanado. Me sentí peor cuando vi a Madison entrenar un día y escuché a su entrenador decir que había corrido la vuelta en un minuto y cinco segundos. Eso era más rápido que lo que yo había corrido los 400 metros planos en mi mejor momento.

3   Entrené y practiqué durante todo el fin de semana y, a pesar de esforzarme al máximo en el primer encuentro, quedé en el tercer puesto. Fue el peor momento de mi vida y me preguntaba cómo iba a prepararme para la carrera contra Madison, que tendría lugar tres días después.

4   Llegué a casa y me fui corriendo a mi habitación. Casi inmediatamente, mi papá llamó a la puerta y me pidió que fuera a la cocina. Papá me miró. Estuvimos allí callados durante un largo rato. Finalmente, antes de cambiar de idea, le dije todo.

5   Le conté que al principio estaba nerviosa, que estaba preocupada por mi rodilla, que había visto a Madison en el parque, que había hecho alguna salida en falso y, por último, que tenía muchísimo miedo de no estar preparada para el encuentro del viernes. Era el último encuentro del año. Era realmente importante.

> **encuentros** A los eventos deportivos en los que compiten deportistas y equipos también se les llama encuentros.

400

READ FOR UNDERSTANDING

Monitor and Clarify

MODEL MONITORING AND CLARIFYING

THINK ALOUD *As I read, I ask myself "Do I understand what I just read?" If I do, I keep reading. If I don't, I clarify things. In paragraph 5, Amy Reid talks about her earlier false starts. What is a false start? I reread and see that Amy runs in races. Races have a start. So a false start might mean beginning the race in a wrong way.*

ANNOTATION TIP: Have students write notes about any sections of the text that confuse them as they read.

📖 **LEER PARA COMPRENDER**

¿Cómo les ayuda la ilustración a comprender que este cuento es ficción realista? *(La ilustración muestra a Amy en su cuarto. Su cuarto es similar a muchos dormitorios en los que duermen los niños de verdad).*

¿Qué detalles de la ilustración apoyan la idea de que Amy está preocupada y que le gusta mucho correr? *(Amy tiene una expresión triste en su rostro. Esto coincide con el texto que dice que estaba preocupada por competir y que quedó de tercera en la carrera. La ilustración también muestra las zapatillas de correr de Amy y el cartel de atletismo. Estos detalles no se mencionan en el texto, pero demuestran que Amy es atleta).*

TEKS 3.10C

DOK 2

401

READ FOR UNDERSTANDING

How does the illustration help you understand that this story is realistic fiction? *(The illustration shows Amy in her room. Her room is similar to many bedrooms that real children sleep in.)*

What details in the illustration support the idea that Amy is worried and that she loves running? *(Amy has a sad expression on her face. That matches the text that says she was worried about competing and that she just came in third in her race. The illustration also Amy shows running shoes and a running poster. These details aren't mentioned in the text, but they show that Amy is a runner.)*

LEER PARA COMPRENDER

¿Cuál es el problema de Amy? Descríbanlo con sus propias palabras. *(Amy debe participar pronto en una carrera importante, pero ha estado lesionada. Está preocupada de no hacerlo lo suficientemente bien en la carrera. También está preocupada por si su competencia mayor, Madison Palmer, lo hace mejor que ella).*

SUGERENCIA PARA NOTAS: Pida a los estudiantes que escriban una oración en sus notas que explique el problema de Amy.

TEKS 3.7C, 3.8C

DOK 2

6 —Madison lleva entrenando dos meses más que yo —concluí—. Está corriendo más rápido de lo que yo he corrido en mi vida. Hoy, me esforcé todo lo que pude y corrí más despacio que nunca.

7 Papá se me quedó mirando unos segundos. Parecía estar pensando profundamente.

8 —¿Has hablado con el entrenador Joseph sobre todo esto? —me preguntó.

9 —Papá, no he hablado con nadie sobre nada de esto —le dije.

10 —Querida, lo cierto es que no sé qué decirte —dijo papá suspirando—. Lo único que puedes hacer es esforzarte al máximo. Y todavía te queda el encuentro del viernes, ¿verdad? Estoy seguro de que esta noche corriste despacio porque estabas nerviosa. Además, todavía te estás recuperando.

11 —Sí —dije.

READ FOR UNDERSTANDING

What is Amy's problem? Describe it in your own words. *(Amy has an important race coming up, but she has been injured. She is worried she is not good enough to do well in the race. She is also worried that her biggest competition, Madison Palmer, will be better than her.)*

ANNOTATION TIP: Have students write a sentence in their notes that explains Amy's problem. *(Sample response: Amy is afraid that Madison will beat her in the big race.)*

CONOCIMIENTOS Y DESTREZAS ESENCIALES DE TEXAS **3.6E** make connections; **3.7C** use text evidence; **3.8B** explain relationships among characters; **3.8C** analyze plot elements; **3.8D** explain influence of setting on plot

12   Papá no podía comprender lo disgustada que estaba. Necesitaba hablar con Natalie. Mi hermana siempre le encontraba una solución a los problemas.

13   —¿Papá? Necesito hablar con Natalie —le dije y agregué rápidamente—. Pero no te ofendas.

14   —Lo entiendo, Amy. Voy a buscarla —dijo papá mientras se levantaba. Hasta parecía un poco aliviado.

15   Enseguida, mi hermana entró en la cocina.

16   —Muy bien, Amy —dijo Natalie sentándose a mi lado—. Papá me lo ha contado todo y tengo una idea.

17   Respiró hondo y continuó:
       —¿Por qué no vas a la pista del parque y hablas con Madison? Quizás puedas entrenar con ella o algo así.

18   Eso no era exactamente lo que tenía en mente.

19   —¿Es una broma? —pregunté.

20   —No, en absoluto. A ella le encanta correr, igual que a ti —dijo Natalie.

21   Me senté durante unos segundos para asimilar la idea.

22   —¿Me acompañarías? —pregunté finalmente.

23   —Sí —dijo y sonrió—. Pero yo no voy a correr.

24   Me reí.

25   —Trato hecho —dije—. Iremos mañana después de cenar.

---

disgustada Si una persona está disgustada, está triste y molesta por algo.

🔍 LECTURA EN DETALLE GUIADA

Elementos literarios

Pida a los estudiantes que vuelvan a leer la página 403 para analizar los elementos literarios.

¿Quiénes son los personajes principales y los personajes secundarios de este capítulo? ¿Por qué? *(El personaje principal es Amy porque el cuento trata sobre ella. Los personajes secundarios son su papá y Natalie. Son importantes para Amy, pero el cuento no trata sobre ellos).*

¿Cómo influye Natalie en la trama de esta escena? *(Natalie sugiere una solución para el problema de Amy. Si Amy sigue el consejo de Natalie, habrá un nuevo acontecimiento en la historia y este será la reunión de Amy con Madison).*

TEKS 3.8B, 3.8D

DOK 3

📖 LEER PARA COMPRENDER

¿En qué se parece este problema al problema de Berk en *Las competencias de fútbol*? *(En los dos cuentos, los personajes principales, Berk y Amy, están preocupados por competir contra otro jugador. En este cuento, Amy tiene que competir contra Madison. En el otro cuento, Berk compite contra Ryan).*

¿En qué se parece la solución de Natalie para el problema de Amy a la solución de Berk para el problema con Ryan? *(Natalie sugiere que Amy colabore con Madison para que la ayude a mejorar su estilo de correr. Berk sugiere que él y Ryan colaboren para mejorar las habilidades de portero de Ryan).*

TEKS 3.6E, 3.7C, 3.8C

DOK 4

TARGETED CLOSE READ

Literary Elements

Have students reread page 403 to analyze the literary elements.

Who are the major and minor characters in this chapter? Why? *(The major character is Amy, because the story is about her. The minor characters are Dad and Natalie. They are important to Amy, but the story isn't about them.)*

How is Natalie impacting the plot in this scene? *(Natalie is suggesting a solution to Amy's problem. If Amy follows Natalie's advice, there will be another event where Amy meets Madison.)*

READ FOR UNDERSTANDING

How is Amy's problem similar to Berk's problem in *Las competencias de fútbol*? *(In both stories, the main characters, Berk and Amy, worry about competing with another player. In this story, Amy has to compete with Madison. In the other story, Berk competes with Ryan.)*

How is Natalie's solution to Amy's problem similar to Berk's solution for the problem he had with Ryan? *(Natalie suggests that Amy work with Madison to help Amy improve her running. Berk suggests that he and Ryan work together to improve Ryan's goalkeeping skills.)*

Elementos literarios

Pida a los estudiantes que vuelvan a leer la página 404 para analizar los elementos literarios.

¿Por qué es importante el ambiente para comprender los acontecimientos de este capítulo? (*El ambiente es la pista de atletismo donde corre Madison. Es importante porque allí es donde Amy puede reunirse con Madison y pedirle un consejo sobre cómo correr mejor*).

¿En qué se parece la relación de Amy con Madison a la relación de Berk con Ryan en *Las competencias de fútbol*? (*Madison y Ryan son rivales de Amy y Berk*).

TEKS 3.8B, 3.8D

DOK 3

📖 LEER PARA COMPRENDER

¿Cómo les ayuda la imagen de la valla a comprender la relación entre Amy y Madison? (*Las niñas están en lados diferentes de la valla. La imagen ayuda a mostrar que están en diferentes equipos y que son rivales*).

TEKS 3.10C, 3.10D

DOK 3

 Mis notas

MI COMPETENCIA MAYOR

26 **Al** día siguiente, Natalie me vino a buscar después del entrenamiento.

27 —¿Estás lista para esta noche? —me preguntó.

28 —No —respondí.

29 —¡Amy! —exclamó Natalie—. Ya lo hablamos ayer. ¿Has cambiado de idea?

30 —No —repetí—. Pero Madison me pone muy nerviosa. Siempre gana.

31 —Estoy segura de que a ella le pasa lo mismo contigo —dijo Natalie.

32 Pero yo no lo creía.

33 Después de la cena, me puse la ropa de correr. Diez minutos más tarde, Natalie y yo nos dirigimos a la pista.

34 En cuanto llegamos a la pista, vi a Madison. Estaba corriendo a toda velocidad los cien últimos metros de una vuelta.

35 Intenté regresar, pero Natalie me agarró del codo y me guio hacia la pista.

36 Madison paró de correr cuando nos acercamos. Nos miró de reojo a través de la valla.

37 —¿Amy Reid? ¿Eres tú? —preguntó.

404

TARGETED CLOSE READ

Literary Elements

Have students reread page 404 to analyze the literary elements.

Why is the setting important for understanding the events in this chapter? (*The setting is a running track where Madison runs. It is important because that is where Amy can find Madison and ask her for running advice.*)

In what way is Amy's relationship with Madison similar to Berk's relationship with Ryan in *Las competencias de fútbol*? (*Madison and Ryan are rivals to Amy and Berk.*)

READ FOR UNDERSTANDING

How does the image of the fence help you understand Amy and Madison's relationship? (*The girls are on different sides of the fence. The image helps show that they are on different teams and are rivals.*)

 CONOCIMIENTOS Y DESTREZAS ESENCIALES DE TEXAS **3.6G** evaluate details; **3.7C** use text evidence; **3.8B** explain relationships among characters; **3.8C** analyze plot elements; **3.8D** explain influence of setting on plot; **3.9A** demonstrate knowledge of literature characteristics; **3.10C** explain use of print/graphic features; **3.10D** describe author's use of imagery/language

38 —Sí —dije sorprendida—. ¿Cómo sabes mi nombre?

39 Madison se rio.

40 —¡Pues porque eres mi competencia mayor! —dijo—. ¿Qué estás haciendo por acá?

41 —Bueno, vivo cerca —le dije—. Esta es mi hermana, Natalie.

42 Natalie y Madison se sonrieron una a la otra. Respiré hondo y continué.

43 —La semana pasada pasé corriendo por al lado de la pista y te vi entrenando —dije y miré a mi hermana en busca de ayuda.

44 —A Amy le fue mal en el encuentro de anoche. Le recomendé que viniera a pedirte consejo —dijo Natalie—. Bueno, ya sé que están en equipos diferentes y todo eso, pero…

45 Se detuvo. Madison se había empezado a sonrojar.

46 —¿Es una broma? —preguntó Madison—. ¡Debería ser yo la que le pida consejo a ella!

47 Me quedé desconcertada.

48 —¿Sobre qué? —pregunté.

49 —Sobre tu forma —dijo Madison—. Tu forma siempre es perfecta.

50 —Si van a entrenar, deben empezar ya —dijo Natalie.

51 Madison y yo nos dirigimos hacia la línea de salida. Decidimos correr la primera vuelta con nuestro propio estilo para poder ver las diferencias una al lado de la otra.

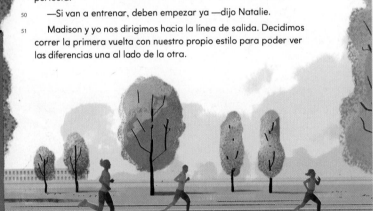

Amy está sorprendida con Madison.

Observa y anota

Contrastes y contradicciones

- **Explique** que en ocasiones un autor muestra que un personaje actúa de una forma determinada que va en contra, o contradice, lo que esperan. Momentos como este suelen significar que el autor está mostrando a los lectores algo importante sobre el personaje.

- **Invite a los estudiantes** a explicar cómo cree Amy que reaccionará Madison. (*Amy cree que Madison no va a saber quién es ella. Teme que Madison no se muestre amistosa o no le ayude*).

- **Pida a los estudiantes** que expliquen cómo actúa Madison de forma inesperada. (*Madison reconoce a Amy. Madison dice que es ella la que debería pedir consejo a Amy. Madison admira la forma de correr de Amy*).

SUGERENCIA PARA NOTAS: Pida a los estudiantes que escriban una nota que explique cómo hace sentir a Amy esta contradicción.

- **Pida a los estudiantes** que reflexionen sobre la pregunta principal *¿Por qué el personaje se siente o actúa de esta forma?* y que añadan ideas a sus notas.

TEKS 3.6G, 3.7C, 3.8B, 3.8C, 3.9A

DOK 3

405

NOTICE & NOTE

Contrasts and Contradictions

- **Explain** that sometimes an author shows a character acting in a way that goes against, or contradicts, what you might expect. Moments like this usually mean the author is showing readers something important about the character.

- **Invite students** to explain how Amy thinks Madison will react. (*Amy thinks Madison will not know who she is. She fears Madison will not be friendly or helpful.*)

- **Have students** explain how Madison acts in an unexpected way. (*Madison recognizes Amy. Madison says she should ask Amy for advice. Madison admires Amy's form.*)

ANNOTATION TIP: Have students write a note that explains how this contradiction makes Amy feel. (*Amy is shocked by Madison.*)

- **Have students** reflect on the Anchor Question: *Why would the character feel or act this way?* and add to their notes.

52   Estuvimos muy cerca durante la primera mitad de la vuelta, pero luego yo tomé la delantera.

53   Me di cuenta de que Madison separaba un poco los codos del cuerpo. Parecía que le costaba mantenerlos pegados, como hay que hacer.

54   Pasamos a la segunda vuelta. En ese momento, Madison aceleró la marcha.

55   Intenté seguirla, pero no tenía suficiente energía. Además, me molestaba la rodilla de nuevo.

56   Madison me venció por unos dos metros. Eso es mucho para una carrera tan corta.

57   Tras recuperar el aliento, le pregunté:
      —¿Cuál es tu secreto?

58   —Antes esprintaba durante toda la carrera, pero llegaba agotada al final. Mi entrenador me aconsejó que intentara otra forma —explicó Madison—. Si corres un poco más despacio de lo normal durante la primera mitad de la carrera, puedes acelerar en la segunda mitad y adelantar a todo el mundo —se encogió de hombros—. Funciona realmente bien.

59   Lo pensé durante un minuto.

60   —De acuerdo —dije—. Corramos de nuevo. Esta vez, lo intentaré a tu manera.

61   Corrimos otra vuelta. En esta ocasión, ¡le gané!

LEER PARA COMPRENDER

¿Cómo pueden saber que Amy está dispuesta a escuchar ideas nuevas? ¿Qué detalles del texto les ayudan a responder? (*Amy le pregunta a Madison cuál es su secreto. Ella dice que probará el método para correr de Madison*).

¿Qué observa Amy al ver correr a Madison? (*Amy observa que los codos de Madison se separan cuando corre*).

¿Debería decirle esto Amy a Madison? ¿Por qué? (*Respuesta de ejemplo: Sí. Debería decírselo porque Madison le ha ayudado*).

TEKS 3.6E, 3.6F, 3.7C

DOK 2

READ FOR UNDERSTANDING

How can you tell that Amy is open to new ideas? Which details in the text support your answer? (*Amy asks Madison for her secret. She says she will try Madison's way of running.*)

What does Amy notice about how Madison runs? (*Amy notices that Madison's elbows fly out when she runs.*)

Should Amy point this out to Madison? Why? (*Sample response: Yes. She should tell her because Madison has helped her.*)

 CONOCIMIENTOS Y DESTREZAS ESENCIALES DE TEXAS **3.6E** make connections; **3.6F** make inferences/use evidence; **3.7C** use text evidence; **3.10C** explain use of print/graphic features

LEER PARA COMPRENDER

¿Qué les ayuda a ver la ilustración sobre la habilidades para correr de Amy y Madison? *(La ilustración muestra a Amy y Madison corriendo muy cerca una de la otra. Se puede ver que tienen habilidades para correr muy similares. Se puede ver que los codos de Madison se separan un poco).*

TEKS 3.10C

DOK 2

READ FOR UNDERSTANDING

What does the illustration help you see about Amy and Madison's running abilities? *(The illustration shows Amy and Madison running very close to each other. You can see that they have very similar running abilities. You can see that Madison's elbows stick out a little.)*

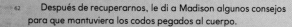
LEER PARA COMPRENDER

Verificar y clarificar

Pida a los estudiantes que continúen verificando su comprensión y que clarifiquen el significado de cualquier palabra o frase que no comprendan.

Si los estudiantes tienen dificultades para verificar y clarificar, use este modelo:

LEER EN VOZ ALTA *Veo el término "máquina de esquí" en el párrafo 63. No sé lo que es. ¿En qué se parecen correr y esquiar? Miraré si puedo deducirlo. La palabra máquina me hace pensar en un equipo de ejercicio, como una cinta de correr. Como los esquiadores tienen bastones, puede ser que haya unas asas a las que agarrarse. De esta forma, se podrían mantener los codos cerca del cuerpo. Voy a tener que buscarlo o pedir ayuda a alguien.*

SUGERENCIA PARA NOTAS: Pida a los estudiantes que continúen tomando notas sobre los detalles o las palabras del cuento que no comprenden mientras leen.

TEKS 3.6I

DOK 2

LEER PARA COMPRENDER

¿Por qué Amy se siente más feliz ahora que en los últimos días? *(Algo que temía resulta no ser aterrador. Amy descubre que Madison en realidad es agradable. Se ayudan la una a la otra a mejorar en sus carreras).*

TEKS 3.6F, 3.7C

DOK 2

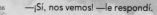

62   Después de recuperarnos, le di a Madison algunos consejos para que mantuviera los codos pegados al cuerpo.

63   —Mira, yo finjo estar en una de esas máquinas de esquí, ¿sabes? —le dije—. ¿Como en la tele? Lleva un tiempo acostumbrarse, pero si mantienes los codos pegados, vas a notar una gran diferencia.

64   Me di cuenta de que el sol se estaba ocultando, así que decidimos terminar el entrenamiento.

65   —¡Nos vemos el viernes! —gritó Madison cuando Natalie y yo nos dirigíamos de vuelta a casa por la pista.

66   —¡Sí, nos vemos! —le respondí.

67   Hacía días que no me sentía tan feliz.

408

READ FOR UNDERSTANDING
Monitor and Clarify
Have students continue to monitor their understanding and clarify the meanings of any words or phrases that they don't understand.

If students have difficulty monitoring and clarifying, use this model:

THINK ALOUD *I see the term "ski machine" in paragraph 63. I don't know what that is. How is running like skiing? I'll see if I can figure it out. The word machine makes me think it might be exercise equipment, like a treadmill. Since skiers hold poles, there might be handles to hold onto. If so, that would keep the elbows close to the body. I may have to look this up or ask someone to help me.*

ANNOTATION TIP: Have students continue to make notes about story details or words that they don't understand as they read.

READ FOR UNDERSTANDING
Why does Amy feel happier now than she has in days? *(Something she was afraid of turns out not to be scary. Amy discovers that Madison is actually nice. They help each other improve their running.)*

 CONOCIMIENTOS Y DESTREZAS ESENCIALES DE TEXAS **3.6F** make inferences/use evidence; **3.6I** monitor comprehension/make adjustments; **3.7C** use text evidence; **3.10A** explain author's purpose/message

LA MEJOR MARCA PERSONAL

68 La mañana del viernes era fría y soleada. Pero cuando nos cambiamos y nos subimos al autobús para ir al encuentro, estaba nublado, hacía mucho viento y llovía torrencialmente.

69 El trayecto hasta Emeryville no era muy largo, pero me pareció una eternidad.

70 La lluvia había aflojado un poco cuando llegamos, pero seguía soplando el viento. Para colmo de males, parecía que por la lluvia y el frío se me había entumecido la rodilla.

71 Poco después llegamos a la escuela. Sentía maripositas en el estómago. Estaba muy nerviosa.

72 Este encuentro era muy importante. Quienes terminaran en las dos primeras posiciones, competirían en las finales estatales.

73 Tomé posición en mi carril. Madison estaba justo al lado mío, en el carril dos. Intercambiamos una sonrisa.

74 —¡En sus marcas!

75 Flexioné las rodillas y miré hacia adelante.

76 —¡Listos!

77 Acerqué el pie lo más que pude a la línea de salida, pero sin tocarla.

78 "¡BUM!", sonó el disparo de salida.

409

¿Qué método nuevo usa Amy en esta carrera? *(Usa el método de Madison para correr, conteniéndose al principio para tener energía para un gran final. No parece ayudar, ya que Madison la adelanta y Amy no puede seguirle el ritmo).*

¿Cómo le ayuda esto? *(Al principio, Amy dice que nota una gran diferencia. Van mano a mano. Luego Madison se adelanta y Amy no puede seguirle el ritmo).*

SUGERENCIA PARA NOTAS: Pida a los estudiantes que subrayen el texto que demuestra lo que hizo Amy.

TEKS 3.7D 3.8C

DOK 2

 Mis notas

79   Concentré todos mis pensamientos y esfuerzos en seguirle el ritmo a Madison.

80   Cuando llegamos a la segunda curva, Madison aumentó la velocidad. Me sorprendí al ver que seguía a su lado.

81   Estaba usando el método de Madison para correr. Hasta el momento, podía notar la diferencia. Íbamos mano a mano. Sentía un poco de dolor en la rodilla, pero lo ignoré. Madison se adelantó. Yo la sobrepasé unos cuantos metros, pero no pude mantener la delantera.

concentré   Si me concentré en algo, puse toda mi atención y mis pensamientos en eso.

410

READ FOR UNDERSTANDING

What new method does Amy use in this race? *(She is using Madison's method for running—holding back in the beginning so she was energy for a big finish. It doesn't seem to help, as Madison pulls ahead and Amy cannot keep up.)*

How does this help her? *(At first, Amy says it makes a big difference. They are neck and neck. Then Madison pulls ahead, and Amy cannot keep up.)*

ANNOTATION TIP: Have students highlight the text that shows what Amy did.

 CONOCIMIENTOS Y DESTREZAS ESENCIALES DE TEXAS **3.6G** evaluate details; **3.7C** use text evidence; **3.7D** retell/paraphrase texts; **3.8B** explain relationships among characters; **3.8C** analyze plot elements; **3.9A** demonstrate knowledge of literature characteristics

Amy aprende que hasta perdiendo puede sentirse ganadora.

82   De repente, todo había acabado. Madison había ganado.

83   Durante un segundo, me sentí decepcionada. Una vez más, Madison Palmer me había ganado.

84   Pero luego Katie, mi compañera de entrenamiento, llegó corriendo.

85   —Amy —me llamó emocionada—. ¡Corriste en 1:05!

86   —¿En serio? —pregunté sorprendida. Era mi mejor marca de todos los tiempos—. ¿De verdad que corrí tan rápido?

87   No podía creerlo. ¿Cómo pude haber corrido en 1:05 con la rodilla lastimada?

88   —Sí, de verdad que lo hiciste —dijo la voz de otra niña.

89   Me volteé. Era Madison.

90   —¡Felicitaciones! —le dije—. Estuviste fantástica.

> **decepcionada**   Si una persona está decepcionada, está triste porque algo no sucedió como ella quería.

411

Observa **y** anota

Contrastes y contradicciones

- **Pida a los estudiantes** que expliquen por qué deberían usar la estrategia de contrastes y contradicciones en las páginas 410 y 411. (*El autor pone a Amy y Madison a competir en la gran carrera. Puedo comparar los resultados. También puedo comparar cómo se sienten después. También puedo ver una contradicción. A pesar de perder, Amy se siente bien porque hace su mejor tiempo*).

SUGERENCIA PARA NOTAS: Pida a los estudiantes que observen por qué es importante esta contradicción para mostrar la lección que aprende Amy al final del cuento.

- **Pida a los estudiantes** que reflexionen sobre la pregunta principal *¿Por qué el personaje se siente de esta forma?* y que añadan ideas a sus notas.

TEKS 3.6G, 3.7C, 3.8B, 3.8C, 3.9A

DOK 3

NOTICE & NOTE

Contrasts and Contradictions

- **Have students** explain why they might use the contrasts and contradictions strategy on pages 410–411. (*The author has Amy and Madison compete in the big race. I can compare how they do. I can also compare how they feel after. I can also see a contradiction. Amy feels better about losing because she runs her best time.*)

ANNOTATION TIP: Have students note why this contradiction is important to showing the lesson that Amy learns at the end of the story. (*Amy learns that she can feel like she is a winner even when she loses.*)

- **Have students** reflect on the Anchor Question: *Why would the character feel this way?* and add to their notes.

Verificar y clarificar

Recuerde a los estudiantes que deben seguir verificando si comprenden las palabras y los detalles del cuento. Señale que, al final del cuento, deben mirar las notas que escribieron para clarificar cualquier confusión que tengan pendiente.

TEKS 3.6I, 3.10D

DOK 2

 LEER PARA COMPRENDER

Concluir

Vuelva a comentar el propósito que los estudiantes establecieron antes de leer el texto. Pida a los estudiantes que citen evidencias del texto para explicar lo que aprendieron sobre cómo puede ser importante el trabajo en equipo en el deporte de atletismo.

TEKS 3.7C, 3.10A

DOK 3

 Mis notas

91   Madison sonrió.

92   —¡Tú también! Tu mejor marca personal, ¿verdad? ¿Tu mejor tiempo? —preguntó—. ¡Eso tiene que ser una sensación increíble!

93   —Sí, lo es —admití sonriéndole—. Es una sensación estupenda.

94   Madison se rio.

95   —Espera hasta el siguiente encuentro —dijo.

96   —Espera tú hasta el siguiente encuentro —bromeé—. Mi rodilla ya estará totalmente sana y seré una competidora dura de vencer.

97   Todo el mundo nos aclamó cuando dijeron nuestros tiempos por el micrófono. Vi a mi papá y a Natalie en las gradas, dando brincos sin cesar.

98   —Ya eres una competidora dura de vencer —dijo Madison sonriendo—. ¡Estoy deseando que llegue el próximo encuentro!

> **personal**   Si algo es personal, está relacionado con una sola persona.

412

READ FOR UNDERSTANDING
Monitor and Clarify
Remind students to keep monitoring their understanding of words and story details. Point out that by the end of the story, they should look at any notes they made to clarify any remaining confusion.

READ FOR UNDERSTANDING
Wrap-Up
Revisit the purpose students set before they read the text. Have students cite text evidence to explain what they learned about how teamwork can be important in the sport of track.

 CONOCIMIENTOS Y DESTREZAS ESENCIALES DE TEXAS   3.1A listen actively/ask relevant questions; **3.1E** develop social communication; **3.6F** make inferences/use evidence; **3.6I** monitor comprehension/make adjustments; **3.7B** write responses that demonstrate understanding; **3.7C** use text evidence; **3.7D** retell/paraphrase texts; **3.7G** discuss text ideas; **3.10A** explain author's purpose/message; **3.10D** describe author's use of imagery/language

Conversación colaborativa

Vuelve a leer lo que escribiste en la página 398. Dile a un compañero lo que aprendiste. Luego trabaja en grupo y comenta las preguntas de abajo. Busca detalles y ejemplos en *Corredoras rivales* para explicar tus respuestas. Toma notas para responder las preguntas. Después de escuchar a los demás, vuelve a plantear las ideas más importantes que escuchaste antes de contestar.

1 Vuelve a leer las páginas 404 y 405. ¿Por qué le resulta incómodo a Amy hablar con Madison?

2 Repasa las páginas 406 a 408. ¿Por qué resulta útil la reunión para las dos corredoras?

3 ¿Qué lección aprende Amy de Madison que la ayuda a hacer el mejor tiempo de su vida?

Sugerencia para escuchar

Escucha la idea principal de cada hablante. Piensa cómo cada una de esas ideas apoya o cambia lo que tú piensas.

Sugerencia para hablar

Cuando compartas tus pensamientos, ayuda a los que te escuchan a prestar atención a tus ideas principales. Asegúrate de usar una oración completa para presentar tu idea más importante.

413

Conversación académica

Use la rutina de **CONVERSACIÓN COLABORATIVA**. Pida a los estudiantes que tomen notas para responder las preguntas. Luego pídales que trabajen en grupos y que apliquen las Sugerencias para escuchar y hablar mientras comentan sus respuestas.

Respuestas posibles:

1. *Madison es muy buena corredora y la principal competencia de Amy. Por eso Amy se pone muy nerviosa al hablar con ella.* DOK 3

2. *En la reunión, Amy aprende un nuevo método para correr de Madison. Madison recibe un consejo de Amy para mejorar su estilo de correr. Las dos descubren que se llevan bien.* DOK 3

3. *Amy aprende a comenzar despacio y a ahorrar energía para un gran final.* DOK 2

TEKS 3.1A, 3.1E, 3.6F, 3.7B, 3.7C, 3.7D, 3.7G

Academic Discussion
Use the **COLLABORATIVE DISCUSSION** routine. Have students write notes to answer the questions. Then have groups apply the Listening and Speaking Tips as they discuss their responses.

Possible responses:

1. *Madison is a really good runner and Amy's main competition. This makes Amy nervous about talking to her.*

2. *At the meeting, Amy learns a new method of running from Madison. Madison gets a tip from Amy to improve her running. They both learn that they like each other.*

3. *Amy learns to start slow and save her energy for a big finish.*

Escribir sobre la lectura

- **Lea en voz alta** el tema para desarrollar con los estudiantes.

- **Inicie un debate** en el que los estudiantes compartan sus ideas sobre Amy y Madison, y lo que Amy aprende de su corredora rival. Recuerde a los estudiantes que deben usar evidencias del texto de la selección.

- **Luego lea en voz alta** la sección Planificar. Pida a los estudiantes que usen ideas del debate en sus notas para enumerar las semejanzas y diferencias entre Amy y Madison.

TEKS 3.1E, 3.7B, 3.7C, 3.7F, 3.8B, 3.11A, 3.11B(i), 3.11B(ii), 3.12A

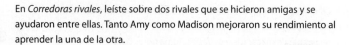

Escribir una memoria

Citar evidencia del texto

TEMA PARA DESARROLLAR

En *Corredoras rivales*, leíste sobre dos rivales que se hicieron amigas y se ayudaron entre ellas. Tanto Amy como Madison mejoraron su rendimiento al aprender la una de la otra.

Imagina que eres Amy y que vas a escribir un capítulo en tu memoria sobre tu relación con Madison. Describe semejanzas y diferencias entre ambas. Explica lo que aprendiste de Madison y cómo te afectó entrenar con ella. No olvides usar algunas de las palabras del Vocabulario crítico en tu escritura.

PLANIFICAR

Haz una lista de semejanzas entre Amy y Madison. Luego, haz una lista de diferencias entre ambas.

Las respuestas variarán, pero los estudiantes deben hacer una lista de semejanzas y diferencias entre Amy y Madison. Algunos estudiantes pueden elegir un diagrama de Venn para mostrarlo. Otros posiblemente prefieran una tabla de dos columnas.

414

Write About Reading

- **Read aloud** the prompt with students.

- **Lead a discussion** in which students share their ideas about Amy and Madison and what Amy learns from her running rival. Remind students to use text evidence from the selection.

- **Then read aloud** the Plan section. Have students use ideas from the discussion in their notes to list the similarities and differences between Amy and Madison.

 CONOCIMIENTOS Y DESTREZAS ESENCIALES DE TEXAS 3.1E develop social communication; **3.7B** write responses that demonstrate understanding; **3.7C** use text evidence; **3.7F** respond using vocabulary; **3.8B** explain relationships among characters; **3.11A** plan first draft; **3.11B(i)** develop drafts by organizing with purposeful structure; **3.11B(ii)** develop drafts by developing an engaging idea; **3.12A** compose literary texts

Ahora escribe el capítulo de tu memoria sobre la relación de Amy con Madison.

Asegúrate de que tu memoria

☐ describe, compara y contrasta a los personajes del cuento.

☐ explica cómo las acciones de Madison afectaron el resultado.

☐ plantea los pensamientos y sentimientos de Amy.

☐ incluye detalles del cuento.

Las respuestas variarán, pero deben ofrecer una comparación y un contraste detallados de Amy y Madison. También deben incluir los elementos de la lista de comprobación.

Escribir sobre la lectura

- **Repase con los estudiantes** las instrucciones y la lista de comprobación de la sección Escribir.

- **Anime a los estudiantes** a asegurarse de que han escrito sus memorias desde el punto de vista de la primera persona y a usar detalles del cuento que incluyeron en sus notas para comparar y contrastar los dos personajes.

TEKS 3.7B, 3.7C, 3.7F, 3.8B, 3.11B(i), 3.11B(ii), 3.12A

Write About Reading

- **Review with students** the directions and checklist in the Write section.

- **Encourage students** to make sure they have written their memoirs in the first-person point of view and to use details from the story that they listed in their notes comparing and contrasting the two characters.

LEER PARA COMPRENDER

Presentar el texto

- **Lea en voz alta** y comente la información sobre el género. Señale estas características de la narración de no ficción:

  » eventos en orden secuencial (página 419)

  » personas reales (página 419)

  » ilustraciones (páginas 418 y 419)

  » eventos históricos reales (página 428)

- **Use** Mostrar y motivar: **Conocer a la autora y al ilustrador 5.11** para aprender más sobre la autora y el ilustrador.

- **Pida a los estudiantes** que busquen las palabras del Vocabulario crítico mientras leen y que piensen en el significado de las palabras.

SUGERENCIA PARA NOTAS: Pida a los estudiantes que usen el recuadro para anotar lo que saben sobre el béisbol y lo que les gustaría aprender sobre ese deporte en esta selección.

TEKS 3.6A, 3.9D(ii)

DOK 2

Observa y anota
3 preguntas importantes

Prepárate para leer

ESTUDIO DEL GÉNERO La **narración de no ficción** ofrece información basada en hechos reales a través de un cuento o historia verdadera.

- La narración de no ficción presenta los acontecimientos en orden secuencial o cronológico.
- La narración de no ficción incluye personas reales.
- La narración de no ficción incluye elementos visuales, como ilustraciones, mapas y diagramas.
- Los textos de narración de no ficción a menudo hablan sobre acontecimientos históricos.

ESTABLECER UN PROPÓSITO **Piensa en** el título y el género de este texto. ¿Incluye el título la palabra *béisbol*? ¿Qué sabes sobre el béisbol? ¿Qué te gustaría aprender? Escribe tus respuestas abajo.

VOCABULARIO CRÍTICO

escombros

rivalidad

disolvió

donó

generaciones

elevó

 Conoce a la autora y al ilustrador:
Audrey Vernick y Steven Salerno

READ FOR UNDERSTANDING

Introduce the Text

- **Read aloud** and discuss the genre information. Point out these features of narrative nonfiction:

  » events in sequential order (page 419)

  » real people (page 419)

  » illustrations (pages 418–419)

  » true historical events (page 428)

- **Use Mostrar y motivar: Conocer a la autora y al ilustrador 5.11** to learn more about the author and the illustrator.

- **Tell students** to look for the Critical Vocabulary as they read, and think about the words' meanings.

ANNOTATION TIP: Have students use the box to note what they know about baseball and what they might want to learn about that sport from this selection.

Mis notas

LA VERDADERA HISTORIA DE UN FORMIDABLE
EQUIPO DE BÉISBOL "TODOS HERMANOS"

HERMANOS AL BATE

Escrito por Audrey Vernick
Ilustrado por Steven Salerno

417

READ FOR UNDERSTANDING

Set a Purpose

- **Have students** look at the illustrations on the first few pages of *Hermanos al bate* to understand that the text is about a single family who played baseball many years ago.

- **Guide students** to set a purpose for reading. Discuss with them what they think life might have been like long ago for a large family of baseball-playing brothers.

LEER PARA COMPRENDER

Hacer y confirmar predicciones
DEMOSTRAR CÓMO HACER Y CONFIRMAR PREDICCIONES

💬 **PENSAR EN VOZ ALTA** *Antes de leer, miro el título y las imágenes. También uso lo que ya sé: que estos cuentos tratan sobre el trabajo en equipo. Puedo usar esta información para hacer una predicción. Puedo ver en las ilustraciones que hay varios hermanos. Creo que estos hermanos pueden jugar al béisbol juntos. Leeré para descubrir si mi predicción es correcta. Si no lo es, puedo corregir mi predicción más tarde.*

SUGERENCIA PARA NOTAS: Pida a los estudiantes que escriban sus propias predicciones.

TEKS 3.6C

DOK 3

418

READ FOR UNDERSTANDING
Make and Confirm Predictions
MODEL MAKING AND CONFIRMING PREDICTIONS

THINK ALOUD *Before I read, I look at the title and images. I also use what I already know, that these stories are about teamwork. I can use this information to make a prediction. I can see from the illustrations that there are many brothers. I think these brothers might play baseball together. I will read to find out if my prediction is correct. If it is not, I can correct my prediction later on.*

ANNOTATION TIP: Have students write their own predictions. *(Responses will vary.)*

 CONOCIMIENTOS Y DESTREZAS ESENCIALES DE TEXAS **3.6C** make/correct/confirm predictions; **3.6G** evaluate details; **3.7C** use text evidence; **3.8C** analyze plot elements; **3.9D(iii)** recognize organizational patterns in informational text; **3.10B** explain use of text structure

418 Módulo 5

1 APENAS EL INVIERNO helado comienza a derretirse para dar paso a la primavera, se escucha el abrir y cerrar de puertas de los chicos recién llegados de la escuela, que han ido por sus guantes, bates y pelotas.

2 Allá por los años veinte y treinta, en un pueblo de Nueva Jersey cerca del mar, se escuchaba el mismo abrir y cerrar de puertas. Tres hermanos echaban a correr afuera.

3 Otros tres los seguían a toda prisa.

4 Y otros más.

5 Y algunos más.

419

🔍 LECTURA EN DETALLE GUIADA

Estructura del texto

Pida a los estudiantes que vuelvan a leer y que observen las ilustraciones en las páginas 418 y 419 para analizar la estructura del texto.

¿De qué manera la autora ha organizado los acontecimientos? *(en orden secuencial)*

¿Qué significa el uso de ese tipo de estructura? *(La autora relata los acontecimientos en el mismo orden en que sucedieron.)*

¿De qué manera les ayudan las ilustraciones a seguir la estructura del texto en esta página? *(Cada ilustración muestra a un grupo diferente de hermanos que salen corriendo por la puerta, uno detrás de otro).*

TEKS 3.6G, 3.7C, 3.8C, 3.9D(iii), 3.10B

DOK 3

📖 LEER PARA COMPRENDER

¿Qué datos de esta página les dicen que esto es un cuento sobre personas reales? *(El texto habla sobre un lugar real, Nueva Jersey, y un momento real en la historia, los años veinte y treinta).*

TEKS 3.7C

DOK 2

TARGETED CLOSE READ

Text Structure

Have students reread and look at the illustrations on pages 418–419 to analyze the text structure.

How does the author organize the events? *(in sequential order)*

What does that type of structure mean? *(The author tells about events in the same order in which they happened.)*

How do the illustrations help you follow the structure on this page? *(The illustrations show each time a group of brothers run out the door, one after another.)*

READ FOR UNDERSTANDING

What facts on this page tell you this is a story about real people? *(The text tells about a real place—New Jersey, and a real time in history—the 1920s and 1930s.)*

6   Parece un cuento inventado: doce hermanos que juegan al béisbol. Pero Anthony, Joe, Paul, Alfred, Charlie, Jimmy, Bobby, Billy, Freddie, Eddie, Bubbie y Louie Acerra eran hermanos de verdad.

7   Tenían cuatro hermanas: Catherine, Florence, Rosina y Frances. Y un perro blanco que se llamaba Pitch. Las niñas no jugaban al béisbol. En aquel entonces, la mayoría de las personas creía que los deportes eran cosa de chicos.

420

 LECTURA EN DETALLE GUIADA

Punto de vista

Pida a los estudiantes que vuelvan a leer y que observen las ilustraciones de la página 420 para analizar el punto de vista.

¿Quién relata la historia de la familia Acerra: un narrador dentro del texto o un narrador fuera del texto? *(un narrador fuera del texto)*

¿Cómo lo saben? *(El narrador usa verbos en tercera persona, como* eran y tenían, *para hacer referencia a la familia Acerra).*

SUGERENCIA PARA NOTAS: Pida a los estudiantes que resalten otras palabras que son pistas del punto de vista de la tercera persona mientras siguen leyendo. *(Los estudiantes deben resaltar palabras como* les, sus, su *y verbos en tercera persona mientras vuelven a leer el resto de la selección).*

TEKS 3.7A, 3.10E

DOK 3

📖 **LEER PARA COMPRENDER**

¿Por qué la autora da los nombres de los 16 hijos de los Acerra y el perro? *(para demostrar lo grande que es la familia de forma divertida)*

TEKS 3.9D(i), 3.10A

DOK 2

TARGETED CLOSE READ

Point of View

Have students reread and look at the illustrations on page 420 to analyze the point of view.

Who is telling about the Acerra family—a narrator inside the text or a narrator outside the text? *(a narrator outside the text)*

How can you tell? *(The narrator uses third-person verbs such as* eran *or* tenían *to tell about the Acerra family.)*

ANNOTATION TIP: Have students highlight other pronouns that are clues to the third-person point of view as they continue reading. *(Students should highlight words such as* les, sus, su, *and third-person verbs as they reread the rest of the selection.)*

READ FOR UNDERSTANDING

Why does the author give the names of all 16 Acerra children and the dog? *(to show how huge the family is in a fun way)*

 CONOCIMIENTOS Y DESTREZAS ESENCIALES DE TEXAS   3.6E make connections; **3.6G** evaluate details; **3.6I** monitor comprehension/make adjustments; **3.7A** describe personal connections to sources; **3.7C** use text evidence; **3.9D(i)** recognize central idea in informational text; **3.10A** explain author's purpose/message; **3.10E** identify/understand literary devices

Mis notas

8   La familia Acerra tenía tantos hijos que en cada cama dormían dos e iban de a tres al baño que estaba afuera. Tomaban la cena donde encontraban asiento. Incluso en el campo de béisbol, eran más hermanos que posiciones de juego.

9   Pero eso no les impidió jugar.

10   El béisbol marcaba el ritmo de sus vidas.

421

Observa y anota

3 preguntas importantes

- **Explique a los estudiantes** que los lectores pueden hacerse preguntas importantes mientras leen un texto que les sorprende o cambia lo que ya sabían.

- **Pida a los estudiantes** que expliquen por qué la pregunta importante *¿Qué me sorprendió?* es una buena pregunta sobre el texto de las páginas 420 y 421. *(Respuestas posibles: Me sorprendió que tantos hermanos pudieran dormir en un cuarto).*

SUGERENCIA PARA NOTAS: Pida a los estudiantes que escriban notas sobre lo que les sorprendió y por qué mientras leen.

- **Pida a los estudiantes** que reflexionen sobre la pregunta importante *¿Qué me sorprendió?* y que añadan ideas a sus notas.

TEKS 3.6E, 3.6G, 3.6I, 3.7C

DOK 3

NOTICE & NOTE

3 Big Questions

- **Explain to students** that readers can ask themselves Big Questions as they read text that surprises them or challenges or changes what they know.

- **Have students** explain why the Big Question *What surprised me?* is a good question to ask about the text on pages 420–421. *(Possible responses: I am surprised that so many brothers could sleep together in one bedroom.)*

ANNOTATION TIP: Have students write notes about what surprises them and why it is surprising as they read.

- **Have students** reflect on the Anchor Question: *What surprised me?* and add to their notes.

LEER PARA COMPRENDER

En 1938, ¿cuáles de los hermanos Acerra jugaban al béisbol semiprofesional? *(los nueve hermanos mayores)*

¿Por qué los otros hermanos no jugaban en ese equipo? *(No tenían la edad requerida. El texto dice que los hermanos más jóvenes eran espectadores hasta que tenían edad para jugar. Es probable que ese sea también el motivo por el que solo los nueve hermanos mayores jugaban al béisbol semiprofesional).*

TEKS 3.6F, 3.6G

DOK 2

11   "Cada primavera, sacabas el guante y te ibas al campo a jugar", contaba Freddie. Los vecinos no recuerdan una sola vez en que los hijos de los Acerra hubieran hecho otra cosa que no fuera golpear la pelota, lanzarla con fuerza y correr frente a un grupo de espectadores más jóvenes, que deseaban estar ya crecidos para poder jugar.

12   La escuela secundaria tuvo un Acerra en el equipo de béisbol durante veintidós años seguidos.

13   En 1938, las edades de los hermanos iban desde siete hasta treinta y dos años. Los nueve hermanos mayores formaron su propio equipo semiprofesional y competían contra otros equipos de Nueva Jersey. Su padre los entrenaba y nunca perdieron ningún partido.

14   Todos los uniformes decían lo mismo:

Acerra.

READ FOR UNDERSTANDING

In 1938, which of the Acerra brothers played semi-pro baseball? *(the oldest nine)*

Why didn't the other brothers play on that team?
(They were not old enough. The text says that the youngest brothers mostly watched until they were old enough to play. That is also probably why only the oldest nine played semi-pro baseball.)

1938

Anthony
EDAD: 32

Joe
EDAD: 27

Paul
EDAD: 24

Alfred
EDAD: 22

Charlie
EDAD: 20

Jimmy
EDAD: 18

Bobby
EDAD: 16

Billy
EDAD: 15

Freddie
EDAD: 13

Eddie
EDAD: 12

Bobbie
EDAD: 10

Louie
EDAD: 7

Anthony, Joe, Paul, Alfred, Charlie, Jimmy, Bobbie, Billy, Freddie

423

📖 **LEER PARA COMPRENDER**

¿Cómo pueden usar la ilustración para saber los nombres de los hermanos Acerra que jugaban en el equipo de béisbol semiprofesional? (*La ilustración muestra las imágenes de todos los hermanos con sus nombres y edades*).

SUGERENCIA PARA NOTAS: Pida a los estudiantes que escriban los nombres de los nueve hermanos que jugaban en el equipo de béisbol semiprofesional que entrenaba su padre.

TEKS 3.10C

DOK 2

READ FOR UNDERSTANDING

How can you use the illustration to figure out the names of the Acerra brothers who played on the semi-pro baseball team? (*The illustration shows the pictures of all of the brothers with their names and ages.*)

ANNOTATION TIP: Have students write the names of the nine brothers who were on the semi-pro team that their father coached. (*Anthony, Joe, Paul, Alfred, Charlie, Jimmy, Bobbie, Billy, Freddie*)

Observa **y** anota

3 preguntas importantes

- **Recuerde a los estudiantes** que los lectores pueden hacerse tres preguntas importantes mientras leen un texto que les sorprende o uno en el que está claro que el autor supone que el lector ya sabe algo.

- **Pida a los estudiantes** que expliquen por qué la pregunta importante *¿Qué creyó el autor que ya sabía?* es una buena pregunta sobre el texto de la página 424. *(Respuesta posible: El texto incluye muchos detalles diferentes sobre el béisbol, como por qué Charlie era el más lento, y términos de béisbol, como campo, jonrón y lanzamiento. Es probable que ayude a los lectores a saber lo que estos significan para comprender mejor el texto).*

SUGERENCIA PARA NOTAS: Pida a los estudiantes que escriban preguntas sobre términos, reglas o partidos de béisbol mientras leen y que busquen su significado en una fuente de referencia sobre béisbol impresa o en línea.

- **Pida a los estudiantes que** reflexionen sobre la pregunta importante *¿Qué creyó la autora que ya sabía sobre el béisbol?* y que añadan ideas a sus notas.

TEKS 3.6E, 3.6G, 3.6I, 3.7C

DOK 3

 Mis notas

15   Jugaban en campos improvisados de tierra con los jardines repletos de escombros y arena. A los hermanos les encantaba hablar sobre el día que jugaron en el viejo canódromo, un estadio situado frente al mar que antes había sido una pista de carreras de autos. Allí fue donde Anthony, el hermano mayor, lanzó un par de jonrones al océano Atlántico.

16   Lo llamaban Anthony "posturita", por la manera que tenía de pararse sobre el plato, como si estuviera posando para la foto de su tarjeta de béisbol.

17   Charlie, el quinto hermano, era el más lento. Era un buen jugador, pero un corredor horrible. Los hermanos solían bromear sobre la vez en que bateó una pelota que casi se sale del campo, pero solo logró llegar a la segunda base.

18   Jimmy, el sexto hermano, tenía un lanzamiento increíble del que la gente *todavía* hoy habla. "No podías pegarle a la pelota ni atraparla", decía Eddie. La pelota bailaba en el aire. Jimmy también era un buen bateador, probablemente el mejor jugador del equipo.

> **escombros**   Basura, desechos y desperdicios, como piedras, que se arrojan en un lugar.

424

NOTICE & NOTE

Big Idea Questions

- **Remind students** that readers can ask themselves three Big Questions as they read text that surprises them or text where it is clear that the author assumes that the reader already knows something.

- **Have students** explain why the Big Question *What does the author think I already know?* is a good question to ask about the text on page 424. *(Possible response: The text includes many different details about baseball, such as why the Charlie was so slow, and baseball terms such as outfields, home runs, and knuckleball. It probably helps for readers to know what these mean in order to understand the text more fully.)*

ANNOTATION TIP: Have students write questions about baseball terms, rules, or plays as they read and to look up their meanings in a print or online baseball reference source.

- **Have students** reflect on the Anchor Question: *What does the author think I know about baseball?* and add to their notes.

424 Módulo 5

CONOCIMIENTOS Y DESTREZAS ESENCIALES DE TEXAS   **3.6E** make connections; **3.6G** evaluate details; **3.6I** monitor comprehension/make adjustments; **3.7C** use text evidence; **3.7G** discuss text ideas; **3.9D(i)** recognize central idea in informational text

¹⁹   Pero entre ellos no había celos ni rivalidad ni peleas. Los hermanos mayores también jugaban con los menores, que ya iban entrando en edad para el juego. Si uno dejaba caer la pelota o era eliminado, nadie gritaba ni arrojaba el guante ni pateaba el suelo. "Éramos muy unidos", decía Freddie.

²⁰   El equipo jugaba en Nueva Jersey, Nueva York, Connecticut, en cualquier lugar que hubiera un buen partido. Paul les escribía cartas a otros equipos para acordar partidos nuevos. El equipo "todos hermanos" siempre atraía grandes multitudes.

rivalidad   Una rivalidad es una competencia entre equipos o personas que quieren ganar lo mismo.

425

📖 **LEER PARA COMPRENDER**

¿Qué detalles incluye la autora para apoyar la cita de Freddie: "Éramos muy unidos."? Citen evidencias del texto. *(Los hermanos mayores compartían tiempo de juego con los menores. Los hermanos no peleaban. Si un jugador cometía un error, los demás no se enojaban).*

TEKS 3.6G, 3.7C, 3.7G, 3.9D(i)

DOK 2

READ FOR UNDERSTANDING

What details does the author include to support the quotation by Freddie, "Éramos muy unidos."? Cite text evidence. *(The older brothers shared playing time with the younger brothers. The brothers did not fight. If a player made a mistake, the other players did not get angry.)*

21   En 1939, en la Feria Mundial de Nueva York, la familia Acerra fue nombrada la familia más grande de Nueva Jersey. Los llevaron al aeropuerto de Newark, donde abordaron un avión y sobrevolaron la feria. No podían creerlo, no conocían a nadie que hubiera montado en avión. La mayoría de las personas que estaban en la feria miraban en el cielo aquel pequeño avión, sin poder imaginar que a bordo iba un equipo completo de hermanos.

22   Pero no todo era diversión, juego y cielos soleados. El día más oscuro también llegó al campo.

 LEER PARA COMPRENDER

¿Qué información en esta página demuestra que esto es un cuento real? *(Se dan muchos datos: 1939, Feria Mundial de Nueva York, familia Acerra, Nueva Jersey, Newark).*

SUGERENCIA PARA NOTAS: Pida a los estudiantes que resalten los datos.

¿Qué detalle del texto apoya la idea de la autora de que algunas de las cosas que hacían los hermanos Acerra eran "diversión, juego y cielos soleados"? *(los detalles sobre el paseo en avión que dieron en la Feria Mundial de Nueva York en 1939)*

TEKS 3.6G, 3.7C, 3.7G, 3.9D(i)

DOK 2

READ FOR UNDERSTANDING

What information on this page shows that this is a true story? *(Many facts are given: 1939, New York World's Fair, Acerras, New Jersey, Newark.)*

ANNOTATION TIP: Have students highlight the facts.

What detail in the text supports the author's idea that some of the things the Acerra brothers did as "all fun and games and sunny skies"? *(the details about the plane ride they took over the New York World's Fair in 1939)*

 CONOCIMIENTOS Y DESTREZAS ESENCIALES DE TEXAS **3.6E** make connections; **3.6G** evaluate details; **3.7C** use text evidence; **3.7G** discuss text ideas; **3.9D(i)** recognize central idea in informational text; **3.10E** identify/understand literary devices

23 Freddie estaba en la tercera base en un partido empatado a cero. Alfred estaba en el plato. Se tocó el hombro, la señal de que iba a dar un golpe suave.

24 Entonces, las cosas se torcieron.

25 El lanzamiento vino alto y, de alguna forma, la bola rebotó en el bate contra la cara de Alfred golpeándolo con fuerza.

26 Lo llevaron al médico inmediatamente, pero perdió un ojo.

27 Durante los siguientes meses, Eddie ocupó el puesto de Alfred como receptor. Todos pensaban que los días de juego habían terminado para Alfred.

28 Pero, cuando tienes once hermanos dispuestos a lanzarte la pelota —primero suave y poco a poco más fuerte—, recuperas tus habilidades. También recuperas tu valentía. Y muy pronto Alfred volvió a vestir el uniforme de los hermanos Acerra.

29 "Para ser una persona con un solo ojo, era un receptor bastante bueno", contaba Freddie".

427

🔍 LECTURA EN DETALLE GUIADA

Punto de vista

Pida a los estudiantes que vuelvan a leer la página 427 para analizar el punto de vista.

¿Cuál es el punto de vista de la autora sobre la manera en que los hermanos Acerra hacen frente a las dificultades? *(La autora parece admirar su capacidad para superar las dificultades).*

¿Qué detalles incluye la autora para mostrar ese punto de vista? *(La autora explica cómo los hermanos ayudaron a Alfred cuando perdió un ojo).*

¿Tienen el mismo punto de vista que la autora? Expliquen cuál es su punto de vista sobre los hermanos Acerra. *(Respuesta de ejemplo: Estoy de acuerdo con la autora. Cuando se tiene el apoyo de toda la familia, es posible recuperarse de un accidente terrible).*

TEKS 3.6E, 3.7G, 3.10E

DOK 3

TARGETED CLOSE READ

Point of View

Have students reread page 427 to analyze the point of view.

What is the author's point of view about how the Acerra brothers deal with difficulty? *(The author seems to admire how they are able to overcome difficulties.)*

What details does the author include to show this point of view? *(The author tells about how the brothers helped Alfred when he lost his eye.)*

Do you have the same point of view as the author? Explain your point of view of the brothers. *(Sample response: I agree with the author. If your whole family encourages you, you can overcome a terrible accident.)*

Hacer y confirmar predicciones
CONFIRMAR UNA PREDICCIÓN

Vuelvan a pensar en la predicción que hicieron en la página 418. ¿Fue correcta su predicción? ¿Cómo podrían corregirla si no lo fue? (*Si es necesario, los estudiantes deben corregir sus predicciones usando evidencias del texto*).

Si los estudiantes tienen dificultades para corregir sus predicciones, use este modelo:

💬 **PENSAR EN VOZ ALTA** *Antes, predije que estos hermanos podrían jugar al béisbol juntos. Tenía razón en esto. Pero ahora, seis de ellos se han ido a la guerra. Voy a hacer una predicción nueva. Creo que los hermanos dejarán de jugar durante un tiempo. Cuando acabe la guerra, creo que comenzarán a jugar de nuevo. Leeré para descubrir si mi predicción es correcta. A medida que aprenda más, corregiré o confirmaré mi predicción.*

TEKS 3.6C

DOK 3

 LEER PARA COMPRENDER

¿Por qué el equipo de los hermanos Acerra se separó en los años cuarenta? (*La Segunda Guerra Mundial había comenzado en Europa. Seis de los hermanos fueron al servicio para luchar con otros soldados estadounidenses. Por eso se separó el equipo*).

¿Por qué fueron los seis hermanos Acerra a la guerra? (*Sabían que era importante unirse a la lucha*).

TEKS 3.6F

DOK 2

30   En la década de los cuarenta, algo apartó la atención de los hermanos del béisbol. Los soldados estadounidenses peleaban en la Segunda Guerra Mundial al otro lado del Atlántico, el mismo océano enorme al que "posturita" había lanzado las pelotas.

31   La guerra era cada vez más severa y los soldados perdían la vida, pero los hermanos sabían que era importante luchar por su país.

32   El equipo se **disolvió** porque seis de los hermanos Acerra se fueron a la guerra. "Posturita" fue el primero en alistarse. Él, Charlie, Eddie y Bobby se unieron al ejército. Billy y Freddie se enlistaron en la armada.

> **disolvió** Si un grupo se disolvió, se separó y sus integrantes ya no están juntos.

428

READ FOR UNDERSTANDING
Make and Confirm Predictions
CONFIRM A PREDICTION

Revisit the prediction you made on page 418. Was your prediction correct? How might you correct it if it wasn't? (*If necessary, students should correct their predictions using text evidence.*)

If student have difficulty correcting their predictions, use this model:

THINK ALOUD *Earlier, I predicted that these brothers might play baseball together. I was correct about this. But now, six of the brothers have gone to war. I will make a new prediction. I think the brothers will stop playing for a time. When the war is over, I think they will start playing again. I will read to find out if my prediction is correct. As I learn more, I will correct or confirm my prediction.*

READ FOR UNDERSTANDING

Why did the Acerra brothers' team disband in the 1940s? (*The Second World War had started in Europe. Six of the brothers went into the service to fight with other American soldiers. So, the team disbanded.*)

Why did the six Acerra brothers go to war? (*They knew it was important to join the fighting.*)

 CONOCIMIENTOS Y DESTREZAS ESENCIALES DE TEXAS 3.6C make/correct/confirm predictions; **3.6F** make inferences/use evidence; **3.10D** describe author's use of imagery/language

33　Los seis hermanos se fueron lejos de casa. Después de toda una vida hablando y jugando juntos día a día, dejaron de verse por meses —¡incluso años! Extrañaban el olor a guisado salado del océano Atlántico.

34　Soñaban con su hogar de la infancia, con el abrir y cerrar de las puertas cuando salían a jugar y con las largas tardes lanzando la pelota en arcos altos, muy altos, de un guante a otro guante y a otro guante, en un campo lleno de hermanos.

35　En Nueva Jersey, sus padres y hermanos esperaban noticias. Las cartas tardaban mucho tiempo en llegar desde el otro lado del océano. Había mucho tiempo para preocuparse.

429

36 Cuando la guerra llegó a su fin, todos se alegraron. Eddie, que estaba en California con el ejército, estaba tan emocionado que se acercaba a algunas mujeres que ni conocía y las besaba.

37 Muchos soldados estadounidenses murieron en la Segunda Guerra Mundial, pero los hermanos Acerra tuvieron mucha suerte. Uno por uno, los seis hermanos regresaron de la guerra. La madre de los Acerra lloraba cada vez que veía entrar por la puerta a uno de sus hijos.

LEER PARA COMPRENDER

¿Qué ocurre con la familia Acerra al final de la Segunda Guerra Mundial? ¿Por qué llora la madre de los Acerra?
(*Todos los hermanos regresan a casa después de la guerra. La madre de los Acerra llora porque está muy feliz de ver que sus seis hijos están a salvo*).

SUGERENCIA PARA NOTAS: Pida a los estudiantes que subrayen el texto que dice por qué la madre de los Acerra llora.

TEKS 3.6F

DOK 2

READ FOR UNDERSTANDING

What happens to the Acerra family at the end of World War II? Why does Mama Acerra cry? (*All of the brothers return home from the war safely. Mama Acerra cries because she is so happy that all six of her boys are safe.*)

ANNOTATION TIP: Have students underline the text that tells why Mama Acerra cries.

 CONOCIMIENTOS Y DESTREZAS ESENCIALES DE TEXAS 3.6F make inferences/use evidence; **3.9D(iii)** recognize organizational patterns in informational text; **3.10B** explain use of text structure

38 En el verano de 1946, la familia estaba lista para volver al béisbol. Estaban más viejos, por supuesto, y "posturita", que tenía problemas del corazón, ahora era el entrenador del equipo.

39 Se unieron a la liga de béisbol Twilight de Long Branch City y, durante los siguientes seis años, fueron cuatro veces campeones de la liga.

40 Todos los domingos, multitudes de espectadores llenaban las gradas para ver jugar al equipo "todos hermanos".

🔍 LECTURA EN DETALLE GUIADA

Estructura del texto

Pida a los estudiantes que vuelvan a leer las páginas 430 y 431 para analizar la estructura del texto.

¿Cuál es la estructura de esta parte del texto? ¿Cómo lo saben? (*Secuencia: la autora muestra lo que hacen los hermanos después de que la guerra llega a su fin*).

SUGERENCIA PARA NOTAS: Pida a los estudiantes que resalten las palabras y frases que señalan la secuencia.

¿Por qué conocer la estructura del texto ayuda a los lectores a concentrarse en lo que sucede? (*Pensar en la secuencia ayuda a comprender que los hermanos jugaron durante seis años a partir del verano de 1946*).

TEKS 3.9D(iii), 3.10B

DOK 3

431

TARGETED CLOSE READ

Text Structure
Have students reread pages 430–431 to analyze the text structure.

What is the structure of this part of the text? How do you know? (*sequence: the author shows what the brothers do after the war ends.*)

ANNOTATION TIP: Have students highlight the words and phrases that signal sequence.

How does knowing the text structure help readers focus on what is happening? (*Thinking about the sequence helps you understand that the brothers played for six years beginning in the summer of 1946.*)

LEER PARA COMPRENDER

¿Qué detalles del texto les ayudan a hacer una inferencia sobre por qué los hermanos Acerra dejaron de jugar al béisbol? Citen evidencias del texto para apoyar su respuesta. *(Los hermanos dejaron de jugar porque estaban demasiado ocupados con otras cosas. El texto dice que se casaron, buscaron trabajo, se mudaron y tuvieron hijos).*

TEKS 3.6F

DOK 2

LEER PARA COMPRENDER

Hacer y confirmar predicciones
CONFIRMAR UNA PREDICCIÓN

Recuerde a los estudiantes que, a medida que se aproximan al final de una selección, pueden usar los detalles del texto para confirmar si sus predicciones eran correctas. Pida a los estudiantes que expliquen lo precisas que fueron sus predicciones anteriores y cómo se corrigieron o confirmaron mediante los detalles del texto hasta el momento.

SUGERENCIA PARA NOTAS: Pida a los estudiantes que ajusten sus predicciones y que escriban una nueva predicción sobre lo que podría ocurrirles a los hermanos Acerra después de dejar de jugar al béisbol.

TEKS 3.6C

DOK 3

Mis notas

Las respuestas variarán.

41 Con el paso del tiempo, los hermanos Acerra se casaron y se mudaron de la casa de sus padres. Trabajaban muy duro: en la compañía del agua, en la oficina de correos, en la aseguradora. También empezaron a tener hijos.

42 En 1952, jugaron el último partido del equipo. Pero ya habían pasado a la historia.

43 Los hermanos Acerra fueron el equipo de béisbol "todos hermanos" de más larga carrera.

432

READ FOR UNDERSTANDING
Which text details help you make an inference about why the Acerra brothers stopped playing baseball? Cite text evidence to support your answer. *(The brothers stopped playing because they got too busy with other things. The text says they got married, got jobs, moved, and had children.)*

READ FOR UNDERSTANDING
Make and Confirm Predictions
CONFIRM A PREDICTION

Remind students that as they near the end of a selection, they can use text details to confirm whether or not their predictions were accurate. Have students explain how accurate their earlier predictions were and how they were corrected or confirmed by the details in the text so far.

ANNOTATION TIP: Have students adjust their predictions and write a new prediction for what might happen to the Acerra brothers after they stop playing baseball. *(Answers will vary.)*

 CONOCIMIENTOS Y DESTREZAS ESENCIALES DE TEXAS **3.6C** make/correct/confirm predictions; **3.6E** make connections; **3.6F** make inferences/use evidence; **3.6G** evaluate details; **3.6I** monitor comprehension/make adjustments; **3.7C** use text evidence

44   En 1997, el Salón de la Fama del Béisbol celebró una ceremonia especial en su honor. Solo siete de los hermanos quedaban vivos. Paul, Alfred, Bobby, Billy, Freddie, Eddie y Bubbie asistieron a la ceremonia, junto con más de cien familiares, incluida su hermana Frances.

45   El hijo de Jimmy donó el uniforme y el guante de su padre, que se pusieron en exposición en este mismo museo que también honró a Babe Ruth, Ty Cobb y Willie Mays. "Nos trataron como reyes", dijo Freddie.

> **donó**   Algo que se donó, se regaló o se dio sin recibir nada a cambio a una organización benéfica o a otro grupo.

433

Observa y anota

3 preguntas importantes

- **Señale** que en la página 433, la autora también cree que los lectores ya saben lo que es el Salón de la Fama del Béisbol. Explique que muchos jugadores de béisbol profesional se honran en el Salón de la Fama cuando se retiran.

- **Explique** que otra pregunta importante que pueden hacerse es *¿Qué puso en duda, cambió o confirmó lo que ya sabía?* Pida a los estudiantes que consideren cómo podrían aplicar esta pregunta al texto de la página 433. *(Respuesta posible: Pensé que el Salón de la Fama del Béisbol solo honra a jugadores de béisbol famosos. Pero también honra a jugadores como los hermanos Acerra que son inusuales porque muchos de ellos jugaban a este deporte).*

SUGERENCIA PARA NOTAS: Pida a los estudiantes que anoten cualquier otro detalle del texto que pueda poner en duda, cambiar o confirmar lo que ya sabían sobre el béisbol en esta selección.

TEKS 3.6E, 3.6G, 3.6I, 3.7C

DOK 3

NOTICE & NOTE

3 Big Questions

- **Point out** that on page 433, the author also thinks that readers already know what the Baseball Hall of Fame is. Explain that many famous professional baseball players are honored at the Hall of Fame after they stop playing.

- **Explain** that another Big Question they can ask themselves is *What challenged, changed, or confirmed what I already knew?* Ask students to consider how they might apply this question to the text on page 433. *(Possible response: I thought the Baseball Hall of Fame only honors famous baseball players. But it also honors players like the Acerra brothers who are unusual because of how many of them all played the game.)*

ANNOTATION TIP: Have students note any other text details that challenged, changed, or confirmed what they already knew about baseball in this selection.

LEER PARA COMPRENDER

Compare las ilustraciones de la página 429 con las ilustraciones de esta página. ¿En qué se parecen y en qué se diferencian las imágenes? *(Las dos imágenes muestran una escena similar. Uno de los hermanos se muestra al frente lanzando en las dos páginas. Pero en la página 429, los hermanos son jóvenes y no hay niñas jugando. En esta página, los hermanos son más mayores y tienen a una de sus nietas jugando con ellos).*

¿Por qué eligieron la autora y el ilustrador mostrar dos ilustraciones similares con detalles diferentes como este? *(para mostrar cómo ha cambiado la familia Acerra a medida que se hicieron más mayores, pero también para mostrar que todavía les gusta jugar al béisbol juntos y que en 1997 las niñas jugaban al béisbol)*

TEKS 3.10C

DOK 3

LEER PARA COMPRENDER

Concluir

Vuelva a comentar el propósito que los estudiantes establecieron antes de leer el texto. Pídales que citen evidencias del texto para explicar lo que aprendieron sobre el béisbol y su historia.

TEKS 3.6A

DOK 2

46 Después de un día tan emocionante, uno podía imaginarlos partir al atardecer, felices para siempre.

47 Pero su autobús se rompió.

48 Pudieron haberse sentado al borde de la carretera a quejarse del insoportable calor del verano. Pero alguien encontró un bate y una pelota, y en lo que esperaban por otro autobús, las tres generaciones de Acerra jugaron a la pelota.

49 Aquella pelota se elevó en el cielo de abuelo a nieta, de padre a hijo.

50 De hermano a hermano.

> **generaciones** Las generaciones son todas las personas de una familia, un grupo social o un país que tienen más o menos la misma edad.
> **elevó** Algo que se elevó, voló rápidamente por el aire.

434

READ FOR UNDERSTANDING

Compare the illustration on page 429 to the illustration on this page. How are the pictures similar and different? *(Both images show a similar scene. One of the brothers is in front throwing on both pages. But on 429, the brothers are young, and there are no girls playing. On this page, the brothers are older, and they have one of their granddaughters playing with them.)*

Why did the author and illustrator choose to show two similar illustrations with different details like this? *(to show how the Acerras have changed as they got older, but also to show how they still loved playing baseball with each other, and to show that by 1997 girls were playing baseball)*

READ FOR UNDERSTANDING

Wrap-Up

Revisit the purpose students set before they read the text. Have students cite text evidence to explain what they learned about the game of baseball and its history.

 CONOCIMIENTOS Y DESTREZAS ESENCIALES DE TEXAS **3.1C** speak coherently; **3.1D** work collaboratively; **3.1E** develop social communication; **3.6A** establish purpose for reading; **3.6F** make inferences/use evidence; **3.6G** evaluate details; **3.7B** write responses that demonstrate understanding; **3.7C** use text evidence; **3.7G** discuss text ideas; **3.9D(ii)** recognize features in informational text; **3.10C** explain use of print/graphic features

434 Módulo 5

Conversación colaborativa

Vuelve a leer lo que escribiste en la página 416. Dile a un compañero lo que aprendiste. Luego trabaja en grupo y comenta las preguntas de abajo. Busca detalles y ejemplos en *Hermanos al bate* para explicar tus respuestas. Toma notas para responder las preguntas. Comparte tus ideas mientras conversas.

1 Repasa las páginas 421 y 422. ¿Qué detalles demuestran que el béisbol era importante para la familia Acerra?

2 Vuelve a leer la página 429. ¿Cómo ayudan los hermanos Acerra a Alfred para que vuelva a jugar al béisbol después de su lesión?

3 ¿Cómo cambió la vida de los hermanos Acerra con el transcurso del tiempo? ¿En qué aspectos la familia permaneció igual?

Sugerencia para escuchar

Escucha atentamente y mira hacia la persona que está hablando. Espera a que haya terminado antes de compartir tus ideas.

Sugerencia para hablar

Mira a los demás integrantes de tu grupo cuando hables. Habla con voz alta y clara para que todos puedan escucharte.

Conversación académica

Use la rutina de **CONVERSACIÓN COLABORATIVA**. Pida a los estudiantes que tomen notas para responder las preguntas. Luego pídales que trabajen en grupos y que apliquen las Sugerencias para escuchar y hablar mientras comentan sus respuestas.

Respuestas posibles:

1. *Los hermanos jugaban siempre a la pelota, desde que llegaba la primavera y el clima se volvía cálido.* DOK 2

2. *Los hermanos siguen jugando a la pelota con él, con lanzamientos suaves al principio. Con el tiempo, recuperó sus habilidades.* DOK 2

3. *Con el paso del tiempo, los hermanos se casaron y tuvieron hijos, pero siempre les siguió gustando el béisbol. Hasta el día de hoy, la familia juega al béisbol siempre que se presenta la oportunidad.* DOK 2

TEKS 3.1C, 3.1D, 3.1E, 3.6F, 3.6G, 3.7B, 3.7C, 3.7G, 3.9D(i)

435

Academic Discussion

Use the **COLLABORATIVE DISCUSSION** routine. Have students write notes to answer the questions. Then have groups apply the Listening and Speaking Tips as they discuss their responses.

Possible responses:

1. *The brothers were always playing ball, from the moment in spring when the weather was warm enough.*

2. *The brothers keep playing ball with him, gently at first. Over time, he got his skills back.*

3. *As time went on, the brothers got older, got married, had children, but they always loved baseball. Family members still play ball whenever they get a chance.*

Escribir sobre la lectura

- **Lea en voz alta** el tema para desarrollar con los estudiantes.

- **Inicie un debate** en el que los estudiantes compartan sus ideas sobre la vida de los hermanos Acerra. Recuerde a los estudiantes que deben usar evidencias del texto de la selección.

- **Luego lea en voz alta** la sección Planificar. Pida a los estudiantes que usen ideas del debate en sus notas para enumerar los acontecimientos del cuento de los hermanos Acerra en el orden en el que ocurrieron.

TEKS 3.1E, 3.7B, 3.7C, 3.7D, 3.7F, 3.11A, 3.12A

Escribir una biografía para el Salón de la Fama

TEMA PARA DESARROLLAR

Hermanos al bate es un cuento sobre doce hermanos que jugaron juntos al béisbol durante toda su vida. En 1997, los hermanos fueron incluidos en el Salón de la Fama del Béisbol.

Imagina que trabajas en el museo y que tienes que escribir una breve biografía de cada integrante del Salón de la Fama. Esta biografía aparecerá en la guía oficial del Salón de la Fama y también en un cartel en el museo, junto al uniforme y al guante de béisbol de Jimmy Acerra. Escribe un resumen corto e interesante de los acontecimientos más importantes del cuento de los hermanos Acerra. No olvides usar algunas de las palabras del Vocabulario crítico en tu escritura.

PLANIFICAR

Haz una lista de los acontecimientos que ocurren en la vida de los hermanos Acerra. Menciona los acontecimientos en orden. Encierra en un círculo cuatro o cinco acontecimientos que serían más interesantes para los visitantes del museo.

> Las respuestas variarán, pero los estudiantes deben hacer una lista con varios acontecimientos de la vida de los hermanos Acerra ordenados o numerados cronológicamente.

436

Write About Reading

- **Read aloud** the prompt with students.

- **Lead a discussion** in which students share their ideas about the lives of the Acerra brothers. Remind students to use text evidence from the selection.

- **Then read aloud** the Plan section. Have students use ideas from the discussion in their notes to list events from the Acerra brothers' story in the order in which the events happened.

 CONOCIMIENTOS Y DESTREZAS ESENCIALES DE TEXAS 3.1E develop social communication; **3.7B** write responses that demonstrate understanding; **3.7C** use text evidence; **3.7D** retell/paraphrase texts; **3.7F** respond using vocabulary; **3.11A** plan first draft; **3.11B(i)** develop drafts by organizing with purposeful structure; **3.11B(ii)** develop drafts by developing an engaging idea; **3.12A** compose literary texts; **3.12B** compose informational texts

Ahora escribe tu biografía para el Salón de la Fama sobre los hermanos Acerra.

✓ **Asegúrate de que tu biografía para el Salón de la Fama**

☐ presenta a los hermanos Acerra como el tema.

☐ desarrolla el tema con datos y detalles del cuento.

☐ cuenta los acontecimientos en el orden en el que sucedieron.

☐ concluye con un enunciado que explica por qué los hermanos Acerra están incluidos en el Salón de la Fama del Béisbol.

Las respuestas variarán, pero deben ser un párrafo biográfico sobre los hermanos Acerra que mencione al menos cuatro acontecimientos de su vida en orden cronológico y concluya con un enunciado que explique por qué los hermanos Acerra están incluidos en el Salón de la Fama del Béisbol. También deben incluir los elementos de la lista de comprobación.

Escribir sobre la lectura

- **Repase con los estudiantes** las instrucciones y la lista de comprobación de la sección Escribir.

- **Anime a los estudiantes** a asegurarse de que han escrito sus biografías desde el punto de vista de la tercera persona y a usar datos y detalles del texto que hayan enumerado en sus notas sobre la vida de los hermanos.

TEKS 3.7B, 3.7C, 3.7D, 3.7F, 3.11B(i), 3.11B(ii), 3.12B

Write About Reading

- **Review with students** the directions and checklist in the Write section.

- **Encourage students** to make sure they have written their biographies in the third-person point of view and to use facts and details from the text that they listed in their notes about the brothers' lives.

Volver a pensar en la pregunta esencial

- **Lea en voz alta** la pregunta esencial.

- **Recuerde a los estudiantes** que los cuentos y el video de este módulo les dieron diferentes ejemplos sobre cómo los deportes ayudan a las personas a aprender a trabajar en equipo y pueden ayudarlos a responder la pregunta.

TEKS 3.1A, 3.1D, 3.6E, 3.7A, 3.12C, 3.13C

Escribir un editorial

- **Guíe a los estudiantes** para que piensen cómo ayudaron los deportes a los personajes de los cuentos y las personas del video a aprender sobre el trabajo en equipo. Anímelos a pensar cómo los niños que practican deportes pueden beneficiarse de lecciones sobre el trabajo en equipo.

- **Repase las características** de un editorial usando la lista de comprobación. Pida a los estudiantes que usen la lista de comprobación mientras hacen el borrador, revisan y editan sus artículos.

TEKS 3.7C, 3.9E(i), 3.9E(ii), 3.12C

DOK 2

 Pregunta esencial

¿Qué aprendemos de los deportes sobre el trabajo en equipo?

Escribir un editorial

TEMA PARA DESARROLLAR Piensa en lo que aprendiste en este módulo sobre el trabajo en equipo.

Imagina que algunas personas de tu ciudad dicen que los jóvenes deberían pasar menos tiempo practicando deportes. Piensan que los estudiantes necesitan estar más tiempo en la escuela. ¿Estás de acuerdo? Escribe un editorial para el periódico de la escuela que explique lo que piensas y por qué. Apoya tu opinión con evidencias sólidas de los textos y el video.

Voy a escribir un editorial que diga _____.

Asegúrate de que tu editorial
☐ plantea tu opinión.
☐ da las razones de tu opinión.
☐ usa evidencias de los textos para apoyar las razones.
☐ usa frases como *por ejemplo* para explicar las razones.
☐ termina volviendo a plantear tu opinión.

438

Revisit the Essential Question
- **Read aloud** the Essential Question.
- **Remind students** that the stories and video in this module gave different examples of how sports help people learn to work together as a team and can help students answer the question.

Write an Editorial
- **Guide students** to think about how sports helped the story characters and people in the video to learn about teamwork. Encourage students to think about how school children who play sports can benefit from lessons about teamwork.
- **Review the features** of an editorial using the checklist. Tell students to use the checklist as they draft, revise, and edit their editorials.

 CONOCIMIENTOS Y DESTREZAS ESENCIALES DE TEXAS **3.1A** listen actively/ask relevant questions; **3.1D** work collaboratively; **3.6E** make connections; **3.7A** describe personal connections to sources; **3.7C** use text evidence; **3.9E(i)** identify claim in argumentative text; **3.9E(ii)** distinguish fact/opinion in argumentative text; **3.11A** plan first draft; **3.12C** compose argumentative texts; **3.13C** identify/gather relevant information

438 Módulo 5

¿Qué opinión vas a compartir? ¿Qué razones la apoyan? Vuelve a leer tus notas y
repasa los textos y el video para buscar evidencias.

Escribe una oración que plantee tu opinión en la tabla de abajo. Luego, escribe
las razones y la evidencia que apoya a cada una. Usa las palabras del
Vocabulario crítico siempre que sea posible.

Mi tema: _____

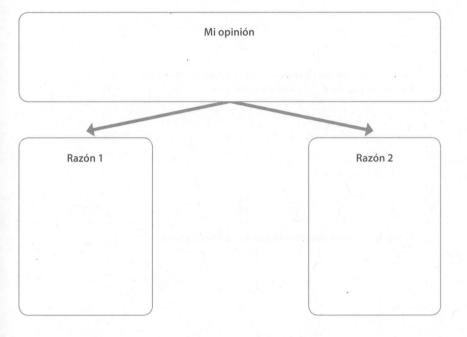

Mi opinión

Razón 1

Razón 2

439

Planificar

- **Según sea necesario, guíe a los estudiantes** para que
piensen en una forma clara y concisa de plantear sus
opiniones en su texto argumentativo.

- **Anímelos** a usar información de sus notas y de los textos
y el video para hacer una lista de las razones y los detalles
que apoyan cada razón.

- **Anime a los estudiantes** a incluir las Palabras de la idea
esencial y el Vocabulario crítico en sus editoriales, según
corresponda.

TEKS 3.7C, 3.11A, 3.12C

DOK 2

Plan

- **As needed, guide students** to think of a clear,
concise way to state their opinions in their
argumentative text.

- **Encourage them** to use information from their notes
and the texts and video as they list reasons and details
that support each reason.

- **Encourage students** to include Big Idea Words and
Critical Vocabulary in their editorials, as appropriate.

Hacer un borrador

- **Lea en voz alta** las instrucciones, haciendo referencia a la lista de comprobación mientras lo hace.

- **Sugiera** a los estudiantes que usen palabras de enlace como *por ejemplo* o *por esta razón* para conectar las razones con su afirmación y los detalles con sus razones. Además, sugiérales que tengan en mente a quién están tratando de persuadir con su editorial.

- **Pida a los estudiantes** que consulten sus redes para elaborar un párrafo central que presente sus razones y detalles en un orden lógico y un final que vuelva a plantear su opinión con claridad.

TEKS 3.7C, 3.11B(i), 3.12C

DOK 3

Tarea del rendimiento

HAZ UN BORRADOR .... Escribe tu editorial.

Usa la información que escribiste en el organizador gráfico de la página 439 para hacer un borrador de tu editorial.

Comienza con una oración que **plantee tu opinión**. Haz saber a los lectores lo que piensas sobre el tema.

Escribe un párrafo que **dé las razones**. Usa la tabla de planificación para agregar detalles de apoyo para cada razón.

Razón 1	Razón 2

Escribe un final que **vuelva a plantear tu opinión** y resuma las razones.

440

Draft

- **Read aloud** the directions, referring back to the checklist as you do so.

- **Suggest** that students use linking words such as *for example* or *for this reason* to connect reasons to their claim and details to their reasons. Also suggest that they keep in mind whom they are trying to persuade with their editorial.

- **Have students** refer to their webs to construct a body paragraph that presents their reasons and details in a logical order and an ending that clearly restates their opinion.

CONOCIMIENTOS Y DESTREZAS ESENCIALES DE TEXAS **3.7C** use text evidence; **3.11B(i)** develop drafts by organizing with purposeful structure; **3.11C** revise drafts; **3.11D(ii)** edit drafts using simple past/present/future/imperfect past/perfect/conditional tenses; **3.11D(x)** edit drafts using punctuation; **3.11E** publish written work; **3.12C** compose argumentative texts; **3.13H** use appropriate delivery to present results

En este paso tienes la oportunidad de mejorar tu escritura y hacer cambios. Pide a un compañero que lea tu editorial y te dé su opinión. Descubre qué debes aclarar. Las preguntas de abajo también pueden ayudarte a mejorar tu editorial.

PROPÓSITO/ ENFOQUE	ORGANIZACIÓN	EVIDENCIA	LENGUAJE/ VOCABULARIO	CONVENCIONES
☐ ¿He planteado mi opinión y por qué es importante?	☐ ¿Se presentan las razones en un orden lógico?	☐ ¿Usé evidencias de los textos para apoyar mis razones?	☐ ¿Usé palabras y frases de enlace, como *por ejemplo*, para explicar mis razones?	☐ ¿Comienzan todas las oraciones con mayúscula?
☐ ¿Están relacionadas claramente mis razones y mi opinión?	☐ ¿Se vuelve a plantear mi opinión al final?		☐ ¿Usé verbos de acción?	☐ ¿He usado los signos de exclamación, interrogación y el punto final en las oraciones correctamente?
				☐ ¿Usé los tiempos verbales correctamente?

Crear la versión final Elabora la versión final de tu editorial. Puedes incluir una fotografía o un dibujo para apoyar tus ideas. Considera estas opciones para compartir tu editorial:

1. Reúne los editoriales de tu clase y combínalos para formar un libro. Puedes ponerle un título, como *¿Son adecuados los deportes para la escuela?*

2. Presenta tu editorial ante tu clase o ante otro grupo. Usa expresiones y gestos que te ayuden a demostrar la importancia de tu opinión y tus razones.

3. Publica tu editorial en el sitio web de tu escuela o clase. Invita a los lectores a hacer comentarios.

441

Revisar y editar

- **Guíe a los estudiantes** para que usen la lista de comprobación mientras trabajan con sus compañeros para mejorar sus editoriales.

- **Recuerde a los estudiantes** que deben repasar sus notas para asegurarse de que han incluido las mejores razones y evidencias, han usado verbos de acción y para asegurarse de que han usado correctamente las mayúsculas y la puntuación al comienzo y al final de cada oración.

TEKS 3.7C, 3.11C, 3.11D(ii), 3.11D(x), 3.12C

DOK 3

Presentar

- **Los estudiantes pueden copiar** sus borradores revisados con su mejor caligrafía. Consulte las páginas R2 a R7 que se encuentran al final de la Guía del maestro para ver modelos de caligrafía.

- **Los estudiantes pueden usar** una computadora para ingresar sus borradores revisados. Consulte las Páginas imprimibles: **Mecanografía 5.1, 5.2 y 5.3** de los Centros de lectoescritura para ver las lecciones sobre el uso del teclado.

TEKS 3.11E, 3.12C, 3.13H

DOK 3

Revise and Edit

- **Guide students** to use the checklist as they work with partners to improve their editorials.

- **Remind students** to check their notes to make sure they have included their best reasons and evidence, to use strong action verbs, and to make sure they have correctly used capital letters and end punctuation to start and end each sentence.

Present

- **Students can copy** their revised drafts using their best handwriting. See pages R2–R7 in the back of the **Guía del maestro** for handwriting models.

- **Students can use** a computer to input their revised drafts. See Literacy Centers **Páginas imprimibles: Mecanografía 5.1, 5.2, and 5.3** for keyboarding lessons.

Glosario

Este glosario contiene los significados de algunas de las palabras de este libro.

A

aceleran *v.* Cuando las personas aceleran los autos, los conducen muy rápido. El patinador acelera para pasar a los demás en la carrera.

actor *s.* Un actor es una persona que interpreta un papel en obras de teatro, películas u otras actuaciones. Mi sueño es ser actor y actuar en obras de teatro, películas y musicales.

actuaciones *s.* Cantar, bailar o actuar ante un público son formas de actuaciones. Sue Lyn practicó durante semanas para preparar su actuación.

anchas *adj.* Las cosas que son anchas tienen gran amplitud. Mi papá y yo volamos la cometa en el campo ancho.

antorcha *s.* Una antorcha es un palo largo con una llama en un extremo que puede utilizarse para alumbrar o para prender un fuego. La antorcha encendida estaba sostenida en lo alto.

antorcha

anual *adj.* Un acontecimiento anual ocurre una vez al año. Toda la familia está deseando que llegue la fiesta anual de la tía Berta.

arenosos *adj.* Cuando sientes los ojos arenosos, los sientes como si tuvieran polvo o arena. Durante el tiempo que pasé en la playa, mis pies y piernas estaban arenosos.

arruga *v.* Una persona arruga la nariz para expresar disgusto. A veces mi hermana arruga las tareas mal hechas.

audición *s.* Cuando los actores o músicos van a una audición, hacen una actuación para demostrar lo que pueden hacer. Tengo una audición para el papel principal en nuestra obra de teatro de la escuela.

auténtico *adj.* Si algo es auténtico, es real y exactamente lo que parece ser. El regreso de su papá llenó a la niña de auténtica felicidad.

443

aventurarse *v.* Al aventurarse en un lugar, una persona va a un sitio desconocido que puede ser peligroso. Nos aventuramos por un camino desconocido.

B

Barroco *adj.* El periodo Barroco sucedió hace mucho tiempo. Los edificios de esa época eran muy elegantes y tenían muchas decoraciones. El edificio es del periodo Barroco.

bienestar *s.* Si alguien se ocupa de tu bienestar, esa persona se asegura de que estás sano y feliz. A Jen le gusta encargarse del bienestar de su mamá.

bienestar

bilingüe *adj.* Una persona bilingüe puede hablar dos lenguas. La nueva estudiante es bilingüe, habla inglés con nosotros en la escuela y habla coreano con su familia en su casa.

Origen de la palabra

bilingüe La palabra *bilingüe* proviene de la palabra latina de mediados del siglo XIX *bilinguis*, *bi-* "tener dos" y *lingua-* "lengua". *Bi-* es un prefijo que ocurre en otras palabras del español como *bicicleta, binoculares* y *bisílabo*.

C

capitana *s.* Si eres la capitana de un equipo, eres la líder del equipo. El capitán del equipo de fútbol cargaba el trofeo después del partido.

característica *s.* Una característica es una cualidad importante o interesante de una persona o cosa. Le puse a mi perra el nombre de Pirata por la característica que tiene en un lado de la cara.

carga *s.* Una carga es algo pesado de llevar. Fue una carga tener que llevar a casa la mochila, los libros y los materiales escolares el último día de escuela.

cívico *adj.* La palabra *cívico* describe las obligaciones, los derechos y las responsabilidades que tienen los ciudadanos en una comunidad, ciudad o nación. Los funcionarios electos cumplen con su deber cívico sirviendo nuestra nación.

cívico

colaboración *s.* La colaboración es el trabajo que se hace junto con un grupo para cumplir una tarea. La colaboración es importante para nuestro equipo de fútbol para poder hacer las jugadas que nos dice nuestro entrenador.

compasivo *adj.* Alguien que es compasivo, es bueno y perdona a los demás. Si hago algo mal, mi padre es compasivo y siempre acepta mi disculpa.

competencia *s.* Cuando participas en una competencia, participas en un concurso o competición contra otra persona o equipo. El juego de tirar de la cuerda es una competencia divertida entre salones de tercer grado.

concentré *v.* Si me concentré en algo, puse toda mi atención y mis pensamientos en eso. Me concentré mucho en mi tarea de matemáticas para prepararme para el examen.

consultar *v.* Al consultar algo, buscas información en un libro o le preguntas a alguna persona capacitada. Necesitamos consultar el mapa para encontrar la isla.

contemplaba *v.* Si una persona contemplaba alguna cosa o idea, le prestaba mucha atención. Gaby contemplaba las nubes mientras descansaba.

contemplaba

convención *s.* Una convención es una reunión de personas que comparten los mismos objetivos o ideas. Sofía y su familia fueron a la convención a escuchar a los oradores y a ver las exposiciones.

creativo *adj.* Una persona creativa puede imaginar ideas e inventar cosas nuevas. Los artistas son personas muy creativas.

cristalinas *adj.* Las cosas que son cristalinas, son claras y transparentes. El agua de esta playa es tan cristalina que puedo ver mis pies en el agua.

crónica *s.* Una crónica es un cuento o relato de una serie de acontecimientos. Leímos una crónica sobre cómo Sacajawea ayudó a Lewis y Clark a viajar hacia el oeste.

D

decepcionada *adj.* Si una persona está decepcionada, está triste porque algo no sucedió como ella quería. Viviana estaba decepcionada porque hoy no podía jugar afuera.

declaraban *v.* Si unas personas declaraban algo, se sentían seguras o decididas de hacerlo y expresarlo formalmente. El político declaraba los cambios que hará si gana las elecciones.

delegados *s.* Las personas elegidas para tomar decisiones en nombre de un grupo mayor se llaman delegados. La señora Campton es una de las delegadas que representa a los maestros de nuestra escuela.

delegados

democracia *s.* Una democracia es un tipo de gobierno en el que las personas eligen a sus líderes mediante votación. En Estados Unidos, votamos por nuestro presidente porque somos una democracia.

— **Origen de la palabra** —

democracia La palabra *democracia* proviene de las palabras griegas *demos*, que significa "pueblo" y *krátos*, que significa "gobierno". Por lo tanto, el significado de *democracia* es "gobierno del pueblo".

desentonan *v.* Los colores o estampados que desentonan lucen muy extraños o desagradables cuando están juntos. Mi mamá cree que las cosas en casa de la abuela desentonan, pero a mí me gustan los patrones de colores y objetos.

desfilan *v.* Cuando las personas desfilan, caminan al mismo paso, normalmente en grupo. Los guardias reales desfilan delante del palacio.

desfilan

desvió *v.* Si una persona desvió algo que estaba en movimiento, lo hizo desplazarse en otra dirección. El portero desvió el balón antes de que cruzara el arco.

determinación *s.* Cuando intentas algo hasta que lo logras, muestras determinación. El atleta mostró determinación para acabar la carrera.

director *s.* Un director musical dirige a un grupo de personas que cantan o tocan instrumentos musicales. Nuestro director musical se asegura de que estamos cantando las palabras correctas en el momento adecuado.

disfraces *s.* Los disfraces son ropas especiales que pueden vestir las personas para fingir que son de otra época o lugar. Nos pusimos disfraces de animales para la obra de teatro de la escuela.

disgustada *adj.* Si una persona está disgustada, está triste y molesta por algo. Ashley estaba disgustada, pero su mamá trató de animarla.

disolvió *v.* Si un grupo se disolvió, se separó y sus integrantes ya no están juntos. Los fanáticos se molestaron mucho cuando se disolvió su grupo favorito de música.

distraer *v.* Para distraer a alguien, se aparta su atención de algo. Alicia se molesta cuando los compañeros la distraen de su trabajo.

domar *v.* Domar a un animal salvaje es amansarlo y enseñarle a hacer lo que quieres. El trabajo de la entrenadora es domar a los caballos enseñándoles a seguir instrucciones.

447

donó *v.* Algo que se donó, se regaló o se dio sin recibir nada a cambio a una organización benéfica o a otro grupo. Las niñas ayudaron a empacar la ropa que la gente donó en la campaña de la escuela.

dotados *adj.* Si los seres humanos son dotados de algo, se les ha dado u otorgado ciertas cosas o cualidades. Desde su nacimiento el bebé fue dotado con una naturaleza alegre.

drástico *adj.* Hacer un cambio drástico es hacer algo muy diferente a lo que siempre se hizo. El color de la pintura ayudó a hacer un cambio drástico en mi cuarto.

E

elevó *v.* Algo que se elevó, voló rápidamente por el aire. El águila se elevó en el cielo azul transparente.

embaucarme *v.* Si alguien trata de embaucarme, me dice mentiras creyendo que puede hacerme creer algo que no es verdad. Mi amigo trató de embaucar a su padre, pero su padre no creyó la mentira.

emergencia *s.* Una emergencia es una situación inesperada que requiere ayuda o una acción rápida para mejorarla. El camión de bomberos se dirige con rapidez al lugar de la emergencia.

emergencia

eminente *adj.* Una persona eminente es famosa e importante. Abraham Lincoln fue una persona eminente que creía que la gente debía ser tratada con justicia.

empinadas *adj.* Las colinas o montañas empinadas son difíciles de escalar porque están muy inclinadas. Bajaron en bicicleta por la cuesta empinada.

encuentros *s.* A los eventos deportivos en los que compiten deportistas y equipos también se les llama encuentros. Durante los encuentros de atletismo, los corredores deben mantener una posición fija antes del inicio de cada carrera.

enredada *adj.* Si una cosa está enredada, está enmarañada y revuelta. El hilo de colores estaba todo enredado.

enrolló *v.* Una cosa que se enrolló, se puso en forma de rollo, o en forma de círculo o anillo. Clara enrolló la manguera después de regar las plantas.

ensayar *v.* Para ensayar una obra de teatro, una canción o un baile, practicas muchas veces para prepararte. El maestro de teatro ayudó a los estudiantes a ensayar sus papeles antes del estreno de la obra.

ensordecedor *adj.* Un ruido ensordecedor es un sonido muy intenso. Cuando hacen obras en la carretera, a veces el ruido es ensordecedor.

escombros *s.* Basura, desechos y desperdicios, como piedras, que se arrojan en un lugar. Después de la tormenta, la casa quedó hecha escombros.

escultor *s.* Un escultor es un artista que utiliza piedra, madera o metal para hacer una obra de arte. El escultor trabajó mucho para crear una bella escultura para el nuevo parque.

esfumó *v.* Si algo o alguien se esfumó, desapareció. Al oír los aplausos, se esfumó toda la ansiedad que había sentido hasta ese momento.

Origen de la palabra

esfumó La palabra *esfumó* proviene del verbo italiano *sfumare*, que significa "echar fuera el humo o el vapor". Por lo tanto, en sentido figurado, si alguien se *esfumó*, significa que "se hizo humo o desapareció".

---

expresar *v.* Cuando te expresas, muestras lo que sientes y piensas. Sus sonrisas expresan que están disfrutando la fiesta.

F

ferri *s.* Un ferri es un barco que lleva personas o vehículos a través de un río o canal. La mejor parte de las vacaciones con mi familia fue el paseo en el ferri.

ferri

449

final *s.* En los deportes, la final es el último partido de una competencia en el que se demuestra qué equipo o jugador es mejor. Los dos mejores equipos jugaron en la final y ¡ganamos nosotras!

fortaleza *s.* La fortaleza es la fuerza física que tiene una persona. Cuando mi hermana empujó el columpio me sorprendió su fortaleza.

G

generaciones *s.* Las generaciones son todas las personas de una familia, un grupo social o un país que tienen más o menos la misma edad. En esta foto de mi familia hay tres generaciones.

genio *s.* Es el modo en que te sientes, que puede ser alegre o enfadado. La palabra genio es sinónimo de humor. Mi amiga se pone de mal genio cuando tiene un mal día en la escuela.

gracia *s.* Si algo o alguien tiene gracia, tiene cualidades que lo hacen agradable, como la simpatía. Los dibujos de Alicia siempre me hacen gracia. ¡Tiene un gran sentido del humor!

guiña *v.* Una persona guiña un ojo cuando lo cierra rápidamente mirando hacia otra persona con quien comparte una broma o secreto. Ethan le guiña a su hermana menor mientras le da un dulce antes de la cena.

guiña

H

habilidad *s.* Si tienes la habilidad de hacer algo, lo puedes hacer porque sabes cómo hacerlo. Tengo la habilidad de representar muchos personajes diferentes.

450

hidrante *s.* Un hidrante es una tubería de agua que hay en las calles y que los bomberos usan para apagar los fuegos. Los hidrantes rojos son fáciles de ver en la nieve.

Origen de la palabra

hidrante La palabra *hidrante* proviene de la palabra raíz de comienzos del siglo XIX *hidro-* "relativo al agua". *Hidro-* o *hidra-* es un prefijo que ocurre en otras palabras del español como *hidroplano*, *hidratarse* e *hidráulico*.

I

ilustro *v.* Si ilustro un libro, hago dibujos que se relacionan con la historia. La maestra me dijo que le gustaba el modo en que ilustro mis cuentos.

impertinente *adj.* Algo o alguien impertinente molesta. Mamá trató de matar al mosquito impertinente.

imponente *adj.* Cuando algo es imponente, es asombroso o muy grande. Este es un edificio imponente.

inadvertido *adj.* Algo inadvertido no se nota y tampoco se ve. Mientras Carla hablaba por teléfono, el perro alcanzó los platos inadvertido.

independencia *s.* Si eres libre de poner tus propias reglas y elegir por ti mismo, tienes independencia. Este año nuestra maestra nos dio la independencia de elegir nuestros compañeros de lectura.

individualidad *s.* Tu individualidad es lo que te hace diferente de los demás. Nuestro maestro nos recuerda que debemos respetar la individualidad de cada estudiante.

inquieto *adj.* Si alguien está inquieto, está preocupado porque algo malo podría pasar. Le dije a mi mamá que me sentía inquieta porque era el primer día de clases.

inspiró *v.* Una idea o acción que inspiró a una persona, la animó a hacer algo. Conocer a un bombero me inspiró a querer ser uno.

inspiró

451

interceptó *v.* Si una persona interceptó algo, impidió que llegara al lugar donde se dirigía. Ricardo interceptó un pase para quitarle el balón de fútbol al otro equipo.

izada *adj.* Si una bandera está izada, está atada con cuerdas y colgada en lo alto de un poste o mástil. La bandera fue izada esta mañana por los cadetes.

L

leal *adj.* Cuando eres leal a alguien o a algo, lo apoyas con entusiasmo. Los leales seguidores gritaron y aplaudieron cuando el equipo anotó.

literato *s.* Un literato es una persona que dedica su vida a la literatura. Los literatos suelen ser escritores. No se me ocurre cuál podría ser mi literato favorito, ¡hay tantos!

Origen de la palabra

literato La palabra *literato* proviene de la palabra latina *letteratus*, que significa "que sabe leer". A su vez, *letteratus* está compuesto por *littera*, que significa "letra" y el sufijo *–ado*, que significa "que ha recibido". Por lo tanto, *literato* significa "que ha recibido el don de las letras".

M

manzana *s.* Una manzana es una sección de una comunidad que tiene calles por todos sus lados. Mi mejor amigo vive en la misma manzana donde vivo yo.

monumento *s.* Un monumento es una estatua o edificio grande que honra a una persona o suceso importante de la historia. Nos gusta caminar bajo el monumento que hay en el parque.

monumento

N

nacional *adj.* Cuando algo es nacional, forma parte o está relacionado con el país donde vives. El 4 de Julio es una fiesta nacional que se celebra en Estados Unidos de América.

P

pastoso *adj.* Algo pastoso es blando y pegajoso. El guacamole tiene una textura pastosa.

pena *s.* Cuando sientes pena, sientes mucha tristeza por algo o por alguien. Dereck siente pena porque piensa en su hermano Mike, que se mudó a otra ciudad para ser policía.

personal *adj.* Si algo es personal, está relacionado con una sola persona. Mi padre tiene un entrenador personal en el gimnasio.

Origen de la palabra

personal La palabra *persona* proviene de la palabra latina *persōne*. Tanto *personal* como *personalidad* provienen de la misma raíz del latín referente a una persona.

---

personalidad *s.* Tu personalidad es tu naturaleza o tu forma de pensar, sentir y actuar. Mis padres dicen que mi hermano y yo tenemos personalidades diferentes.

pobretón *s.* Alguien que es pobretón, es muy pobre. La niña pobretona en la película lavaba la ropa en el río.

poleas *s.* Las poleas son ruedas con una cuerda alrededor del borde, que las personas pueden usar para levantar objetos pesados. Mi tío usó poleas para levantar el motor de su carro.

poleas

453

posteridad *s.* Si piensas en todas las personas que vivirán en el futuro y cómo serán sus vidas, piensas en la posteridad. Tenemos un retrato familiar que guardamos para la posteridad.

predecible *adj.* Algo predecible sucede como uno lo espera, sin sorpresas. Los problemas de matemáticas tienen un patrón predecible que sirve para encontrar la solución.

presentaron *v.* Si unas personas presentaron una cosa, la mostraron ante alguien. Presenté ante mis compañeros mi trabajo sobre el libro.

protestó *v.* Si alguien protestó, dijo por qué no estaba de acuerdo con una afirmación o con una idea. Los trabajadores protestaron porque no estaban de acuerdo con las nuevas reglas de la compañía.

R

recitó *v.* Si una persona recitó algo, dijo en voz alta lo que aprendió. Lucas recitó un poema sobre el reciclaje frente a la clase.

reconocimiento *s.* Un reconocimiento es un premio que se le otorga a una persona por haber hecho algo extraordinario. Se celebró una ceremonia en reconocimiento a los años dedicados a su carrera.

remolinó *v.* Si una cosa remolinó, hizo remolinos, o sea, giró rápidamente. El agua remolinó en círculos debajo del puente.

retahíla *s.* Una retahíla es una serie de muchas cosas que están en orden. De camino al auto, fue mencionando una retahíla de cosas que tenía que hacer en su trabajo.

— **Origen de la palabra** —

retahíla La palabra *retahíla* proviene de las palabras latinas *rectus*, que significa "recta" y *fila*, que significa "serie de cosas en hilo".

rivalidad *s.* Una rivalidad es una competencia entre equipos o personas que quieren ganar lo mismo. Los jugadores de los dos equipos de fútbol sabían que existía una la rivalidad entre los dos equipos.

ronronea *v.* Cuando un gato ronronea, hace un sonido para demostrar que está contento. Mi gato ronronea cuando lo acaricio.

ronronea

S

saga *s.* Una saga es un relato largo y detallado de sucesos heroicos. Greg esperaba llegar al siguiente capítulo de la saga antes de ir a dormir.

simbiosis *s.* La simbiosis ocurre cuando dos personas trabajan juntas de forma cercana y ambas se benefician de ello. Cristal y yo tenemos una simbiosis en la cancha de voleibol que nos ha ayudado a llegar a las finales del campeonato.

soberanía *s.* La soberanía es el derecho y poder que tiene una nación para gobernarse a sí misma o a otro país o estado. Los Padres Fundadores querían la soberanía, o la independencia, del Imperio británico.

soñolientos *adj.* Una persona que está soñolienta, está medio dormida y no puede pensar con claridad. Mi hermanito estaba soñoliento y por eso se le hacía difícil leer su libro.

sugiero *v.* Si sugiero una cosa, le doy a otra persona ideas o planes para que piense en ellos. Estábamos emocionados cuando la maestra nos dejó sugerir ideas para la obra de teatro.

superior *adj.* Alguien que es superior, es mejor y tiene más cualidades que otras personas. Marta ganó el primer premio, lo que significa que es superior a los demás participantes del concurso.

455

T

técnico *adj.* Los aspectos técnicos de un deporte son las habilidades y los conocimientos básicos que se necesitan para jugar. Mi entrenador observa las habilidades técnicas que uso para lanzar un tiro libre.

técnico

telón *s.* El telón es una cortina que separa el escenario de la sala. Al principio de la obra de teatro se abrió el telón, y al final se cerró.

tranquilizando *v.* Si estás tranquilizando a una persona, estás tratando de calmarla para que no se preocupe por algo. Alejandra seguía tranquilizando a su hermano diciéndole que encontraría el juguete que había perdido.

transmitir *v.* Cuando transmites información o sentimientos, comunicas una idea o se la das a entender a otra persona. El maestro transmite lo que espera de los estudiantes.

U

único *adj* Si algo o alguien es único, significa que no hay otro igual. Cada copo de nieve tiene una forma única.

Origen de la palabra

único La palabra *único* proviene de la palabra latina *unicus*. A su vez, *unicus* está formada por los componentes *unus*, que significa "uno" y el sufijo –*ico*, que significa "relativo a". Por lo tanto, *único* significa "relativo a uno".

---

unidad *s.* Unidad es cuando las personas se unen o juntan por una idea o causa común. Juntamos nuestras manos en señal de unidad antes de empezar el partido.

usualmente *adv.* Las cosas que haces usualmente, las haces de manera usual, habitual o como de costumbre. Usualmente Juan se cepilla los dientes cada mañana antes de ir a la escuela.

V

vacilación *s.* Una vacilación es una pausa que muestra inseguridad o indecisión. Lucía siguió leyendo después de una pequeña vacilación.

ventaja *s.* Una ventaja es una condición favorable o una mejor oportunidad que algo o alguien tiene. El ganador de la carrera alcanzó la meta con una ventaja evidente.

ventaja

videojuegos *s.* La palabra videojuegos es una palabra compuesta por dos palabras: video y juegos. La palabra video describe una grabación de movimientos y acciones que se pueden ver en la pantalla de un televisor o una computadora. Mi familia disfruta jugar videojuegos durante los fines de semana.

vorazmente *adv.* Cuando comes algo vorazmente, comes más de lo que necesitas. Teníamos tanta hambre que comimos el maíz vorazmente.

457

Índice de títulos y autores

Índice de títulos y autores

Reconocimientos

http://www.cricketmedia.com for subscriptions.

Excerpt from *Y eso, ¿cómo llegó a tu lonchera?* by Chris Butterworth, illustrated by Lucia Gaggiotti. Text copyright © 2011 by Chris Butterworth. Illustrations copyright © 2011 by Lucia Gaggiotti. Reprinted by permission of Candlewick Press, on behalf of Walker Books, London and Editorial Santillana S.A. de C.V.

Créditos de fotografías